AF238062

ACCESO GRATIS *a la Lectura en la Nube*

Para visualizar el libro electrónico en la nube de lectura envíe junto a su nombre y apellidos una fotografía del código de barras situado en la contraportada del libro y otra del ticket de compra a la dirección:

ebooktirant@tirant.com

En un máximo de 72 horas laborales le enviaremos el código de acceso con sus instrucciones.

MANUAL DERECHO PENITENCIARIO CHILENO

MANUAL DERECHO PENITENCIARIO CHILENO

Marcela Tapia Silva

Universidad Austral de Chile

Universidad Austral de Chile
Facultad de Ciencias Jurídicas y Sociales

tirant lo blanch
Valencia, 2023

© Marcela Tapia Silva

© TIRANT LO BLANCH
EDITA: TIRANT LO BLANCH
C/ Artes Gráficas, 14 - 46010 - Valencia
TELFS.: 96/361 00 48 - 50
FAX: 96/369 41 51
Email:tlb@tirant.com
www.tirant.com
Librería virtual: https://editorial.tirant.com/cl
ISBN: 978-84-1130-915-8

Si tiene alguna queja o sugerencia, envíenos un mail a: *atencioncliente@tirant.com*. En caso de no ser atendida su sugerencia, por favor, lea en *www.tirant.net/index.php/empresa/politicas-de-empresa* nuestro procedimiento de quejas.

Responsabilidad Social Corporativa: http://www.tirant.net/Docs/RSCTirant.pdf

A quienes contribuyeron con este trabajo.
En tiempo y paciencia: Elisita y Greg.
En orientación y buenos comentarios:
Prof. J. Fernández y Profra. A. Alvarado.
En recolección de material, apoyo
y edición final: Felipe Álvarez.

ÍNDICE

PRESENTACIÓN

El derecho penitenciario no ha recibido, hasta tiempos recientes, una atención adecuada y sistemática por parte de la dogmática penal. Si bien contamos con especialistas y con estudios específicos respecto de alguno de los tópicos de la cuestión penitenciaria como, por ejemplo, el tratamiento carcelario de las mujeres, no contamos con obras generales que traten de manera ordenada y actualizada las principales aristas de esta importante rama del derecho penal. Este tipo de estudios resulta, si cabe, más necesario si tomamos en cuenta la dispersión normativa en nuestro derecho positivo. Así, este manual ha incorporado las últimas reformas penitenciarias, entre las que debemos destacar: la Ley N°21.421, que excluye de los beneficios regulados en la Ley N°19.856 a quienes hayan cometido delitos de carácter sexual contra personas menores de edad; la Ley N°21.430, sobre garantías y protección integral de los derechos de la niñez y adolescencia; la Ley N°21.325, Ley de Migración y Extranjería; y la Ley N°21.412 que modifica Ley N°18.216

El manual de derecho penitenciario de la Profesora Marcela Tapia se enmarca en la especial preocupación de la Facultad de Ciencias Jurídicas y Sociales de la Universidad Austral de Chile por abordar la problemática de la ejecución penal en Chile. Así, la malla curricular de la citada facultad cuenta, desde hace más de 10 años, con una asignatura optativa de derecho penitenciario, en la que la Profesora Tapia es uno de los docentes responsables. De esta manera, contamos ya con varias generaciones de abogados penalistas que cuentan con una especial formación en la defensa de los derechos de los presos.

Una de las principales virtudes que debemos destacar de este manual es el adecuado equilibrio entre las cuestiones teóricas y prácticas que se debe, sin duda, al hecho de que la Profesora Tapia viene desempeñándose como defensora penal penitenciaria desde el año 2016. Relacionado con la anterior afirmación, el manual cuenta con una actualizada jurisprudencia que, sin duda, resulta de especial interés para los operadores jurídicos.

Respecto a las cuestiones teóricas, la Profesora Tapia demuestra una especial capacidad analítica a la hora de reconstruir los principales problemas interpretativos del derecho penitenciario con una precisión y concisión envidiables.

El contenido del manual se puede sistematizar en dos grandes bloques. El primero de ellos tiene una clara orientación político criminal, en el que se presta especial atención a los principios y fines que informan al derecho penitenciario, poniendo especial énfasis en el Sistema Interamericano de Protección de los Derechos Humanos. El segundo bloque trata las principales cuestiones dogmáticas y prácticas del derecho penitenciario chileno, entre las que podemos destacar la especial relación jurídica entre el condenado y el Estado y las denominadas penas alternativas.

Como conclusión, me atrevo a afirmar que este manual va a constituir una de las principales aportaciones en el estudio y difusión del derecho penitenciario y, por tanto, constituye una obra de obligada consulta no solo para los estudiantes de pregrado y posgrado, sino también para los operadores jurídicos.

JOSÉ ÁNGEL FERNÁNDEZ CRUZ

Prof. de Derecho penal, política criminal y teorías criminológicas
Universidad Austral de Chile

INTRODUCCIÓN

La ejecución de la pena privativa de libertad no es una cuestión separada de la pena porque la pena en si misma es su ejecución. La pena se experimenta o padece cuando se hace realidad, de modo tal que esta etapa no puede estar ajena a la aplicación de los principios y garantías que el derecho penal ha desarrollado para limitar el poder punitivo del Estado. Más aún cuando se trata del ejercicio material del poder sobre una persona que, por su especial condición, esto es: sujeto que está siendo objeto de castigo, está desprovisto de cualquier medio de defensa. De ahí el surgimiento y la importancia del derecho penitenciario.

El presente manual es una herramienta pensada para el estudiantado que por primera vez se acerca al conocimiento de esta rama, por lo que se abordan descriptivamente todas las materias contenidas en la disciplina, las que en lo sustantivo comprenden diversos aspectos de la relación entre la persona privada de libertad y el Estado. En un segundo nivel sirve también de guía para los profesionales interesados en el área, un tanto compleja, por la existencia de todo un entramado administrativo destinado a ejecutar la pena privativa de libertad, a lo que se agregan los obstáculos jurídicos derivados de la inexistencia de una ley de ejecución penitenciaria que regule la restricción de los derechos fundamentales de las personas presas, como la falta de tribunales especializados que sean eficaces en la tutela de esos derechos.

En cuanto a sus límites, se verán las normas que regulan la ejecución de las penas privativas de libertad de las personas adultas, más no las sanciones penales de quienes son adolescentes porque respecto de ellos existe un sistema especial que tiene en cuenta la edad y las particularidades propias del grado de desarrollo del infractor, y que utiliza la terminología de sanción y no penas. No obstante, se revisarán ciertas normas relativas a la ejecución penal de esas sanciones. Tampoco nos vamos a extender a las medidas de seguridad, cuyo fundamento y regulación incluso permiten sostener que se trata de un derecho autónomo.

El capítulo segundo lo hemos dedicado a los fines de la ejecución penitenciaria, los que hoy en día están orientados hacia la prevención del delito y la resocialización, objetivo este último reconocido por el derecho internacional de los derechos humanos como principio rector y fin de esta etapa. Tratándose de la pena privativa de libertad se pretende que el tiempo que pase encerrada una persona se ocupe en su mejora, lo que implica necesariamente la adopción de políticas públicas orientadas a su logro. Lo anterior se traduce en que el Estado ha de ocuparse de las condiciones materiales de la cárcel y del trato que dispensa a quien ha perdido su libertad ambulatoria.

Por consiguiente, se ha puesto atención en aquellas propuestas realistas que verdaderamente aporten a la mejora de un sistema penal propio de lo que podría ser en nuestro país un Estado social y democrático de Derecho[1], y que tienen por objeto solucionar ciertos nudos críticos que impiden el avance en la materia. De este modo, se pasa revista a varias directrices que para las cárceles latinoamericanas propone el profesor Matthews, las que persiguen mejorar la eficacia del sistema penal, las condiciones carcelarias y el tratamiento de la persona presa como sujeto de derecho.

Asimismo, se contempla un apartado especial relativo a las penas en nuestra legislación, incluidas las penas sustitutivas. Aun cuando estas últimas, en estricto rigor, no pertenezcan al estudio del derecho penitenciario, sino más bien al derecho de ejecución general de penas, es materia de regular consulta por el estudiantado, y forma parte del programa del curso de derecho penitenciario que se imparte en la Universidad Austral de Chile.

A partir del capítulo tercero, las materias se van desarrollando en la medida que van surgiendo durante la vida intrapenitenciaria, es decir, desde el momento que la persona ingresa a prisión hasta su liberación, incluyendo la asistencia postpenitenciaria. En todo ello se pone especial énfasis en las normas que el derecho internacional de los derechos humanos prescribe para cada una de estas cuestiones. Destacan las Reglas de Mandela, por los principios y prácticas que enuncia, los que hoy en día se reconocen como estándares idóneos en lo que respecta al tratamiento que deben recibir las personas privadas de libertad por parte de los Estados, y particularmente, por la administración penitenciaria.

---

[1]   Es decir, un Estado que garantice los denominados derechos sociales mediante su reconocimiento en la legislación y mediante políticas activas de protección social, evitando la exclusión, marginación y compensando desigualdades.

A su vez, se incorporan las principales discusiones doctrinarias suscitadas en la evolución de esta rama, las que se complementan con jurisprudencia nacional y de la Corte Interamericana de Derechos Humanos. Del mismo modo, se hacen análisis valorativos en algunos temas, a partir de ciertas constataciones que el Instituto Nacional de Derechos Humanos ha hecho respecto de problemáticas carcelarias imposibles de eludir.

Por último, en relación con ciertos institutos como, por ejemplo, los beneficios intrapenitenciarios, la libertad condicional, o la potestad sancionatoria de la administración penitenciaria se proporcionan ejemplos solo con el fin de contribuir a la claridad en la aplicación de estas figuras. Asimismo, se sugieren algunas propuestas estratégicas desarrolladas por la praxis jurídica que podrían orientar y ayudar a quienes se interesen en el ejercicio de esta defensa penal especializada.

CAPÍTULO PRIMERO

EL DERECHO PENITENCIARIO

1. CONCEPTO

Se ha dicho que la delimitación de esta rama del ordenamiento jurídico no es fácil. Lo dificulta, en primer lugar, la evolución propia de la pena privativa de libertad[2]; en segundo lugar, la gran variedad de normas o reglas que convergen en la relación Estado-persona privada de libertad, lo que suscita discusiones en torno a su naturaleza jurídica y; en tercer lugar, el problema de rótulo o denominación que ha sufrido esta área a lo largo de su evolución histórica[3]. Sin ir más allá, el vocablo "penitenciario" emana de "penitencia" y este último equivale a castigo[4], y castigo está lejos de ser, hoy en día, la finalidad principal de la pena privativa de libertad.

---

[2] Borja Mapelli, *et.al.*, *Ejecución de la pena privativa de libertad: una mirada comparada.* (Madrid: Programa Eurosocial, 2014), 23. Hoy en día existen nuevas penas que, en mayor o menor medida, afectan a la libertad ambulatoria de la persona, por lo que se habla del efecto de "penitenciarización" del sistema de penas.

[3] Mario Durán, "Derecho penitenciario, delimitación de su concepto, función y contenido desde un modelo teleológico- funcional del fin de la pena". *Revista de Derecho (Concepción)* volumen n°88, n.°247(2020), 124-125. El autor indica que desde una perspectiva histórico-comparativa e institucional, se le ha señalado como el área de estudio propio de los Sistemas Penitenciarios o de las Instituciones Penitenciarios o, en general, como Estudios Penitenciarios. A partir de una óptica más propia del positivismo criminológico, se le conceptualizó como ciencia penitenciaria antropológica, antropología penitenciaria, como la tradicional Science pénitentiaire francesa, o con la previa y más extendida denominación causal-explicativa norteamericana de Penología. En su contra, la sociología, postuló la existencia de la sociología-criminal penitenciaria. Desde una perspectiva más cercana a los fines retributivos de la pena, se le designó como Preceptiva penitenciaria, Derecho carcelario o Disciplina carcelaria. O, de una perspectiva más general, extendida y pretendidamente omnicomprensiva de los mecanismos de reacción penal, como Derecho de ejecución penal o Strafvollzug.

[4] Faustino Rodríguez-Magariños, Nistal Burón, *La historia de las penas. De Hammurabi a la cárcel electrónica.* (España: Tirant lo Blanch, 2014), 28. Para los autores, desde antiguo la reacción entendida como castigo ha tenido un componente religioso, casi sacral del que el derecho penitenciario,

Pese a estas dificultades, la visión tradicional lo ha definido como un conjunto de normas jurídicas que regulan la ejecución de todas las penas y medidas privativas de libertad, delimitación que corresponde a una visión restringida del derecho penitenciario[5]. En cambio, con una visión más amplia, se le ha conceptualizado como el conjunto de normas que regulan la ejecución de las penas y medidas privativas de libertad, y la relación jurídica que surge como consecuencia de la detención y prisión provisional o preventiva[6]. Es decir, se contemplan elementos que exceden de la pena privativa de libertad, pero que se encuentran estrechamente vinculados con ella, ya sea porque guardan el sustrato común de ingreso a un recinto penitenciario o porque se trata de instituciones jurídicas que se relacionan con el encarcelamiento.

Por este motivo, la doctrina está poniendo el acento en el elemento de la relación jurídica penitenciaria, buscando responder a la tendencia expansiva propia de la disciplina. En nuestro derecho, Fernández plantea que el derecho penitenciario es el conjunto de normas y principios que regulan las relaciones que se producen entre el Estado –representada por la administración penitenciaria, en sentido amplio,–y la población penal-detenidos, sujetos a prisión preventiva y condenados-, que surgen desde que ingresan a un establecimiento penitenciario hasta que se revoca o deja sin efecto la medida cautelar personal o se obtiene la libertad definitiva[7].

En Chile, no se discute mucho en torno al concepto y contenido del derecho penitenciario. Así lo afirma el autor al constatar que, desde la esfera

---

partiendo de su propio nombre no ha sabido desprenderse, la simbología que comporta el paralelismo infierno-cárcel, se halla de algún modo presente en el propio término "penitenciario". Carlos García, "Sistema penitenciario español". *Cuadernos para el Diálogo: delito y sociedad*, número extraordinario XXVIII (1971), 53. Se pregunta el autor ¿cómo puede, en fin, pretenderse que se consiga una evolución seria en el derecho penitenciario, cuando su misma denominación y sustancia significan penitencia y, por tanto, castigo, y penitenciaria, lugar dónde este se cumple?". Foucault, *Vigilar y castigar.* (Buenos Aires: Siglo XXI Editores, 2002), 247. En un sentido similar, el autor destaca como la vida carcelaria tiene similitudes con la vida del convento religioso, con un propósito evidentemente moralizante.

[5]   Mapelli Caffarena, *Las consecuencias jurídicas del delito.* (Madrid: Editorial Civitas, 2011), 113. En cuanto a las medidas de seguridad, el autor señala a la época de publicación de su libro que, en estricto rigor, estas no son objeto de regulación penitenciaria, aunque puedan conllevar el internamiento de personas. Su inclusión se debe a su naturaleza de consecuencia jurídica del delito similar a la pena de prisión, pero con fines distintos.

[6]   Rodríguez Alonso, *Lecciones de Derecho Penitenciario. Adaptadas a la normativa legal vigente.* (Granada: Editorial Comares, 1997), 4.

[7]   Fernández Ponce, *Derecho Penitenciario Chileno. Problemas en torno a su naturaleza jurídica.* (Chile: Editorial Hammurabi, 2019), 27.

del derecho penal, la doctrina nacional se ha conformado con reproducir acríticamente algunos de los conceptos formulados por los juristas foráneos[8]. No obstante, de la regulación penitenciaria y práctica de los operadores jurídicos, es posible advertir elementos que parecen responder a una visión amplia del concepto. Así, por ejemplo, el art. 1° del Reglamento de Establecimientos Penitenciarios, en adelante REP, dispone que la actividad penitenciaria tiene como fin primordial la atención, custodia y asistencia de detenidos, sujetos a prisión preventiva y condenados. En el mismo sentido, se articulan los derechos y deberes de las personas privadas de libertad, independiente de su calidad procesal.

Ahora bien, se ha hecho necesario diferenciar el derecho penitenciario del derecho ejecutivo penal general, dado que este último abarca todas las penas, sean privativas o no privativas de libertad, incluyendo las medidas de seguridad, existiendo una relación de género a especie. En la especie, el derecho penitenciario, por la intensidad de la relación jurídica que existe entre la autoridad administrativa y la persona objeto de sanción, se encarga específicamente de las penas privativas de libertad, extendiendo su regulación a la relación que se da entre el Estado y la persona detenida o en prisión preventiva. De ahí que se justifique la existencia de principios, estándares, leyes y mecanismos de tutela judicial propios para esta rama, cuyo contenido normativo, por regular parte de las relaciones entre el Estado y los miembros de la comunidad, forma parte del derecho público.

2. NATURALEZA JURÍDICA

La doctrina ha discutido bastante acerca de la naturaleza jurídica del derecho penitenciario surgiendo distintas tesis que pretenden explicar la "esencia o configuración" de esta parte del derecho: tesis administrativista, procesalista, penalista y autonomista. Su importancia radica en los principios orientadores que se derivan de una u otra concepción y en la aplicación práctica que de estos principios se hace cuando, por ejemplo, existen vacíos en la normativa, lagunas que colmar o problemas jurídicos que interpretar en la relación persona privada de libertad y Estado.

---

[8]   *Ídem*, 27.

Ahora bien, para analizar este tema es imprescindible partir de la siguiente observación: durante la etapa de ejecución de la pena privativa de libertad, o durante el tiempo que dure la prisión preventiva o detención, se produce la intervención de distintos poderes públicos que toman decisiones respecto de una serie de aspectos relacionados con la vida en prisión. En consecuencia, nos encontramos con normas que reconocen derechos subjetivos a las personas privadas de libertad, normas adjetivas y normas administrativas. A continuación, pasaremos revista a las distintas tesis:

2.1 Tesis administrativista

Esta tesis surge del derecho alemán y considera que el derecho penitenciario está orientado a la teoría general del derecho administrativo, especialmente, en lo relativo a los principios que regulan el acto administrativo. Esto explicaría el alto grado de discrecionalidad de que goza la administración penitenciaria en la interpretación y desarrollo de las normas penitenciarias. Así, principios administrativos como el acto administrativo más favorable o el principio de autotutela son empleados frecuentemente para desarrollar e interpretar las normas penitenciarias[9].

En el derecho comparado, diversos autores han adherido a esta concepción[10], incluso Kriegsmann, quien le dio el nombre a esta rama, afirmó que el derecho penitenciario estaba vinculado a la actuación del poder ejecutivo de manera que integra el derecho administrativo, aunque continuaba subordinado a los principios del derecho penal y procesal. Por su parte, Novelli, principal impulsor de la autonomía de este derecho destacó también el carácter mixto de su naturaleza.

---

[9]   Por acto administrativo más favorable se entiende aquel acto administrativo que amplía la esfera jurídica de los administrados afectados. Cuando, al mismo tiempo que producen esa ampliación, ocasionan una restricción jurídica a otros administrados, nos encontramos ante un acto de doble efecto o acto administrativo mixto, como puede ser el de la expropiación. Los actos favorables, en todo caso, no han de ser motivados y sólo pueden revocarse a través del procedimiento oportuno. Entre ellos cabe situar las admisiones, concesiones, autorizaciones, aprobaciones y dispensas. Por su parte, el principio de autotutela administrativa es la potestad de que dispone la administración pública, para establecer por sí misma (autotutela) lo que es conforme a derecho, declararlo, imponer unilateralmente derechos y obligaciones a los ciudadanos y hacerlos ejecutar sin necesidad de acudir a tribunales de justicia.

[10] Eduardo Cordero, "El control jurisdiccional de la actividad de la administración penitenciaria", *Informe en Derecho Defensoría Penal Pública*, n°1 (2009), 1-61, 3741-2.pdf (dpp.cl). En este sentido, Cordero señala que no es de extrañar que los administrativistas de forma casi unánime también sostengan la naturaleza jurídico-administrativa de esta disciplina como, por ejemplo: Spiegel (1993); Fleiner (1993); Gascón (1950); Guaita (1960); Cano (1975), y también en Gambier y Rossi (2020).

El principal argumento es que la forma de cumplimiento de la pena privativa de libertad se encuentra encomendada a la administración del Estado. Es el Estado en ejercicio del poder público el que tiene la obligación de ejecutar materialmente la sanción. Por otro lado, la consideración de la estricta separación del proceso penal y la ejecución de la sentencia condenatoria respondería a la teoría de la pena que distingue tres momentos de legitimación del ejercicio del *ius puniendi* estatal: conminación legal, imposición- determinación judicial y, ejecución de la pena[11], etapa esta última que le corresponde a la administración. Y, por último, la concepción de que la persona privada de libertad se vincularía con la administración penitenciaria a partir de una relación de sujeción especial, en la que el primero es principalmente titular de obligaciones, pudiéndose afectar o restringir sus derechos fundamentales sin mayor limitación.

Mayer, afirma que la actividad penitenciaria constituye una función administrativa definida como el conjunto de actuaciones jurídicas y materiales vinculadas a las personas que integran la población penal, dando lugar a un régimen disciplinario, de beneficios y gestión que constituyen claramente una actuación administrativa. Ello supone la existencia de dos categorías de sujetos: la administración pública y la población penal. A su vez, entre ellos se forja un conjunto de vínculos o relaciones jurídicas que necesariamente han de estar regidas por normas objetivas pertenecientes al derecho público, particularmente, al derecho administrativo [12].

Ahora bien, la mayor crítica que recibe esta tesis es el hecho de que la ejecución de la condena penal forma parte del ejercicio del *ius puniendi* estatal. Es decir, no porque la ejecución se materialice por medio de la administración penitenciaria, deja de ser una manifestación de la potestad punitiva estatal. La relación jurídica que se da entre la administración penitenciaria y la persona privada de libertad surge de un hecho jurídico anterior que es la sentencia condenatoria. Esta última declaración proveniente del poder judicial no podría considerarse nunca un acto administrativo,

---

[11]   Juan Pablo Mañalich, "El Derecho Penitenciario entre la ciudadanía y los Derechos Humanos", *Derecho y Humanidades*, n.°18 (2011): 171-172. El autor sostiene que la distinción estandarizada de la imposición de la pena y su ejecución ha sido contraproducente para las teorías penalistas. Esta construcción teórica ha facilitado comprender la fase final como una zona independiente desconectada de la potestad punitiva.

[12]   Mayer Otto, *Derecho Administrativo alemán* (1984), T.I, 10. En nuestro derecho, Cordero, "El control jurisdiccional de la actividad penitenciaria", 10-11.

por ende, no es posible caracterizar a esta relación solo desde el punto de vista de su regulación administrativa, pues esta visión implicaría admitir la debilitación de las garantías, que caracterizan al Estado de Derecho, allí donde justamente su vigencia requiere de mayor fuerza, debido al riesgo de lesionar derechos fundamentales.

Por otra parte, la tesis no se aviene con la posición de garante, que el derecho internacional de los derechos humanos le atribuye al Estado en la relación jurídica que tiene con las personas privadas de libertad, posición que lo obliga a responder de los derechos fundamentales de las personas que tiene bajo su custodia.

2.2 Tesis procesalista

Esta tesis argumenta sobre la base de que es la resolución judicial la que otorga la naturaleza jurídica a esta rama del ordenamiento jurídico dando competencia al poder judicial para hacer ejecutar lo juzgado. Los procesalistas distinguen entre la ejecución y el cumplimiento de la pena privativa de libertad, la primera de carácter procesal, la segunda, no. La actividad procesal de ejecución se refiere a los actos de los órganos judiciales competentes destinados a promover la condena, en tanto que el cumplimiento es una actividad distinta. Ambas actividades no se suceden entre sí, sino que son contemporáneas, de ahí que encontremos en el derecho penitenciario normas de naturaleza procesal, como las que se refieren a las autorizaciones que da el juez para aplicar una sanción disciplinaria o aquellas que conceden acciones jurisdiccionales para denunciar y corregir vulneraciones a los derechos fundamentales, y normas administrativas que regulan la forma de ejecución de la pena.

Al respecto, afirma Carnelutti, la condena no significa en absoluto el final del proceso:

> ...quiere decir, por el contrario, y a diferencia de la absolución, que el proceso continúa; solamente que su sede se transfiere del tribunal a la penitenciaría. Lo que se debe entender también es que la penitenciaría está comprendida con el tribunal, en el palacio de justicia. Es una idea esta que nada tiene de clara aun en la mente de los juristas; pero que debe ser aclarada en interés de la civilidad[13].

---

[13]   Carnelutti, *Las miserias de proceso penal*. (Bogotá: Editorial Temis, 1993), 79. Mezger, *Derecho Penal. Parte general*. (Buenos Aires: Editorial Bibliográfica Argentina, 1958), 386. En ese sentido, Carnelutti sostuvo que "la ejecución y el cumplimiento de la pena han promovido una rica literatura, sobre todo

Los procesalistas sostienen que la ejecución de la sentencia requiere de un control jurisdiccional fundado en que se trataría de una fórmula de limitación al poder mediante otro órgano del poder público y, además, tendría por objeto la protección de las garantías fundamentales de los que están intramuros. En la doctrina española se ha sostenido que la versión tradicional del derecho procesal cambia cuando existe una jurisdicción encargada de los asuntos penitenciarios, y que tal entidad basta para sostener una naturaleza procesal – jurisdiccional, aún en la situación en que compartan competencias con órganos administrativos.

En este sentido, Cervelló hace hincapié en la prevalencia de la función jurisdiccional sobre la administrativa[14]. En sintonía con lo anterior Artaza y Palacios han planteado que la ejecución de la pena privativa de libertad es inseparable del proceso penal, en consecuencia, serían aplicables sus principios a lo largo de su desarrollo[15].

Una de las principales consecuencias de este enfoque, es que sus defensores justifican que, tanto para el proceso como para la ejecución, la garantía de legalidad se limita por el principio de *tempus regit actum* perdiendo entonces la norma penitenciaria la cualidad de la irretroactividad. Esta es la mayor crítica que recibe la posición, pues como veremos más adelante, el principio de irretroactividad en materia penitenciaria es un asunto bastante discutido por la doctrina y jurisprudencia extranjera.

Por otro lado, se le repara el desentendimiento práctico que esta concepción tiene de la realidad carcelaria, la que está dominada por entes administrativos, y el desasimiento que experimenta el juez penal en la materia. En el parecer de del Pont:

> El juez penal nada tiene que hacer (...) no tiene ninguna relación con el sentenciado. No conoce la vida de éste en la prisión, tampoco sus problemas, y mucho menos su "readaptación social". En consecuencia, no es la persona indicada para resolver la ejecución de la pena[16].

---

en el ámbito de las penas privativas de libertad. Por "ejecución de la pena" se entiende todo lo que es necesario para concretar el cumplimiento de la pena, para realizar inmediatamente el mal que ésta impone. Una y otro no pertenecen al derecho penal material, sino al derecho procesal penal".

14   Cervelló Donderis, *Derecho Penitenciario*. (Valencia: Tirant lo Blanch, 2012), 26.

15   Marcela Palacios y Osvaldo Artaza. *De las libertades dentro del régimen penitenciario*. (Santiago, Chile: Editorial Jurídica Congreso, 2006), 153.

16   Marcó Del Pont, *Derecho Penitenciario*. (México: Cárdenas distribuidor y editor, 1984), 31.

Es decir, en la visión del autor, el proceso penal se agota con la dictación de la sentencia, de modo tal que, encontrándose consumida la actividad jurisdiccional, el juez penal queda desvinculado de su decisión una vez que esta ha sido comunicada al sujeto pasivo.

2.3 Tesis penalista

Algunos penalistas como Rivacoba, no han dejado de reclamar la pertenencia de esta materia a su disciplina, negándole autonomía al derecho penitenciario:

> Como el delito reclama la pena y ésta lo supone y es ininteligible sin él, de modo que ambos se complementan y se constituyen en los dos objetos esenciales de una normatividad única y de la ciencia que la estudie, la ejecución no puede pertenecer a ninguna rama que no sea la de la pena, que es la misma que la del delito, el derecho criminal o penal [...] en resumen, que en un examen atento y detenido de la cuestión no se justifica ni un derecho de ejecución penal, o de las penas, ni, menos, un derecho penitenciario[17].

En nuestro derecho, Mañalich no plantea directamente que el derecho penitenciario tenga una naturaleza penal, sin embargo, sostiene la incompatibilidad entre un modelo de derecho penitenciario y un "genuino" modelo de derecho penal de la culpabilidad. La distinción conceptual entre la imposición y la ejecución de la pena desempeñaría una función ideológica que diluye el significado de la ejecución de la pena como el momento en que, efectivamente, se actualiza el ejercicio de la pretensión punitiva del Estado.

Para el autor, el pronunciamiento de la sentencia condenatoria constituye, *stricto sensu*, un acto de adjudicación. El juez lo que hace es determinar la satisfacción de las condiciones de las cuales depende el correspondiente derecho subjetivo punitivo del Estado, por un lado, y el deber de la persona condenada de soportar la prestación retributiva, por el otro. Por consiguiente, si la sanción penal es la respuesta retributiva merecida en la cual se materializa el reproche de culpabilidad, entonces la sanción

---

[17]   Manuel de Rivacoba, "Objeto, funciones y principios rectores del denominado Derecho Penitenciario", *Revista de Derecho del Consejo de Defensa del Estado* Año 1, n.°2(2000): 66-71. Reinhart Maurach y Heinz Ziph *Derecho Penal, Parte general 1*. (Buenos Aires: Astrea, 1994), 31. Los autores afirman que "el derecho de ejecución penal, y especialmente el derecho penitenciario, comprensiblemente, dada la poca importancia de las penas privativas de libertad en el pasado, no son sino un apéndice del derecho penal sustantivo".

penal es la pena, definida esta como la materialización de un reproche a través de la irrogación de un mal sensible, o sea la pena ejecutada[18]. En este sentido, plantea:

> Si fuésemos capaces de desmantelar los andamiajes de lo carcelario, de modo tal que la cárcel-de existir-no fuese más (ni menos) que un recinto de ejecución de una pena judicialmente impuesta que se reduce a la privación de libertad ambulatoria de un ciudadano, por un tiempo legalmente determinado, ciertamente veríamos desaparecer el derecho penitenciario. Pero quizá veríamos aparecer, entonces, algo nuevo, que podríamos denominar, tal vez, derecho penal[19].

La principal crítica que recibe la corriente penalista es el escaso interés que el derecho penal tiene en la ejecución penal. Los grandes autores del derecho penal se concentraron principalmente en la teoría jurídica del delito y en los fines de la pena, concibiendo al derecho penitenciario como un instituto jurídico de carácter accesorio y complementario[20].

2.4 Autonomía del derecho penitenciario

A comienzo del siglo pasado, surge la visión que le otorga autonomía al derecho penitenciario. Novelli plantea la idea de que esta parte del derecho es una rama jurídica autónoma dentro del sistema penal[21]. Así, una de las columnas del sistema estaría representada por el derecho penal material que amenaza con una sanción penal a través de la norma. La segunda columna representada por el derecho procesal y el juez que tiene la función de cumplir la amenaza penal, a través de un proceso penal, y la tercera, estaría dada por el derecho penitenciario, cuya función sería ejecutar materialmente el castigo. A esto hay que agregar que el sistema se sustenta en

---

[18]   Juan Pablo Mañalich, "La pena como retribución", *Estudios Públicos*, 108(2007): 161 y ss.

[19]   Mañalich, "El Derecho Penitenciario entre la ciudadanía y los Derechos Humanos", 177. Cury, *Derecho Penal. Parte general.* (Santiago de Chile: Ediciones Universidad Católica de Chile, 2005), 116. En el mismo sentido, Cury niega que el derecho penitenciario pertenezca al derecho administrativo, señalando que se trata de "disposiciones que versan sobre la pena y, concretamente, sobre su realización efectiva mediante la ejecución", y que "ésta no es más que una parte del derecho penal, muy importante, por cierto, pero a la que no hay motivo alguno para segregar del conjunto". Sugiere que la independización del derecho penitenciario del derecho penal lo ha convertido en una "especie de subsistema secundario de escasa relevancia", desvalorización que afecta el carácter preventivo general de la ejecución penitenciaria.

[20]   Fernández Ponce, *Derecho Penitenciario Chileno*, 38.

[21]   El trabajo de Giovanni Novelli titulado "L'autonomia del Diritto penitenziario" publicado en la Rivista di Diritto Penitenziario, en el año 1933, es considerada el manifiesto fundacional de esta nueva disciplina.

el poder policial que es la primera instancia selectiva de criminalidad. Por consiguiente, se ha postulado denominar a esta disciplina como derecho de ejecución penal, colocando al derecho penitenciario como una parte de este destinado a la ejecución de las penas privativas de libertad[22].

Tamarit y otros sostienen que, si se atiende a la evolución que ha vivido últimamente, puede afirmarse la autonomía del derecho penitenciario[23]. Para Mapelli el derecho penitenciario necesita para su desarrollo de una autonomía legal, jurídica y científica, pero se trata de una autonomía integradora[24]. Esto no significa desconocer la existencia de diversos tipos de normas de naturaleza penal, procesal, administrativa que participan como fuente de este derecho, sino que esta diversidad repercute más bien en la caracterización de la relación jurídica que puede darse entre la persona penada y el Estado en un determinado contexto. Así, por ejemplo, no será la misma relación jurídica cuando se esté en presencia de un cambio normativo que aumenta los tiempos mínimos para optar a la libertad condicional, norma penitenciaria de tipo sustantiva; que cuando estemos en presencia de una norma que modifique la composición de los miembros del órgano que deciden la concesión de un beneficio intrapenitenciario, norma penitenciaria de tipo funcional.

Se habla de una autonomía integradora por la relación sistémica que el derecho penitenciario tiene con el derecho penal y procesal. Se dice que los principios garantistas del derecho penal cobran especial relevancia en esta área, aunque en ciertas ocasiones, debido a la materia, estos últimos tengan que adaptarse. En la actualidad, la doctrina en general considera que se trata de un derecho autónomo que forma parte del derecho público, debido a que es una rama jurídica que tiene sus propias fuentes: legislación penitenciaria, su propio objeto que es la ejecución de las penas y medidas privativas de libertad, y su propia jurisdicción. Sin embargo, en el caso chileno, la falta de una ley de ejecución penal y la inexistencia de tribunales especializados en la materia, dificultan la concepción de este derecho como autónomo.

---

[22]   García Ramírez, *La Prisión*. (México: Fondo de Cultura Económica. Universidad Nacional Autónoma de México, 1975), 45. Manuel Rivacoba, "El derecho de ejecución de las penas y su enseñanza", *Revista Penal-Penitenciaria de Santa Fe*, n.º 3-4 (1965): 123-141.

[23]   Josep Tamarit *et.al.*, *Curso de Derecho Penitenciario*. (Valencia: Tirant lo Blanch, 2005), 22.

[24]   Mapelli (2011), p. 162.

3. RELACIONES CON OTRAS DISCIPLINAS

3.1 Derecho penal

Es evidente que el derecho penitenciario tiene una relación íntima con el derecho penal desde que este último regula las clases de penas privativas de libertad, su duración y las reglas de determinación legal y judicial de las penas. En el sistema chileno, el principio de legalidad en la etapa de ejecución de la pena es recogido en el art. 80 del Código Penal, en adelante CP, al disponer que no puede ser ejecutada pena alguna en otra forma que la prescrita por la ley, ni con otras circunstancias o accidentes que los expresados en su texto.

Es decir, la etapa ejecutiva conserva el carácter punitivo de la pena privativa de libertad, en tanto que, la cuantía de la pena debe estar sometida a las medidas que determina el derecho penal y la ejecución no puede sobrepasar el límite temporal expuesto en la sentencia condenatoria firme y ejecutoriada. En este sentido, los sistemas de ejecución que se empleen no pueden ser más gravosos que lo exigido por la propia naturaleza de la pena. Sin embargo, veremos más adelante, que determinadas condiciones carcelarias y medidas represivas de uso frecuente en las prisiones, como la celda de aislamiento, podría estar en contradicción con el derecho penal, al agravar las condiciones de privación de libertad impuestas por la sentencia condenatoria.

3.2 Derecho administrativo

No es posible desconocer el predominio que tiene el derecho administrativo en la actividad penitenciaria, toda vez que hay una serie de decisiones que la administración toma respecto de las personas privadas de libertad, configurando el día a día de la ejecución del castigo penal. Las normas de actuación de los órganos penitenciarios y sus respectivas atribuciones necesitan para su desarrollo y aplicación de una serie de decisiones que se van fijando mediante resoluciones, circulares e instrucciones, es decir, a través de actos administrativos que van trazando las líneas a seguir en el desarrollo de la legislación penitenciaria fijando así la política general penitenciaria.

3.3 Derecho procesal

El derecho penal no puede activarse o ponerse en movimiento sin el derecho procesal. Así para imponer la prisión preventiva a una persona, el tribunal debe dictar la correspondiente resolución decretando la medida cautelar. Asimismo, toda sentencia condenatoria requiere de un proceso previo legalmente tramitado. En el mismo sentido, todas las incidencias que ocurran durante la etapa de ejecución de la pena necesitan de control por parte del órgano jurisdiccional. En consecuencia, el proceso penal realiza la norma penal, y la sentencia condenatoria es el título que permite poner en marcha la ejecución de la sanción penal y su permanente control por parte de la judicatura, cuestión que veremos en el capítulo relativo al control jurisdiccional y administrativo de la pena privativa de libertad.

3.4 Criminología

La relación que existe entre la criminología y el derecho penitenciario no es jurídica sino más bien fáctica. La criminología es una ciencia social que estudia los comportamientos delictivos y la forma como las sociedades responden a estos. Basa sus conocimientos en la observación y análisis de la realidad de la delincuencia y del funcionamiento del sistema penal[25].

En la actualidad, los estudios criminológicos se han diversificado ampliando el campo de visión a la conducta de otros sujetos que intervienen en el fenómeno carcelario como son los operadores del sistema. No es una novedad que el poder punitivo estatal se ha constituido como agente que también contribuye y determina la producción del delito y del infractor, entre otras cosas por la técnica que utiliza para seleccionar a las personas que van a prisión. De ahí han surgido algunas perspectivas críticas de la cuestión penitenciaria como el abolicionismo que, en su propósito de suprimir la prisión, son generalmente escépticos sobre cuestiones relacionadas con la reforma penitenciaria, ya que entienden que las mejoras introducidas en las prisiones relegitiman y perpetúan su propia existencia[26].

---

25   Larrauri Pijoan, *Introducción a la criminología y al sistema penal*. (Madrid: Editorial Trotta, 2015), 15.
26   Zaffaroni, *La cuestión criminal*. (Buenos Aires: Editorial Planeta, 2012), 169. "El nuevo abolicionismo surgió casi enteramente de movimientos y organizaciones que se ocupaban de los derechos de los presos y por los que se interesaron criminólogos y otros académicos, que conforme a esta

Lo que proponen en lugar de un nuevo sistema penal son otros modelos de solución de conflictos de tipo reparador, terapéutico, conciliador, entre otras fórmulas, los que solo podrían funcionar en la medida que opere un salto cultural y civilizatorio importante de la sociedad en su conjunto, pues la reestructuración de un campo institucional consolidado, con nuevos objetivos, ideas y prioridades distintas respecto de la naturaleza del delito y los infractores de ley, implica cambios profundos en las bases culturales de esas instituciones.

Una corriente menos radical, denominada minimalismo, plantea una reducción drástica de la población penitenciaria sin que se requiera el término del sistema carcelario[27]. A grandes rasgos, sostiene que el poder punitivo debería limitarse a conflictos muy graves y que comprometan masivamente bienes básicos como la vida o el medioambiente y los conflictos de menor entidad deberían resolverse por otras vías. Esta propuesta de derecho penal mínimo exige también una profunda transformación del poder, el que camina hoy en forma transversalmente opuesta.

En cambio, desde una perspectiva materialista, surge el realismo crítico, cuyo enfoque se erige sobre la realidad circundante y los datos que esta entrega. Entiende que la reforma de las prisiones va más allá de un simple "juego de números", centrado en responder quién debería ir a prisión, con qué finalidad y por cuánto tiempo[28], sino que más bien deben analizarse los datos existentes sobre diversas problemáticas carcelarias y proponer soluciones a mediano y corto plazo, lo que podría hacer grandes diferencias. Sin embargo, en Chile y en gran parte del mundo, las políticas penitenciarias han desatendido los conocimientos empíricos privilegiando exigencias políticas de orden público, lo que revela falta de interés real en la materia y explica gran parte de los resultados obtenidos.

---

experiencia pasaron a teorizar y postular la abolición de la prisión y finalmente del sistema penal. Estos movimientos se originaron en Europa a fines del siglo pasado. De estas organizaciones participaron académicos prestigiosos: Foucault en el GIP, Louk Hulsman y Herman Bianchi en la Liga holandesa, Ruth Morris en el movimiento cuáquero canadiense y Thomas Mathiesen y Nils Christie en el KROM noruego. Ellos fueron los principales teóricos del nuevo abolicionismo penal que se institucionalizó internacionalmente en ICOPA (International Conference on Penal Abolition)".

[27]   Autores como Baratta, Ferrajoli y en general la escuela de Bologna con Massimo Pavarini y otros se insertan en esta corriente.

[28]   Matthews, *"Realist Criminology Revisited"*. (Londres: Palgrave Macmillan, 2014): 1-179.

4. PRINCIPIOS INFORMADORES

Existen principios propios del derecho penal y procesal penal, aplicables en la etapa de ejecución de penas, y otros que serían exclusivos de la ejecución penitenciaria. Veamos cuales son:

4.1 Principio de legalidad

El principio de legalidad es la base fundamental en la que se estructura el Estado democrático de derecho. En palabras de Mir:

> Se exige no sólo que la ley fije los comportamientos definidos como delictivos (garantía penal); que establezca taxativamente las sanciones jurídico-penales que se derivan de la comisión de los delitos (garantía criminal) y que tanto la existencia del delito como la imposición de la pena se determinen en una sentencia judicial y según un procedimiento legalmente establecido (garantía jurisdiccional), sino que se requiere también que la forma de cumplimiento de las penas se lleve a cabo conforme a lo prescrito por la ley y los reglamentos que vienen a desarrollar lo dispuesto en la norma de rango legal[29].

Este principio es ampliamente reconocido en declaraciones internacionales que exigen que la actividad penitenciaria se desarrolle con las garantías y dentro de los límites establecidos por la ley. Así, el Pacto Internacional de Derechos Civiles y Políticos (art.9.1), declara prohibida la privación de libertad que no sea por causas fijadas por la ley y siguiendo el procedimiento establecido en ella. En el mismo sentido, a nivel regional, los Principios y Buenas Prácticas sobre la Protección de las Personas Privadas de Libertad en las Américas (principio 8), declara que toda intervención del Estado restrictiva de los derechos fundamentales de las personas, estén libres o privadas de libertad, solo puede hacerse por medio de una ley formal. Es lo que se denomina garantía de reserva de ley, garantía que deriva del principio de legalidad.

En nuestra Constitución Política, en adelante CPR, el art. 19 N°7 letra b) establece que: *Nadie puede ser privado de su libertad personal ni ésta restringida sino en los casos y en la forma determinados por la Constitución y las leyes.* En el ámbito penitenciario, esta garantía encuentra su concreción en el art. 80° inc. 1° del CP que dispone: *Tampoco puede*

---

[29] Mir Puig, *Derecho Penitenciario: el cumplimiento de la pena privativa de libertad.* (Barcelona: Editorial Atelier, 2018), 23.

ser ejecutada pena alguna en otra forma que la prescrita por la ley, ni con otras circunstancias o accidentes que los expresados en su texto. Sin embargo, el inc. 2° de la disposición relativiza de inmediato la exigencia disponiendo que: *también ha de observarse lo que se determine en los reglamentos especiales para el gobierno de los establecimientos en que deben cumplirse las penas.* Esta última norma en conjunto con las otras escasas declaraciones contenidas en el Código Procesal Penal, en adelante CPP, respecto del procedimiento de ejecución deriva en un resultado que se muestra bastante favorable al "exceso de lo penitenciario"[30].

Por otro lado, la garantía de reserva legal, al tenor de lo dispuesto por el art. 19 N°26 de la CPR, debe aplicarse dentro de los márgenes constitucionales, es decir, los preceptos legales que regulen o complementen las garantías que la Constitución establece o que las limiten en los casos en que ella lo autoriza, no pueden afectar los derechos en su esencia, ni imponer condiciones, tributos o requisitos que impidan su libre ejercicio. No obstante, como se ha venido indicando, en Chile no existe una ley de ejecución de penas y la restricción o limitación a los derechos fundamentales de las personas privadas de libertad se hace a través de un reglamento.

Ahora bien, en lo que respecta a la administración penitenciaria el principio tiene una doble consecuencia: por un lado, la administración penitenciaria no puede desarrollar una actividad distinta a la que establece la ley, y por otro, compromete a la misma a cumplir íntegramente la legislación vigente. En el caso "López v. Argentina"[31] la Corte IDH señaló que la administración no puede eludir el cumplimiento de la ley, invocando dificultades económicas para justificar condiciones deplorables de encierro o un agravamiento de las condiciones carcelarias, porque estas deficiencias no son inherentes a la pérdida de la libertad.

4.1.1 Irretroactividad de la ley penal

La irretroactividad de la ley penal es una garantía que deriva del principio de legalidad, mediante la cual la sociedad se previene de coyunturalismos y arbitrariedades. Responde a fines preventivos generales, pues difícilmente una persona puede sentirse intimidada por la ley si esta no

---

[30]   Mañalich, "El Derecho Penitenciario entre la ciudadanía y los Derechos Humanos", 174.

[31]   Corte IDH. Caso López v. Argentina. Serie C No. 396. Parágrafo 90. (25 de noviembre de 2019).

existía al momento de cometer la conducta tipificada después como delito. Se ha definido este principio como la imposibilidad de aplicar una norma penal a un supuesto acontecido con anterioridad a su entrada en vigor.

Algunos autores entienden que las normas relacionadas con la ejecución de las penas se aplican en el momento mismo de su entrada en vigor a todas las penas que se estén ejecutando, sin considerar la posibilidad de que, en el momento de la comisión del delito o dictación de la sentencia, existiere una ley más favorable para la persona condenada. Es decir, abogan por la aplicación del principio *tempus regit actum*, argumentando que el principio de irretroactividad solo alcanza a las normas penales sustantivas en sentido estricto, no participando de este carácter las normas de ejecución. Se ha invocado el fin de resocialización de las penas, indicando que este objetivo obligaría a aplicar retroactivamente toda modificación que experimente la regulación penitenciaria, aunque resulte más gravosa para la población interna.

Zaffaroni, por ejemplo, señala que existiría una distinción entre el derecho penal de fondo y el derecho penitenciario, por cuanto no se aplica de la misma forma el principio de legalidad y la ley más favorable compite con aquella más idónea para la resocialización. Es decir, si después de la dictación de la sentencia se dicta una ley que es más idónea para la resocialización, se aplicará precisamente aquella, aun cuando no sea la más favorable[32].

Esta visión es refutada por Mapelli porque no está claro que una norma, por ejemplo, en la que se aborda la regulación de unos beneficios, sea una norma de naturaleza procesal o de ejecución y, aun siéndolo, tampoco puede afirmarse con carácter general que el principio de legalidad y la irretroactividad no afecten a este tipo de normas[33]. Para el autor no se puede desvincular la pena con su cumplimiento, por ello, "distinguir entre pena, por un lado, y la vida de la pena, por otro, como si aquella pudiera existir materialmente al margen de su ejecución es contrario a toda lógica jurídica, a toda experiencia, y a la propia teoría de la pena"[34].

De esta manera no podría afirmarse que lo que afecta a la pena y a su cumplimiento no forme parte del contenido sustantivo del derecho

---

[32] Zaffaroni, *Tratado de Derecho Penal, Parte general. Tomo I* (Buenos Aires, Ediciones Ediar,1998), 201.
[33] Mapelli (2011), p. 28.
[34] *Ídem*, 28.

penal, para relativizar la garantía de legalidad y sus derivaciones en esta etapa. Por consiguiente, propone una visión integradora de la pena que tenga en cuenta tanto su duración como intensidad. Asimismo, invoca un argumento material no menor, puesto que no puede desconocerse que los riesgos para los derechos de las personas son justamente aquí mayores que en cualquier otra parte del sistema penal, por lo que mayor incidencia deberían tener estas garantías.

En nuestro derecho, Oliver sostiene que el principio de irretroactividad penal debe alcanzar a las modificaciones de carácter perjudicial que tienen lugar en la normativa penitenciaria, concretamente respecto de aquellas disposiciones que poseen naturaleza penal. Para el autor, la irretroactividad penal debe su existencia a la seguridad jurídica, es decir, la no exclusión de la posibilidad de que los ciudadanos conozcan el ordenamiento jurídico y prevean las consecuencias jurídico-penales de sus futuras actuaciones, lo que implica que no podrían aplicarse retroactivamente las disposiciones que regulan la forma de ejecutarse esas consecuencias.

Es decir, si no se puede saber qué implica la ejecución de una pena, tampoco se puede saber realmente cómo se castiga un delito. Por consiguiente, concluye que las modificaciones desfavorables que puedan tener lugar respecto de disposiciones penales penitenciarias no pueden tener efecto retroactivo. Es más, su análisis lo lleva a concluir que solo el momento de perpetración del delito puede determinar el estatuto jurídico penitenciario aplicable, si se concibe a la seguridad jurídica en los términos propuestos[35].

Para otros autores, la irretroactividad de las modificaciones perjudiciales habidas en la normativa penitenciaria habría que analizarlas identificando el momento de la condena o ingreso a la cárcel como el momento decisivo para determinar el *estatus* penitenciario aplicable. Zaffaroni, por ejemplo, pone el acento en el momento de la condena y afirma que "en tanto que la nueva ley ejecutiva sea más idónea para alcanzar la resocialización debe aplicarse, siempre y cuando no se traduzca en una afectación de bienes jurídicos del penado superior a la impuesta por la que regía al tiempo de la condena"[36].

---

[35]   Oliver Calderón, *Retroactividad o irretroactividad de las leyes penales*. (Santiago: Editorial Jurídica, 2007), 197.
[36]   Zaffaroni, *Tratado de Derecho Penal*, 201.

Por su parte, Mapelli, para efectos de determinar si una ley penal penitenciaria participa del carácter de irretroactividad de la ley penal, distingue dos criterios: el de asimilación y diferenciación, y luego sigue diferenciando conforme al tipo de norma penitenciaria. El criterio de asimilación implica aplicar el principio de irretroactividad penal a la totalidad de las normas referidas a la ejecución de las penas en los mismos términos que a las normas penales. En cambio, el criterio de diferenciación estima que las normas referidas a la ejecución no son normas penales, por lo que para su eficacia no debe considerarse el momento de la comisión de la infracción, si no el momento de la ejecución, como sucede con las normas procesales. Plantea el problema de que ninguno de estos criterios -asimilación y diferenciación- pueden aplicarse en forma satisfactoria hasta sus últimas consecuencias sin diferenciar los tipos de normas que pueden regular la etapa de ejecución penal.

Así, por ejemplo, en virtud del principio de asimilación, no podríamos aplicar a la población penitenciaria normas penitenciarias que reformen el régimen disciplinario endureciéndolo, dado que todos los internos lo estarían por delitos cometidos con anterioridad a la entrada en vigor de la reforma. Por el contrario, tratándose del principio de diferenciación, un endurecimiento de las condiciones de obtención de un beneficio intrapenitenciario afectaría a quienes ya habían logrado mitigar su prisión gracias a consolidar el beneficio en la situación anterior a la reforma[37]. Como se puede apreciar no existe un criterio doctrinal unificado y el debate sigue siendo arduo.

4.2 *Principio de proporcionalidad*

El principio de proporcionalidad se aplica a todo ejercicio de la potestad sancionadora del Estado y persigue mantener el adecuado equilibrio entre la gravedad del hecho y la sanción que le corresponde, considerando específicamente la culpa del infractor y las circunstancias del hecho[38]. Fernández señala que existe un cierto consenso en que la libertad –como

---

[37]   Mapelli, *et.al.*, *Ejecución de la pena*, 286.

[38]   Álvaro Castro, Miguel Cillero, Jorge Mera, *Derechos fundamentales de los privados de libertad, Guía práctica con los estándares internacionales en la materia*. (Santiago de Chile: Ediciones Universidad Diego Portales, 2010), 159.

uno de los valores superiores del Estado de Derecho– reclama la prohibición de exceso respecto de las injerencias o intervenciones estatales y,
por ende, de un juicio de proporcionalidad. Para el autor, la vinculación
del principio de proporcionalidad con el derecho a la libertad es de una
especial importancia, puesto que las injerencias penales consisten, fundamentalmente, en privaciones o restricciones de libertad. Por una parte, la
tipificación de un hecho como delito supone, a través de la amenaza de la
pena, un límite al principio de maximización de la libertad de los ciudadanos; y por otra, la concreta imposición de la pena supone el menoscabo
más intenso de esta[39].

Por consiguiente, el principio de proporcionalidad se erige como límite
al poder punitivo estatal, en virtud del cual una medida que afecta un
derecho fundamental solo es válida a condición de que sea idónea para
contribuir al logro de un fin legítimo (constitucionalmente justificado);
necesaria, en tanto no existan alternativas que permitan lograr el mismo
fin con un menor sacrificio para los principios constitucionales afectados
por la medida enjuiciada; y proporcional, en sentido estricto, lo que ocu-
rrirá cuando los beneficios que la medida reporta, en términos de contribución al logro de un fin constitucionalmente justificado, compensen los
sacrificios que aquella representa para los derechos fundamentales u otros
principios constitucionales afectados con la medida enjuiciada[40].

En el ámbito penitenciario, la proporcionalidad constituye un principio general que cumple una importante función dentro de los mecanismos
destinados a controlar el ejercicio de las potestades discrecionales que el
ordenamiento atribuye a los órganos administrativos. Algunas manifestaciones de este principio se encuentran en el REP así, por ejemplo, el art.
6° del mismo cuerpo legal dispone que en la aplicación de sus normas ningún interno debe ser objeto de un rigor innecesario. Asimismo, tratándose
del régimen disciplinario, el art. 82 señala que, al momento de aplicar la
sanción el Jefe del establecimiento tiene el deber de aplicar un castigo
que sea justo, esto es, oportuno y proporcional a la falta cometida tanto

---

[39]   José Ángel Fernández, "El juicio constitucional de proporcionalidad de las leyes penales: ¿la legi-
        timación democrática como medio para mitigar su inherente irracionalidad?", *Revista de Derecho
        Universidad Católica del Norte,* año 17, n.°1 (2010): 55.
[40]   Gloria Lopera, "Principio de proporcionalidad y control constitucional de las leyes penales. Una
        comparación entre las experiencias de Chile y Colombia", *Revista de Derecho* volumen XXIV, n.°2
        (2011): 114-115.

en su drasticidad como en su duración y considerando las características del interno, todo lo cual será visto en el capítulo relativo al régimen
disciplinario.

4.3 Principio de ne bis in idem

El principio *ne bis in idem* deriva del principio de legalidad y consiste
en que nadie puede ser castigado por unos mismos hechos siempre que
exista triple identidad de sujeto, hecho y fundamento. En materia de ejecución de la pena privativa de libertad el principio cobra relevancia especialmente en el procedimiento disciplinario al sancionar un mismo hecho,
en base a dos o más infracciones disciplinarias, o al sancionar un mismo
hecho, tanto en sede administrativa como en sede penal. Lo veremos en
detalle en el capítulo relativo al procedimiento disciplinario.

4.4 Principio del debido proceso

El proceso penal es una de las estructuras en la que se puede observar
con mayor claridad la antinomia individuo-Estado. En él están en juego los
derechos y libertades de las personas, por lo que el proceso, debe realizarse
bajo condiciones especiales de garantía. Estas condiciones especiales se
formulan bajo el principio del debido proceso[41].

Las condiciones especiales de garantía o garantías procesales responden a la pregunta de cuándo y cómo juzgar y se expresan por los principios de: presunción de inocencia hasta prueba en contrario, la separación
entre acusación y juez, la carga de la prueba y el derecho del acusado a la
defensa, principios todos que se enmarcan en la principal garantía procesal que es la de jurisdiccionalidad, expresada en el axioma *nulla culpa
ine iiudicio*. Si bien estos principios o garantías se consideran instrumen-
tales frente a las garantías y normas penales, designadas en cambio como
sustanciales, estas últimas se hacen efectivas en la medida que estas sean
objeto de un juicio en el que resulten aseguradas al máximo la imparcialidad, la veracidad y el control. Por lo tanto, ambas están en sincronía, en
el sentido de que, tanto las garantías penales como las procesales valen no

---

[41]   Juan Bustos, Hernán Hormazábal, *Lecciones de Derecho Penal* (Madrid: Editorial Trotta,1997),72.

solo por sí mismas, sino también unas y otras como garantía recíproca de su efectividad[42].

Por consiguiente, el debido proceso se erige como un principio-garantía fundamental que limita al poder punitivo estatal, no tan solo en la fase de adjudicación de la responsabilidad penal, sino también en la etapa de ejecución de la pena. En nuestro derecho, conforme lo dispone el art. 7° del CPP, las facultades, derechos y garantías que la CPR establece, las del CPP y otras leyes podrán hacerse valer por la persona imputada, desde la primera actuación de procedimiento dirigido en su contra hasta la completa ejecución de la sentencia, por consiguiente, se comprende toda la etapa ejecutiva de la pena privativa de libertad. No obstante, en materia penitenciaria el principio está gravemente debilitado en lo que respecta al procedimiento disciplinario aplicado al interior de los recintos penales, el que tiene serias falencias estructurales y prácticamente nulas garantías penales y procesales, cuestión que abordaremos en el capítulo relativo al régimen disciplinario.

4.5 Principio de inocencia

Este principio procesal penal implica como regla de trato, que toda persona ha de ser tratada como inocente, es decir, como si no tuviera responsabilidad en el hecho que se le imputa mientras no se emita un pronunciamiento firme y ejecutoriado de condena en su contra por tribunal competente. Las consecuencias penales que derivan de un delito solo pueden imponerse una vez que se establezca judicialmente la totalidad de los presupuestos necesarios para que surja la responsabilidad penal.

El principio de inocencia ha sido reconocido ampliamente en el ámbito internacional, en el art. 14 n.°2 del Pacto Internacional de Derechos Civiles y Políticos (PIDCP), y art. 8 n.°2 de la Convención Americana de Derechos Humanos (CADH), presunción que también se incorpora al ordenamiento jurídico chileno con una jerarquía equivalente a la de los preceptos constitucionales. El art. 1° de la CPR, reconoce implícitamente la garantía mediante una proyección de la idea de dignidad humana. En el mismo sentido, el art. 19 n°3 inc. 7 prohíbe presumir de derecho la responsabilidad penal y,

---

[42] Ferrajoli, *Derecho y Razón. Teoría del garantismo penal.* (Madrid: Editorial Trotta, 1995), 537.

a nivel legal, el art. 4º del CPP lo consagra expresamente haciendo presente, además, que ha de aplicarse como regla de tratamiento.

En materia penitenciaria la aplicación de este principio está sujeto a distingo debido a que el art. 7º del REP dispone que el principio de inocencia presidirá el régimen penitenciario de todas las personas internas detenidas y sujetas a prisión preventiva sin referirse a las personas que cumplen condena. Si bien estas últimas ya cuentan con una declaración firme de culpabilidad, por lo que no es posible pretender que esta presunción opere en favor de ellas, en relación con los delitos por los cuales se les privó de su libertad, sí es posible aplicarla respecto a los nuevos hechos infraccionales o delictivos ocurridos dentro del establecimiento penitenciario que puedan dar origen a procesos penales o a procesos disciplinarios, pues la presunción operaría de garantía, precisamente en un área caracterizada por la especial relación de sujeción en la que se encuentran las personas privadas de libertad con el Estado. Volveremos sobre el punto en el capítulo relativo al procedimiento disciplinario.

4.6 Principio de judicialización

Es deber del Estado otorgar los mecanismos necesarios para el control judicial de cualquier acto de la administración que afecte o pueda afectar derechos fundamentales, ya que los órganos administrativos en ningún caso ejercen jurisdicción. Es altamente probable que durante el cumplimiento de una pena privativa de libertad, debido a las particulares condiciones de la ejecución y a la especial relación que se da entre la persona privada de libertad y la administración penitenciaria, se vulneren derechos fundamentales a vista y paciencia del resguardo que proporciona el espacio cerrado. Toda persona tiene el derecho fundamental a la prestación judicial, es decir, a obtener una decisión fundada jurídicamente sobre el fondo de la cuestión que, en ejercicio de sus derechos e intereses legítimos, haya planteado ante la judicatura. Es lo que se denomina tutela judicial efectiva, materia que será vista en el capítulo relativo al control jurisdiccional de la pena privativa de libertad.

4.7 Principio de humanización

La esencia del principio de humanidad de las penas es que estas no pueden tener como objeto la lesión corporal ni la integridad moral de quien cumple condena. La pena debe estar diseñada por la ley y ser aplicada por el sentenciador y los órganos de la ejecución de un modo compatible con la dignidad del ser humano, pues la prohibición de irrogar a la persona penada sufrimientos físicos o morales alcanza a todos los poderes y funcionarios y, en general, a toda actividad posible del Estado.

Conforme a este principio se genera la necesidad de potenciar todas aquellas instituciones penales que aseguren la dignidad humana como medio específico para lograr una reinserción social pacífica. De lo contrario no habrá reinserción alguna, sino un agudizamiento de la problemática del sujeto que transgrede la norma, con el consecuente aumento de la probabilidad de reincidencia. Por esta razón, gran parte de la doctrina afirma que debe rechazarse como penas las intervenciones que tengan por objeto el cuerpo, como la pena de muerte, lobotomía, castración o cualquier otra corporal, y la proscripción de las penas perpetuas, las temporales demasiado extensas, las infamantes, entre otras.

Se ha estimado que la persona con su capacidad de desarrollo integral es la medida del derecho penal en un Estado social y democrático de derecho[43], por lo que algunas manifestaciones de este principio son: la desaparición de las penas corporales, la derogación de la pena de muerte, los límites máximos a la duración de las penas, la disminución de estas y la prohibición de que ningún recluso o reclusa sea sometido a tortura ni a otros tratos o penas crueles, inhumanos o degradantes. Con todo, y en relación con esta última prohibición, por las condiciones materiales de ejecución de las penas privativas de libertad que presentan las prisiones latinoamericanas, el principio de humanización del castigo penal todavía es uno de los grandes desafíos del derecho penitenciario.

4.8 Principio de resocialización

El principio de resocialización se configura como un límite al *ius puniendi* estatal. Como principio atiende, principalmente, a la ejecución de la pena privativa de libertad, pero no es exclusivo de este tipo de pena, por cuanto en el último tiempo la tendencia es extenderlo a todo el sistema de penas. Funciona como límite material al poder punitivo, restringiendo la

---

43   Mapelli (2011), p. 34.

creación o producción de normas penales, pudiendo aplicarse también al momento de la previsión legal y determinación judicial de la pena[44].

En tanto principio, obliga al poder público en su conjunto a un diseño de las instituciones penitenciarias con miras a favorecer la reinserción pacífica al medio libre del que cumple condena, pero se ha señalado que no es un derecho fundamental del que derive un derecho subjetivo susceptible de ser protegido por un recurso judicial, sino un principio programático que ha de orientar toda la política penal y penitenciaria[45]. En contra, han surgido voces que consideran que la reinserción es un derecho de las personas privadas de libertad, dado su reconocimiento en todos los instrumentos internacionales que versan sobre la materia, los cuales constituyen "constitución material", al formar parte del conglomerado que conforma el "Estado constitucional ampliado", cuestión que ha referido la Comisión Interamericana de Derechos Humanos (CIDH) al categorizar la reinserción o readaptación del condenado como un derecho de las personas presas[46].

Son varios los instrumentos internacionales que reconocen el principio. El PIDCP (art.10 inc. 3) establece que el régimen penitenciario consistirá en un tratamiento cuya finalidad esencial será la reforma y la readaptación social de los penados. En el mismo sentido, la CADH (art. 5.6) declara que la finalidad esencial de la pena privativa de libertad es la reforma y la readaptación social de los condenados. Asimismo, las Reglas Mínimas para el Tratamiento de los Reclusos, en adelante, Reglas de Mandela (Regla 4.1), destaca que los objetivos de las penas y medidas privativas de libertad son principalmente proteger a la sociedad contra el delito y reducir la reincidencia. En todos ellos se destaca que el objetivo solo puede alcanzarse si se aprovecha el período de privación de libertad para lograr, en lo posible, la reinserción de la persona condenada en la sociedad. La CIDH ha indicado a los Estados que tienen el deber de adoptar políticas públicas integrales, orientadas a la readaptación social y a la rehabilitación personal de quienes cumplen condena, lo que depende necesariamente del establecimiento de un sistema integral de planes, programas de

---

[44]   García Arán, Fundamentos y aplicación de penas y medidas de seguridad en el Código penal de 1995. (Navarra: Aranzadi Thomson Reuters, 1997), 34.

[45]   Cervelló Donderis, *Derecho Penitenciario*, 42.

[46]   CIDH, Informe sobre los derechos humanos de las personas privadas de libertad en las Américas, OEA/Ser.L/V/II. Doc. 64 (31 diciembre 2011), párrafo 25.

trabajo, educación y otros, orientados a brindar a la población reclusa las herramientas necesarias para su eventual retorno al medio libre[47].

En nuestro derecho la reinserción social no es un principio recogido a nivel constitucional, a diferencia de otras Constituciones como la española[48]. Sin embargo, es posible vincular el concepto con la disposición constitucional del art.1° inc.4 de la CPR que prescribe que el Estado está al servicio de la persona humana y que su finalidad es promover el bien común, para lo cual debe contribuir a crear las condiciones sociales que permitan a todos y a cada uno de los integrantes de la comunidad nacional su mayor realización espiritual y material posible, disposición que no distingue, de modo tal que incluye tanto a las personas libres como a las privadas de libertad.

Lo anterior se condice con el hecho de que la reinserción social, más que un fin a conseguir, está reorientándose en el sentido de dotar a las personas condenadas de competencias para desenvolverse en sociedad de forma adecuada y recursos que le permitan mantener un nivel de vida apropiado, pues se entiende que solo de esta forma el infractor de ley logrará tener autonomía de decisión y restaurará su participación en la comunidad de la que forma parte. Es decir, se requiere de bases para el autodesarrollo libre del individuo o, al menos, la remoción de las condiciones que impidan que el sujeto vea empeorado, a consecuencia de la intervención penal, su estado de socialización. En este sentido, la reinserción social no puede ser entendida como un esquema de valores que se impone como obligatorio, dado que esto último atentaría contra la autonomía del sujeto y, en definitiva, contra el principio de que la pena no debe afectar más derechos fundamentales que el de la pérdida temporal de la libertad[49]. Por ello, la reinserción es siempre voluntaria.

---

[47]   *Ídem*, párrafo 609.

[48]   La Constitución Política Española (1978), sección 1 de los Derechos Fundamentales y de las Libertades Públicas, art. 25.2, indica que: "las penas privativas de libertad y las medidas de seguridad estarán orientadas hacia la reeducación y reinserción social y no podrán consistir en trabajos forzados. El condenado a pena de prisión que estuviere cumpliendo la misma gozará de los derechos fundamentales de este capítulo, a excepción de los que se vean expresamente limitados por el contenido del fallo condenatorio, el sentido de la pena y la ley penitenciaria. En todo caso, tendrá derecho a un trabajo remunerado y a los beneficios correspondientes a la Seguridad Social, así como al acceso a la cultura y al desarrollo integral de su personalidad". En el mismo sentido, la Constitución de los Estados Mexicanos (art.18) y la Constitución Italiana (art.27).

[49]   José Luis Guzmán, "Consideraciones críticas sobre el reglamento penitenciario chileno", *De las Penas, Homenaje al profesor Isidoro de Benedetti* (Buenos Aires: Depalma,1997), 271-279.

A nivel legal, la referencia expresa a la resocialización se encuentra en la LOMinju (art. 2° letra g), ñ) y o)) al disponer ser tarea de dicha entidad *formular políticas, planes y programas sectoriales, en especial respecto (...) del tratamiento penitenciario y la rehabilitación del condenado; proponer medidas para prevenir el delito por medio de planes de reinserción social*; encomendándole también la misión de *crear establecimientos penales y de tratamiento y rehabilitación penitenciarios.* Por su parte, la LOGenchi (art. 1°) dispone que la misión de la institución es *atender, vigilar y contribuir a la reinserción social* de las personas detenidas o privadas de libertad, mediante la *ejecución de acciones tendientes a eliminar su peligrosidad y lograr su reintegración al grupo social* (art. 3°, letra f); asimismo, indica que corresponde a la subdirección técnica *desarrollar los programas y proyectos institucionales tendientes a la reinserción social de las personas atendidas en los distintos sistemas* (art. 8° inc. 1°).

A su vez, el REP (art.1°) determina que la actividad penitenciaria tendrá como *fin primordial, tanto la atención, custodia y asistencia de detenidos, sujetos a prisión preventiva y condenados, como la acción educativa necesaria para la reinserción social.* En concordancia con lo anterior, el art. 10 letra b) establece una serie de principios conforme a los cuales se deben organizar los diversos establecimientos penitenciarios, recalcando la importancia del *desarrollo de actividades y acciones tendientes a la reinserción social y disminución del compromiso delictivo de los condenados.* Seguidamente hay una serie de disposiciones diseminadas en distintos títulos que hacen referencia a la reinserción social. No obstante, a pesar de estas declaraciones normativas, el principio de resocialización en el sistema carcelario chileno se encuentra en evidente estado de crisis, cuestión que abordaremos en el capítulo segundo de este manual, en el título relativo a la resocialización en Chile.

4.9 Principio de normalización

El principio de normalización es un principio propio de la etapa de ejecución de la pena privativa de libertad que consiste en hacer de la vida en prisión lo más parecido al desarrollo de la vida en el medio libre. Ha sido reconocido en el ámbito internacional y sirve como criterio de resolución de conflictos, frente a situaciones dudosas que tengan lugar al interior de la cárcel. Ante algún conflicto o situación que merezca duda habría que aplicar la solución que más se asemeje a la solución que se adoptaría en el medio libre. La ventaja de este principio es que es fácil de comprender por los operadores del sistema, se puede aplicar en todas las instancias y concuerda con los principios de intervención mínima del Estado y proporcionalidad.

5. BREVE REFERENCIA AL SISTEMA INTERAMERICANO DE PROTECCIÓN DE LOS DERECHOS HUMANOS DE LAS PERSONAS PRIVADAS DE LIBERTAD

5.1 Antecedentes generales

Una de las principales fuentes del derecho penitenciario es el derecho internacional de los Derechos Humanos, el que a través de reglas, pactos, convenciones y tratados ha establecido los estándares mínimos que se consideran idóneos en el tratamiento de las personas privadas de libertad, configurando un modelo jurídico mínimo protector de los derechos fundamentales de este grupo de personas.

Si bien, algunos de estos instrumentos internacionales como, por ejemplo, las Reglas de Mandela, las Reglas de Beijing y las Reglas de Bangkok, no son tratados internacionales o convenciones, es decir, no tienen carácter jurídicamente vinculante, lo que en doctrina se conoce como *soft law*, si se constituyen en principios básicos que sirven para efectos de interpretar el alcance de las normas que confluyen en el derecho penitenciario en caso de conflicto o vacío legal, además de guiar toda aplicación de políticas penitenciarias.

A todo ello se suma la creación de un conjunto de instancias internacionales de supervisión del cumplimiento de obligaciones de respeto y promoción general de los derechos humanos, que aunado a las garantías internas que establece cada país, permiten que la persona condenada pueda recurrir a instancias internacionales cuando el ordenamiento jurídico interno no ofrece un sistema eficaz de protección de los derechos fundamentales, o no fue capaz de cumplir con sus obligaciones.

La evolución del sistema comienza con la Organización de Estados Americanos quienes, en la Novena Conferencia Internacional Americana, celebrada en el año 1948 en Bogotá, aprueban la Declaración Americana de los Derechos y Deberes del Hombre, y adoptan su propia Carta, la que proclama los derechos fundamentales de la persona humana como principio fundamental. En un comienzo la aspiración fue moral para luego evolucionar y convertirse en un instrumento normativo con plena validez jurídica, lo que se alcanza en 1959 con la creación de la Comisión Interamericana de Derechos Humanos (CIDH), cuyo objetivo fundamental es la promoción y supervisión del respeto de los derechos humanos reconocidos en la declaración. Este proceso avanza con la adopción de la Convención Americana de Derechos Humanos, celebrada en 1969 en San José de Costa Rica, instrumento ratificado por nuestro país en 1990, consolidándose en 1979 con la creación de la Corte Interamericana de Derechos Humanos, órgano que completa la integración del sistema. De este modo, los Estados que ratifican la CADH debe sujetarse a sus términos, y la Comisión y Corte Interamericana tienen diversas facultades de supervisión. A continuación, veremos brevemente la Comisión Interamericana de Derechos Humanos (CIDH) y la Corte Interamericana de Derechos Humanos (Corte IDH).

5.2 Comisión Interamericana de Derechos Humanos (CIDH)

La Comisión Interamericana de Derechos Humanos es un órgano autónomo, su sede está en Washington y está integrada por siete miembros que son elegidos por la Asamblea General de la OEA, duran cuatro años en el cargo, y actúan de forma independiente, es decir, no actúan bajo las órdenes de sus gobiernos. Es un órgano de supervisión semi-judicial, recurre a técnicas de carácter judicial para establecer los hechos, y sus resoluciones obedecen a la estructura jurídica de razonamiento. Sin embargo, los resultados de sus trabajos, ya sea informes por país, o recomendaciones para casos particulares pueden ser sometidos a órganos de carácter político como la Asamblea General o el Consejo Permanente de la OEA.

Sus funciones principales son promover y defender los derechos humanos en la región. Para ello recibe, analiza e investiga denuncias de violaciones a los derechos humanos, presenta casos ante la Corte y comparece en el litigio de los mismos, solicita a los Estados que adopten medidas cautelares o que la Corte IDH decrete medidas provisionales en casos urgentes que entrañen peligro para las personas, crea conciencia en la región sobre la importancia y respeto de los derechos humanos mediante publicaciones y capacitaciones, establece relatorías para el estudio de temáticas de interés y, elabora informes sobre la situación de los derechos humanos en Estados miembros de la OEA.

Su trabajo se estructura en tres pilares: el sistema de petición individual; el monitoreo de la situación de los derechos humanos en los Estados miembros; y la atención a líneas temáticas prioritarias. El sistema de petición individual reconoce el derecho de las personas que alegan ser víctimas de violaciones a los derechos humanos, por lo tanto, se puede recurrir directamente a la Comisión. En estos casos, la Comisión recibe, analiza e investiga respecto de Estados miembros que han ratificado la Convención Americana, como de aquellos Estados que aún no la han ratificado, presenta casos ante la Corte IDH y comparece ante la misma durante la tramitación y consideración de los casos.

En relación con el monitoreo de la situación de los derechos humanos en los Estados miembros, la CIDH observa la situación general de los derechos humanos y publica informes especiales sobre la situación existente cuando lo considera necesario. Realiza visita a los países para llevar a cabo análisis en profundidad de la situación general y/o para investigar una situación específica, lo que en general da lugar a la preparación de un informe el cual es publicado y presentado ante el Consejo Permanente y la Asamblea General de la OEA. Recomienda a los Estados miembros la adopción de medidas que contribuyan a la protección de los derechos humanos en los países del hemisferio. Solicita a los Estados miembros que adopten medidas cautelares para prevenir daños irreparables a los derechos humanos en casos graves y urgentes. Asimismo, puede solicitar a la Corte Interamericana la adopción de medidas provisionales en casos de extrema gravedad y urgencia para evitar daños irreparables a las personas, aunque el caso aún no haya sido presentado ante la Corte.

Tratándose de la atención de líneas temáticas prioritarias, estimula la conciencia pública respecto de los derechos humanos en las Américas. Para tal efecto, la Comisión lleva a cabo y publica informes sobre temas específicos; tales como, medidas que deben adoptarse para garantizar un mayor acceso a la justicia; los efectos que tienen los conflictos armados internos en ciertos grupos; la situación de derechos humanos de niños, niñas y adolescentes, de las mujeres, de las y los trabajadores migrantes y sus familias, de las personas privadas de libertad, de las y los defensores de derechos humanos, de los pueblos indígenas, y de las personas afrodescendientes; de las lesbianas, los gays, las personas trans, bisexuales e intersex; sobre la libertad de expresión; la seguridad ciudadana y el terrorismo y su relación con los derechos humanos; entre otros. Por último, además de estas tres atribuciones, solicita opiniones consultivas a la Corte IDH y

recibe y examina comunicaciones en las que un Estado parte alegue que
otro Estado parte ha incurrido en violaciones de los derechos humanos
reconocidos en la CADH.

5.3 *Corte Interamericana de Derechos Humanos (Corte IDH)*

La Corte Interamericana es uno de los tres tribunales regionales de
protección de los derechos humanos, juntamente con el Tribunal Europeo
de Derechos Humanos y la Corte Africana de Derechos Humanos y de los
Pueblos. Se trata de un órgano judicial autónomo del sistema con poderes
judiciales plenos. Tiene jurisdicción cuando se trata de violaciones a los
derechos humanos por Estados que han declarado aceptar la jurisdicción
obligatoria de la Corte, ya sea de manera general o para un caso particular.
Está compuesta por siete juristas destacados entre los países miembros,
que actúan de forma independiente y cuyo mandato es por seis años.
Adoptan sus decisiones basadas en el razonamiento y tradición jurídica,
sin que dependan de órganos políticos para ejercer jurisdicción.

Sus funciones consisten en el conocimiento y decisión de casos conten-
ciosos, en la adopción de medidas provisionales urgentes en sede judicial,
y en la emisión de opiniones consultivas sobre la interpretación de la
CADH o de otros tratados concernientes a la protección de los derechos
humanos en los estados americanos y, acerca de la compatibilidad entre
cualquiera de sus leyes internas y los mencionados instrumentos internacionales. En cuanto a la función jurisdiccional, solo la Comisión y los
Estados parte en la CADH, que hubieren reconocido la competencia de la
Corte, están autorizados para someter a su decisión un caso relativo a la
interpretación o aplicación de la Convención, a condición de que se haya
agotado el procedimiento que debe tener lugar ante la Comisión y que
se encuentre previsto en dicho instrumento. Para que pueda presentarse
ante la Corte un caso contra un Estado parte, este debe reconocer la competencia de dicho órgano, reconocimiento que puede ser hecho en forma
incondicional para todos los casos o bien, bajo condición de reciprocidad,
por un tiempo determinado o para un caso específico.

Ahora bien, la Corte ha establecido que su jurisprudencia es vinculante
para los Estados que reconocen su competencia, aunque no sea directamente el Estado sobre el que recae la sentencia. Para Hitters, esta fuerza
normativa *erga omnes* se basa esencialmente en los principios que guían

al derecho internacional público, específicamente el cumplimiento de buena fe de los tratados, el carácter jurisdiccional de la Corte IDH y en su condición de intérprete último de la CADH[50].

En varias sentencias la Corte ha establecido que es consciente de que las autoridades internas están sujetas al imperio de la ley y, por ello, están obligadas a aplicar las disposiciones vigentes en el ordenamiento jurídico, pero cuando un Estado es parte en un tratado internacional como la CADH, todos sus órganos, incluidos sus jueces y órganos vinculados a la administración de justicia en todos los niveles, también están sometidos al tratado, lo cual les obliga a velar para que los efectos de las disposiciones de la Convención no se vean mermados por la aplicación de normas contrarias a su objeto y fin, de modo que decisiones judiciales o administrativas, no hagan ilusorio el cumplimiento total o parcial de las obligaciones internacionales. Es decir, todas las autoridades estatales, están en la obligación de ejercer *ex officio* un *control de convencionalidad* entre las normas internas y la Convención Americana, en el marco de sus respectivas competencias y de las regulaciones procesales correspondientes. En esta tarea deben tener en cuenta no solamente el tratado, sino también la interpretación última que del mismo ha hecho la Corte IDH. Así, por ejemplo, fue establecido en el caso "Almonacid Arellano y otros v. Chile"[51].

5.4 Alcance de los instrumentos internacionales sobre Derechos Humanos en nuestra legislación

En cuanto al alcance o fuerza normativa que tienen los tratados internacionales en nuestra legislación, la doctrina ha debatido bastante acerca de la posición que ocupan y los efectos que de ello derivan, sin llegar a un criterio unánime. Para algunos autores los tratados internacionales no son ni tienen jerarquía de ley[52]. Se basan en la inexistencia de un precepto constitucional que señale de forma expresa cuál es la naturaleza de estos

---

[50]   Juan Carlos Hitters "¿Son vinculantes los pronunciamientos de la Comisión y la corte Interamericana de Derechos Humanos?", *Revista Iberoamericana de Derecho Procesal Constitucional*, n.°10 (2008): 153-154.

[51]   Corte IDH. Caso Almonacid Arellano y otros v. Chile. Serie C No. 154. Parágrafo 124. (26 de septiembre de 2006).

[52]   Humberto Nogueira, "Reforma constitucional de 2005 y control de constitucionalidad de tratados internacionales", *Estudios constitucionales: Revista del Centro de Estudios Constitucionales*, año 5, n.°1 (2007): 59-88.

instrumentos y, en lo dispuesto en el art. 64 de la Carta Fundamental que confiere expresamente fuerza de ley a una fuente de menor jerarquía, cuestión que no sucede en el caso de los tratados internacionales.

Asimismo, invocan la redacción del art. 54 del mismo cuerpo normativo, donde se advierte que la aprobación de los tratados internacionales se tramitará, "en lo pertinente" de conformidad al procedimiento de formación de una ley, de lo que deduce que la analogía entre la ley y los tratados internacionales se refiere solo al procedimiento de creación y aprobación de estos instrumentos, sin que sea procedente inferir alguna similitud con la ley, como fuente de derecho.

Para otros, el texto del actual art. 54.1 de la CPR, no solo manifiesta la naturaleza disímil entre la ley y un tratado internacional, sino que es posible desprender el carácter supralegal de estos últimos, lo que se sustenta en lo señalado por el inc. 1° y 9°, donde se verifica la especificidad de estos instrumentos, denotando su superioridad normativa respecto de las leyes[53].

Ahora bien, en cuanto a la posición que tendrían en nuestro ordenamiento jurídico los tratados internacionales sobre derechos humanos, el análisis se ha hecho conforme a la reforma que modifica y agrega la parte final del actual art. 5° de la CPR, el que dispone que: *El ejercicio de la soberanía reconoce como limitación el respeto a los derechos esenciales que emanan de la naturaleza humana. Es deber de los órganos del Estado respetar y promover tales derechos, garantizados por esta Constitución, así como por los tratados internacionales ratificados por Chile y que se encuentren vigentes.*

A partir de esta redacción, se confiere una posición constitucional a estos instrumentos, pues se interpreta el inc. 2° del art. 5° de la CPR como el precepto que eleva los derechos asegurados por tratados internacionales ratificados por Chile y vigentes a la categoría de constitución material, al señalar que son límites a la soberanía, vale decir, a la potestad del Estado, ellos forman parte del plexo de derechos materialmente constitucionales,

---

53   Nash Rojas, *Derecho internacional de los derechos humanos en Chile, recepción y aplicación en el ámbito interno*. (Chile: Centro de derechos humanos Universidad de Chile, 2012),13-76.

independientemente de la posición que se tenga sobre el rango de los tratados internacionales en el orden jurídico interno[54].

Nash, quien adhiere a esta posición, sostiene que el debate que suscita la jerarquía de un tratado internacional sobre derechos humanos no debe recaer en el rango de los tratados propiamente tal, sino que en el rango de las normas que consagran derechos humanos, incluyéndose en ellas no solamente las que los formulan, sino todas aquellas que regulan su alcance o contenido[55]. Junto con ello, la doctrina mayoritaria ha aceptado el carácter autoejecutable de gran parte de las disposiciones contendidas en estos instrumentos, fundándose en que la naturaleza de estos radica en su finalidad, que no es otra que la protección de estos derechos. Ahora bien, respecto de aquellos instrumentos internacionales que no constituyen un tratado internacional incorporado a nuestro ordenamiento jurídico como, por ejemplo, las Reglas de Mandela, se estima que, si bien no tienen coercibilidad, si deben ser consideradas sus reglas para efectos de interpretar el alcance de una norma penitenciaria, en caso de conflicto o vacío legal, además de guiar las agendas programáticas de cambios institucionales de los Estados parte en materia penitenciaria.

En consecuencia, tanto el derecho nacional como internacional contienen normas de protección a los derechos humanos formando un *corpus iuris* garantista erigido en base al reconocimiento de garantía y protección de tales derechos como máxima del constitucionalismo moderno y de un nuevo orden público internacional[56]. Con ello se da solución a los conflictos interpretativos que surgen a raíz de la incorporación de la normativa internacional a través de lo que Nogueira llama "doctrina del bloque constitucional de derechos fundamentales"[57]. Esta doctrina, plantea que el reconocimiento, protección y garantía de derechos fundamentales se extiende más allá de aquellos que de forma expresa están contenidos en

---

[54] Humberto Nogueira, "Los derechos esenciales o humanos contenidos en los tratados internacionales y su ubicación en el ordenamiento jurídico nacional: doctrina y jurisprudencia", *Ius et Praxis*, volumen 9, n.°1(2003): 418.

[55] Nash Rojas, *Derecho internacional de los derechos humanos en Chile*, 20.

[56] Claudio Nash, "Relación entre el Sistema constitucional e internacional en materia de derechos humanos" (Ponencia presentada en el Simposio Humboldt: internacionalización del derecho constitucional – Constitucionalización del derecho internacional, 2010), 9, Relación entre el Sistema Constitucional e Internacional en materia de Derechos Humanos (uchile.cl).

[57] Humberto Nogueira, "El bloque constitucional de derechos en Chile, el parámetro de control y consideraciones comparativas con Colombia y México: doctrina y jurisprudencia", *Estudios Constitucionales*, año 13, n.° 2, (2015), 315-321.

la CPR, puesto que mediante lo señalado en el inc. 2° del art. 5° de la Carta fundamental, precepto que opera a modo de "cláusula constitucional de inclusión", pasan a formar "constitución material" aquellos derechos fundamentales consagrados tanto en el derecho internacional formal como en el consuetudinario en conjunto con las normas que conforman el *ius cogens.*

En este sentido, el art. 5° inc. 2° se erige como norma de reenvió que posibilita y tiene mérito en la instauración de un bloque unificado sustantivo o material de atributos y garantías de los derechos, bloque que adquiere autonomía respecto a la fuente formal que en principio consagra tales derechos y que se cimenta en el reconocimiento nacional e internacional de la dignidad humana. Es decir, los estándares internacionales sobre la materia forman un todo integrado con la legislación nacional, pues se trata de dos sistemas jurídicos que se retroalimentan de modo tal que los órganos del Estado no pueden excusarse en su derecho interno para desconocer la aplicación de un tratado internacional.

CAPÍTULO SEGUNDO

LOS FINES DE LA EJECUCIÓN PENITENCIARIA

1. LOS FINES DE LA EJECUCIÓN PENITENCIARIA

Para cumplir su propósito el derecho penal se sirve de la pena, constructo respecto del cual se han dado varias definiciones. En el mundo contemporáneo, donde el Estado monopoliza el *ius puniendi* o potestad de castigar, se ha entendido comúnmente por pena: una institución de derecho público que limita un derecho a una persona imputable como consecuencia de una infracción criminal impuesta en una sentencia firme por un órgano judicial[58]. Se le ha definido también como la irrogación de un mal como desaprobación de un comportamiento previo y defectuoso[59].

Ahora bien, la función atribuida a la pena en una sociedad determinada permite responder cuál es la función o funciones que tiene, en general, el derecho penal en esa sociedad[60], las que hoy se corresponden, básicamente, en constituir un medio de dirección y control social formal y, a la vez ser, desde la óptica de los sujetos afectados directamente por el delito, un medio o mecanismo de reparación del mal o daño causado[61]. En cambio, el por qué y para qué de la pena, dice relación con todo el discurso que los filósofos y estudiosos del derecho han enarbolado para justificar

---

[58] Mapelli (2011), p. 22.

[59] Urs Kindhaüser, "Personalidad, culpabilidad y retribución de la legitimación y fundamentación ético-jurídica de la pena criminal", *Derecho y Humanidades,* volumen 1, n.°16 (2010): 31.

[60] Faustino Rodríguez-Magariños, Nistal Burón, *La historia de las penas,* 270: "Las ideas penales dependen pues de corrientes de opinión que tiene más o menos éxito en cada etapa histórica dependiendo de múltiples variables, pero principalmente de las circunstancias sociológicas y económicas de la era que les tocó vivir. Si en un tiempo como en el siglo XVI prima la idea de la religión, los castigos más atroces dependerán de las ideas que se pongan en riesgo en este postulado, posteriormente en el siglo XIX cuando se exalte hasta el paroxismo la idea de nación pasarán a ser los comportamientos que menoscaben este nuevo valor los que serán objeto de pena, además de ser socialmente los más gravemente sancionados".

[61] Mario Durán, "Prevención especial e ideal resocializador. Concepto, evolución y vigencia en el marco de la legitimación y justificación de la pena", *Revista de estudios criminológicos y penitenciarios,* año VIII, n. ° (2008): 59.

su imposición y, por consiguiente, su legitimación frente a la colectividad y frente al sujeto objeto de castigo.

En relación con esto último, distintas teorías han intentado dar respuesta a la clásica pregunta hecha por Seneca: *¿Punitur quia Pecatum esta ut ne peccetur?*, ¿se castiga porque se ha pecado o para que no se peque? o, en términos actuales, y apartándose de la connotación religiosa, el por qué y para qué de la reacción punitiva. No vamos a ahondar en los pormenores de cada una de estas teorías, toda vez que existe múltiple bibliografía al respecto, y su estudio es parte integrante del derecho penal en su parte general. Más bien nos vamos a centrar en los fines de la ejecución penitenciaria, los que hoy en día están orientados hacia la prevención del delito y la resocialización de la persona condenada.

1.1 La prevención especial positiva: el ideal de la resocialización

La prevención especial concibe la pena como un medio, mecanismo o instrumento que solo se justifica en la medida que se emplee para la lucha contra el delito y su proliferación en la sociedad. Se centra en la persona condenada para evitar que esta vuelva a cometer en el futuro hechos constitutivos de delito, por lo que se preocupa de los efectos que tiene la aplicación de una pena en el individuo. Por consiguiente, la prevención especial no va dirigida al conjunto de la sociedad, sino a aquellos que ya han vulnerado el ordenamiento jurídico. En su versión negativa, entiende que la pena provocaría en la persona castigada una coacción sicológica tal que lo inhibiría de seguir cometiendo delitos en el futuro, y en su versión positiva, la pena sería útil y serviría a la sociedad en la medida en que, "ese pasar del tiempo" privado de libertad, no sea un simple transcurso de días o años, sino que sea un tiempo aprovechado en la mejora o resocialización del sujeto, con el objeto de que este no vuelva a reincidir.

El forjador de esta doctrina fue von Liszt, para quién el fin de la pena era la mejora del "delincuente"[62], lo que fundamentaba en el hecho de que el Estado debía velar por regularizar las conductas de los ciudadanos, buscando la creación de una experiencia de utilidad que persuadiera al

---

[62]   Es imprescindible cuestionar la utilización del término delincuente, pues dicha categorización, tan ampliamente utilizada, apela a la existencia de una persona con una personalidad desviada cuyo principal cometido es delinquir.

sujeto de la inconveniencia de delinquir, pues la consecuencia de ello sería un mal mayor a la satisfacción procurada por el delito[63].

Asimismo, desde el punto de vista de la peligrosidad criminal, la pena serviría para minimizar el peligro que para la sociedad supone el "criminal", condicionando internamente al individuo que ha infringido la norma para que no vuelva a reincidir. La pena para el "delincuente" necesitado de recuperación y susceptible de lograrla, serviría en su mejoramiento; para el que no necesita de corrección, en su mera disuasión y, para el "delincuente" irrecuperable la pena sería útil en su neutralización o inocuización.

En este último caso se consideraba que era poco lo que la sociedad podía hacer, resultando absurdo la pretensión, propia del sistema retributivo de la pena, de internar a estas personas en celdas de prisión con altos costos económicos solo para que expíen su culpa y, al cabo de algunos años, se les deje en libertad para luego ser internados otra vez. La pena inocuizadora sería temporal, cuando a través de ella "se procura apartar al autor durante un determinado período de tiempo [...] de la vida social [...] o de la fuente de peligro que le ha llevado a cometer el hecho delictivo". Sería definitiva, cuando a través de ella "se procura -para anular todo vestigio de peligrosidad- destruir la persona del autor (total o parcialmente) o segregarlo del grupo social de forma virtualmente indefinida"[64].

Las ideas de este pensador influyeron claramente en la legislación positiva de fines del siglo xIX, y varias de sus ideas político-criminales: la eliminación de la idea retributiva, el predominio de la prevención especial frente a la prevención general, la resocialización de los "delincuentes" necesitados de corrección, la limitación de la pena a la protección de bienes jurídicos, luego fueron recogidas por los instrumentos internacionales post segunda guerra mundial.

Estos instrumentos al erigirse como garantía del respeto de los derechos fundamentales de los ciudadanos asumieron que la prevención especial positiva estaba en consonancia con las políticas asistencialistas del

---

[63]   Listz, *Tratado de Derecho Penal. Tomo II.* (Madrid: Valleta ediciones, 1929), 19.
[64]   Zugaldia Espinar, *Fundamentos de Derecho Penal, Parte General.* (Valencia: Tirant lo Blanch, 2002), 65. Ejemplo de la pena destructiva es la pena de muerte; de la destrucción parcial de la persona, las penas contenidas en el lema *contra violación castración* y, de la pena segregativa, las privativas de libertad de larga duración y las de reclusión perpetua.

Estado de bienestar. Por consiguiente, declararon formalmente que los objetivos de las penas y medidas privativas de libertad son proteger a la sociedad del delito y reducción de la reincidencia, objetivos que solo pueden alcanzarse si se aprovecha el período de privación de libertad para lograr, en lo posible, la reinserción de quien cumple condena. De esta forma, se justificó positivamente la intervención penal, en virtud del carácter "humanitario" de esta teoría, lo que la hizo más aceptable a la crítica, sobre todo por sostener que la intervención del Estado se concretaba a causa de la promoción de un bien, ya sea para el sujeto –que se vuelve una persona "mejor", o para la sociedad –que ve resuelto un caso más de control de peligrosidad.

Sin embargo, a partir de estudios empíricos realizados principalmente en Gran Bretaña y Estados Unidos, acerca de la trayectoria histórica del control del delito, se ha constatado que ha pasado lo opuesto de lo que se anticipaba en los años setenta, y la fe en la resocialización como principio y soporte estructural de la penalidad de esos tiempos empezó a declinar. En palabras de Garland, "comenzó a deshacerse todo el tejido de supuestos, valores y prácticas sobre los que se había construido la penalidad moderna"[65].

Desde 1890 a 1970 la guerra contra el delito era estatal, el Estado era responsable de la reacción punitiva y la rehabilitación, sin embargo, respecto de esta última, y a partir de los estudios de Martinson, los distintos dispositivos institucionales se fueron convenciendo de que al parecer "nada funciona"[66]. La constatación de que el impacto real de la prisión dista mucho de ser resocializador, sino que más bien lo que genera es desocialización, estigma y reincidencia, significó la crisis del ideal.

Posteriormente, y debido a que los programas de rehabilitación han seguido funcionando, la afirmación de Martinson ha sido matizada, y en los años noventa han surgido estudios nuevos acerca de "¿qué funciona"? Garland sostiene hoy que los programas de rehabilitación ya no pretenden expresar la ideología dominante del sistema y ni siquiera pretenden ser el propósito principal de ciertas medidas penales. Las leyes que regulan las

---

[65]   Garland, *La cultura del control.* (Barcelona: Editorial Gedisa, 2005), 41-42.
[66]   Robert Martinson, "What Works? -questions and answers about prison reform", *The public interest*, n.°35(1974): 22-54. Estos descubrimientos empíricos pesaron mucho en los funcionarios y autoridades políticas. Sin embargo, poco antes de su muerte, el autor matiza sus conclusiones afirmando que algunos programas de tratamiento tienen un efecto apreciable sobre la reincidencia.

condenas penales ya no se ajustan a ideas correccionalistas tales como la indeterminación y la liberación anticipada, y las posibilidades rehabilitadoras de las medidas de la justicia penal rutinariamente se subordinan a otros objetivos penales, en particular, la retribución, la incapacitación y la gestión del riesgo[67].

Actualmente, la preocupación está puesta en la gestión del riesgo, para lo cual se aplican tecnologías que evalúan el nivel de riesgo de reincidencia de sujetos imputables. A través de esta evaluación se obtiene una serie de datos que permiten clasificar o "predecir" la probabilidad de reincidencia. Se pretende que la medición permita adecuar el tipo de sanción, su duración y las estrategias de intervención a las necesidades específicas de la persona condenada, de modo tal que cuando egrese ya no represente un riesgo social. Sin embargo, estudios recientes han alertado de los posibles falsos positivos, es decir, personas que han sido pronosticadas con un alto riesgo de reincidencia, impidiéndose la obtención de beneficios penitenciarios, en circunstancias que la persona en realidad no es peligrosa.

Debido a ello, algunos autores plantean transitar desde la peligrosidad a la valoración del riesgo. Se trata de un enfoque que apunta a la valoración del riesgo de reincidencia, como estimación de la probabilidad de que ocurra una conducta delictiva. Para ello la persona será fuente de información, pero también otros factores que puedan incidir o influir en la valoración, la que se hace para un determinado espacio de tiempo, limitado al mantenimiento de las circunstancias, de modo tal que no es un diagnóstico permanente, sino un juicio gradual y modificable[68].

Son estos y otros cuestionamientos, que he descrito a grandes rasgos, los que han provocado que el ideal resocializador de la pena se encuentre en permanente estado de crisis y replanteamiento. A fin de cuentas, si se piensa en el modo en cómo viene ejecutándose la pena privativa de libertad, el que no está pensado en la mejora de la persona condenada sino en la exacerbación de su castigo, no resulta inconsecuente que el espacio cerrado, denominado cárcel, desocialice aún más, lo que se ve reflejado, en parte, en las altas tasas de reincidencia. Con justa razón la reinserción, rehabilitación o como quiera llamarse al conjunto de métodos aplicados en

---

[67] Garland, *La cultura del control*, 42.
[68] Lucía Martínez, Francisco Montes, "El uso de valoraciones del riesgo de violencia en Derecho Penal: algunas cautelas necesarias", *Indret Universitat Pompeu Fabra*, (2018): 1-47.

la mejora de un individuo, no por altruismo, sino que para que no vuelva a atacar al conjunto social, se halla en constante crisis y replanteamiento.

1.2 Realidad carcelaria y resocialización en Chile

En Chile y casi toda Sudamérica la ejecución de la pena privativa de libertad no solo consiste en la perdida legítima de libertad ambulatoria, contenido mismo del castigo penal, sino que además va acompañada de reiteradas vulneraciones a otros derechos fundamentales que exceden los márgenes del merecimiento de pena. Esto da cuenta de que la pena, en nuestra sociedad y para nuestra sociedad, es algo más que el despojo de la libertad ambulatoria. Algunos autores como Horvitz sostienen que no es un capricho que el entramado carcelario normalice estos excesos haciéndolos aparecer como inherentes al castigo penal, a pesar de que constituyen una agravación injustificada de la pena, sino que responden a una particular concepción que, en la cultura jurídica y ciudadana chilena, se tiene de la relación persona privada de libertad- Estado la que se entiende y configura aún como de simple sujeción especial, lo que impide el tratamiento de las reclusas y reclusos como verdaderos sujetos de derechos, pese al reconocimiento formal de ello en nuestro ordenamiento jurídico[69].

Es decir, se considera que la persona privada de libertad aparte de cumplir con su castigo deja de ser titular de derechos y debe en consecuencia soportar los males que trae aparejada la prisión: como se ha portado mal y ha hecho tanto daño, se merece el encierro y las miserias que eso implica[70]. La autora afirma que la teoría de la relación de sujeción especial sigue configurándose como un dispositivo ideológico de origen autoritario que permea la doctrina y jurisprudencia, y que permite al legislador omitir la regulación de todo lo que concierne a la ejecución de las penas.

De ahí deriva la abierta infracción a la garantía de ejecución legal de las penas, pues a la fecha, no existe un cuerpo normativo con rango de ley que regule todo lo concerniente a la ejecución de las penas y medidas de seguridad, sino que es la potestad reglamentaria del poder ejecutivo

---

[69]   María Inés Horvitz, "La insostenible situación de la ejecución de las penas privativas de libertad: ¿vigencia del estado de derecho o estado de naturaleza?", *Política criminal*, volumen 13, n.°26 (2018): 928.

[70]   El sentimiento de venganza se sigue expresando, pero de forma más sofisticada, como exclusión, defensa social y neutralización del sujeto peligroso.

quién lo hace a través del Decreto Supremo N°518, del Ministerio de Justicia, denominado Reglamento de Establecimientos Penitenciarios. Por ello también la infracción al principio de estricta jurisdiccionalidad, pues no existe tribunales de ejecución de pena especializados que puedan controlar jurisdiccionalmente lo que ocurre en esa etapa.

Contribuye asimismo la disposición constitucional que priva de la ciudadanía a las personas condenadas a pena aflictiva y, suspende el derecho a sufragio por hallarse la persona procesada por delito que merezca pena aflictiva. Como señala Mañalich:

> Bajo una justificación democrática de la pena, un sujeto condenado por un hecho punible debe conservar su condición de ciudadano, pues la legitimidad (de las consecuencias) del reproche que se expresa en la pena presupone su reconocimiento como miembro de la comunidad política[71].

Es en este contexto que tiene lugar la reinserción social, principio que en nuestro derecho no es recogido a nivel constitucional, sino que como se adelantó en el primer capítulo, la referencia expresa a ello se encuentra a nivel legal y reglamentario. La LOMinju (art. 2° letra g) y o)), dispone ser tarea de dicha entidad *formular políticas, planes y programas sectoriales, en especial respecto (...) del tratamiento penitenciario y la rehabilitación del condenado*, encomendándole también la misión de *crear establecimientos penales y de tratamiento y rehabilitación penitenciarios*. Asimismo, la Ley Orgánica de Gendarmería (art.1° y 3° letra f)) dispone que la misión de la institución es *atender, vigilar y contribuir a la reinserción social* de las personas detenidas o privadas de libertad, mediante la ejecución de acciones tendientes a eliminar su peligrosidad y al logro de su reintegración al grupo social.

En relación con esta última declaración legal, la reinserción social no es un objetivo propio y exclusivo de Gendarmería, sino que la institución debe contribuir a ello. Este nuevo enfoque se introdujo por la Ley N°20.426[72], del año 2010, considerando la importancia de la reinserción social y la experiencia acumulada por las organizaciones de la sociedad civil en materia de integración social de las personas condenadas. Se pretendió dotar a Gendarmería de las herramientas legales que le permitieran

---

[71]   Juan Pablo Mañalich, "Pena y ciudadanía", *Revista de Estudios de la Justicia*, n.°6 (2005): 63-64.
[72]   Ley N°20.426, que moderniza Gendarmería de Chile incrementando su personal y readecuando las normas de su carrera funcionaria, publicada en el Diario Oficial el 20 de marzo de 2010.

convocar y hacer partícipe a fundaciones sin fines de lucro en las actividades de reinserción, dando facilidad en la generación de alianzas estratégicas e intersectoriales que permitieren hacer frente, colaborativamente con la comunidad, al fenómeno de la delincuencia.

A su vez, el art. 1° del REP determina que la actividad penitenciaria tiene como *fin primordial, tanto la atención, custodia y asistencia de detenidos, sujetos a prisión preventiva y condenados, como la acción educativa necesaria para la reinserción social*. Asimismo, y en concordancia con lo anterior, la normativa reconoce como uno de los principios conforme a los cuales se organizan los establecimientos penitenciarios, es el *desarrollo de actividades y acciones tendientes a la reinserción social y disminución del compromiso delictivo de los condenados*. Seguidamente hay una serie de disposiciones diseminadas a lo largo de la normativa que hacen referencia a la reinserción social, siendo el título quinto el que se refiere específicamente a las actividades y acciones que comprende esta, destacando el principio de voluntariedad de la reinserción y el carácter progresivo del proceso.

En relación con la voluntariedad, el art. 92 del REP dispone que todas las actividades y acciones que desarrolle Gendarmería destinadas a remover, anular o neutralizar los factores que han influido en la conducta delictiva, deben ser aceptadas por la persona condenada, de modo tal que la voluntariedad es principio rector en la materia. Incluso, se establece expresamente que, si un interno se rehúsa al proceso de reinserción, ello no le puede reportar consecuencias disciplinarias. En cuanto al principio de progresividad, el art. 94 del REP dispone que todas las actividades y acciones que se impartan tendrán como referente el carácter progresivo del proceso, cuestión relevante en materia de permisos intrapenitenciarios, tema que se verá más adelante en el capítulo relativo a los permisos de salida.

Sin embargo, a pesar de estas declaraciones normativas, el presupuesto económico que el Estado chileno invierte en la materia es escaso y no tiende al aumento sino a la disminución, lo que implica que la oferta y acceso a los programas de rehabilitación es muy limitado. Aun cuando exista la voluntad de la población interna de someterse al proceso interventivo, no hay cupos para toda la población penal. Al respecto, el propio Ministerio de Justicia, para justificar la reducción de presupuesto, ha indicado en el 2019 que:

Los programas de rehabilitación y reinserción social de Gendarmería de Chile han sido evaluados negativamente. Si bien su diseño es considerado satisfactorio, tanto su implementación como su eficiencia son insuficientes. Esto se explica principalmente porque existen muchos programas con funcionamiento propio y atomizado, lo que no permite una visión integrada entre ellos y dificulta su administración. Sumado a ello, no se prevén mecanismos que permitan adecuar y actualizar el diseño de dichos programas conforme pasa el tiempo y varían las necesidades de la población atendida[73].

Por consiguiente, se ha constatado que las prisiones chilenas, más que lograr una verdadera rehabilitación social, solo intentan crear o recrear algunos hábitos de trabajo pre-existentes, dando a algunas personas instrucción en algunos oficios sin mayor proyección social, lo que es corroborado cotidianamente por las altas tasas de reincidencia.

1.3 Política criminal: una propuesta de reforma del derecho penitenciario chileno

En Chile, desde la vuelta a la democracia ha habido diferentes propuestas y anteproyectos elaborados para concretar un cuerpo legal que regule de modo orgánico y sistemático todo lo relativo al cumplimiento de las penas privativas de libertad, pero ninguno se concreta. Hace más de cuarenta años que los problemas del sistema penitenciario se vienen conversando, pero como la prisión no da votos, los partidos políticos entienden que la forma en que se ejecuta la pena es un asunto de poco rédito por lo que no hay mayor interés en producir políticas públicas adecuadas en la resolución de estos conflictos. No obstante, existe un creciente consenso en que cuestiones como el respeto de los derechos fundamentales, la seguridad jurídica y la eficacia de las prisiones tiene efectos no solo en la población penitenciaria, sino también en la propia comunidad e imagen externa del país, así como en la de sus líderes políticos, pues se ha sostenido que los gobiernos que permiten abusos y no ponen freno a la violación de derechos humanos son percibidos como débiles.

---

[73] Libertad y Desarrollo, "Ley de Presupuestos 2019, Ministerio de Justicia, Partida 10", 5, lp2020_partida-10_justicia.pdf (lyd.org): "Esto explica la reducción en su dotación, la cual se reduce en $1.634 millones (-3,6%) respecto de 2019. Los diversos programas experimentan una reducción entre 15 y 20%, salvo el programa de reinserción juvenil, que se reduce en 65%. Estas disminuciones están justificadas debido al mal desempeño de los programas. Estos debieran ser revisados y perfeccionados antes de recibir más financiamiento".

De otro lado, el maltrato de las personas privadas de libertad solo agudiza y recrudece el conflicto que el sujeto tiene con la norma y la comunidad, de lo que se derivan perniciosas consecuencias para el medio social. Por lo tanto, es imprescindible una reforma penitenciaria acompañada de un cambio cultural en la concepción de la relación Estado -persona presa. La sociedad en su conjunto debe comprender que la condición jurídica de una persona presa, fuera de los derechos perdidos o limitados por su detención, prisión preventiva o condena, es idéntica a la de un ciudadano libre, cuestión que dispone el art. 2° del propio REP.

Por otro lado, quien quebranta la norma es parte de la comunidad, forma parte del "pacto social" y por lo tanto debe participar en ella aun cuando infrinja la normativa que lo regula, de otra manera la pena no encuentra su legitimación. El condenado no puede dejar de ser ciudadano por el solo hecho de su conducta delictiva porque eso implica despojarlo de la condición de sujeto de derecho, miembro de una comunidad organizada, titular de derechos y deberes. Por otra parte, la garantía de reserva legal y principio de estricta jurisdiccionalidad debe respetarse. Es de absoluta necesidad una ley de ejecución de penas y la posibilidad de obtener tutela jurisdiccional efectiva frente a la vulneración de un derecho fundamental, pues de nada sirve tener un derecho si no puede reclamarse de protección.

En lo particular, y relativo a las condiciones carcelarias, sobran las propuestas y directrices que, de implementarse correctamente, podrían mejorar la situación de las personas privadas de libertad, no solo para que puedan cumplir con su castigo dignamente, sino también para que puedan retornar de buena forma a la comunidad de pertenencia, pero se requiere de políticas públicas que se basen en estudios empíricos serios. Por ello, a continuación, enunciaremos algunas directrices propuestas por Matthews, criminólogo británico que ha investigado la realidad de las prisiones latinoamericanas, las que son consideradas idóneas para nuestra realidad penitenciaria:

- **Eliminación o reducción del hacinamiento en las prisiones**

La sobrepoblación penitenciaria se puede manifestar de dos formas. La primera, cuando el número de personas privadas de libertad resulta notoriamente superior a la capacidad que un determinado sistema penitenciario en su totalidad puede soportar y, la segunda, cuando cierto tipo prisiones -normalmente aquellas que albergan a personas en prisión preventiva- tienen más personas internas que plazas disponibles[74]. La ausencia de un mínimo espacio vital entre los internos aumenta considerablemente la violencia entre los mismos y los funcionarios de prisiones, lo que desemboca en problemas de disciplina, seguridad, falta de acceso al trabajo y formación, obstáculos en la logística para el desarrollo de rutinas diarias, entre otras cosas. Para enfrentar esta realidad, Chile ha optado por construir más cárceles, lo que ha significado el envío de un número importante de personas a la misma.

El autor sostiene que una política como esta trae como consecuencia la dificultad de remover o transformar una cárcel construida, de modo que se instala la necesidad de ocuparla, lo que aunado a la ideología del orden y seguridad ciudadana implica un aumento significativo de las personas encarceladas en relación con el número total de habitantes. Debido a ello, propone las siguientes medidas para reducir el hacinamiento: instauración de tribunales penitenciarios y procedimientos sumarios; el establecimiento de plazos razonables en la duración del proceso penal y la prisión preventiva; instauración de los denominados tribunales de tratamiento de presos drogodependientes; el incremento de los procedimientos abreviados y, en general, de la denominada justicia restaurativa; el arresto domiciliario y la custodia comunitaria; la amnistía; la adopción de medidas

---

[74] Instituto Nacional de Derechos Humanos, *Estudio de las condiciones carcelarias en Chile. Diagnóstico del cumplimiento de los estándares internacionales de derechos humanos en la privación de libertad*, (2018): 52-53. Para sistematizar la información y evaluar los niveles de ocupación de las cárceles, la institución utiliza el modelo basado en el esquema de semáforo de sobrepoblación creado por la Comisión Nacional de Derechos Humanos de México, y en el informe de sobrepoblación de los Centros Penitenciarios de la República de México. El modelo se adaptó al ámbito nacional, segmentándolo en cuatro categorías, según los niveles de ocupación de la población penal. Para el cálculo del nivel de ocupación de una unidad penal se considera la capacidad de diseño del recinto y la población presente en cada cárcel. El cálculo se realiza por medio de la ampliación de una fórmula matemática simple: la relación entre nivel de ocupación y capacidad de diseño o capacidad instalada. A partir del resultado obtenido, se ubica a la cárcel en el segmento respectivo del semáforo de ocupación: superior a 140% nivel de hacinamiento crítico; entre 120% y 139% nivel de hacinamiento alto; entre 100% y 119% nivel de sobreocupación; y nivel de ocupación inferior al 100%, bajo en su capacidad.

alternativas a la prisión[75], otorgamiento de beneficios penitenciarios, y la reubicación de los personas internas en otros establecimientos[76].

- Optimización de la seguridad

En materia de seguridad penitenciaria algunas investigaciones concluyen que las cámaras de seguridad, los registros y allanamientos constantes socavan la relación entre personas presas y funcionarios por lo que se propone avanzar a una cierta autonomía de los primeros en espacios o cárceles más pequeñas que permita una mejor relación entre estos, maximizando por esa vía la seguridad. En el caso de las bandas carcelarias, donde ocurre el fenómeno de subyugación de unos por otros, son dos las estrategias utilizadas para contener el problema: guerra de desgaste o manipulación.

El primer método propugna un enfrentamiento continuo entre cárcel y bandas: allanamientos, castigos, registros, confiscación, utilización de agentes encubiertos, entre otros, con el fin de desgastar el actuar de esta última, lo que implica un alto grado de exigencia laboral a funcionarios que no están especializados para contener este tipo de comportamiento. En cambio, el segundo método supone la adopción de una estrategia más elaborada como, por ejemplo: el aislamiento y concentración de los miembros de la banda o, por el contrario, su dispersión. Los integrantes de una banda pueden ser agrupados y aislados limitándoles su capacidad para controlar o intimidar al resto de la población penitenciaria que no pertenece a una pandilla o se les dispersa trasladando a sus líderes a distintas prisiones para que no puedan ejercer el control. No obstante, aparte de estas medidas también existen programas penitenciarios destinados a tratar y precaver la violencia interpersonal, por lo que no hay una receta única, la elección del método dependerá de la naturaleza, tamaño y estructura de la banda que está monopolizando el poder[77].

---

[75]   Roger Matthews, "Una propuesta realista de reforma para las prisiones de Lationamérica", *Política criminal*, volumen 6, n.° 12 (2011), 300. El autor da cuenta de que las "alternativas a la prisión" no han constituido la panacea en la política penitenciaria e, incluso, en muchos casos la introducción de nuevas alternativas ha terminado por servir como alternativa a medidas alternativas ya existentes, más que una verdadera opción a la prisión.

[76]   Ídem, 302-308.

[77]   Ídem, 309-312.

- **Protección de los derechos fundamentales de los privados de libertad**

Resulta fundamental la comprensión de que los únicos derechos que están limitados o restringidos a las personas privadas de libertad son aquellos que vienen limitados por la sentencia condenatoria. El autor sostiene que son dos las razones principales a la hora de proteger los derechos fundamentales de las personas presas: primero, porque es el comportamiento correcto para aquellos preocupados por la justicia social y, segundo, porque afecta directamente a la legitimidad y funcionamiento de las instituciones penitenciarias. Por ello, es menester el respeto y aplicación de los tratados, convenciones, reglas, acuerdos internacionales relativos a la materia por parte de todos los poderes públicos que intervienen en el sistema penitenciario[78].

- **Instauración de un sistema de formación y trabajo que tenga sentido con la realidad social de la población penitenciaria**

Se constata por el autor que la reforma penitenciaria debe hacer frente a una particular tensión que existe entre el objetivo de inculcar disciplina laboral a sujetos marginados del sistema laboral y que ahora, además, lo están por el encierro. Por otra parte, existe la percepción de que la ciudadanía no ve con buenos ojos que parte de sus impuestos se destinen a personas a quienes se les cataloga de "ociosas". Asimismo, existe la legítima resistencia de convertir a las cárceles en industrias con deplorables condiciones laborales. Sin embargo, a pesar de estas tensiones, existen estudios de campo que dan cuenta que el trabajo bien implementado en las prisiones ha contribuido al orden y reducción de la reincidencia, creando un efecto normalizador al interiorizar trabajo y rutina a la experiencia de vida.

Por consiguiente, propone la instauración de un sistema de formación y trabajo contundente que tenga sentido con la realidad social de la población penitenciaria, la que suele tener pobre educación, baja o nula cualificación profesional y escasa o básica experiencia laboral. Como medidas destinadas a incrementar la participación en el trabajo menciona: autorización a las personas privadas de libertad que reúnan ciertos requisitos para trabajar fuera de las prisiones durante el día, involucrando a compañías privadas en la formación y búsqueda de empleo. En lugares

---

[78] *Ídem*, 313-316.

donde el trabajo no sea posible, implementar educación con el objeto de preparar la futura incorporación al mundo laboral la que puede desarrollarse dentro o fuera de los recintos penitenciarios[79].

- **La apertura de las prisiones a la ciudadanía y a las agencias sociales**

Las agencias, asociaciones y personas preocupadas de la cuestión penitenciaria permiten traspasar las fronteras de la cárcel haciendo visible lo que ocurre dentro, lo que incrementa la responsabilidad de la autoridad penitenciaria. Por otra parte, la participación de agencias y asociaciones procedentes de los servicios legales y del voluntariado supone una inyección de pericia y experiencia en la gestión diaria en las prisiones.

Asimismo, la apertura de las prisiones a los ciudadanos y medios de comunicación rompe las barreras existentes entre las prisiones y la comunidad lo que reduce el estigma social y marginalización de las personas condenadas. En nuestra realidad penitenciaria, importante es la labor que desarrolla el Instituto Nacional de Derechos Humanos, diversas organizaciones no gubernamentales preocupadas de la cuestión criminal, y la Defensoría Penal Pública Penitenciaria[80].

- **Profesionalización del personal penitenciario**

El autor parte de la constatación empírica de que el trabajo de gendarme es difícil, estresante y peligroso, en especial, en prisiones hacinadas y con pocos recursos. En la práctica, es frecuente la contratación de personal sin cualificación, lo que se acompaña de escasa formación y supervisión durante el desempeño. Por esta razón, promueve la contratación de funcionarios altamente cualificados y con permanente formación como una prioridad de la política penitenciaria. Plantea que existe una dificultad enorme en la combinación de dos roles que se le asignan al funcionario, por una parte, el punto de atención está centrado en las funciones de seguridad y custodia de la población interna, y por otra, se espera de ellos que contribuyan con su trabajo a la rehabilitación de las personas custodiadas. Por ello, la contratación de personal cualificado con permanente formación debería procurar buenas y constructivas relaciones con

---

[79]   *Ídem*, 316-317.
[80]   *Ídem*, 318.

las personas presas, lo que sería eficaz para conseguir bienestar y orden en las prisiones. Asimismo, se requiere de una reglamentación clara y precisa, con estricta disciplina y con regular fiscalización del personal, de forma tal que si se comete alguna conducta prohibida o ilegal se apliquen sanciones y se aparte al infractor de sus funciones[81].

- **Desarrollo de un justo, consistente y apropiado procedimiento disciplinario**

Las investigaciones en la materia dan cuenta que son dos las cuestiones claves en la consecución de un régimen disciplinario justo y efectivo: por una parte, las relaciones entre el régimen penitenciario y el cumplimiento del Estado de Derecho dentro de las prisiones y, por otra, la manera en que los procedimientos son regulados y respetados por las personas presas. Las directrices mínimas a nivel internacional sobre los regímenes penitenciarios disciplinarios sugieren una serie de garantías: tanto las sanciones como los procedimientos deben ser públicos y accesible a la población interna. Las personas presas deben tener el derecho a ser oídos antes de la imposición de una eventual sanción. Debe establecerse de manera clara y precisa, tanto las conductas que son sancionadas, como las sanciones que pueden ser aplicadas. Los procesos sancionadores deben ser juzgados por una autoridad independiente de la administración penitenciaria.

En aquellas cárceles donde exista un desproporcionado número de infracciones similares, las autoridades deberían prestar atención, no solo al comportamiento de las personas internas, sino también a cómo los funcionarios de prisiones responden a esas conductas y aplican el régimen penitenciario. En las prisiones donde se constate una aplicación del régimen disciplinario desigual y desproporcionado debería instruirse una investigación de las causas de esta situación. Los mecanismos de decisión debiesen ser tan transparentes como sea posible y sometidos a la fiscalización de observadores independientes. Se sugiere, en primer lugar, la utilización de comisiones independientes compuestas por miembros de la comunidad o de los cuerpos profesionales; en segundo lugar, la instauración de juzgados o cortes disciplinarias independientes de la administración penitenciaria, compuestos por miembros de la judicatura y, en

---

[81]   *Ídem*, 319-320.

tercer lugar, la creación de un defensor del pueblo de prisiones que tenga como misión recibir las quejas y denuncias relativas a la aplicación de las sanciones disciplinarias, función que hoy en día en nuestro país cumple el defensor o defensora penal público penitenciaria[82].

- **Instauración de fiscalizaciones regulares a través de inspectores independientes**

Varias organizaciones internacionales, como Human Rights Watch y el Comité de las Naciones Unidas contra la Tortura, han puesto de manifiesto las deplorables condiciones de muchas prisiones latinoamericanas, pero sus informes no han tenido el impacto deseado porque son percibidos como informes limitados o parciales. Se suma a ello las investigaciones llevadas a cabo por académicos y periodistas, las que se caracterizan por ser más analíticas, pero también selectivas, careciendo las visitas de cárcel de la regularidad necesaria. Por consiguiente, se sugiere el desarrollo de un sistema efectivo de fiscalización penitenciaria: continuo, regular, detallado, sistemático, coordinado, profesional y transparente[83].

- **Desarrollo de efectivos programas de rehabilitación**

Se ha constatado que la mayoría de las personas privadas de libertad, una vez cumplida sus respectivas penas, regresan a los mismos barrios marginales de origen. Estas poblaciones son áreas con una alta tasa de criminalidad y asoladas por graves problemas sociales. Por esta razón, la llegada de miles de personas que han estado presas, las cuales han sufrido graves experiencias en la cárcel, y que regresan con menos posibilidades económicas que las que tenían antes de ingresar en prisión, solo conlleva una carga adicional a estas comunidades de por sí desfavorecidas socialmente.

La política y administración penitenciaria debería mitigar la marginalización y debilitamiento que conlleva la prisión. La mayoría de las personas que conforman la población penitenciaria pertenecen a las clases menos favorecidas, poseen un pobre acervo cultural y, gran parte sufre problemas como toxicomanías o enfermedades mentales. En consecuencia, se

---

[82] *Ídem*, 321-323.
[83] *Ídem*, 323-328.

sugiere la implementación de programas de rehabilitación que puedan operar en la etapa post penitenciaria, es decir, una vez que la persona ha recuperado su libertad como, por ejemplo: tratamiento por adicción de drogas; cursos para el manejo de comportamientos violentos; cursos educacionales básicos de lectura, escritura; tratamientos para los delincuentes sexuales; cursos de capacitación y formación profesional; y la implementación de trabajo, entre otros[84].

- **Instauración de formas de custodia intermitentes (arrestos de fin semana o reclusión nocturna)**

Algunos países como Reino Unido, España, Australia, Nueva Zelanda y Canadá han implementado la denominada "prisión a tiempo parcial", "pena de privación de libertad de cumplimiento intermitente" o "custodia intermitente". Esta modalidad permite que la persona condenada tenga espacios de libertad para trabajar, realizar otras actividades, mantener relaciones con la familia y sociedad, debiendo volver a la prisión. Se ha demostrado que la pérdida del empleo y la ruptura de las relaciones sociales contribuyen al aumento de las tasas de reincidencia[85]. Esta política importa considerar a la prisión no como un espacio de contención y segregación, sino como una restricción de la libertad que permite que la persona privada de libertad siga en contacto con su familia, lugar de trabajo y comunidad. Sin embargo, tiene sus limitaciones ya que no es posible aplicarla a todos por igual. Se podría decir que en nuestro derecho los beneficios intrapenitenciarios como el permiso de salida controlada al medio libre responden a este objetivo.

---

[84]   *Ídem*, 328-330.

[85]   *Ídem*, 331. El autor destaca un estudio llevado a cabo en el Reino Unido en 2006 que da cuenta que el uso de la custodia intermitente obtuvo el apoyo de los jueces y de diversas agencias penales, como también de las personas presas. La mayoría de los seleccionados tenían un empleo regular y una familia estable. También se constató que no hubo un número significativo de transgresiones de las condiciones impuestas para el cumplimiento de estas penas, ni tampoco un uso abusivo de estas penas o un aumento considerable de los internos sometidos a este tipo de control. En Nueva Zelanda, la custodia intermitente fue aplicada inicialmente a privados de libertad con edades comprendidas entre 15 y 20 años, pero posteriormente se amplió a todas las edades. En 1995 alrededor del 24% de las personas reclusas cumplían una pena de prisión intermitente.

2. PENA Y CIUDADANÍA

Se ha dicho que la doctrina ha identificado una serie de dispositivos ideológicos que permiten que en la realidad penitenciaria se actúe bajo la lógica de la relación de sujeción especial, en la visión y trato: Estado-persona presa. Uno de estos mecanismos es el tratamiento que tiene la pérdida de la ciudadanía o suspensión de los derechos políticos respecto de ciertos grupos de privados de libertad, a quienes se les excluye de la participación democrática.

En Chile, parte de la idea del castigo penal, especialmente el que consiste en la privación de libertad, implica también una exclusión de la comunidad política de la que se forma parte. Esto supone un problema para nuestra democracia, pues no permitiría visualizar a la población interna como parte de la comunidad política, ni tampoco conocer cuáles son las demandas que les interesan como grupo humano. Lo anterior contrasta con el hecho de que, en la teoría general de los derechos fundamentales, los primeros derechos en ser reconocidos positivamente fueron los denominados derechos civiles y políticos, y son precisamente estos los que se encuentran suspendidos o despojados en el caso de los encarcelados. Mañalich sostiene que, si la Constitución chilena niega la calidad de ciudadano al sujeto a quien se impone una pena privativa o restrictiva de libertad de duración superior a tres años, la Constitución hace inviable la construcción de un derecho penal del ciudadano. Y la alternativa a un derecho penal del ciudadano es, inevitablemente, un derecho penal del enemigo[86].

En nuestro derecho, el art. 37 del CP dispone que se reputan aflictivas todas las penas de crímenes, y las de simples delitos que consistan en presidio, reclusión, confinamiento, extrañamiento y relegación menores en sus grados máximos, esto es, penas cuya duración excede de tres años y un día. Con arreglo a lo establecido en el art.17 n°2 de la CPR, quien es condenado a pena aflictiva pierde la calidad de ciudadano y solo puede recuperarla mediante rehabilitación del Senado. A su vez, el art. 16 n°2 de la carta fundamental, anticipa los efectos del art. 17 al establecer que el derecho a sufragio se suspende por hallarse la persona procesada por delito que merezca pena aflictiva.

---

[86]   Mañalich, "Pena y ciudadanía", 76.

La pérdida de ciudadanía, en esos términos, afecta a todos los sujetos condenados a una pena aflictiva privándolo del estatus constitucional de ciudadano, lo que implica la perdida de todos los derechos políticos de sufragio y postulación a cargos de elección popular. Su duración es indefinida, por lo que aun, tras cumplir el tiempo de encarcelamiento los sujetos afectados siguen sin poder ejercer sus derechos políticos, a menos que satisfagan un procedimiento de rehabilitación que no está desarrollado en la Constitución ni en la ley[87].

En el parecer de Mañalich, estas disposiciones tienen un contenido jurídico y político que irradia simbólicamente al resto del ordenamiento jurídico, transformando a quienes son sancionados penalmente en sujetos que no pertenecen, física, social ni políticamente a nuestra comunidad. Para el autor, el fundamento del reproche penal y, por tanto, de la imposición de la pena, se encuentra en la calidad de ciudadano. La ciudadanía le permitiría al sujeto participar en la creación de la norma que ha infringido. La pena se impone a un sujeto que es responsable de su infracción porque su acción se interpreta como una deslealtad al derecho que él también ha contribuido a crear. Su responsabilidad deriva de la autonomía que le ha sido reconocida[88].

2.1 El derecho a voto de las personas privadas de libertad

Para entender la problemática, Marshall analiza el concepto de ciudadanía e indica que, en un sentido amplio, esta se compone de tres elementos o aspectos esenciales: en primer lugar, describe una relación de pertenencia o membresía; en segundo lugar, es una relación de pertenencia que tiene como contenido diferentes formas de participación; y, en tercer lugar, dicha participación ocurre en el contexto de una comunidad

---

[87]   Pablo Marshall, "El derecho a voto de los privados de libertad: análisis y propuestas", en Hacia donde debe dirigirse el sistema de ejecución de sanciones privativas de libertad chileno, eds./comp. A. Castro, M. Horvitz (Santiago: Centro de Estudios de la Justicia, 2017), 1-21. En este sentido, el autor sostiene que si se abraza un concepto de ciudadanía consistente en la pertenencia a una comunidad sustentada en la participación en sus asuntos públicos, se puede afirmar que la pérdida de la ciudadanía establecida en la CPR solo puede tener los efectos de limitar parcialmente la participación política de los afectados, excluyéndolos de la participación institucional, pero que esto acarrea efectos políticos corrosivos para la persecución de una democracia más participativa. Por ello, concluye que no hay buenas razones para mantener la pérdida o suspensión de la ciudadanía cuando una persona es condenada.

[88]   Mañalich, "El Derecho Penitenciario entre la ciudadanía y los Derechos Humanos", 175-177.

política[89]. Distingue, a nivel teórico, entre ciudadanía jurídica como el estatus legal que otorga la titularidad de ciertos derechos y, ciudadanía política, para enfatizar el concreto rol que el ciudadano desempeña dentro de la actividad política de la comunidad. La ciudadanía jurídica comprendería los derechos civiles, políticos y sociales, en cambio la CPR limita el concepto de ciudadanía al estatus legal que permite el ejercicio de los derechos políticos de sufragio y de postulación a cargos de elección popular. Por esa razón, el autor concluye que la pérdida de ciudadanía que establece la CPR no es total, sino que parcial, por lo que prefiere denominarlo pérdida de derechos políticos.

Esta pérdida de ciudadanía, en los términos recién señalados, no solo afecta a aquellos que establece la norma, sino que, prácticamente, a todas las personas privadas de libertad, pues las autoridades no han establecido un mecanismo electoral que permita sufragar a todos aquellos sujetos que no han sido, además, privados ni legal ni constitucionalmente de su derecho a sufragio. Como consecuencia de ello, las personas sujetas a prisión preventiva se encuentran privadas fácticamente de la posibilidad de sufragar, pese a que ninguna norma lo prescribe de ese modo. Lo mismo ocurre con quienes cumplen penas privativas de libertad inferiores a tres años y un día.

El panorama podría resumirse de la siguiente forma:1) Un primer grupo sufre suspensión en conformidad a la normativa constitucional en los casos de personas acusadas o condenadas por delitos que merezcan pena aflictiva, no importando si se encuentran efectivamente internadas. 2) Un segundo grupo experimenta una suspensión de facto, en aquellos casos de personas internadas en centros penitenciarios. A continuación, veamos la siguiente figura:

---

[89] Pablo Marshall, "La persecución penal como exclusión política" en Derecho, Igualdad e Inclusión, ed./comp. F. Muñoz (Santiago: LOM Editores, 2013), 69-91.

Figura 1. Derecho a voto y personas privadas de libertad

Situación Penal	Lugar	Efectos
1. No acusados	Medio libre	Ninguno
	Interno	Perdida de facto
2. Acusados por delito que no merezca pena aflictiva (aunque pueda serle aplicable en definitiva una pena aflictiva); y 3. Condenado a una pena no aflictiva (su libertad dependerá de la aplicación de una medida alternativa o sustitutiva de la reclusión)	Medio libre	Ninguno
	Interno	Perdida de facto
4. Acusados por delito que merezca pena aflictiva (aunque pueda serle aplicable en definitiva una pena no aflictiva)	Medio libre	Se suspende derecho a sufragio
	Interno	
5. Condenado a una pena aflictiva (incluso con pena cumplida o beneficios carcelarios).	Medio libre	Se pierde la ciudadanía
	Interno	

Fuente: Figura elaborada por Marshall.

Esta constatación, no ha estado exenta de desarrollo jurisprudencial. El 7° Juzgado de Garantía de Santiago ha argumentado que no existen impedimentos legales para el ejercicio del derecho a voto de las personas privadas de libertad que reúnen los requisitos, y que las trabas que existen son simplemente administrativas, de ahí que, por esa vía, no es posible restringir la garantía[90]. Por su parte, la Corte Suprema ha emitido pronunciamientos contrarios a la exigencia de implementar locales de votación en centros penitenciarios, en los casos en que ya se han realizado

---

[90]   Véase, resolución del Juez Daniel Urrutia, entonces perteneciente al 7° Juzgado de Garantía de Santiago, en causa Rit: 437-2016. Se ordena al Servicio Electoral (Servel) la habilitación de mesas de sufragio en los recintos penitenciarios argumentándose que no hay impedimentos legales para el ejercicio del derecho a voto de los internos recurrentes –por tanto– se trata de impedimentos administrativos los que obstaculizan el ejercicio del derecho, por lo que no se puede, por esa vía, restringir la garantía. Véase, 24horas.cl: "Juez acoge petición de personas en prisión preventiva para votar en elecciones municipales", http://www.24horas.cl/municipales-2016/juez-acoge-peticion-de-reos-en-prision-preventiva-para-votar-en-elecciones-municipales-2149732.

las elecciones[91]. Sin embargo, también existen fallos del mismo tribunal ordenando al Servel que habilite mesas de sufragio en los establecimientos penitenciarios, específicamente, en las situaciones de las personas que están en prisión preventiva:

> El Servel y Gendarmería se encuentran obligadas tanto por la normativa interna como por los tratados internacionales suscritos por Chile a velar por el oportuno y adecuado ejercicio del derecho a sufragio de los recurrentes, quienes mantienen incólume su derecho a sufragio como los demás ciudadanos y sin embargo no pueden ejercerlo vulnerándose la garantía de igualdad de trato[92].

En relación con esta última garantía, la imposibilidad de facto de que las personas privadas de libertad puedan ejercer su derecho a sufragio, las posiciona en un espacio de desigualdad estructural y arbitraria en comparación con los ciudadanos libres infringiéndose la prohibición de discriminación arbitraria y la garantía de igualdad frente a la ley.

3. LA PENA PRIVATIVA DE LIBERTAD Y SUS ALTERNATIVAS

3.1 La pena privativa de libertad

La pena privativa de libertad afecta a la libertad ambulatoria de la persona condenada quien debe permanecer durante el tiempo de la condena encerrada en un establecimiento carcelario, es decir, se ve limitada la facultad de poder determinar su posición dentro del espacio, de modo tal que solo puede moverse o desplazarse dentro de los límites que configuran su encierro. En un primer momento estas penas fueron bien recibidas durante la Ilustración al considerarse más humanas en comparación con la pena de muerte u otros castigos corporales[93]. Sin embargo, a partir de la

---

[91]   Corte Suprema. SCS Rol N°87876- 2016 de 30 de marzo de 2017; SCS Rol N°41- 2017 de 17 de marzo de 2017.

[92]   Corte Suprema. SCS Rol N°87.748-2016 de 2 de febrero de 2017; SCS Rol N°223-2017 de 9 de mayo de 2017; SCS Rol N°39.989-2017 de 27 de octubre de 2017; SCS Rol N°41320 de fecha 9 de noviembre de 2021.

[93]   Beccaria, *Tratado de los delitos y las penas*. (Madrid: Universidad Carlos III, 2015), 57-58: "no es lo intenso de la pena, sino su extensión, lo que produce mayor efecto sobre el ánimo de los hombres; porque a nuestra sensibilidad mueven con más facilidad y permanencia las continuas, aunque pequeñas impresiones, que una u otra pasajera, y poco durable, aunque fuerte. El imperio de la costumbre es universal en todo ente sensible, y como por su enseñanza el hombre habla y camina, y provee

segunda mitad del siglo XIX han sido objeto de varias críticas: la más importante dice relación con la evidencia de que las penas privativas de libertad, más que lograr la reinserción social provocan contagio criminógeno, estigmatización, y dificultad en el proceso de reincorporación al medio social. Se suma a ello la existencia de un costo social adicional, relativo a la pérdida de trabajo de quién cumple condena y al empobrecimiento de su grupo familiar, junto con la generación de un gasto público destinado a la construcción y mantención de establecimientos penitenciarios, todo lo cual va en sentido contrario al fin de la reinserción que persigue la pena en la etapa de ejecución.

En nuestro derecho las penas privativas de libertad se regulan en el art. 21 del CP, norma que despliega todo el sistema de penas chileno, dividiendo las mismas, atendida su gravedad, en crímenes, simples delitos y faltas, categoría a la que sirven como complemento las penas comunes a las tres clases y las penas accesorias a las dos primeras. Son penas de crímenes todas las perpetuas, las temporales y privativas y restrictivas de libertad de carácter mayor (superiores a cinco años de duración), y las inhabilitaciones en general. Son penas de simples delitos las privativas y restrictivas de libertad de carácter menor (iguales o inferiores a cinco años de duración), el destierro, las de suspensión. Es pena de falta solo la de prisión. Son penas comunes a las tres clases: la multa y el comiso de los efectos e instrumentos del delito, y son penas accesorias: la incomunicación con personas extrañas al establecimiento penal en conformidad al REP; las penas sustitutivas por vía de conversión de la multa; la prestación de servicios en beneficio de la comunidad; las de suspensión e inhabilitación para cargos y oficios públicos, derechos políticos y profesiones titulares en los casos en que, no imponiéndolas especialmente la ley, ordena que otras penas las lleven consigo, y la caución y sujeción a la vigilancia de la autoridad para casos especiales. También se reputan penas, configurando un sistema penal distinto al común, las previstas en la Ley de Responsabilidad Penal Adolescente, y otras sanciones previstas en leyes penales especiales. Nos vamos a centrar en las penas privativas de libertad: presidio,

---

a sus necesidades, así las ideas morales no se imprimen en la imaginación sin durables y repetidas percusiones". Para el autor, la pena más eficiente es la esclavitud a perpetuidad, porque el dolor que ocasiona a quien la padece se divide en tantas fracciones como instantes le restan de vida, pero para quien se representa los sufrimientos de los esclavos, "todos los instantes de la esclavitud se contraen a una representación que se vuelve más espantosa que la idea de la muerte".

reclusión y prisión[94], por ser estas la piedra angular sobre la cual descansa la institución de la cárcel moderna.

3.1.1 El presidio perpetuo

El presidio perpetuo se prolonga por toda la vida de la persona condenada. Se reprocha su falta de humanidad, toda vez que someter a una persona durante toda su vida a la permanencia en un recinto carcelario, es tanto más cruel que morir[95].Como puede apreciarse, se trata de una pena en rigor extrema, sobre todo el presidio perpetuo calificado, pues esta última carece de la perspectiva preventivo-especial. De ahí que sea legítimo preguntarse si una norma de esta naturaleza puede conciliarse con el art. 5.2 de la CADH, la que afirma que nadie debe ser sometido a torturas ni a penas o tratos crueles, inhumanos o degradantes[96].

Una pena de presidio cuya duración y condiciones de ejecución determinan que el sujeto desarrolle una "personalidad institucional", en el parecer de Mañalich es una pena retributivamente injusta y retrospectivamente desproporcionada, porque no es coherente con el reconocimiento de la persona condenada como agente moral, sería una especie de "muerte de la personalidad"[97]. No tendría otro propósito más que segregar o eliminar a un grupo de personas del colectivo social, apartándose totalmente del fin resocializador que se le atribuye a la pena en la etapa de ejecución.

---

[94]   Guzmán Dalbora, *La pena y la extinción de la responsabilidad penal.* (Santiago: Editorial Legal Publishing, 2008), 206: "Como todos los de su tiempo, el Código dispuso varias penas, presidio, reclusión y prisión, para significar con ellas diferencias cualitativas en la reprobación de los delitos y conceder una base a la clasificación tripartita de las infracciones".

[95]   Sergio Politoff, Jean Pierre Matus, María Cecilia Ramírez, *Lecciones de Derecho Penal Chileno. Parte general.* (Santiago: Editorial Jurídica de Chile, 2003), 481. Los autores afirman que este despropósito legislativo introducido por la Ley N°19.734 requiere de una urgente revisión para que nuestro sistema de penas cumpla efectivamente los fines que se declaran, entre ellos, el de rehabilitación y reinserción social, que parecen muy lejanos si lo que pretende es que el condenado cumpla de por vida y efectivamente una sentencia de prisión, esto es, imponer una pena de carácter incapacitante, renunciando con ello el Estado al mandato del art. 1°de la CPR que lo pone al servicio de la persona humana y le otorga como finalidad promover el bien común, para lo cual debe contribuir a crear las condiciones sociales que permitan a todos y a cada uno de los integrantes de la comunidad nacional su mayor realización espiritual y material posible, a favor de malentendidos reclamos de seguridad ciudadana.

[96]   Un ejemplo de este tipo de pena lo es la pena máxima asignada al delito de femicidio (art. 390 bis del CP).

[97]   Mañalich, "La pena como retribución", 177-178.

Nuestra legislación distingue entre presidio perpetuo simple y califica-do, atendiendo al tiempo mínimo de cumplimiento efectivo de privación de libertad que se exige para la postulación al beneficio de la libertad condicional. El presidio perpetuo calificado, de acuerdo con el art. 32 del CP, lo es por toda la vida del condenado pudiendo postular a la libertad condicional transcurridos cuarenta años de privación de libertad efectiva. Si la solicitud es rechazada, solo puede reactivar la postulación trans-curridos dos años desde su última presentación (art. 3° inc. 1° del DL N°321). En cambio, si bien el presidio perpetuo simple también lo es por toda la vida del condenado, es posible postular a la libertad condicional transcurridos veinte años de privación de libertad efectiva (art. 3° inc. 2° del DL N°321), y en caso de rechazo no existe la prohibición de esperar el transcurso de un tiempo para volver a postular.

A diferencia del presidio perpetuo simple, tampoco le está permitido a quien cumple condena de presidio perpetuo calificado postular a los bene-ficios intrapenitenciarios que contempla el REP, o cualquier otro cuerpo legal o reglamentario que importe la puesta en libertad de la persona, aunque sea de forma transitoria. Solo podrá autorizarse su salida, con las medidas de seguridad que se requieran, cuando su cónyuge o alguno de los padres o hijos se encontraren en inminente riesgo de muerte o hubieran fallecido. Por último, por su calificación también quedan excluidos de las leyes que concedan amnistías o indultos generales, salvo que se le hagan expresamente aplicables, solo procede el indulto particular por razones de Estado o por el padecimiento de un estado de salud grave o irrecuperable, debidamente acreditado, que importe riesgo de muerte inminente o inuti-lidad física de tal magnitud que impida a la persona valerse por sí misma.

3.1.2 El presidio temporal

El presidio temporal lo es por un tiempo determinado de la vida de la persona condenada y va desde los sesenta y un días a los veinte años de privación de libertad. Esta extensión de tiempo se divide en presidio menor y mayor, atendida la cuantía y gravedad de la pena (art. 25 CP). Dentro del presidio menor, el grado mínimo va desde los sesenta y un días a los cinco años. En tanto, dentro del presidio mayor, el grado mínimo va desde los cinco años y un día a los veinte años. A su vez, dentro del presidio apreciamos grados, siendo cada grado de una pena divisible una pena distinta.

La privación temporal de libertad del presidio menor en su grado mínimo va desde los sesenta y un días a los quinientos cuarenta días; el grado medio, desde los quinientos cuarenta y un día a los tres años; y el grado máximo, desde los tres años y un día hasta los cinco años. La privación de libertad del presidio mayor en su grado mínimo va desde los cinco años y un día hasta los diez años; el grado medio, desde los diez años y un día hasta los quince años; y el grado máximo, desde los quince años y un día hasta los veinte años.

3.1.3 La prisión y reclusión

Entre presidio, prisión y reclusión, aparte de las diferencias de grado no hay distinciones cualitativas. La distinción que hacen los artículos 32 y 89 del CP que somete a las personas condenadas a presidio a los trabajos prescritos en los reglamentos penitenciarios, liberando a los reclusos y reclusas, si no carecen de medios para satisfacer ciertas obligaciones pecuniarias o de un oficio o modo de vivir conocido y honesto con que pagarlas, en la práctica no tiene relevancia porque no existe la obligación de trabajar al interior de los establecimientos penitenciarios, pues todo trabajo que se desarrolle dentro es voluntario. En la realidad presidio y reclusión tienden a confundirse, porque en relación con los restantes aspectos de su ejecución, efectos y duración, ambas penas son idénticas de manera que la distinción se ha vuelto inútil[98].

En cambio, la pena de prisión consiste en un encierro corto que no puede extenderse más allá de sesenta días (art. 25 inc. 5° del CP). También se divide en grados: el mínimo, va de uno a veinte días; el medio, va de veintiún días a cuarenta días; y el máximo, va de cuarenta y un días a sesenta días. Por su corta duración la doctrina sostiene que no es aconsejable porque es inadecuada para la prevención general, pues apenas aseguran la prevalencia del derecho, tampoco dan tiempo suficiente para intentar un tratamiento de prevención especial o resocializador y, en cambio, exponen al sujeto a un contacto directo con reincidentes, así como con la subcultura penitenciaria, todo lo cual puede deteriorar en forma irremediable la personalidad del individuo.

---

[98]   Guzmán Dalbora, *La pena y la extinción*, 209.

3.2 Alternativas a la pena privativa de libertad: penas sustitutivas

Las penas sustitutivas están reguladas en la Ley N°18.216[99], normativa que ha sido objeto de importantes modificaciones legales, como la introducida en el año 2012 por la Ley N°20.603. Esta última responde a un cambio de perspectiva en la comprensión de las medidas alternativas a las penas privativas y restrictivas de libertad, las que ahora son "penas sustitutivas" y no beneficios alternativos, cambio que da lugar a una serie de consecuencias jurídicas de corte garantista como, por ejemplo, el reconocimiento del abono para casos de incumplimiento o quebrantamiento de la pena.

Esta última normativa tuvo por objeto ser una herramienta eficaz en el ámbito preventivo especial, y ser un arma efectiva en el control del delito. En ese entendido se amplió el ámbito de aplicación del sistema alternativo a la prisión; se incorporó el control efectivo del cumplimiento de las penas mediante uso de modernas tecnologías (monitoreo telemático); se reguló la supervisión de cumplimiento a través de audiencias judiciales; se pretendió limitar el uso de la privación de libertad, imponiendo trabajos comunitarios a personas que no tienen el dinero para pagar una multa; se establecieron mecanismos de protección especiales a las víctimas de violencia intrafamiliar y delitos sexuales, entre otros.

El catálogo de penas sustitutivas está compuesto por la remisión condicional, reclusión parcial, libertad vigilada, prestación de servicios en beneficio de la comunidad y, la expulsión. Se incorpora además la pena mixta que por sus particulares características se entiende como una salida anticipada al medio libre más que una pena sustitutiva propiamente tal, por lo que esta última será tratada en el capítulo relativo a los beneficios que excarcelan. A continuación, por la importancia práctica de la materia haremos un análisis particular de cada una de estas penas, distinguiendo previamente las exclusiones generales y particulares.

---

[99] Ley N°18.216 que establece penas que indica como sustitutivas a las penas privativas o restrictivas de libertad, publicada en el Diario Oficial el 14 de mayo de 1983. Esta normativa ha sido objeto de múltiples modificaciones legales, siendo la más importante la Ley N°20.603, de 27 de junio de 2012.

3.2.1 Exclusiones generales

Por exclusiones generales nos referimos a condenas que no pueden acceder a ninguna pena sustitutiva.

a) Exclusión general de todas las penas sustitutivas, respecto de una condena por crimen o simple delito de la legislación sobre tráfico ilícito de estupefacientes y sustancias psicotrópicas, en caso de existir condenas anteriores por esos mismos crímenes o simples delitos (art. 1° inc. 3° Ley N°18.216).

Se excluyen todas las penas sustitutivas, si hay condena anterior por crimen o simple delito contemplado en las leyes N°20.000, N°19.366 y N°18.403[100]. Ahora bien, la regla tiene las siguientes contra excepciones, es decir, es procedente la aplicación de penas sustitutivas: 1) Si se ha reconocido la circunstancia atenuante de cooperación eficaz del art. 22 de la Ley N°20.000; 2) Cuando las condenas anteriores se encuentren prescritas. Para estos efectos, el art.1° inc. 3°, señala que se entienden prescritas las condenas por crimen o simple delito cumplidas, respectivamente, diez o cinco años antes de la comisión del nuevo ilícito[101].

---

[100]   Departamento de Estudios Defensoría Nacional. "Penas sustitutivas de la Ley N°18.216". (Defensoría Penal Pública, 2014), 8, MINUTA DPP LEY 18216.pdf. Esta norma presenta los siguientes problemas interpretativos: a) La regla omite toda referencia a la condena actual. Sin embargo, su contexto regulativo permite interpretar inequívocamente que se está refiriendo a una condena actual por crímenes y simples delitos contemplado en la Ley N°20.000 o sus antecesoras. Esto es concordante con la regla de reiteración establecida en el art. 62 de la Ley N°20.000, cuyo sentido es la exclusión de penas sustitutivas al reincidente en materia de legislación de drogas. b) La regla no precisa el hecho respecto del cual la condena debe ser anterior. En otras palabras, ¿la condena debe ser anterior a la nueva sentencia condenatoria, o la condena debe ser anterior al acaecimiento del nuevo hecho delictivo?

[101]   Ídem, 10. La Ley N°18.216 modificó también el art. 62 de la Ley N°20.000 (que establece la misma regla de exclusión) remplazando la expresión "medidas alternativas" por "penas sustitutivas", sin recoger en su texto la contraexcepción. Hay quienes sostienen que debe prevalecer la regla "especial" del art. 62 por sobre el art. 1° inc. final, agregando que, si el legislador hubiese querido aplicar al primero la contraexcepción, lo habría indicado expresamente en aquella disposición. Hay otros que sostienen que no se trata de una cuestión de especialidad, por cuanto ambas disposiciones tienen la misma regla, sino que "lo relevante es determinar el ámbito de aplicación de la regla que establece la contraexcepción. Y en este punto, lo correcto sería afirmar que la concurrencia de sus presupuestos excluye el efecto excepcional de las condenas anteriores respecto de ambas disposiciones. Esto porque el legislador no estaba obligado a incorporar al art. 62 la regla de omisión de condenas anteriores ya que dicha disposición sólo está regulando la excepción, no la contraexcepción".

b) Exclusión general de todas las penas sustitutivas a los condenados por robo simple en calidad de autor de delito consumado, respecto de quienes hayan sido anteriormente condenados por robo califica-do, robo simple, robo por sorpresa y robo con fuerza en las cosas en lugar habitado, destinado a la habitación o sus dependencias (art. 1° inc. 6°)[102]. La regla tiene la siguiente contra excepción: regla de pres-cripción de la condena anteriormente señalada.

Ahora bien, el art 2° bis de la Ley N°18.216 dispone que en caso de pro-cedencia de las penas sustitutivas y la pena mixta, estas últimas sólo serán aplicables por los delitos previstos en los arts. 433 (robos con violencia e intimidación calificados), 436 inc. 1° (robos con violencia e intimidación simple), 440 (robo con fuerza en las cosas), 443 (robo en bienes naciona-les de uso público), 443 bis (robo con fuerza en cajeros automáticos, dis-pensadores o contenedores de dinero, u otros) y 448 bis (abigeato) del CP, a aquellos condenados respecto de quienes se tome la muestra biológica para la obtención de la huella genética, de acuerdo a las previsiones de la Ley N°19.970, sin perjuicio del cumplimiento de los requisitos que, para cada una de las penas sustitutivas o para el régimen intensivo del art. 33, establecen la ley y su reglamento. Para el cumplimiento de lo anterior, el tribunal deberá ordenar la diligencia en la respectiva sentencia. En aque-llos casos en que el condenado, debidamente notificado, no compareciere para tales efectos, el tribunal podrá revocar la pena sustitutiva y ordenar que se cumpla la pena efectiva.

c) Exclusión general de todas las penas sustitutivas a los condenados en calidad de autor del delito consumado de secuestro calificado, sustracción de menor, tortura, tortura con violación, homicidio o lesiones graves, violación propia, violación impropia, violación con homicidio, parricidio, femicidio, femicidio en razón de género, y ho-micidio; o de los delitos o cuasidelitos que se cometan empleando al-guna de las armas o elementos mencionados en las letras a), b), c), d) y e) del art. 2° y en el art. 3° de la Ley N°17.798, salvo en los casos

---

[102] Respecto de esta exclusión se da el mismo problema interpretativo que vimos en la nota 100, en cuanto al momento respecto del cual la condena previa debe ser anterior, por lo que damos por reproducido el punto.

en que en la determinación de la pena se hubiere considerado la circunstancia primera establecida en el art. 11 del CP[103] (art.1 inc.2).

d) Exclusión general de todas las penas sustitutivas a los condenados por crímenes o simples delitos contemplados en la Ley N°17.798, salvo que les hubiere sido reconocida la circunstancia atenuante prevista en el artículo 17 C de dicho cuerpo legal.

Es decir, la circunstancia atenuante especial de responsabilidad penal, consistente en la cooperación eficaz que conduzca al esclarecimiento de hechos investigados que sean constitutivos de alguno de los delitos previstos en esa ley o permita la identificación de sus responsables; o sirva para prevenir o impedir la perpetración o consumación de otros delitos de igual o mayor gravedad contemplados en esa ley.

Ahora bien, la norma tiene una contraexcepción, pues dispone que tratándose de simples delitos previstos en la Ley N°17.798, y no encontrándose en el caso del supuesto anterior, esto es concurrencia de la atenuante especial, sólo procederán las penas sustitutivas de reclusión parcial y libertad vigilada intensiva.

e) Exclusión general de todas las penas sustitutivas respecto de los condenados por la comisión de una falta, a quienes se aplicó la suspensión de la imposición de la condena regulada en el art. 398 CPP. Según dispone el art. 2° de la Ley N°18.216, *en los casos de faltas, regirá lo dispuesto en el art. 398 del Código Procesal Penal o en la Ley N°18.287, según sea el tribunal que conozca del proceso.*

La regla remite a la suspensión de la imposición de la condena por falta, indicando el inc. 1° del art. 398 CPP que, en caso de disponerse dicha suspensión, no procederá su acumulación con alguna pena sustitutiva. Lo

---

[103] Jorge Mera "Comentario (artículo 11)", *Código Penal Comentado, Parte General. Doctrina y Jurisprudencia.* (Santiago: Abeledo Perrot, 2011), 285-286. Se sostiene que la regla solo comprende la circunstancia atenuante de efecto ordinario y no la atenuación extraordinaria del art. 73 del CP. La regla, formulada en esos términos es deficiente si, según la interpretación mayoritaria, la distinción entre la aplicación del art. 11 n°1 y el art. 73 depende de si la eximente enumera requisitos y concurre el mayor número de ellos, la regla estaría afirmando que el caso menos grave desde el punto de vista del merecimiento y necesidad de pena no puede acceder a una sustitución de la pena privativa de libertad. Sin embargo, esta alternatividad es solo una apariencia, pues el reconocimiento del art. 11 n°1 no es obstáculo para su expresión, en los casos que corresponda y para efectos penológicos, según la regla del art. 73.

anterior no significa que las faltas estén excluidas de la aplicación de las penas sustitutivas, pues la regla del art. 398 CPP, al que se remite el art. 2°, solo establece que la suspensión de la imposición de condena es incompatible con ellas, pero no que la denegación de la suspensión impida la sustitución. Por lo tanto, esta no es una exclusión orientada en el sentido de las tres anteriores.

3.2.2 Exclusiones especiales

Por exclusiones especiales nos referimos a supuestos que excluyen la aplicación de ciertas penas sustitutivas. Solo los enunciaremos, porque serán analizados en los acápites correspondientes a cada pena sustitutiva en particular.

a) Exclusión de la pena sustitutiva de prestación de servicios en beneficio de la comunidad, respecto de los condenados por crímenes o simples delitos señalados en las leyes números 20.000, 19.366 y 18.403.

b) Exclusión de la pena sustitutiva de remisión condicional, respecto de condenados por los ilícitos previstos en los arts. 15 letra b) o 15 bis letra b).

c) Exclusión de la pena sustitutiva de expulsión, respecto de los condenados por delitos cometidos con infracción de la Ley N°20.000 y de los incisos segundo, tercero, cuarto y quinto del art. 168 de la Ordenanza de Aduanas, ni de los condenados por los delitos contemplados en el párrafo V bis, de los delitos de tráfico ilícito de migrantes y trata de personas, del Título VIII del Libro Segundo del CP.

3.2.3 Remisión condicional de la pena

La pena sustitutiva de remisión condicional consiste en la discreta observación y asistencia de la persona condenada por Gendarmería durante todo el tiempo que señale la respectiva sentencia judicial, el que no será inferior a la duración de la pena sustituida, con un mínimo de un año y un máximo de tres. Se diferencia de la antigua medida alternativa en que no impone la condición de satisfacer la indemnización civil, costas y multas, sin embargo, es desfavorable en relación con la existencia de exclusiones para su otorgamiento.

El control administrativo que ejerce Gendarmería es periódico[104], sin plan de intervención y sin exponer a la persona sentenciada al contacto criminógeno que importa la pena privativa de libertad. Esta última queda sujeta a condiciones de menor intensidad como lo es la residencia en un lugar determinado[105], y al ejercicio de una profesión, oficio, empleo, arte, industria o comercio, si careciere de medios conocidos y honestos de subsistencia y no tiene la calidad de estudiante, dentro del plazo y bajo las modalidades que determina el Centro de Reinserción Social.

- **Requisitos**

  a) Que la pena privativa o restrictiva de libertad impuesta, no sea superior a tres años.
  b) Que la persona no haya sido anteriormente condenada por crimen o simple delito[106].
  c) Que los antecedentes personales, conducta anterior y posterior al hecho, y la naturaleza, modalidades y móviles determinantes del delito, permitan presumir que no volverá a delinquir.
  d) Que las circunstancias b) y c) hagan innecesaria una intervención o la ejecución efectiva de la pena.

Ahora bien, la ley excluye del ámbito de aplicación de la remisión condicional, las condenas superiores a quinientos cuarenta días e iguales o inferiores a tres años respecto de ciertos delitos. En estos casos solo podrá sustituirse la pena por reclusión parcial, libertad vigilada o libertad

---

[104]   En los casos de condenados pertenecientes a las Fuerzas Armadas y Carabineros de Chile, rige la regla especial del art. 13 de la Ley N°18.216.

[105]   Esta condición no impide que la persona pueda salir temporalmente del lugar, sino estaríamos en presencia de una pena de relegación.

[106]   A contrario sensu, las penas de faltas no impiden la procedencia de la remisión condicional. Además, por aplicación de las reglas generales sobre eficacia de resoluciones judiciales penales, las condenas previas que impiden la sustitución deben encontrarse ejecutoriadas. Además, para estos efectos, no se deben considerar las condenas anteriores por crimen o simple delito cumplidas diez o cinco años antes, respectivamente, de la comisión del nuevo ilícito.

vigilada intensiva, según corresponda[107]. Nos referimos a: i) microtráfico; ii) manejo en estado de ebriedad con resultado de muerte, lesiones graves gravísimas, simplemente graves o menos graves; iii) determinados delitos cometidos en el contexto de violencia intrafamiliar: amenaza de una mal constitutivo de delito (art. 296), amenaza de un mal no constitutivo de delito (art. 297), parricidio (art. 390) femicidio (art. 390 bis y ter), homicidio simple y calificado (art. 391), castración (art. 395), mutilación de miembro importante o menos importante (art. 396), lesiones graves gravísimas o simplemente graves (art. 397), lesiones graves cometidas por medio de sustancias o bebidas nocivas o abusando de la credulidad o flaqueza de espíritu de la víctima (art. 398), lesiones menos graves (art. 399), todos del CP; iv) determinados delitos sexuales: estupro (art. 363), abuso sexual agravado (art. 365 bis), abuso sexual proprio (art. 366), abuso sexual impropio (art. 366 bis), involucramiento de menor en actos de significación sexual (art. 366 quáter), producción de material pornográfico infantil (art. 366 quinquies), promoción o facilitación de la prostitución de menores de edad, simple o calificada (art. 367), obtención de servicios sexuales por parte de menores de edad (art. 367 ter), promoción o facilitación de la entrada o salida del país de personas para el ejercicio de la prostitución (art. 411 ter), todos del CP.

- Procedimiento

La procedencia de esta pena sustitutiva se discute en audiencia, previa citación de la víctima o quién la represente, si se trata de delitos de acción penal privada o mixta. Podrá ser impuesta por el tribunal, de oficio o a petición de parte, y en su concesión como rechazo, deberá expresar los fundamentos en que se apoya, y los antecedentes en que basa su convicción. Una vez que la sentencia tenga el carácter de firme y ejecutoriada, el tribunal informa en breve plazo a Gendarmería (48 horas) la imposición de esta pena.

---

[107]   División de Reinserción Social del Ministerio de Justicia, "Nueva Ley N°18.216, Análisis de las modificaciones introducidas por la Ley N°20.603", (Material para capacitación, Ministerio de Justicia, 2012), 32. material capacitación ministerio justicia 18216.pdf. Se ha sostenido que la exclusión vía remisión al art. 15 letra b) o 15 bis letra b), no se efectúa a un catálogo de tipos penales, sino que a los "ilícitos previstos en esas disposiciones", es decir, hechos infractores de la ley penal cuya gravedad justifica la imposición de una pena superior a quinientos cuarenta días. De ese modo, la regla de exclusión se refiere no solo a la disposición legal correspondiente, sino también, a la gravedad del ilícito expresada en la concreta pena impuesta.

Por su parte, la persona condenada tiene un plazo de cinco días para presentarse ante la institución. En caso de no presentación, Gendarmería deberá informar al juez de garantía competente, quien puede despachar inmediatamente orden de detención[108]. Asimismo, el tribunal debe oficiar al Registro Civil para la omisión de esta pena en los certificados de antecedentes penales[109]. Por último, en materia recursiva la resolución que concede o rechaza la pena es apelable en el plazo de cinco días, contados desde la notificación de la sentencia definitiva, o en el plazo de diez días, si se impugna ella vía recurso de nulidad, caso en el cual, la apelación se interpone con el carácter de subsidiaria para el caso de que la resolución del recurso no altere lo decidido por el tribunal *a quo*[110].

- **Incumplimiento y quebrantamiento**

Dos son los supuestos legales que autorizan la revocación o remplazo de la pena de remisión condicional:

   a) Incumplimiento injustificado de condiciones: Si se trata de un incumplimiento injustificado, grave o reiterado, el tribunal deberá revocar la remisión condicional o remplazarla por otra pena sustitutiva de mayor intensidad. Si se trata de otra clase de incumplimiento injustificado (no grave ni reiterado), el tribunal deberá intensificar las condiciones, es decir, establecer un mayor control para el cumplimiento de la pena.

   b) Quebrantamiento: Si durante el cumplimiento de la pena sustitutiva la persona condenada comete un nuevo crimen o simple

---

[108] El tribunal competente es el que corresponde según las reglas generales, esto es, el Juzgado de Garantía que hubiese intervenido en el respectivo procedimiento penal, de conformidad a lo dispuesto en los artículos 14 letra f) y 113 inc. 2° COT. En casos excepcionales, el tribunal podrá declararse incompetente para que conozca el juez de garantía del lugar de cumplimiento de la pena cuando exista una distancia considerable entre el lugar donde se dictó la sentencia y el de ejecución, de acuerdo con el art. 36 Ley N°18.216.

[109] Ley N°18.216 (art. 38 inc. final): "Se exceptúan los certificados que se otorguen para el ingreso a las Fuerzas Armadas, a las fuerzas de Orden y Seguridad Pública y a Gendarmería de Chile, y los que se requieran para su agregación a un proceso criminal".

[110] Ley N°18.216 (art. 37): "La decisión acerca de la concesión, denegación, revocación, sustitución, reemplazo, reducción, intensificación y término anticipado de las penas sustitutivas que establece esta ley y la referida a la interrupción de la pena privativa de libertad a que alude el artículo 33, será apelable para ante el tribunal de alzada respectivo, de acuerdo con las reglas generales".

delito la pena se considera quebrantada por el solo ministerio de la ley, dando lugar a su revocación.

Tanto la revocación, remplazo e intensificación son apelables según las reglas generales. En caso de dejarse sin efecto la pena sustitutiva, sea como consecuencia del incumplimiento o del quebrantamiento, la persona condenada se somete al cumplimiento del saldo de la pena inicial, abonándose a su favor el tiempo de ejecución de dicha pena sustitutiva de forma proporcional a la duración de ambas, de conformidad a lo dispuesto en el art. 26[111]. Una vez cumplida satisfactoriamente la pena, Gendarmería informa oportunamente al tribunal para efectos de lo dispuesto en el inc. 3° del art. 38 de la Ley N°18.216, con el objeto de que opere la eliminación definitiva de los antecedentes prontuariales. El tribunal que declare cumplida la pena sustitutiva, debe en consecuencia oficiar al Registro Civil, el que practica la eliminación.

3.2.4 Reclusión parcial

La pena sustitutiva de reclusión parcial consiste en un encierro de cincuenta y seis horas semanales, conforme a la siguiente distribución: diurna, nocturna y de fin de semana. Se diferencia de su antecedente en cuanto permite su cumplimiento en el domicilio, además de no exigir la satisfacción de la indemnización civil, costas y multas. La reclusión diurna consiste en el encierro en el domicilio de la persona condenada, durante un lapso de 8 horas diarias y continuas, que pueden fijarse entre 8 y 22 horas; la nocturna, en el encierro en el domicilio o en establecimientos especiales, entre las 22 horas de cada día hasta las 6 horas del día siguiente; y la de fin de semana, en el encierro en el domicilio o en establecimientos especiales, entre las 22 horas del viernes y las 6 horas del lunes siguiente. El juez podrá hacer uso de cualquiera de los criterios para alcanzar las horas señaladas.

Por domicilio ha de entenderse la residencia regular que se utiliza para fines habitacionales. Excepcionalmente, el lugar de cumplimiento podrá corresponder a establecimientos especiales, entendiéndose por tal, los

---

[111] Cuando el art. 26 de la Ley N°18.216 dice "dejada sin efecto la pena sustitutiva", se está refiriendo a una revocación o sustitución por otra pena de la Ley N°18.216 de mayor intensidad.

centros o anexos abiertos y dependencias destinadas a personas beneficiadas con salidas diarias o dominicales administrados por Gendarmería[112]. En cuanto al plazo de duración de la pena corresponde al equivalente a ocho horas continuas de reclusión parcial por cada día de privación o restricción de libertad.

- • **Requisitos**

a) Que la pena privativa o restrictiva de libertad impuesta no sea superior a 3 años.
b) Que la persona condenada no lo haya sido anteriormente por crimen o simple delito, o haberlo sido a una condena privativa o restrictiva de libertad que no exceda de dos años, o a más de una, siempre que en total no superen de dicho límite (sin perjuicio de la aplicación de la regla de omisión de condenas anteriores por crimen o simple delito, cumplidas diez o cinco años antes, respectivamente, de la comisión del nuevo ilícito)[113]. Sin embargo, si dentro del plazo de diez o cinco años anteriores, a la comisión del nuevo hecho, hubiesen sido impuestas dos reclusiones parciales, esta sustitución no será procedente[114].

Ahora bien, respecto de los delitos comprendidos en los párrafos 1 a 4 bis del Título IX del Libro Segundo (apropiación de cosas muebles ajenas en contra de la voluntad de su dueño, robos con violencia e intimidación, robos con fuerza en las cosas, hurtos y abigeato) y en el art. 456 bis A (receptación), todos del CP, con excepción de aquellos contemplados en los arts. 438 (fraude usando de violencia e intimidación para

---

[112] Departamento de Estudios Defensoría Nacional. "Penas sustitutivas", 28. La reclusión en establecimientos especiales sólo debiera proceder cuando no sea posible acreditar una residencia regular para fines habitacionales, o cuando el condenado expresamente así lo señale, priorizando de ese modo el proyecto de vida del imputado y su voluntad, especialmente, en razón de las eventuales consecuencias estigmatizantes que puede ocasionar el uso del dispositivo de monitoreo telemático en la vida personal, familiar y laboral del condenado.

[113] *Ídem*, 28. Las penas correspondientes a faltas no impiden la procedencia de la reclusión parcial. Además, por aplicación de las reglas generales sobre eficacia de resoluciones judiciales penales, las condenas previas que impiden la sustitución deben encontrarse ejecutoriadas.

[114] El tenor literal y el respeto por el principio de legalidad exigen para la aplicación de esta excepción, dos "reclusiones parciales", es decir, refiere a la pena sustitutiva del mismo nombre, no a la medida "reclusión nocturna" regulada en la antigua ley.

suscripción de instrumento); 448, inc. 1° (hallazgo de especie mueble perdida), y 448 quinquies (apropiación de elementos pelaje de animales) de ese cuerpo legal, no será procedente la aplicación de esta pena sustitutiva si dentro de los diez o cinco años anteriores, según corresponda, a la comisión del nuevo crimen o simple delito, le hubiere sido impuesta al condenado una reclusión parcial.

c) Que existan antecedentes laborales, educacionales o similares que justifiquen la pena, y que los antecedentes personales, conducta anterior y posterior al hecho, y la naturaleza, modalidades y móviles determinantes del delito, permitan presumir que la pena de reclusión parcial lo disuadirá de cometer nuevos ilícitos.

• Procedimiento

Su procedencia se discute en audiencia, previa citación de la víctima o quién la represente si se trata de delitos de acción penal privada o mixta. Podrá ser impuesta de oficio o a petición de parte por el tribunal y, en su concesión como rechazo, deberá expresar los fundamentos en que se apoya y los antecedentes en que basa su convicción. Si la reclusión parcial es domiciliaria, el control se hace mediante sistema de monitoreo telemático[115], salvo informe desfavorable de factibilidad técnica, en cuyo caso se pueden decretar otros medios de control similares determinados por el tribunal como, por ejemplo, el control por Carabineros. Si la reclusión parcial es en establecimiento especial de Gendarmería, el control se hace mediante un sistema de registro en él que debe quedar constancia de todas las presentaciones de la persona condenada y de las resoluciones judiciales que afecten el cumplimiento de la pena.

Ahora bien, de conformidad con el art. 38 de la Ley N°18.216, el tribunal debe oficiar al Registro Civil para la omisión de esta pena en los certificados de antecedentes penales. En materia recursiva la resolución que concede o rechaza la pena es apelable en el plazo de cinco días, contados desde la notificación de la sentencia definitiva, o diez días, si se impugna

---

[115] Para la aplicación del monitoreo telemático se requiere la elaboración de un informe de factibilidad técnica, el que debe ser solicitado a Gendarmería, a través del departamento de monitoreo telemático, directamente por el fiscal o defensor, o en subsidio por el tribunal, durante la etapa de investigación.

ella vía recurso de nulidad, caso en el cual, la apelación se interpone con el carácter de subsidiaria para el caso de que la resolución del recurso no altere lo decidido por el tribunal *a quo*.

- **Incumplimiento y quebrantamiento**

Los supuestos legales que autorizan la revocación o remplazo de la pena de reclusión parcial son:

a) Reglas especiales para la pena controlada por monitoreo telemático: En el caso de que el dispositivo de monitoreo quedare inutilizado o sufriere un desperfecto, la persona condenada deberá informarlo a la brevedad a Gendarmería. Si no lo hace, el tribunal podrá otorgar mérito suficiente a dicha omisión para dejar sin efecto la sustitución de la pena. Si el sujeto dañare o inutilizare el dispositivo o lo destruyere responderá por el delito de daños, de conformidad a lo establecido en los arts. 484 y ss. del CP.

b) Incumplimiento injustificado de las condiciones: Si se trata de un incumplimiento injustificado grave o reiterado, el tribunal deberá revocar la reclusión parcial o remplazarla por otra pena sustitutiva de mayor intensidad. Si se trata de otra clase de incumplimiento injustificado, el tribunal deberá intensificar las condiciones, es decir, establecer un mayor control para el cumplimiento de la pena.

c) Quebrantamiento: Las penas sustitutivas se consideran quebrantadas por el solo ministerio de la ley, dando lugar a su revocación, si durante el cumplimiento la persona sentenciada comete un nuevo crimen o simple delito y fuere condenada por sentencia firme[116]. Tanto la revocación, remplazo e intensificación son apelables según las reglas generales.

En caso de quedar sin efecto la pena impuesta, como consecuencia del incumplimiento o del quebrantamiento, la persona condenada se somete al cumplimiento del saldo de la pena inicial, abonándose a su favor

---

[116] Se advierte la relevancia de verificar la existencia de penas sustitutivas vigentes al momento de admitir responsabilidad en un procedimiento simplificado, o aceptar un procedimiento abreviado, debido al efecto que esa condena tiene para la pena sustitutiva anterior.

ocho horas continuas de reclusión parcial por cada día de privación o restricción de libertad, todo ello en conformidad a los arts. 9 y 26 de la Ley N°18.216. Como en el caso de la remisión condicional, una vez cumplida satisfactoriamente la pena, Gendarmería informa oportunamente al tribunal para efectos de lo dispuesto en el inc. 3° del art. 38 de la Ley N°18.216.

3.2.5 Libertad vigilada

La pena de libertad vigilada consiste en someter a la persona condenada a un régimen de libertad a prueba que debe propender a su reinserción social, a través de una intervención individualizada bajo la vigilancia y orientación permanente de un delegado. La libertad vigilada es intensiva cuando debe cumplirse un programa de actividades orientado a la reinserción social (en el ámbito personal, comunitario y laboral), a través de una intervención individualizada, pero bajo la aplicación de ciertas condiciones especiales que serán vigiladas y orientadas permanente y rigurosamente por un delegado. Es decir, esta última establece mayores exigencias.

Ahora bien, el plazo de intervención es igual a la duración de la pena sustituida. Sin perjuicio de ello, el delegado puede proponer al juez su reducción, el remplazo de la pena por otra de menor intensidad, o bien, el término anticipado de la misma, en los casos que considere que se ha dado cumplimiento a los objetivos del plan de intervención. La decisión judicial acerca de la reducción, remplazo o término anticipado es apelable según las reglas generales.

- **Requisitos**

Existen requisitos comunes a la libertad vigilada simple e intensiva, y requisitos específicos para cada una de ellas.

Son comunes:

a) Que la persona no haya sido anteriormente condenada por crimen o simple delito. Por consiguiente, la pena de falta no es impedimento de procedencia.

b) Que los antecedentes sociales y características de personalidad de la persona sentenciada, conducta anterior y posterior al hecho, y la naturaleza, modalidades y móviles determinantes del delito, permitan concluir que una intervención individualizada parece eficaz en el caso específico, para su efectiva reinserción social.

Son específicos de la libertad vigilada simple:

a) Que la pena privativa o restrictiva de libertad impuesta sea superior a dos años y no exceda de tres años.
b) O bien, que la pena privativa o restrictiva de libertad sea superior a quinientos cuarenta días y no exceda tres años, en casos de microtráfico y manejo en estado de ebriedad con resultado de muerte, lesiones graves gravísimas, simplemente graves o menos graves.

Son específicos de la libertad vigilada intensiva:

a) Que la pena privativa o restrictiva de libertad impuesta sea superior a tres años y no exceda de cinco años.
b) O bien, que la pena privativa o restrictiva de libertad sea superior a quinientos cuarenta días y no exceda de cinco años, en los siguientes casos:

  b.1) Ciertos delitos cometidos en el contexto de violencia intrafamiliar: amenaza de una mal constitutivo de delito (art. 296), amenaza de un mal no constitutivo de delito (art. 297), parricidio (art. 390), femicidio (art. 390 bis y ter), homicidio simple y calificado (art. 391), castración (art. 395), mutilación de miembro importante o menos importante (art. 396), lesiones graves gravísimas o simplemente graves (art. 397), lesiones graves cometidas por medio de sustancias o bebidas nocivas o abusando de la credulidad o flaqueza de espíritu de la víctima (art. 398), lesiones menos graves (art. 399), todos delitos del CP.
  b.2) Ciertos delitos sexuales: estupro (art. 363), abuso sexual agravado (art. 365 bis), abuso sexual proprio (art. 366), abuso sexual impropio (art. 366 bis), involucramiento de menor a actos de significación sexual (art. 366 quáter), producción

de material pornográfico infantil (art. 366 quinquies), promoción o facilitación de la prostitución de menores de edad, simple o calificada (art. 367), obtención de servicios sexuales por parte de menores de edad (art. 367 ter), promoción o facilitación de la entrada o salida del país de personas para el ejercicio de la prostitución (art. 411 ter), todos delitos del CP.

- **Obligaciones de la libertad vigilada simple e intensiva**

Existen obligaciones comunes y eventuales a la libertad vigilada simple e intensiva y obligaciones específicas para cada una de ellas.

Son obligaciones comunes: a) Residencia en lugar determinado. La obligación de residencia no impide su abandono temporal, pues de lo contrario estaríamos en presencia de la pena de relegación; b) Sujeción a la vigilancia y orientación permanente de un delegado por el periodo fijado. La persona condenada debe cumplir todas las normas de conducta e instrucciones que imparta el delegado en materia de educación, trabajo, morada, cuidado del núcleo familiar, empleo del tiempo libre, y otras pertinentes para una eficaz intervención individualizada.

Son obligaciones eventuales: a) Ejercicio de una profesión, oficio, empleo, arte, industria o comercio –bajo las modalidades que determine el plan de intervención individual– si la persona carece de medios conocidos y honestos de subsistencia y no tiene la calidad de estudiante; b) Obligación de asistir a programas de rehabilitación de consumo problemático de drogas o alcohol. Esta obligación solo podrá ser decretada en el caso de contarse con una evaluación diagnóstica que confirme un consumo problemático. Constatado este, es un deber para el tribunal imponer la obligación de someterse a programas de rehabilitación, la que puede consistir en la asistencia a programas ambulatorios, la internación en centros especializados o una combinación de ambos tipos de tratamiento[117].

---

[117] Departamento de Estudios Defensoría Nacional, "Penas sustitutivas", 42. Esta obligación debe decretarse en la sentencia, junto con la imposición de las condiciones establecidas en el art. 17 de la Ley N°18.216. Ahora bien, el tribunal solo puede imponer esta obligación si efectivamente se ha realizado una evaluación que establezca la presencia de un consumo problemático de drogas o alcohol del condenado. Para ello, durante la etapa de investigación, los intervinientes deben solicitar al tribunal que decrete la obligación del imputado de asistir a una evaluación diagnóstica realizada por un médico calificado por el servicio de salud correspondiente, contratado por el Servicio Médico

Son obligaciones exclusivas de la libertad vigilada intensiva: a) Prohibición de acudir a determinados lugares; b) Prohibición de acercarse a la víctima o a sus familiares u otras personas que determine el tribunal, o de comunicación con ellos; c) Obligación de mantenerse en el domicilio o lugar que determine el juez, durante un máximo de ocho horas diarias continuas; d) Obligación de cumplir programas formativos, laborales, culturales, de educación vial, sexual, de tratamiento de violencia o similares.

- • Procedimiento

La procedencia de la pena sustitutiva se discute en audiencia, previa citación de la víctima o quién la represente si se trata de delitos de acción penal privada o mixta. Podrá ser impuesta por el tribunal, de oficio o a petición de parte, y en su concesión o rechazo deberá expresar los fundamentos en que se apoya y los antecedentes en que el juez basa su convicción[118]. En caso de concesión, y de conformidad con el art. 38 de la Ley N°18.216, el tribunal deberá oficiar al Registro Civil para la omisión de esta pena en los certificados de antecedentes penales. En materia recursiva la resolución es apelable en el plazo de cinco días, contados desde la notificación de la sentencia definitiva, o diez días, si se impugna vía recurso de nulidad, caso en el cual, la apelación se interpone con el carácter de subsidiaria para el caso de que la resolución del recurso no altere lo decidido por el tribunal *a quo*.

La persona condenada deberá presentarse ante el Centro de Reinserción Social dentro del plazo de cinco días desde que la sentencia se encuentre firme y ejecutoriada. Será función del delegado proponer al tribunal un plan de intervención individual para su aprobación, en el que indicará la pertinencia del plan, la coherencia entre actividades, objetivos y resultados, y en especial, la idoneidad de las actividades para el logro de los objetivos de reinserción. Si la persona condenada no se presenta,

---

Legal, para determinar si existe o no consumo problemático, entendiéndose por tal, aquel detectado y confirmado por dicho profesional a través de la evaluación diagnóstica.

[118] Los intervinientes deberán aportar los antecedentes que fundamenten la eficacia de una intervención individualizada en el medio libre. Estos antecedentes pueden ser de diversa índole, siendo el peritaje psicológico y social los más atingentes para dar cuenta de la situación actual del condenado y de los factores protectores, habilidades, competencias, potencialidades y posibilidades de reinserción en el medio libre.

Gendarmería informa al tribunal, quien puede despachar inmediatamente orden de detención.

Ahora bien, el control de esta pena se materializa en base a las medidas de supervisión aprobadas por el tribunal, las que incluyen asistencia obligatoria a las reuniones periódicas previamente fijadas por el delegado, cumplimiento de los programas de intervención psicosocial, y a través del monitoreo telemático, como medio de control de las condiciones especiales de la pena de libertad vigilada intensiva: prohibición de acudir a determinados lugares, prohibición de acercarse a la víctima o a sus familiares u otras personas que determine el tribunal, o de comunicación con ellos, obligación de mantenerse en el domicilio o lugar que determine el juez, durante un máximo de ocho horas diarias continuas. La duración de este monitoreo es idéntica a la pena sustitutiva, sin perjuicio de la modificación o cesación de la medida, cuando hubieren variado las circunstancias consideradas al momento de imponer la supervisión.

- **Remplazo de la libertad vigilada**

Una vez cumplida la mitad del período de observación de la pena sustitutiva, previo informe favorable de Gendarmería, el tribunal de oficio o a petición de parte, puede remplazar la misma en los siguientes términos: la libertad vigilada intensiva puede ser remplazada por la libertad vigilada. Esta última, a su vez, puede ser reemplazada por la pena de remisión condicional, si la persona sentenciada hubiere cumplido más de dos tercios de la pena originalmente impuesta, y cuenta con informe favorable de Gendarmería. A su vez, la libertad vigilada simple puede ser remplazada por la remisión condicional, la que se cumple por el tiempo que resta. El remplazo es apelable conforme a las reglas generales. Si la decisión es de rechazo, no puede volver a discutirse el mismo sino hasta transcurridos seis meses desde la denegación.

- **Incumplimiento y quebrantamiento**

Los supuestos legales que autorizan la revocación o remplazo de esta pena sustitutiva son:

a) Reglas especiales para la pena controlada por monitoreo telemático: i.- Daños al dispositivo; ii.- Infracción al deber de informar.

b) Incumplimiento injustificado de las condiciones: Si se trata de un incumplimiento injustificado, grave o reiterado, el tribunal deberá revocar la libertad vigilada o remplazarla por otra pena sustitutiva de mayor intensidad. Si se trata de otra clase de incumplimiento injustificado, el tribunal deberá intensificar las condiciones, es decir, establecer un mayor control para el cumplimiento de la pena.

c) Quebrantamiento: Las penas sustitutivas se consideran quebrantadas por el solo ministerio de la ley, dando lugar a su revocación, si durante su cumplimiento la persona condenada comete un nuevo crimen o simple delito, y fuere condenada por sentencia firme[119].

En caso de quedar sin efecto la pena sustitutiva impuesta, sea como consecuencia del incumplimiento o del quebrantamiento, la persona condenada se somete al cumplimiento del saldo de la pena inicialmente impuesta, abonándose a su favor el tiempo de ejecución de dicha pena sustitutiva de forma proporcional a la duración de ambas[120]. Tanto la revocación, remplazo e intensificación son apelables según las reglas generales.

3.2.6 Prestación de servicios en beneficio de la comunidad

Esta pena consiste en la realización de actividades no remuneradas a favor de la colectividad o en beneficio de personas en situación de precariedad, coordinadas por un delegado de Gendarmería. El trabajo es facilitado por la institución, la que puede establecer convenios con organismos públicos o privados sin fines de lucro denominados entidades beneficiarias. Esta pena se regula por la Ley N°18.216 y por el Decreto N° 552 N°552 de 2013, del Ministerio de Justicia, que aprueba el reglamento de la pena de prestación de servicios en beneficio de la comunidad, como

---

[119] Se advierte la relevancia de verificar la existencia de penas sustitutivas vigentes al momento de admitir responsabilidad en un procedimiento simplificado, o aceptar un procedimiento abreviado, debido al efecto que esa condena tiene para la pena sustitutiva anterior.

[120] Departamento de Estudios Defensoría Nacional, "Penas sustitutivas", 61. Debe tenerse presente que consta en la historia fidedigna de la ley que la introducción del término "proporcional" obedece al posible exceso en la duración de la pena sustitutiva respecto de la pena originalmente impuesta. Por esta razón, el abono proporcional en el caso de la libertad vigilada y la libertad vigilada intensiva corresponde al tiempo de cumplimiento de la pena sustitutiva, día por día.

pena sustitutiva o como sustituto de la pena de multa de acuerdo con lo dispuesto en el art. 49 del CP.

En cuanto a su duración, la determinación la hace el tribunal considerando cuarenta horas de trabajo por cada treinta días de privación de libertad. Si la pena excede treinta días, se realiza un cálculo proporcional. En todo caso, el trabajo diario no puede exceder las ocho horas diarias ni puede ser inferior a dos horas diarias efectivas. El tribunal, en la determinación de la duración, debe compatibilizar la misma con el régimen de estudio o trabajo del sentenciado, si este aporta antecedentes suficientes.

- Requisitos

    a) Que la pena originalmente impuesta sea igual o menor a trescientos días.
    b) Que la condena no sea por crímenes o simples delitos contemplados en las leyes números 20.000, 19.366 y 18.403.
    c) Que no sea aplicable otra pena sustitutiva. Es decir, la subsidiariedad de esta pena obedece a la improcedencia de otras penas sustitutivas, debido a los antecedentes penales previos, no por incumplimiento de otros requisitos.
    d) Que concurra la voluntad de la persona sentenciada. La voluntariedad es condición de imposición y ejecución de esta misma.
    e) Que existan antecedentes laborales, educacionales o similares que justifiquen la pena, o si los antecedentes personales, conducta anterior y posterior al hecho, y la naturaleza, modalidades y móviles determinantes del delito permiten presumir que la pena de prestación de servicios en beneficio de la comunidad sería disuasiva.
    f) Que no se haya impuesto con anterioridad la pena de prestación de servicios en beneficio de la comunidad.

- Procedimiento

La procedencia de esta pena sustitutiva se discute en audiencia, previa citación de la víctima o quién la represente si se trata de delitos de acción penal privada o mixta. Podrá ser impuesta por el tribunal, de oficio o a petición de parte, siempre y cuando la persona sentenciada manifieste su consentimiento. En su concesión como rechazo el juez deberá expresar los fundamentos en que se apoya y los antecedentes en que basa su convicción.

En materia recursiva la resolución es apelable en el plazo de cinco días, contados desde la notificación de la sentencia definitiva, o diez días, si se impugna vía recurso de nulidad, caso en el cual, la apelación se interpone con el carácter de subsidiaria para el caso de que la resolución del recurso no altere lo decidido por el tribunal *a quo*.

Una vez impuesta, el tribunal informa a Gendarmería en breve plazo (48 horas) y surge la obligación de la persona sentenciada de presentarse ante el Centro de Reinserción Social más cercano a su domicilio, dentro del plazo de cinco días desde que la sentencia se encuentre firme y ejecutoriada. Si no hay presentación, Gendarmería informa al tribunal quien puede despachar inmediatamente orden de detención. Por último, durante la ejecución de la pena el tribunal puede, de oficio o a solicitud de la persona sentenciada, controlar las condiciones de cumplimiento, citando a una audiencia de seguimiento.

- • Incumplimiento y quebrantamiento

En caso de incumplimiento, el delegado debe informar al tribunal competente el que deberá resolver sobre la mantención o revocación de la pena. Si existe incumplimiento, el tribunal debe decidir la revocación u ordenar que el cumplimiento se ejecute en un lugar distinto a aquel en que el trabajo originalmente se desarrollaba. Las causales de incumplimiento son: a) ausentarse injustificadamente del trabajo al menos durante dos jornadas laborales; b) si el rendimiento en la ejecución de los servicios es sensiblemente inferior al mínimo exigible, a pesar de los requerimientos del responsable del centro de trabajo; c) Si hay oposición o incumplimiento de forma reiterada y manifiesta a las instrucciones dadas por el responsable del centro de trabajo.

Ahora bien, esta pena se considera quebrantada por el solo ministerio de la ley, si durante su cumplimiento la persona sentenciada comete un nuevo crimen o simple delito, y fuere condenada por sentencia firme. En el caso de revocación, ya sea por quebrantamiento o incumplimiento, se abona al tiempo de reclusión un día por cada ocho horas efectivamente trabajadas. La resolución judicial que revoque la pena es apelable según las reglas generales.

3.2.7 Expulsión

Esta pena sustitutiva consiste en la expulsión del territorio nacional, del extranjero, sin residencia legal en el país, a quien se le impone la prohibición de regresar a él en un plazo de diez años contados desde la fecha de la sustitución. La misma sustitución se aplicará respecto del extranjero que resida legalmente en el país, a menos que el juez, fundadamente, establezca que su arraigo en el país aconseje no aplicar esta medida, debiendo recabar para estos efectos un informe técnico al Servicio Nacional de Migraciones, el que deberá ser evacuado al tenor del art. 129 de la Ley de Migración y Extranjería y su Reglamento[121].

- Requisitos

  a) Que la pena sea igual o inferior a cinco años de presidio o reclusión menor en su grado máximo.
  b) No procede respecto de los delitos cometidos con infracción de la Ley N°20.000 (tráfico ilícito de estupefacientes) y de los incisos segundo, tercero, cuarto y quinto del art. 168 de la Ordenanza de Aduanas, ni de los condenados por los delitos contemplados en el párrafo V bis, de los delitos de tráfico ilícito de migrantes y trata de personas, del Título VIII del Libro Segundo del CP.

- Procedimiento

La procedencia de esta pena se discute en audiencia, previa citación de la víctima o quién la represente, si se trata de delitos de acción penal privada o mixta. También deber ser citado el Ministerio del Interior y Seguridad Pública a fin de ser oído sobre la conveniencia de la sustitución. El tribunal, podrá imponerla, de oficio o a petición de parte, y en su concesión o rechazo, deberá expresar los fundamentos en que se apoya, y los antecedentes en que basa su convicción.

Ordenada la expulsión, el tribunal debe oficiar a la Policía de Investigaciones para los efectos de ejecutar la pena. Asimismo, ordenará la internación de la persona sentenciada en un establecimiento penitenciario de

---

[121] Ley N° 21.325, llamada Ley de Migración y Extranjería y Decreto 296, que aprueba Reglamento de la Ley N°21.325, publicada en el Diario Oficial el 12 de febrero de 2022.

Gendarmería hasta que se concrete la expulsión, debiendo informarse de ello al Servicio Nacional de Migraciones. Si bien, la ley no establece plazo para ejecutar la pena, la jurisprudencia ha señalado que: Para que la norma sea eficaz, la sustitución debe materializarse en un término razonable, de modo que no se torne en una situación más gravosa que la pena privativa de libertad que viene a remplazar, lo que es coherente con el principio de celeridad contenido en la Ley N°19.880 que establece las Bases de los Procedimientos Administrativos que rigen los Actos de los Órganos de la Administración del Estado[122].

En materia recursiva la resolución es apelable en el plazo de cinco días, contados desde la notificación de la sentencia definitiva, o diez días, si se impugna vía recurso de nulidad, supuesto en el cual, la apelación se interpone con el carácter de subsidiaria para el caso de que la resolución del recurso no altere lo decidido por el tribunal *a quo*.

- Incumplimiento y quebrantamiento

Esta pena se considera quebrantada por el solo ministerio de la ley, dando lugar a su revocación, si durante su cumplimiento se comete un nuevo crimen o simple delito y existiere sentencia condenatoria firme. Esta situación ocurriría si se trata de algún delito respecto del cual existe jurisdicción penal del Estado de Chile, según el principio de extraterritorialidad. Se considera incumplida la pena, si la persona sentenciada regresa al territorio nacional dentro del plazo de diez años.

En ambos casos, se revoca la pena, debiendo cumplirse el saldo de la pena privativa de libertad originalmente impuesta, abonándose el tiempo de ejecución de la misma en forma proporcional a la duración de ambas. Finalmente, en el caso de personas no condenadas anteriormente por crimen o simple delito, el cumplimiento de la pena sustitutiva tiene mérito suficiente para la eliminación definitiva de los antecedentes prontuáriales para todos los efectos legales y administrativos. El tribunal que declare cumplida la pena deberá oficiar al Registro Civil, el que practica la eliminación.

---

[122]   Corte Suprema. SCS Rol N°70-2014 de 8 de enero de 2014.

CAPÍTULO TERCERO

LA RELACIÓN JURÍDICA PENITENCIARIA

1. LA RELACIÓN JURÍDICA PENITENCIARIA

La relación jurídica penitenciaria es aquella que existe entre el Estado, representado por la administración penitenciaria, y la persona privada de libertad. Para que surja se requiere de un acto jurídico previo: la sentencia condenatoria firme y ejecutoriada que ordena el cumplimiento efectivo de la pena, la resolución que decreta la prisión preventiva, o la resolución que ordena la detención. Sin embargo, para que se trabe la relación, la persona debe ingresar al recinto penitenciario, ya sea porque es aprehendido y trasladado o porque se presenta voluntariamente a cumplir. Tamarit define este vínculo como aquella relación de ejecución penitenciaria, dirigida por la administración con sujeción a la ley y con la participación de la persona interna, a lo que habría que añadir orientada a la reinserción[123].

El ingreso a un recinto penitenciario, cualquiera sea el tipo de recinto, es siempre una situación difícil y estresante. A partir de ese momento, la persona deja de tener libre voluntad, para ser la administración penitenciaria el órgano dotado de la facultad de decisión y acción respecto de todos los aspectos de la vida del individuo. Desde levantarse a una hora determinada, asearse, vestirse, comer, realizar alguna actividad, trabajo o ejercicio físico, hasta el descanso nocturno, todo, pero absolutamente todo, está dirigido por la administración. En palabras de Foucault, la prisión, mucho más que la escuela, el taller o el ejército, que implica siempre

---

[123] Tamarit, *et.al. Curso de Derecho Penitenciario*, 60.

cierta especialización, es "omnidisciplinaria", no tiene exterior ni vacío; no se interrumpe, excepto una vez acabada totalmente su tarea[124].

En algunos casos, esta relación podría extenderse por años, décadas, incluso podría durar por todo lo que reste de vida a una persona, dependerá del *quantum* de la sentencia, y la misma se extinguirá al momento de dar cumplimiento total a la condena impuesta, o cuando se obtiene algún beneficio intrapenitenciario que adelante el momento de la excarcelación. Y, aun así, en este último caso, se mantiene el vínculo con los órganos encargados de ejecutar la pena, pero disminuido considerablemente en intensidad, al hallarse la persona cumpliendo condena en libertad.

2. RELACIÓN DE SUJECIÓN ESPECIAL Y LA POSICIÓN DE GARANTE DEL ESTADO

En un comienzo esta relación fue concebida por la mayoría de la doctrina y los operadores del sistema como una simple relación de sujeción especial, lo que trajo importantes consecuencias, algunas de las cuales hoy siguen produciendo efectos. En cambio, en la actualidad, el derecho internacional de los derechos humanos concibe la relación desde otro punto de vista: el Estado en relación con la persona privada de libertad tiene la posición de garante de sus derechos.

Lo anterior no significa que no haya una relación de sujeción, toda vez que el encierro de una persona en un lugar determinado, custodiado por agentes del Estado, con poderes de dirección, organización, mando y disciplina, implica necesariamente estar sujeto a un gran poder, pero esta sujeción o sometimiento no puede ejercitarse de forma totalitaria. La privación de libertad ha de compatibilizarse con los derechos de los privados de libertad que no están limitados o restringidos por la sentencia condenatoria. En este sentido, la posición de garante es una evolución en la concepción que se tenía de la relación Estado-persona privada de libertad, pues se restringe considerablemente el nivel de sujeción.

Históricamente, la primera concepción, proveniente de la dogmática alemana de fines del siglo XIX, hace referencia a relaciones estrechas entre

---

[124]   Foucault, *Vigilar y castigar*, 238.

el Estado y el ciudadano[125], referido particularmente a relaciones que se dan en la escuela pública, a las que se generan dentro de los establecimientos públicos, así como las que existen entre el Estado y sus funcionarios o los sometidos a la prestación del servicio militar[126]. En el ámbito penitenciario esta forma de entender la relación trajo como consecuencia que las personas privadas de libertad solo eran titulares de obligaciones, quedando sujetas a la administración penitenciaria, la que cumplía con su deber de custodia omnidisciplinariamente, sin garantizar derechos. Se pensaba que en estos ámbitos la disciplina y el orden eran valores superiores que la administración debía mantener por sobre cualquier otro interés. Lo anterior significó la relativización del principio de legalidad o reserva legal.

La relativización de este principio permitía al ente administrativo intervenir en la esfera jurídica del individuo, con el poder o facultad propio para regular la relación dentro de esa esfera sin límite. Lo anterior cambia cuando el Tribunal Constitucional Federal Alemán, en el año 1972, acogiendo un requerimiento constitucional de un precepto reglamentario, que autorizaba a los encargados de los establecimientos penitenciarios a controlar e incautar la correspondencia de la población interna en determinados supuestos, dijo que no sería constitucional una limitación de los derechos fundamentales de la persona en base a una norma de rango administrativo orientada a lograr ya sean los fines de la pena, o los del establecimiento penitenciario. La limitación de los derechos solo sería posible si estuviera regulado por una ley.

En la sentencia se ordena al legislador dictar una norma que regule la ejecución penal y se le dio un plazo para ello, lo que motivó, varios años después, la dictación de la Ley Penitenciaria alemana de 16 de marzo de 1976:

> También los derechos fundamentales de los reclusos solo pueden ser afectados a través de una ley o con ocasión de ella. La Ley Fundamental, en sus arts. 104 párrafos 1 y 2 y 2 párrafo 2 incisos 2 y 3, establece la posibilidad de una privación de libertad, limitada

---

[125]   Alfredo Gallego, "Las relaciones especiales de sujeción y el principio de la legalidad de la administración", *Revista de Administración Pública*, n.° 34 (1961): 11-51. El autor sostiene que el concepto fue empleado por primera vez por Laband y posteriormente desarrollado por Obermayer y una serie de autores. Obermayer habría definido la relación especial de sujeción como "aquella relación jurídico-pública de sometimiento, en el ámbito del derecho administrativo, en la que se encuentran aquellas personas que, como parte integrante del aparato administrativo, están bajo la dirección inmediata del poder público, con cierto carácter duradero y a favor de un determinado fin administrativo".

[126]   Rivera Beiras, *La cuestión carcelaria. Historia, epistemología, derecho y política penitenciaria.* (Buenos Aires, Editores del Puerto, 2016), 511.

o no temporalmente, en virtud de una sentencia penal judicial en aplicación de una ley penal y atendiendo las correspondientes disposiciones procesales. Por el contrario, no contiene [...] ninguna declaración fundamental sobre la forma y modo en que debe ejecutarse la pena privativa de libertad. En tanto se trate de la restricción de derechos fundamentales son decisivas las normas constitucionales afectadas, pues esto solo es permitido a través de una ley o con ocasión de ella [...]. La conclusión obvia de que el legislador está obligado, en razón de estos fundamentos, a dictar la correspondiente ley en el ámbito de la ejecución penal – el que hasta ahora está regulado predominantemente por disposiciones administrativas- no fue planteada por la doctrina ni por la jurisprudencia después de la entrada en vigor de la Ley Fundamental. Más bien se recurrió a la figura jurídica de las "relaciones de sujeción especial", entendiéndola como una restricción independiente e implícita de los derechos fundamentales de los reclusos; una ley de ejecución penal no se consideró constitucionalmente requerida [...] Este planteamiento retrospectivo se realiza para clarificar que la configuración tradicional de la ejecución penal como una "relación especial de sujeción" permitió relativizar los derechos fundamentales de los reclusos con insoportable incertidumbre. La Ley Fundamental es un orden vinculado a valores, que reconoce la protección de la libertad y la dignidad humanas como el fin superior de todo el derecho; su concepción de hombre no es, sin embargo, la de un individuo con autodominio sino de uno cuya personalidad se encuentra situada y comprometida de diversas formas con la sociedad [...]. En el art. 1 párrafo 3 de la Ley Fundamental se establece que los derechos fundamentales son inmediatamente vinculantes para el legislador, el poder ejecutivo y la judicatura. Este amplio vínculo del poder estatal es contrariado cuando durante la ejecución penal los derechos fundamentales pueden ser limitados o afectados de forma arbitraria o discrecional [...][127].

Horvitz señala que el Tribunal Constitucional reconoce explícitamente y por primera vez que en el ámbito de la ordenación del régimen penitenciario debe aplicarse estrictamente el principio de legalidad. Señala que el fallo deja asentado que los derechos y libertades fundamentales de las personas privadas de libertad solo pueden ser limitados por medio o sobre la base de una ley y siempre que sea imprescindible para la consecución de alguno de los fines cubiertos por el orden valorativo de la Constitución y en la forma prevista por ella. Concluye que al no existir una ley que regule los derechos y libertades de las personas presas, las disposiciones reglamentarias de la administración penitenciaria no pueden por sí solas restringir los derechos fundamentales de las personas privadas de libertad, como hasta entonces había venido sucediendo[128].

De esta manera, desde una posición que dejaba en absoluta indefensión al privado de libertad se transita a la posición de garante del Estado, doctrina que ha sido desarrollada por el sistema internacional

---

[127]   Tribunal Constitucional Federal Alemán: Beschluss des Zweiten Senats vom, sentencia de 14 de marzo de 1972, (traducción de María Inés Horvitz). En Horvitz, "La insostenible situación...", 915-916.
[128]   Horvitz, "La insostenible situación...", 916.

de los derechos humanos y cuyo contenido normativo se encuentra principalmente en el PIDCP[129].

Esta doctrina parte de la premisa de que el Estado responde por los actos u omisiones cometidas por sus funcionarios públicos y, excepcionalmente, por los actos de los particulares cuando el Estado ha tolerado o no ha sido capaz de cumplir con su deber de "control y represión", límites y resguardos que deben desarrollarse para contener de forma razonable los posibles riesgos que se den en la prisión como, por ejemplo, muertes, enfermedades, peleas, abusos de funcionarios, motines o huelgas de hambre.

Se explica esta posición en el hecho de que la privación de libertad, inmediatamente, configura una situación de vulnerabilidad. En este estado de indefensión es muy fácil sufrir de agresiones, golpizas, y tortura al interior de los centros penitenciarios. Por lo anterior, y bajo esta nueva mirada, todo lo que ocurre dentro de una prisión es responsabilidad de las autoridades penitenciarias, las que deben acostumbrarse a rendir cuentas y a explicar a la comunidad las decisiones que toman o los procedimientos que aplican, de forma de no dejar espacio a la negligencia, la omisión o la intención directa de causar daño a las personas custodiadas, cuestión

---

[129] PIDCP (art. 9.1): *"Todo individuo tiene derecho a la libertad y a la seguridad personales. Nadie podrá ser sometido a detención o prisión arbitrarias. Nadie podrá ser privado de su libertad, salvo por las causas fijadas por ley y con arreglo al procedimiento establecido en ésta. 2. Toda persona detenida será informada, en el momento de su detención, de las razones de la misma, y notificada, sin demora, de la acusación formulada contra ella. 3. Toda persona detenida o presa a causa de una infracción penal será llevada sin demora ante un juez u otro funcionario autorizado por la ley para ejercer funciones judiciales, y tendrá derecho a ser juzgada dentro de un plazo razonable o a ser puesta en libertad. La prisión preventiva de las personas que hayan de ser juzgadas no debe ser la regla general, pero su libertad podrá estar subordinada a garantías que aseguren la comparecencia del acusado en el acto del juicio, o en cualquier momento de las diligencias procesales y, en su caso, para la ejecución del fallo. 4. Toda persona que sea privada de libertad en virtud de detención o prisión tendrá derecho a recurrir ante un tribunal, a fin de que éste decida a la brevedad posible sobre la legalidad de su prisión y ordene su libertad si la prisión fuera ilegal. 5. Toda persona que haya sido ilegalmente detenida o presa tendrá el derecho efectivo a obtener reparación"*; (art. 10. 1): *"Toda persona privada de libertad será tratada humanamente y con el respeto debido a la dignidad inherente al ser humano. 2. a) Los procesados estarán separados de los condenados, salvo en circunstancias excepcionales, y serán sometidos a un tratamiento distinto, adecuado a su condición de personas no condenadas; b) Los menores procesados estarán separados de los adultos y deberán ser llevados ante los tribunales de justicia con la mayor celeridad posible para su enjuiciamiento. 3. El régimen penitenciario consistirá en un tratamiento cuya finalidad esencial será la reforma y la readaptación social de los penados. Los menores delincuentes estarán separados de los adultos y serán sometidos a un tratamiento adecuado a su edad y condición jurídica"*; (art. 11): *"Nadie será encarcelado por el solo hecho de no poder cumplir una obligación contractual"*.

que ha sido reflejada por importante jurisprudencia de la Corte Interamericana de Derechos Humanos.

En el caso Miguel Castro v. Perú[130] la Corte IDH sostuvo que "el Estado es responsable, en su condición de garante de los derechos consagrados en la Convención, de la observancia del derecho a la integridad personal de todo individuo que se halla bajo su custodia. Es posible considerar responsable al Estado por las torturas, tratos crueles, inhumanos o degradantes que sufre una persona que ha estado bajo la custodia de agentes estatales, si las autoridades no han realizado una investigación seria de los hechos seguida del procesamiento de quienes aparezcan como responsables de ellos. Recae en el Estado la obligación de proveer una explicación satisfactoria y convincente de lo sucedido y desvirtuar las alegaciones sobre su responsabilidad, mediante elementos probatorios adecuados".

Por consiguiente, el derecho penitenciario contemporáneo entiende que la relación jurídica penitenciaria es una relación especial o *sui generis* en la cual debe existir pleno respeto por los derechos fundamentales de la persona privada de libertad, ya que solo esta concepción es compatible con el principio de legalidad, resocialización, respeto por los derechos fundamentales, y la tutela judicial efectiva de los mismos.

3. LA POSICIÓN DE GARANTE EN EL DERECHO PENITENCIARIO CHILENO

En nuestro derecho penitenciario existen normas que reconocen y fundan esta posición de garante. Así, el art. 2° del REP establece que: *Será principio rector de dicha actividad el antecedente que el interno se encuentra en una relación de derecho público con el Estado, de manera que fuera de los derechos perdidos o limitados por su detención, prisión preventiva o condena, su condición jurídica es idéntica a la de los ciudadanos libres.*

Por su parte, el art. 4° del mismo cuerpo legal, establece expresamente: *la responsabilidad de los funcionarios que quebranten con su actuar los*

---

[130] Corte IDH. Caso Miguel Castro v. Perú. Serie C No. 160. Parágrafo 273. (25 de noviembre de 2006). En el mismo sentido, véase: Caso Montero Aranguren y otros (Retén de Catia) v. Venezuela. Serie C No. 150. (5 de julio de 2006); Caso Acosta Calderón v. Ecuador. Serie C No. 129. (24 de junio de 2005); Caso Instituto de Reeducación del Menor v. Paraguay. Serie C No. 112. (2 de septiembre de 2004).

límites establecidos por la CPR, los tratados internacionales ratificados por Chile y que se encuentren vigentes, las leyes, sus reglamentos y también las sentencias judiciales. Asimismo, el art. 6 dispone que: *ningún interno será sometido a torturas, a tratos crueles, inhumanos o degradantes, de palabra u obra, ni será objeto de un rigor innecesario,* y en su inc.3° impone el deber a la administración penitenciaria de velar *por la vida, integridad y salud de los internos* permitiendo el *ejercicio de los derechos compatibles con su situación procesal.*

Sin embargo, aún en Chile los derechos fundamentales de las personas privadas de libertad son restringidos por un reglamento, y no existe un control jurisdiccional efectivo de las decisiones que la administración penitenciaria adopta en la etapa de ejecución penal. En consecuencia, en la práctica, se sigue actuando bajo la lógica de la clásica relación de sujeción especial. En palabras de Horvitz:

> La ausencia de las garantías penales de reserva legal y de jurisdiccionalidad en la fase de ejecución de las penas privativas de libertad significa, en pocas palabras, dejar entregada la suerte de los reclusos al autocontrol y a la discrecionalidad del órgano público a cargo de ella, pues resulta inconcebible el reconocimiento de derechos subjetivos públicos a cualquier persona si no se dispone de mecanismos jurisdiccionales efectivos para su tutela para el caso de afectación o abuso que provenga de la propia administración. Como se podrá apreciar más adelante, aunque ciertos tribunales tienen competencia y atribuciones para pronunciarse acerca de los reclamos de los reclusos en el ámbito de los derechos constitucionales que no deberían ser afectados por la irrogación de la pena, la práctica judicial arroja un saldo negativo en esta materia. La administrativización de lo carcelario invisibiliza el hecho de que allí se ejecuta la práctica del castigo y, al mismo tiempo, la banaliza[131].

Si bien, en nuestro país a nivel teórico-normativo se caracteriza la relación como de derecho público, en la que el Estado limita o restringe solo aquellos derechos afectados por la sentencia condenatoria, asumiendo respecto de la persona privada de libertad el deber de cuidado y protección, la realidad normativa en su totalidad da cuenta de otra cosa:

> Tenemos una legislación fragmentaria, dispersa, no exenta de contradicciones, y en que importantes materias, por su incidencia sobre derechos y garantías del recluso o reclusa (como el régimen disciplinario), se encuentran contenidas en reglamentos o decretos,

---

[131]   Horvitz, "La insostenible situación…", 914-915.

infringiéndose el principio de legalidad en la ejecución de las penas y el principio republicano de separación de poderes[132].

En el ámbito jurisprudencial la posición de garante ha sido reconocida directamente de las normas reglamentarias que regulan la actividad penitenciaria: "Que, de las normas recién transcritas, se infiere claramente que Gendarmería de Chile es un servicio público del Estado a quien representa -en dicho contexto- y como tal, es garante de la seguridad de todas las personas que se encuentran bajo su custodia"[133]. En otras ocasiones, se alude a esta especial posición con expresiones tales como deber de custodia, protección, trato digno, entre otros[134].

4. EL INGRESO A UN ESTABLECIMIENTO PENITENCIARIO

Para que se justifique el ingreso y permanencia de una persona en un establecimiento penitenciario, debe existir una orden legal. Una vez hecho el ingreso lo que procede es el registro de información, entrega de información, chequeo médico y posterior clasificación. A continuación, veremos cada una de estas exigencias.

1) Existencia de una orden legal:

En nuestro derecho, el CPP regula a partir del Título VIII, la ejecución de las sentencias condenatorias y las medidas de seguridad, indicando que la ejecución de las sentencias penales se debe efectuar de acuerdo con lo establecido en ese cuerpo normativo, lo que ha de complementarse con el CP y leyes especiales. En el caso de una sentencia penal condenatoria, el art. 468 del CPP, dispone que para proceder a su ejecución esta debe tener el carácter de firme o ejecutoriada, caso en el cual el tribunal decreta una a una todas las diligencias y comunicaciones que se requirieren para dar total cumplimiento al fallo. Cuando se trata de una pena privativa de

---

[132] María Inés Horvitz y Julián López. *Derecho Procesal Penal chileno, Tomo II*. (Santiago: Editorial Jurídica de Chile, 2004), 589.
[133] Corte de Apelaciones de Concepción. SCA Rol N°124-2016 de 3 junio 2016.
[134] Corte Suprema. SCS Rol N°10834-2018 de 30 de mayo de 2018. Corte de Apelaciones de Concepción. SCA Rol N°237-2017 de 4 de agosto de 2017. Corte de Apelaciones de Punta Arenas. SCA Rol N°12-2017 de 28 de julio de 2017. Corte de Apelaciones de Valdivia. SCA Rol N°212-2017 de 30 de octubre de 2017. Corte de Apelaciones de Santiago. SCA Rol N°413-2018 de 25 de abril de 2018.

libertad, el tribunal debe remitir copia de la sentencia, con el atestado de hallarse firme, al establecimiento penitenciario correspondiente, dando orden de ingreso. Si la persona estuviere en libertad, el tribunal ordena inmediatamente su aprehensión y, una vez efectuada, se procede al ingreso. Si esta última ya se encuentra en el establecimiento penitenciario sujeto a la medida cautelar de prisión preventiva, entonces cambia su *estatus* jurídico dentro de la prisión, y en lugar de tener la calidad de imputado pasa a tener la calidad de condenado *rematado*, expresión coloquial que se utiliza para indicar que su condena se halla firme y ejecutoriada.

Tratándose de la medida cautelar de prisión preventiva, el título que habilita el ingreso de la persona al recinto carcelario es la resolución que la decreta. El tribunal remite al establecimiento penitenciario la correspondiente copia de la resolución, dando orden de ingreso de inmediato. Por su parte, el art. 24 del REP dispone expresamente, que el régimen penitenciario se aplica a las personas que, por resolución del tribunal competente, ingresen a los establecimientos penitenciarios administrados por Gendarmería, por lo que es posible sostener que en esta materia se cumple con el estándar internacional, siendo mucho más restrictiva la legislación nacional, toda vez que la autoridad judicial es la única competente para decretar el ingreso de una persona a un establecimiento penitenciario. En cambio, las Reglas de Mandela (Regla7) disponen que ninguna persona podrá ser internada en un establecimiento penitenciario sin una orden válida de reclusión, sin referirse al órgano que expide la orden[135].

2) Registro de información:

La reglamentación chilena en este aspecto es sucinta y no contempla un sistema adecuado de gestión de expedientes que sea seguro, confidencial, completo, y que registre toda la información que se va generando durante toda la vida intrapenitenciaria de la persona interna. Las únicas normas reglamentarias sobre la materia son el art. 8° y 26 inc. 2 del REP. La primera de ellas dispone que Gendarmería deberá cautelar la confidencialidad de los datos y de la información que maneje de las personas sometidas a su custodia y control. La segunda, dispone la apertura de una ficha única individual que ha de confeccionarse al momento del ingreso

---

[135]   Por su parte, los Principios y Buenas Prácticas (Principio IX) disponen que se requiere de una orden de privación de libertad emanada por una autoridad judicial, administrativa, médica u otra autoridad competente para que una persona sea admitida en un establecimiento de privación de libertad.

al establecimiento penitenciario, y cuyos objetivos son: la identificación, registro y una aplicación diferenciada del plan de intervención. En ella, se debe anotar los datos personales, procesales, de salud, educación, trabajo, conductuales, psicológicos y sociales, y todo otro dato relevante sobre la vida penitenciaria, indicándose que esta ficha deberá acompañar al recluso o reclusa a todo establecimiento penitenciario al que fuere trasladada. Junto con ello, la Resolución Exenta N°5716 dispone que en la ficha única individual deberá registrarse información específica respecto a la identidad de género de la persona privada de libertad[136].

Si bien, la reglamentación se ajusta al estándar internacional, el que establece un conjunto de exigencias que tienen por objeto el registro seguro de la información (Reglas de Mandela, Regla 6 y ss.), en la práctica se advierten deficiencias. Lo anterior se evidencia cuando la persona interna es trasladada de unidad penal, pues no existe una base de datos electrónica única que registre toda la información y que sea posible de consultar, independiente de la unidad penal en donde haya estado. Por otra parte, en ocasiones ocurre la pérdida de información, sobre todo la relativa a la conducta intrapenitenciaria, los procesos de reinserción que se aplican, o lo relativo a peticiones, quejas o denuncias de tortura u otros tratos o penas crueles, inhumanos o degradantes.

3) Información mínima:

En el REP no existe ninguna norma que establezca la obligatoriedad para la administración penitenciaria de entregar información mínima acerca de los derechos y deberes que tiene la población interna[137]. Para el derecho internacional de los derechos humanos esta comunicación mínima es concebida como una medida indispensable para garantizar, en un primer momento, la igual protección de la ley en el ejercicio de los derechos y la posibilidad de acceder a la justicia. Así, las Reglas de Mandela (Regla 54 y ss.) establecen expresamente que a su ingreso cada recluso recibirá información por escrito sobre el régimen aplicable a la categoría en la cual se le haya incluido. Además, deberá instruírsele sobre la legislación penitenciaria y el reglamento aplicable; sus derechos, incluidos los méto-

---

[136]   Res. Ex. N°5716 de Genchi, de 20 de noviembre de 2020.
[137]   Stippel, *Las cárceles y la búsqueda de una política criminal para Chile.* (Santiago: Lom ediciones, 2006), 166-167. Un 58,5% de reclusos afirma no conocer sus derechos al interior de los penales.

dos autorizados para informarse, el acceso a asesoramiento jurídico, incluso por medio de programas de asistencia jurídica y, los procedimientos para formular peticiones o quejas; sus obligaciones, incluidas las sanciones disciplinarias aplicables, además de toda otra cuestión necesaria para su adaptación a la vida en prisión.

Toda esta información ha de entregarse en los idiomas de uso más común, de acuerdo con las necesidades de la población reclusa. Si un recluso no comprende el idioma, debe proporcionársele los servicios de un intérprete; si el recluso es analfabeto, la información ha de proporcionarse de forma verbal; y si se presenta el caso de un recluso con discapacidad sensorial, la información ha de proporcionarse de una manera que responda a sus necesidades, lo que da cuenta de la preocupación por grupos que se encuentran en situación de mayor desventaja. Por último, se exige la exhibición en lugares públicos de toda esta información de manera resumida[138]. En consecuencia, existe incumplimiento del estándar internacional en lo relativo a la información mínima que debe recibir toda persona que ingresa a un recinto penitenciario chileno.

4) Información a la familia:

El art. 39 del REP dispone que los internos tendrán derecho a informar a su familia o a quien haya determinado al momento de su ingreso, el hecho de su internación o del traslado de establecimiento. La información se efectúa por la propia persona a través del teléfono del establecimiento, en una sola comunicación, salvo que el tribunal competente haya decretado su incomunicación, circunstancia que amerita que la diligencia se lleve a cabo por personal de asistencia social o en su defecto, por personal encargado del ingreso, tan pronto como ello sea posible y dentro de las veinticuatro horas siguientes al ingreso o al traslado. En casos especiales, como traslados o ingresos masivos, la administración penitenciaria deberá efectuar la comunicación, por medios igualmente eficaces.

Si bien a nivel normativo se cumple con el estándar internacional (Regla de Mandela, Regla 68)[139], en la práctica se ha constatado el incumplimiento de la norma, sobre todo cuando se efectúan traslados masivos, pues para los operadores jurídicos relacionados con la protección de los

---

[138]   En el mismo sentido, Reglas de Brasilia (Regla 25 y ss.); Reglas de Bangkok (Regla 2).
[139]   Véase también Conjunto de Principios (Principio N°16).

derechos de las personas presas, es de común ocurrencia recibir quejas en este sentido.

5) Chequeo médico:

El REP no contempla entre sus reglas la obligación de realizar un examen físico a la persona que ingresa a prisión, sino que más bien regula la atención médica de quienes requieran de tratamiento y hospitalización en las unidades médicas carcelarias. No obstante, en la práctica, y por resoluciones internas de Gendarmería, forma parte de los protocolos el someter a toda persona que ingresa al recinto a un examen físico, el que de todas formas es superficial. Para el derecho internacional, la revisión médica de quien ingresa a prisión es muy importante, pues tiene por objeto verificar la condición física de la persona reclusa y la existencia de lesiones que puedan atribuirse a agentes estatales y que hayan ocurrido en el traslado al recinto penitenciario. Asimismo, se pretende constatar el estado psicológico y psíquico de la persona interna, por lo que disponen que un médico u otro profesional de la salud competente debe realizar un examen tan pronto como sea posible (Reglas de Mandela, Regla 30)[140].

6) Segmentación o separación:

El principio de separación o segmentación es un principio que ha de intervenir en la creación de los establecimientos penitenciarios. Se pretende segmentar a la población penal en base a ciertos criterios con el objeto de ordenar a la población, resguardar la seguridad al interior, disminuir el riesgo de contagio criminógeno y proteger a personas privadas de libertad pertenecientes a grupos doblemente marginados. El art. 13 del REP prescribe que en la creación de un establecimiento penitenciario se debe tener en cuenta los siguientes criterios orientadores: a) la edad; b) el sexo; c) la naturaleza de las actividades y acciones para la reinserción social; d) el tipo de infracción cometida; e) el nivel de compromiso delictual; e) las especiales medidas de seguridad o de salud que la situación de ciertos internos haga necesarias; g) otros criterios que puede adoptar complementariamente la administración penitenciaria como, por ejemplo, la identidad de género, criterio que se ha incorporado a través de la Res. Ex. N° 5716

---

140   En el mismo sentido, Conjunto de Principios (Principios 24 y ss.).

y que prescribe que en lo posible las personas trans serán recluidas en dependencias que correspondan a su identidad de género[141].

7) Clasificación:

El objeto de la clasificación es determinar el grado de involucramiento o compromiso delictual del individuo que ingresa a prisión, es decir, se pretende verificar cuan internalizado tiene los patrones propios de la subcultura carcelaria. Este proceso lo realiza personal de Gendarmería y consiste en recabar información relativa a aspectos conductuales de la persona privada de libertad como, por ejemplo, el apodo, si tiene o no tatuajes o cicatrices, si ha estado antes detenido o condenado, cuáles son sus delitos, si tiene otros parientes que también hayan estado en prisión, entre otros datos, para finalmente asignar un puntaje y determinar si la persona tiene alto, mediano o bajo compromiso delictual. La clasificación en alguna de estas categorías permite ubicar a la persona al interior del recinto penal, así como determinar el tratamiento del cual deba ser objeto.

El objetivo central de esta diligencia es evitar la contaminación criminal entre las personas privadas de libertad y su involucramiento en la subcultura carcelaria, por lo tanto, se asume que los puntajes arrojados explicitan el nivel de relación que las y los internos tienen con los patrones delictuales, es decir cuál es su nivel de peligrosidad y cuáles son los riesgos de que siga infringiendo la ley penal. En nuestro sistema penitenciario el procedimiento de clasificación es regulado por resoluciones administrativas internas de Gendarmería, el REP no hace mención a la forma ni a los criterios a utilizar, ni tampoco a la idoneidad del funcionario o encargado de realizar esta diligencia, y no existe claridad en cuanto a los parámetros que se utilizan.

Ahora bien, para el derecho internacional de los derechos humanos, los fines de la clasificación obedecen a la necesidad de separar a los reclusos o reclusas que, por su pasado delictivo o su mala disposición, pudieran

---

141   Res. Ex. N°5716 de Genchi (art. 12): La segmentación física de la población penal considerará, entre otros criterios, la identidad de género de la persona privada de libertad como una condición para lograr y mantener un adecuado nivel de seguridad y garantizar su integridad personal. Conforme a lo anterior, las personas trans serán recluidas, en lo posible, en una dependencia que corresponda a su identidad de género, aun cuando no hayan modificado su apariencia o función corporal ni rectificado su sexo registral. Si la persona opta por permanecer en una dependencia que no sea acorde con su identidad de género, firmará un acta de consentimiento informado a fin de registrar esta preferencia.

ejercer una influencia nociva sobre los demás compañeros de prisión, y a la necesidad de dividirlos en categorías con el objeto de facilitar el tratamiento encaminado a su reeducación (Reglas de Mandela, Reglas 93-94), cuestión que en nuestro sistema penitenciario es deficiente, en general, y sobre todo respecto de grupos marginados y mujeres privadas de libertad.

5. DERECHOS DE LAS PERSONAS PRIVADAS DE LIBERTAD

Las personas condenadas a penas privativas de libertad lo son a la pérdida de su libertad ambulatoria y a la pérdida o restricción de otros derechos que la sentencia condenatoria pudiera imponer. Ello significa que no podrían afectarse otros derechos fundamentales reconocidos a toda persona libre, y que no son parte del contenido mismo del castigo penal. Es más, ni aún el contenido mismo del castigo penal, esto es la pérdida o restricción de la libertad ambulatoria, podría ejecutarse de un modo tal que sobrepase ese castigo como, por ejemplo, lo es encerrar a una persona en una celda de aislamiento reducida para anular o restringir su capacidad de desplazamiento al mínimo.

Se ha señalado que los derechos cuyo ejercicio se limita no pueden negarse en forma absoluta. Ningún supuesto puede habilitar la afectación de los derechos en su contenido esencial. Por lo tanto, la pérdida de la libertad ambulatoria no permite ejecutar la pena de modo que el sujeto permanezca todo el tiempo encerrado en una celda. Por ello las personas que cumplen condena dentro de un establecimiento penitenciario tienen derecho a espacios de libertad restringida como, por ejemplo, patio o zonas comunes. Asimismo, y en consideración al mismo argumento, los derechos que no están limitados por la sentencia condenatoria no pueden afectarse salvo por razones inherentes a la condición de privación de libertad, lo que significa que el derecho no puede afectarse ni en su núcleo ni en lo periférico, si su ejercicio se pueda compatibilizar con el régimen de encierro.

Lo anterior es coherente con el derecho internacional al disponer que las personas privadas de libertad gozan de los mismos derechos reconocidos a toda persona en los instrumentos nacionales e internacionales sobre derechos humanos, a excepción de aquellos cuyo ejercicio esté limitado o restringido temporalmente, por disposición de la ley y por razones inherentes a su condición de personas privadas de libertad[142]. Lo anterior es compatible con el principio de normalización penitenciaria, en virtud del cual se pretende que el régimen penitenciario procure reducir al mínimo las diferencias entre la vida en prisión y la vida en libertad, pues estas diferencias tienden a debilitar el sentido de responsabilidad del recluso y reclusa y el respeto a su dignidad como ser humano.

En nuestro derecho, el art. 2° del REP señala expresamente que los privados de libertad están en una relación de derecho público con el Estado, de manera que, fuera de los derechos perdidos o limitados por su detención, prisión preventiva o condena, su condición jurídica es idéntica a la de los ciudadanos libres. Esto significa que nuestra legislación recoge los estándares en la materia, pero como dijimos en los apartados anteriores, la realidad penitenciaria es muy distante de la normativa. A continuación, veremos cuales son los derechos que se reconocen en la legislación nacional a las personas privadas de libertad, para luego contrastarlo con el derecho internacional.

5.1 Dignidad de la persona como valor fundamental

Muchos autores han afirmado que la dignidad humana no es un derecho mesurable que pueda valorarse en comparación con otros derechos. Los seres humanos han convenido que la dignidad es consustancial al hombre y en ningún caso se puede degradar o cosificar. Se ha considerado que se trata de una cualidad intrínseca, irrenunciable e inalienable de todo ser humano, constituyendo un elemento que cualifica al individuo en cuanto tal. Así lo ratifican diversos instrumentos internacionales[143].

---

[142]   Principios y Buenas Prácticas (Principio VIII).
[143]   El PIDCP en su preámbulo afirma que: "el reconocimiento de la dignidad inherente a todos los miembros de la sociedad humana [...] constituye el fundamento de la libertad, la justicia y la paz mundial, en el reconocimiento que esos derechos derivan de la dignidad inherente a los hombres". Por su parte, en el preámbulo de la CADH, se reconoce que: "los derechos esenciales del hombre no nacen del derecho de ser nacional de determinado Estado, sino que tienen como fundamento los atributos de la persona humana, razón por la cual justifican una protección internacional de naturaleza internacional coadyuvante o complementaria de la que ofrece el derecho interno de los Estados Americanos". Asimismo, y en materia de privación de libertad se dispone en el art. 5.2 que toda persona privada de libertad será tratada con el respeto debido a la dignidad inherente al ser humano y que nadie debe ser sometido a torturas ni a penas o tratos crueles, inhumanos o degradantes. En el mismo sentido, los Principios Básicos (Principio N°1); DUDHNU (art. 1); Reglas de Mandela (Regla 1).

En Chile, el art. 1° de la CPR declara que las personas nacen libres e iguales en dignidad y derechos; y el art. 5° inc. 2°, que el ejercicio de la soberanía reconoce como limitación el respeto de los derechos esenciales que emanan de la naturaleza humana. En consecuencia, los privados de libertad, ciudadanos o no ciudadanos son personas con dignidad. De ahí que el art. 15 de la LOGenchi exija a sus funcionarios otorgar a cada persona bajo su cuidado un trato digno propio de su condición humana. Cualquier trato vejatorio o abuso de autoridad debe ser sancionado conforme a las leyes y reglamentos vigentes. Lo anterior, es reiterado por el art. 6° del REP, al consagrar la prohibición de que la persona sea objeto de torturas, tratos crueles, inhumanos o degradantes de palabra u obra, o sea objeto de un rigor innecesario.

Ahora bien, el derecho a un trato digno no solo implica la prohibición de un trato vejatorio o abuso de autoridad, sino que también exige al Estado satisfacer una serie de condiciones mínimas de habitabilidad y calidad de vida al interior de los recintos carcelarios como alojamiento, condiciones higiénicas, indumentaria, camas, alimentos, entre otras prestaciones básicas. Si en la prisión, las condiciones carcelarias determinan un trato que podría calificarse de indigno, entonces el castigo no es tan solo la pérdida de la libertad ambulatoria, sino que además va aparejado de otros sufrimientos no inherentes a esa condición, lo que degrada la personalidad del sujeto despojándolo del escudo protector que configura su dignidad. Por ello, la Corte IDH ha señalado que los Estados no pueden invocar falta de recursos económicos para justificar condiciones deplorables de encierro o un agravamiento de las condiciones carcelarias, porque estas deficiencias no son inherentes a la pérdida de la libertad.

A continuación, revisaremos los estándares internacionales relativos a las condiciones materiales bajo las cuales debe ejecutarse la prisión, para que se considere que hay respeto a la dignidad personal, para luego revisar la reglamentación relativa al derecho al honor, al nombre y a la intimidad personal, derechos que están íntimamente relacionados con la dignidad del ser humano. Usaremos las Reglas de Mandela por constituir el instrumento idóneo en la materia:

1) Condiciones materiales de privación de libertad

- Alojamiento

La regulación internacional prioriza la regla de una persona por celda, sin embargo, se prevén situaciones en que ese óptimo no es posible de satisfacer. Las Reglas de Mandela (Regla 12) disponen que si por razones especiales, como el exceso temporal de población reclusa, resulta indispensable que la administración penitenciaria haga excepciones a la regla, se debe evitar alojar a dos personas en una celda o cuarto individual. En el caso de que se utilicen dormitorios colectivos, estos los ocuparán personas que hayan sido cuidadosamente seleccionadas y reconocidas como aptas para relacionarse entre sí en esas condiciones. Por la noche se exige una vigilancia regular adaptada al tipo de establecimiento de que se trate. Asimismo, toda persona privada de libertad debe disponer, de acuerdo con los usos locales o nacionales, de una cama individual y de ropa de cama individual suficiente, entregada limpia, mantenida convenientemente y mudada con regularidad a fin de asegurar su limpieza (Regla 21).

En general, los instrumentos internacionales no especifican un espacio mínimo por celda. La regulación internacional prioriza las celdas individuales por sobre las compartidas, no obstante, en Latinoamérica la cultura carcelaria tiende a la vida comunitaria, por lo que las celdas suelen ser ocupadas por grupos de reclusos o reclusas. Esta situación es aceptada, siempre que se respeten algunos criterios. En años recientes, el Comité Europeo para la prevención de la tortura y de las penas o tratos inhumanos o degradantes del Consejo de Europa, ha tomado algunas iniciativas en tal sentido[144].

En cuanto a las condiciones de habitabilidad, se dispone que los lugares de alojamiento, en especial los dormitorios, deben cumplir con todas las normas de higiene, particularmente en lo que respecta a las condiciones climáticas y, en concreto, al volumen de aire, superficie mínima,

---

[144] Mapelli *et.al.*, *Ejecución de la pena*, 120. Criterios: Deben establecerse criterios de selección de los reclusos que compartirán alojamiento en celdas comunitarias. Durante la noche, estas celdas deben contar con vigilancia regular. En cuanto al espacio físico considerado adecuado, el Comité Europeo para la prevención de la tortura plantea recomendaciones específicas, estableciendo que, como estándar mínimo, una celda compartida por dos reclusos debe tener 6 mts² y una celda individual debe contar con 4 mts². Estos valores deben ponderarse en relación con el número de horas que un recluso pasa encerrado en esa celda.

iluminación, calefacción y ventilación (Regla 13). A su vez, se señala que en todo local donde vivan o trabajen reclusos o reclusas las ventanas deben ser lo suficientemente grandes para que puedan leer y trabajar con luz natural y deben estar construidas de manera que pueda entrar aire fresco, haya o no ventilación artificial. Además, la luz artificial que se emplee debe ser suficiente para que puedan leer y trabajar sin perjudicarse la vista (Regla 14).

En nuestro REP, son tres las disposiciones que se refieren a la materia y que están insertas en el párrafo 4° titulado *De las condiciones básicas de vida*: el art. 45, que dispone la vestimenta que puede usar la población penitenciaria; el art. 46, que asegura el derecho a catre, colchón y frazada, y el art. 47, que establece el derecho a alimentación. La exigua reglamentación revela que en nuestro país las condiciones básicas de vida digna se circunscriben al mínimo tolerable consistente en que el interno se pueda vestir, alimentar y dormir en un colchón individual. Y, aun así, en lo que respecta al otorgamiento de catre, colchón y frazada, la realidad penitenciaria da cuenta de que en muchas unidades penales esto no se cumple. La falta de espacio, la sobrepoblación penal y el hacinamiento supone omisión por parte del Estado de Chile para atender de manera digna la calidad de vida de la población[145].

---

[145] INDH, Estudio de las condiciones carcelarias en Chile 2016-2017, 48. Se constata para las unidades penales visitadas lo siguiente: "La plaza en un establecimiento penitenciario es posible vincularla con la existencia de una litera individual, que es uno de los parámetros que proporcionan los estándares internacionales de derechos humanos. Desde los datos de Gendarmería, en cuanto a población interna y cantidad de plazas disponibles, se evalúa si existen plazas suficientes por unidad penal para la población, diferenciando entre hombres y mujeres. Los resultados se exponen separadamente para los años 2016 y 2017. En 2016, en el caso de los hombres, de las 39 unidades destinadas a población masculina por diseño, el 41,0% tiene plazas suficientes y el 59,0% no las tiene. En el caso de las mujeres, de las unidades penales destinadas para ellas o con secciones femeninas, el 69,2% tiene plazas suficientes y el 30,8% no las tiene. Por su parte el 2017, en la población masculina el 48,7% de las unidades penales tiene asegurada una plaza para toda la población penal y el 51,3% no la tiene, considerando el total de 39 recintos penitenciarios que tienen plazas para hombres por diseño. En cuanto a mujeres, en 2017 el 64,3% de las unidades tiene acceso a plaza para todas las internas y el 35,7% no las tiene, considerando las 13 unidades penales que tienen plazas para población femenina por diseño más la Unidad Especial de Alta Seguridad de Santiago. Al comparar los años 2016 y 2017 se aprecia que el listado de unidades penales en las categorías con plazas suficientes y sin plazas suficientes se mantiene estable, a excepción de la Unidad Especial de Alta Seguridad de Santiago que registra una interna en 2017. En forma paralela, y a partir del recorrido por los diferentes establecimientos penitenciarios, es posible caracterizar y describir esta disponibilidad de plazas. Desde esa mirada se aprecia si existen camas para cada una de las personas que duermen en la respectiva celda o módulo. Asimismo, se considera si hay ropa de cama suficiente, colchón ignífugo y sábanas. Los informes de las unidades penales dan cuenta de diversas situaciones. En primer

Por su parte, la jurisprudencia nacional, en algunos casos ha sostenido que su rol opera en la cautela de derechos de forma casuística y no en el problema de fondo de las cárceles nacionales, invisibilizando el rol del Estado y las obligaciones que este se autoimpone, en la relación Estado-privado de libertad:

> Los problemas de hacinamiento y salubridad en las cárceles, vienen desde hace varios años, y si bien corresponde al Estado velar por mejorar esas condiciones, debe tenerse en cuenta que las necesidades del país son múltiples y los recursos son insuficientes para satisfacer todos los requerimientos, y en consecuencia deben priorizarse gastos e inversiones del Estado, materia ésta que corresponde a una atribución del Gobierno en conjunto con el Congreso, de destinar fondos para reparar las cárceles o construir nuevos recintos, que permitan que los internos puedan habitar celdas con mejores condiciones de habitabilidad y salubridad[146].

En cambio, otros fallos han relevado la importancia de estas obligaciones ineludibles:

> Los internos que se encontraban en dicho Pabellón N°16 se hallaban en condiciones absolutamente deplorables e inhumanas, incompatibles, inconciliables y no justificadas ante ninguna clase de pena o castigo que el interno haya merecido de los Tribunales de Justicia. En las desaseadas celdas, con las literas de cemento sin tapas ni frazadas en adecuado número, sin comida en cantidad suficiente y sin su entero cocimiento y careciendo de baño externo y sin instalaciones de agua potable corriente -necesidades sin duda esenciales y básicas-, los internos deben permanecer en ellas entre dos a cuatro personas durante el día y la noche, sin que puedan disponer de salidas al aire libre, por carecer, según Gendarmería, de los espacios necesarios y de las condiciones materiales, locales y físicas que lo hagan posible[...]Tal falta de recursos sin embargo, no excusa a la Autoridad Penitenciaria, por cuanto lo constatado por la Corte está por debajo del mínimo de lo humanamente aceptable[147].

- Higiene

De conformidad a lo que establecen las Reglas de Mandela (Regla 14 y ss.), las condiciones que deben cumplir las instalaciones sanitarias deben ser adecuadas para que la persona privada de libertad pueda satisfacer sus necesidades naturales en el momento oportuno y en forma aseada y decente. Asimismo, las instalaciones de baño y ducha deben estar aptas para su uso, a una temperatura adaptada al clima, y con la frecuencia que

---

término, se ubican los casos en que no existen camas suficientes. En estos casos se informa que las personas se ubican, por ejemplo, en el piso, en baños o en otros sectores".

[146]   Corte de Apelaciones de Arica. SCA Rol 59-2016 de 29 de abril de 2016.

[147]   Corte de Apelaciones de Santiago. SCA Rol 2154-2009 de 31 de agosto de 2009.

exija la higiene general según la estación y la región geográfica, pero al menos una vez por semana en climas templados. A su vez, se exige que todas las zonas del establecimiento penitenciario se mantengan limpias y en buen estado en todo momento. Respecto a la higiene personal se exige a los presos aseo corporal, por lo que se les debe facilitar agua y artículos de aseo indispensables para ello. Además, con el objeto de que los mismos puedan mantener un aspecto decoroso que les permita conservar el respeto por sí mismos, se les debe facilitar medios para el cuidado del cabello, de la barba y para que puedan afeitarse con regularidad[148].

En nuestro país, todos los artículos de aseo indispensables para la higiene personal deben ser adquiridos de forma particular, ya sea a través de familiares o comprando dichos utensilios en el economato[149]. Por lo tanto, las personas que no pueden adquirir estos productos no pueden acceder a una higiene personal óptima. Esto último no es menor, pues una de las infracciones que prevé el REP es la falta de higiene personal como, por ejemplo, no estar afeitado. La jurisprudencia nacional, en algunos casos, alude a la dignidad personal, para cautelar derechos tan básicos como el acceso al agua:

> El caso de personas que se encuentren en un recinto carcelario, privados de libertad, por un acto delictual, no puede ser motivo para socavar su dignidad, privándoles de un elemento tan esencial como es el agua, además dejándolos expuestos a enfermedades e infecciones, por la falta de aseo personal, suciedad de recintos, es decir en condiciones inadecuadas de habitabilidad[150].

- Vestimenta

La posibilidad de usar la propia vestimenta ha de preferirse porque refuerza el sentimiento de identidad individual, lo que es muy valorado entre las personas privadas de libertad. Las Reglas de Mandela (Regla 19

---

[148] La Regla está pensada desde la lógica masculina, es decir, hombres privados de libertad, nada se dice respecto de las mujeres y su cuidado personal. En Chile, cuestiones tan necesarias como toallas higiénicas para los períodos menstruales no son proporcionados por la administración penitenciaria y las internas deben buscar la forma de conseguir, mes a mes, estos utensilios.

[149] Los economatos son kioscos ambulantes administrados por un equipo nombrado por la jefatura de cada unidad penal y en algunas ocasiones por internos, que reciben un incentivo por su labor de venta. Por ley pueden funcionar dentro de las cárceles del país que tienen más de cincuenta internos. No tienen fines de lucro y su finalidad es dar la oportunidad a los reos –en especial a los rematados- de poder adquirir elementos de primera necesidad, como máquinas de afeitar, papel higiénico, detergente y hasta cigarrillos.

[150] Corte de Apelaciones de Santiago. SCA Rol N°359-2018 de 9 de abril de 2018.

y ss.) prevén que en el caso que se autorice a los reclusos vestir su propia ropa, se tomarán disposiciones en el momento de su ingreso a prisión para asegurar que esta se mantenga limpia y en buen estado. En caso de que no se permita al recluso vestir sus propias prendas, la administración debe proporcionar ropa apropiada para el clima y suficiente para mantenerse en buena salud. Dicha ropa no podrá ser en modo alguno degradante ni humillante. Además, ha de mantenerse limpia y en buen estado. La ropa interior se deberá cambiar y lavar con la frecuencia necesaria para cuidar la higiene. En circunstancias excepcionales, cuando la persona presa salga del establecimiento penitenciario para fines autorizados, se le permitirá que use sus propias prendas o algún otro vestido que no llame la atención.

En nuestro derecho, el art. 45 del REP, permite a las personas internas usar su propio vestuario, el que deberá ser digno y apropiado. En el caso de que el establecimiento entregue vestuario este deberá cumplir con los mismos requisitos.

- Alimentación

Si bien, la alimentación adecuada integra el derecho a la salud, también forma parte de las prestaciones básicas que debe recibir toda persona presa para considerar que se le está entregando un trato digno. Los estándares internacionales en la materia exigen a la administración penitenciaria suministrar a toda persona interna, sea cual sea su situación, una alimentación adecuada, que responda en cantidad, calidad y condiciones higiénicas a los estándares convencionales de adecuación y suficiencia, incluida el agua potable, la cual debe ser accesible siempre. Por otra parte, se requiere que la alimentación sea distribuida de manera equilibrada a lo largo del día y brindada en horarios regulares. Ahora bien, razones de edad, embarazo, trabajo o médicas pueden exigir un cambio de régimen alimenticio ordinario. El médico es la única persona autorizada para proponer que un determinado paciente reciba un régimen de alimentos especial. Se reconoce implícitamente que no pueden imponerse sanciones que limiten el derecho a acceder a esta alimentación equilibrada pues, toda restricción alimentaria concebida como castigo configuraría un trato inhumano y degradante.

Las Reglas de Mandela (Regla 22) prescriben que todo recluso recibirá de la administración del establecimiento penitenciario, a las horas acostumbradas, una alimentación de buena calidad, bien preparada y servida, cuyo valor nutritivo sea suficiente para el mantenimiento de su salud y de sus fuerzas. Asimismo, todo recluso tendrá la posibilidad de proveerse de agua potable cuando lo necesite. Con todo, como consecuencia de la cada vez mayor presencia de distintas culturas conviviendo en un mismo establecimiento penitenciario, la alimentación que se ofrece ha de ser respetuosa con las creencias, las culturas y las convicciones religiosas o filosóficas de la persona presa. Por tanto, deben tomarse todas las medidas posibles para asegurar el respeto a la identidad cultural[151].

En el ámbito nacional, el art. 47 del REP señala que los internos tendrán derecho a que la administración les proporcione una alimentación supervigilada por un especialista en nutrición, médico o paramédico, y que corresponda en calidad y cantidad a las normas mínimas dietéticas y de higiene. Sin perjuicio de lo anterior, los internos podrán adquirir en los economatos que funcionen en los establecimientos penitenciarios, bienes o especies para su consumo o uso personal. Sin embargo, el INDH ha podido detectar graves problemas de salubridad en la manipulación de alimentos, falta de insumo en la preparación de las comidas, presencia de plagas en las bodegas donde se guardan los alimentos, preparación inadecuada de las comidas, entre otras situaciones similares[152].

---

[151] INDH, Estudio de las condiciones carcelarias, 2016-2017, 69: "en cuanto a dietas por motivos culturales o de pertenencia a población indígena, ninguna unidad reporta esta posibilidad, y en muchas de ellas se indica que es porque no hay población indígena o porque no se ha solicitado por las personas".

[152] *Ídem*, 66- 67: "En todas las unidades penales visitadas —excepto en Rapa Nui— existen cocinas para la elaboración de los alimentos destinados al consumo de la población penal. También se revisa la existencia de bodegas las que están normalmente diferenciadas en un sector de abarrotes y de congelados, y de frutas y verduras. En algunos establecimientos penitenciarios se presentan falencias como el CDP Casablanca cuyas bodegas, al momento de la observación, tienen una plaga de termitas, o en el CDP Taltal en donde la diferenciación entre congelados, verduras y abarrotes no existe. En el CDP Yumbel se aprecian faltas en su orden y limpieza, y en el CDP de Tocopilla se registran plagas de cucarachas y roedores en estos sectores". Respecto de la calidad de la alimentación se registra que "en la mayoría de los 40 establecimientos penitenciarios recorridos se aprecia que, para determinar el contenido de las comidas, la Dirección Regional respectiva envía una minuta de alimentación. No obstante, en la práctica se adaptan los menús según los insumos disponibles. En general las personas privadas de libertad califican la alimentación como buena. Sin embargo, el problema surge en algunos casos específicos (…) En el CDP Villarrica las mujeres indican que la comida les llega sucia, cruda o fría. En el CDP Taltal se aprecia que no hay frutas ni tampoco están incluidas en la minuta. En el CPF San Miguel se indica una calidad regular y que existe frecuente preparación de pastas. En el CDP Chile Chico se califica como regular la comida por la escasa variedad de alimentos. Igualmente, no se evalúa satisfactoriamente la alimentación en CCP Victoria y CDP Arauco. También tiene reparos la alimentación en el CDP Talagante".

2) Derecho al honor, al nombre y a la intimidad personal

El derecho al honor, al nombre y a la intimidad personal son derechos de la esfera personal del individuo, pues se estiman inherentes a él. Es más, se ha dicho que se encuentran ineludiblemente unidos a la dignidad personal. El art. 19 n°4 de la CPR consagra el respeto y protección a la vida privada, a la honra de la persona y su familia y, asimismo, la protección de sus datos personales. Por su parte, art. 6° inc.2° del REP garantiza a las personas presas el derecho al honor, a ser designados por su propio nombre y la intimidad personal. Sin embargo, se trata de una declaración normativa que no tiene mayores concreciones a nivel reglamentario.

En lo que respecta al derecho al honor, entendido como integridad moral y social con la que un ser humano enfrenta la vida, no hay desarrollo sobre la materia porque se parte de la base de que el sujeto privado de libertad ha dejado de tener honor, justamente por su condición de preso, de modo tal que no hay desarrollo doctrinario ni jurisprudencial. En lo relativo al derecho al nombre, la única referencia se encuentra en Res. Ex. N°5716 que regula la actuación e interacción con una persona trans indicando que el personal de Gendarmería ha de tratar a la persona por el nombre social registrado en su ficha de clasificación.

Por último, en lo que respecta a la intimidad y su compatibilidad con la ejecución de la pena privativa de libertad, ciertas medidas aplicadas por Gendarmería terminan socavando este derecho como, por ejemplo, el registro corporal, el registro de las celdas y de las cosas personales, la intromisión en la correspondencia, entre otras intromisiones, actuaciones que la institución funda en el resguardo de la seguridad del establecimiento.

Tratándose de las cosas personales, existe jurisprudencia del derecho comparado que establece que la tenencia y consumo de droga, mantenida al interior de la celda de la persona interna, para un consumo personal y próximo en el tiempo, cuando la conducta de este último no trasciende a terceros, está dentro de la esfera del derecho a la intimidad[153]. En nuestro país, la tenencia de droga al interior de un establecimiento penitenciario,

---

[153]   Corte Suprema de Argentina. SCS Rol 332:1963 de 25 de agosto de 2009. En esta sentencia la Corte declaró la inconstitucionalidad de la norma que sanciona penalmente la tenencia de estupefacientes para consumo personal por ser incompatible con el principio de reserva contenido en el art. 19 de la Constitución Nacional que protege las acciones privadas que de ningún modo ofendan al orden y a la moral pública, ni perjudiquen a un tercero. Una norma similar había sido declarada inconstitucional por la Corte en 1986 en el caso "Bazterrica". Allí el tribunal había destacado que la protección

para un consumo privado, personal y próximo en el tiempo, es considerada una infracción disciplinaria sin distinguir si la conducta se produce en un espacio público o privado, de modo tal que se sanciona la tenencia de droga, hallada en la celda de una persona prisionera, y su consumo, aun cuando este último sea personal, privado y próximo en el tiempo. Lo anterior pugna con el deber del Estado de asegurar a las personas que tiene bajo su custodia, todos aquellos derechos que no vienen limitados por la sentencia condenatoria, en la medida que sean compatibles con el encierro.

En el caso de la correspondencia, el art. 43 del REP, dispone expresamente que de toda correspondencia enviada por los internos o recibida por estos se llevará un control estricto con el fin de detectar cualquier irregularidad de la cual deba darse cuenta al Jefe del establecimiento. Se alude a la presencia de claves o a la referencia de temas delictivos o que propendan a la alteración del orden interno del establecimiento o de la sociedad, relacionado con conductas terroristas, subversivas, de narcotráfico o crimen organizado.

5.2 Derecho a la vida y a la integridad personal

El derecho a la vida y a la integridad personal es inalienable. Todo individuo tiene derecho a la vida, a la libertad y a la seguridad de su persona, entendiéndose por esto último, que cualquier restricción, perturbación o privación de libertad debe hacerse en conformidad a la ley. Así lo declaran todos los instrumentos internacionales protectores del ser humano[154].

La CPR reconoce en el art. 19 n°1, el derecho a la vida y a la integridad física y psíquica de la persona y dispone expresamente que se prohíbe

---

constitucional de los valores de la intimidad y la autonomía personal impedían castigar la mera tenencia de drogas para consumo.

[154] El PIDCP (art. 6.1) establece que el derecho a la vida es inherente a la persona humana y que nadie puede ser privado de la vida arbitrariamente. En el mismo sentido, la CADH (art. 4°) declara que toda persona tiene derecho a que se respete su vida y que nadie puede ser privado de la misma arbitrariamente. A su vez, los Principios Básicos (Regla 5) disponen que con excepción de las limitaciones que sean evidentemente necesarias por el hecho del encarcelamiento, todos los reclusos seguirán gozando de los derechos humanos y las libertades fundamentales consagrados en la Declaración Universal de Derechos Humanos y, cuando el Estado de que se trate sea parte, en el Pacto Internacional de Derechos Económicos, Sociales y Culturales y el Pacto Internacional de Derechos Civiles y Políticos y su Protocolo facultativo, así como de los demás derechos estipulados en otros instrumentos de las Naciones Unidas.

la aplicación de todo apremio ilegítimo. En consecuencia, toda persona privada de libertad para preservar su propia vida puede y debe exigir del Estado, en este caso directamente de Gendarmería, el respeto por este derecho y la acción positiva en orden a que se respete por los demás individuos que habitan el establecimiento penitenciario. Es deber de la institución penitenciaria evitar ataques o desprotecciones que pongan en riesgo la vida de las personas custodiadas porque el Estado tiene la posición de garante respecto de ellos.

De este modo, cuando el art. 6° del REP prescribe que la administración penitenciaria debe velar por la vida, integridad y salud de los internos permitiendo el ejercicio de todos los derechos compatibles con su situación procesal, a nivel normativo es coherente con la posición de garante y con el hecho de que los únicos derechos restringidos o limitados son los que señala la sentencia condenatoria. No obstante, en el cumplimiento de este deber, la administración penitenciaria justifica limitaciones de derechos fundamentales tales como, el aislamiento, cuando se requiere como medida de seguridad, o cuando es necesario velar por la seguridad de las demás personas privadas de libertad. En estos casos, el acto administrativo que permite estas restricciones debe cumplir estrictamente con todas los requisitos de forma y de fondo que exige el derecho nacional e internacional, lo que veremos más adelante.

Ahora bien, este deber de resguardo que tiene la administración se ha visto cuestionado en situaciones complejas como el suicidio, la huelga de hambre y los medios coercitivos:

- El suicidio

El suicidio es la acción voluntaria de una persona dirigida a quitarse la vida. Es una acción que está dentro del ámbito de la libertad y autonomía individual, sin embargo, por la cantidad de suicidios que ocurren en el mundo, se considera un grave problema de salud pública. En el ámbito carcelario existe una gran cantidad de factores estresantes que favorecen la conducta. Se ha reportado que en nuestro país los suicidios en prisiones podrían atribuirse a una serie de causas, entre las que se encuentra el deterioro de los índices de salud mental, el hacinamiento en las prisiones y la falta de sentido y proyectos de vida entre las personas privadas de libertad[155].

Dado que el internamiento en prisión es considerado como uno de los eventos más traumáticos que puede afectar a una persona, existe una particular tensión entre el suicidio, como conducta lícita, y la posición de garante que tiene la administración penitenciaria de los derechos de las personas privadas de libertad, entre los que se encuentra el derecho a la salud mental. El Estado, a través de la administración penitenciaria, es responsable de la salud mental y seguridad de la población reclusa. Lo anterior implica que deben suministrarse servicios adecuados para la prevención y detección temprana del suicidio, lo que va en beneficio directo de la población reclusa como de los mismos funcionarios custodiales, los cuales no tienen la capacitación suficiente para contener y enfrentar el problema.

Asimismo, las condiciones materiales de la cárcel han de ser dignas y adecuadas con el objeto de evitar el hacinamiento. Junto con ello deben desarrollarse programas de actividades que propendan a la reinserción social de todas las personas privadas de libertad, independiente de la conducta, de forma tal de proporcionar herramientas que permitan la mejora del sujeto y la adaptación al contexto carcelario. De no haber políticas carcelarias que se enfoquen en este problema, es posible imputar responsabilidad al Estado cuando los factores desencadenantes de un suicidio carcelario sean propios del contexto penitenciario.

Por otra parte, se ha discutido si es posible sancionar el intento de suicidio, o si la administración penitenciaria podría aplicar al presunto suicida medidas más estrictas que impliquen un aislamiento preventivo. En nuestro REP no existe una sanción disciplinaria por intentar el suicidio, pero cuando se detecta la posibilidad de que esto ocurra, la administración adopta medidas incrementando la seguridad de la celda, realizando rondas con mayor frecuencia o aislando a la persona despojándola de elementos como, por ejemplo, cuerdas, cordones de zapatos, o vestimentas que podrían asistirla en su intención. En la práctica, cuando se suicida una persona al interior de un recinto penitenciario se abre una

---

[155] Francisco Ceballos, Ana María Chávez, Gustavo Padilla, Antoon Leenaars, "Suicidio en las cárceles de Chile durante la década 2006-2015", *Revista de criminalidad* volumen 58, n.°3 (2016): 101-118.

causa penal con el objeto de averiguar si hubo intervención de terceros, de no haberla se dicta sobreseimiento definitivo.

- La huelga

La huelga de hambre es una forma de protesta, pacífica y extrema al mismo tiempo que se sustenta en el derecho fundamental de la libertad de expresión. Se trata de conductas individuales o colectivas que consisten en no ingerir ningún tipo de alimentación hasta que no sean atendidas determinadas demandas. Esta medida podría incluso llevarse al extremo de no consumir líquidos, es lo que se denomina huelga seca. Se ha dicho que es un método esencialmente pacífico, pues la persona que inicia una huelga de hambre utiliza como única arma su salud y su vida[156]. A diferencia del suicidio, el huelguista no quiere morir, sino que es la única vía que encuentra para canalizar su petición.

El problema que se plantea es la legalidad de interrumpir la huelga mediante medios coercitivos de alimentación con el objeto de cumplir con el deber que tiene la administración de resguardar la vida e integridad física de la persona interna. Se ha dicho que tanto fuera como dentro de la cárcel la huelga de hambre reivindicativa es un comportamiento lícito. Entendido así, hay quienes piensan que la interrupción de la huelga mediante medios coercitivos podría considerarse un delito en contra de la libertad. Sin embargo, también se ha señalado que tratándose de un sujeto que está bajo la custodia del Estado, este último tiene la posición de garante de los derechos del custodiado y, por lo tanto, está habilitado para intervenir[157].

En nuestro sistema penitenciario, el art. 78 letra c) del REP establece que la huelga configura una falta grave, lo que podría suponer la aplicación de una sanción grave como el aislamiento en celda solitaria. Sin embargo, con fecha reciente Gendarmería dictó la Res. Ex. N°3925[158], que dispone entre otras cosas, que una huelga de hambre desarrollada en forma pacífica no será objeto de sanciones disciplinarias.

---

[156] J. García, "La huelga de hambre en el ámbito penitenciario: aspectos éticos, deontológicos y legales", Revista Española de Sanidad Penitenciaria volumen 15, n.°1 (2013): 14.

[157] Corte Suprema. SCS Rol 95.034-2020 de 24 de agosto de 2020. Acoge recurso de protección interpuesto por el Director del Servicio de Salud de la Araucanía Sur, en favor del Machi Celestino Córdoba, para suministrar alimentación forzada.

[158] Res. Ex. N°3925 de Genchi, de fecha 29 de julio de 2020.

- Los medios coercitivos

Tratándose de la vida e integridad de los privados de libertad, los funcionarios encargados de la custodia no están autorizados a ejercer violencia sobre ellos, ni aún con el objeto de controlar una situación conflictiva, porque no es su función ni están preparados para el uso de medios violentos. Sin embargo, ante situaciones de riesgo para sí mismo o para terceros, próximas a la legítima defensa, el derecho internacional permite un actuar violento solo con la finalidad de neutralizar la agresión. Por consiguiente, este uso de la violencia no es irrestricto y han de aplicarse los parámetros internacionales en la materia, en consideración con lo dispuesto en el art. 4° del REP.

El REP no se refiere específicamente al uso de medios coercitivos, sino que toda esta materia se encuentra regulada en la Resolución Exenta N°9.681[159], que aprueba el procedimiento y flujograma para el uso de la fuerza al interior de los establecimientos penitenciarios del subsistema cerrado y unidades penales. En esta normativa se establece un procedimiento estándar a nivel nacional sobre el uso racional y proporcional de la fuerza, que tenga por objeto garantizar el orden y la seguridad al interior de los establecimientos penitenciarios, resguardando la vida e integridad física de los funcionarios de Gendarmería, de la población penal y de terceros que se encuentren en las unidades penales.

El procedimiento allí descrito ha de aplicarse en funciones propias del servicio debiendo respetarse el principio de proporcionalidad, es decir, debe ser ejecutado de manera diferenciada, distinguiendo género, opción, capacidades diferentes, edad, entre otros criterios, y en la medida estrictamente necesaria para conseguir el fin perseguido por el personal autorizado a usar la fuerza. El responsable de autorizar el tipo de técnicas de uso de fuerza física, dentro de las validadas y reconocidas institucionalmente, es el Jefe del establecimiento penitenciario, el que deberá monitorear que la fuerza sea utilizada dentro de los parámetros legales e institucionales.

La regulación administrativa consagra el principio de necesidad, y proporcionalidad recogiendo el estándar internacional (Reglas de Mandela,

---

[159] Res. Exe. N°9.681 de Genchi, que aprueba procedimiento y flujograma para uso de fuerza al interior de los establecimientos penitenciarios del subsistema cerrado y unidades penales, de 15 de septiembre de 2014.

Regla 48-49)[160]. El primero, para considerar que el uso de la fuerza es necesario, cuando bajo un criterio de mínima intervención, luego de intentadas otras alternativas de solución del conflicto (como la mediación, la retirada estratégica, la negociación, entre otros), el uso de la fuerza representa el último recurso de los funcionarios para el cumplimiento de sus funciones. El segundo, destinado a limitar el nivel de fuerza empleado por los funcionarios, en el sentido que el nivel de la fuerza sea adecuado para el logro del objetivo (control o neutralización de la amenaza o agresión) así como, una aplicación justificada de medios coercitivos y armamento institucional cuando este sea requerido.

En relación con los niveles de fuerza empleado se dispone que, dependiendo de cada circunstancia, los niveles serán aplicados progresivamente hasta alcanzar el objetivo deseado. En este sentido, y en la medida de lo posible, se debe recurrir a medios no violentos antes del uso de la fuerza y armas de fuego. En consecuencia, se podrá utilizar la fuerza cuando sea estrictamente necesario, en la medida que lo requiera el desempeño de las tareas, de forma racional, es decir, con moderación y en proporción a la gravedad del hecho y al objetivo legítimo que se persiga, y cuando los otros medios resulten ineficaces o no garanticen de ninguna manera el logro del resultado previsto.

En cuanto a la aplicación de fuerza física o medios de coerción tales como esposas o grilletes, estos nunca deberán emplearse como sanción y su aplicación no debe prolongarse más allá del tiempo estrictamente necesario. Así también lo disponen las Reglas de Mandela (Regla 47), al establecer que se prohíbe el empleo de cadenas, grilletes y otros instrumentos de coerción física que por su naturaleza sean degradantes o causen dolor. Asimismo, indican que otros instrumentos de coerción física solo podrán ser utilizados cuando la ley los autorice y en los siguientes casos: a) como

---

[160]   En el mismo sentido, Principios y Buenas Prácticas (Principio XXIII, 2): Criterios para el uso de la fuerza y de armas. El personal de los lugares de privación de libertad no empleará la fuerza y otros medios coercitivos, salvo excepcionalmente, de manera proporcionada, en casos de gravedad, urgencia y necesidad, como último recurso después de haber agotado previamente las demás vías disponibles, y por el tiempo y en la medida indispensables para garantizar la seguridad, el orden interno, la protección de los derechos fundamentales de la población privada de libertad, del personal o de las visitas. Se prohibirá al personal el uso de armas de fuego u otro tipo de armas letales al interior de los lugares de privación de libertad, salvo cuando sea estrictamente inevitable para proteger la vida de las personas. En toda circunstancia, el uso de la fuerza y de armas de fuego o de cualquier otro medio o método utilizado en casos de violencia o situaciones de emergencia, será objeto de supervisión de autoridad competente.

medida de precaución contra la evasión durante un traslado, siempre que sean retirados en el momento en que el recluso comparezca ante una autoridad judicial o administrativa; b) por orden del director del establecimiento penitenciario, si han fracasado los demás métodos de control, a fin de impedir que el recluso se lesione a sí mismo o lesione a terceros, o que produzca daños materiales, en cuyos casos el director deberá alertar inmediatamente al médico u otros profesionales de la salud competentes e informar a la autoridad administrativa superior.

A su vez, se deben reducir al mínimo los daños y lesiones y, se debe respetar y proteger la vida humana, procediendo de modo que se preste lo antes posible asistencia y servicios médicos a las personas heridas o afectadas y, cuando al emplear la fuerza se ocasionen lesiones o muerte, se comunicará el hecho inmediatamente a los superiores jerárquicos y a las instancias judiciales correspondientes, independientemente de las investigaciones y medidas administrativas que se determinen.

En nuestras cárceles se han constatado flagrantes vulneraciones a la seguridad individual de las personas internas por uso excesivo de la fuerza, ya sea en contexto de allanamientos o con el objeto de controlar una situación conflictiva, incluso se han relatado situaciones en las que se ha golpeado a la población reclusa, o se han utilizado elementos disuasivos no permitidos como perdigones:

> Que del mérito de los antecedentes, aparece como un hecho inconcuso que el día 18 de septiembre último, aproximadamente entre las 09:50 y 10:00 horas, un grupo de internos habría promovido desórdenes que culminaron con la intervención de funcionarios de Gendarmería que, con el objeto de controlar la situación ingresaron al lugar de los hechos, procediendo a propinar golpes a lo internos, excediéndose en sus atribuciones y utilizando elementos disuasivos no permitidos, tales como los descritos por la Sra. Fiscal Judicial en su informe de fs. 150, de manera que se procedió a la aplicación de fuerza, fuera de los protocolos establecidos. Como resultado de la respuesta de los funcionarios de Gendarmería, un grupo de 46 internos resultaron heridos, siendo atendidos en el recinto hospitalario del penal[161].

Ahora bien, la cárcel, por tratarse de un espacio cerrado, es un lugar propicio para la comisión de hechos que podrían afectar, en mayor medida y sin control, el derecho a la vida e integridad personal de las personas que están dentro. De ahí que para asegurar estos derechos se deben

---

[161]   Corte de Apelaciones de Valparaíso. SCA Rol: 258-2015 de 6 octubre 2015.

prohibir aquellos actos que lo afecten o pongan en peligro, como son la tortura y los actos o penas inhumanas, crueles o degradantes.

- Prohibición de tortura, tratos o penas crueles, inhumanos o degradantes

La prohibición de la tortura ocupa un lugar primordial en el ámbito internacional, prohibición que no solo es una norma absoluta, sino que, además, por la relevancia de la conducta, ha sido considerada dentro de la categoría más alta de las normas imperativas del derecho internacional. Son varios los instrumentos internacionales destinados específicamente a ella, y a la existencia de normas especiales aplicables a los perpetradores de dichos actos[162]. Incluso la Corte IDH ha desarrollado una serie de tópicos relativos a la protección contra de la tortura, los cuales han sido recogidos de la jurisprudencia del Tribunal Europeo de Derechos Humanos[163].

En esta materia, Chile suscribió la Convención contra la tortura y otros tratos o penas crueles, inhumanos o degradantes, por lo tanto, se comprometió a tomar las medidas legislativas, administrativas, judiciales o de otra índole, que sean capaces de impedir los actos de tortura. Sin embargo, pasaron varios años para que la legislación penal se adecuara al instrumento, pues recién en el año 2016, se dicta la Ley N°20.968, que modifica el CP reformando los delitos de tortura y tipificando por vez primera el delito de apremios ilegítimos u otros tratos crueles, inhumanos

---

[162] Declaración sobre la protección de todas las personas contra la tortura y otros tratos o penas crueles, inhumanos o degradantes; Convención contra la tortura y otros tratos o penas crueles, inhumanos o degradantes; Convención Interamericana para prevenir y sancionar la tortura; Convención Europea para prevenir la tortura y las penas o tratos inhumanos o degradantes; Reglas mínimas para el tratamiento de los reclusos; Conjunto de principios para la protección de todas las personas sometidas a cualquier forma de detención o prisión; Principios de ética médica aplicables a la función del personal de salud, especialmente, los médicos en la protección de personas presas y detenidas contra la tortura y otros tratos o penas crueles, inhumanos o degradantes; Declaración sobre la protección de todas las personas contra la tortura y otros tratos o penas crueles, inhumanos o degradantes; Principios básicos sobre el empleo de la fuerza y de armas de fuego por los funcionarios encargados de hacer cumplir la ley.

[163] Se consideran cuatro tópicos fundamentales en la protección contra la tortura: 1. Estándares mínimos que deben contrastarse con una conducta para determinar si reviste gravedad o no. 2. Distinción de tres actos prohibidos diferentes: tortura, tratos o penas inhumanos y, tratos o penas degradantes. 3. La obligatoriedad de las autoridades de llevar a cabo una investigación efectiva de las alegaciones de maltrato. 4. Ámbito de protección que contempla la normativa que prohíbe la tortura no solo cubre los riesgos provenientes del Estado, sino también los que emanan del ámbito privado.

o degradantes, además de agregar los nuevos arts. 150 C, 150 D, 150 E y 150 F.

En el nuevo párrafo 4° del Título III del Libro II del CP denominado *De la tortura, otros tratos crueles, inhumanos o degradantes, y de otros agravios inferidos por funcionarios públicos a los derechos garantizados por la Constitución*, se contienen las siguientes figuras: el delito de tortura del art. 150 A; el delito de tortura calificada del art. 150 B; el delito de apremios ilegítimos u otros tratos crueles, inhumanos o degradantes del art. 150 D; el delito de apremios ilegítimos u otros tratos crueles, inhumanos o degradantes calificados del art. 150 E. Asimismo, se incorpora un tipo agravado de tortura, a través de una regla de exclusión del grado mínimo de la pena, aplicable a los arts. 150 A y 150 B, cuando el torturado se encuentre privado de libertad, bajo cuidado, custodia o control por parte de su torturador. Por último, se establece en el art. 150 F, el delito de apremios ilegítimos u otros tratos crueles, inhumanos o degradantes, simples o calificados, por parte del particular que, en determinadas circunstancias, realiza los actos establecidos en los arts. 150 D o 150 E.

Antes de estas modificaciones la legislación se refería a la tortura con el eufemismo de "tormentos y apremios ilegítimos", ahora la nueva regulación define la misma como todo acto por el cual se inflija intencionalmente a una persona dolores o sufrimientos graves, ya sean físicos, sexuales o psíquicos, con el fin de obtener de ella o de un tercero información, declaración o una confesión, de castigarla por un acto que haya cometido, o se le impute haber cometido, o de intimidar o coaccionar a esa persona, o en razón de una discriminación fundada en motivos tales como la ideología, la opinión política, la religión o creencias de la víctima; la nación, la raza, la etnia o el grupo social al que pertenezca; el sexo, la orientación sexual, la identidad de género, la edad, la filiación, la apariencia personal, el estado de salud o la situación de discapacidad. Se entiende también por tortura la aplicación intencional de métodos tendientes a anular la personalidad de la víctima, o a disminuir su voluntad o su capacidad de discernimiento o decisión, con alguno de los fines referidos.

No obstante, el avance en la materia, el legislador declara atípicas y no constitutivos de los delitos de tortura, apremios ilegítimos u otros tratos crueles, inhumanos y degradantes, ni vejaciones injustas, respectivamente, *las molestias o penalidades que sean consecuencia únicamente de sanciones legales, o que sean inherentes o incidentales en éstas, ni las derivadas de un acto legítimo de autoridad*[164]. Una excepción similar se encuentra en la Declaración sobre Protección de todas las Personas contra la Tortura y otros Tratos o Penas Crueles, Inhumanos o Degradantes, sin embargo, en ella se hacen ciertas precisiones relevantes: *no se considerarán torturas las penas o sufrimientos que sean consecuencia únicamente de la privación legítima de la libertad, o sean inherentes o incidentales a ésta, en la medida en que estén en consonancia con las Reglas Mínimas para el Tratamiento de los Reclusos.*

Para Horvitz, considerando que las Reglas de Mandela (Regla 31) disponen de forma categórica que las penas corporales, encierro en celda oscura, así como toda sanción cruel, inhumana o degradante quedarán completamente prohibidas como sanciones disciplinarias, y que nuestro REP establece dentro de sus sanciones el aislamiento en celda solitaria, se desprende que se sigue aplicando una visión despenalizadora de los excesos del sistema carcelario, al permitir de un modo flexible que ciertas conductas definidas como molestias o penalidades, cuya relación de causalidad o inherencia con la sanción penal es confusa, o más aún conductas que configuren un acto legítimo de autoridad, queden fuera de la posible calificación de tortura o configure un acto atípico. La autora entiende que aquí también se ha hecho aplicación de un dispositivo ideológico que da cuenta de cómo en Chile se entiende la relación de los privados de libertad con el Estado: una relación de sujeción especial más que una posición de garante[165].

Respecto a los apremios ilegítimos u otros tratos crueles, inhumanos o degradantes, estos tendrían una figura base, establecida en el art. 150 D inc. 1°, una figura agravada, establecida en el art. 150 D inc. 2°, una figura calificada, establecida en el Art. 150 E y una figura especial, realizada por un particular, bajo determinadas circunstancias, y en la que se incluyen tanto los actos punibles establecidos en la figura base como los señalados en la figura calificada, establecida en el art. 150 F. Ahora bien, Durán señala que esta sistemática ha considerado la existencia de una gradualidad entre las diversas formas de atentados contra la integridad moral, bien jurídico que sería el protegido en este tipo de delitos, y que lo anterior estaría en concordancia con la Declaración sobre la Protección de todas

---

[164] Ella introduce la misma disposición a los arts. 150-A (inc. 5°), 150-D (inc. 3°) y 255 (inc. 3°).
[165] Horvitz, "La insostenible situación…", 929.

las Personas contra la Tortura y otros Tratos o Penas Crueles, Inhumanos o Degradantes, que ha considerado esta gradualidad[166].

En consecuencia, el delito de tortura sería la figura más grave, exigiría el hecho o acto material de infligir dolores o sufrimientos graves, de forma intencional, sumado a la existencia de un propósito especial y concreto por parte del agente. En cambio, los apremios ilegítimos u otros tratos crueles, inhumanos o degradantes, a su vez, implicarían infligir un nivel considerable de apremios a la víctima, pero menos que graves, sin que lleguen a constituir torturas, pero afectando el bien jurídico, y sin que sea necesaria la existencia o la búsqueda de un propósito o fin concreto. Y, en los meros ultrajes a la dignidad de la persona, donde se inflige un nivel considerable y relevante de humillación o de degradación, sin que lleguen a ser actos graves de tortura ni de apremios ilegítimos u otros tratos crueles, inhumanos o degradantes, no se exigiría ningún propósito concreto aparente por parte del agente. Siendo lo relevante, a diferencia de los anteriores, la calidad de los sujetos pasivos involucrados o la existencia de un especial deber de cuidado o protección por parte del sujeto activo[167].

Si bien es difícil establecer las diferencias entre estas formas de afectación a la integridad personal, Nash sostiene que la distinción se hace, particularmente, para destacar la tortura, dado que esta calificación lleva consigo una estigmatización mayor que debe ser expresada. La tortura genera obligaciones diferenciadas para el Estado y puede tener consecuencias en materia de reparaciones. Asimismo, la diferenciación entre las formas de afectación a la integridad personal puede ser relevante en materia de activación de mecanismos de protección a nivel de la Convención de las Naciones Unidas contra la Tortura (CAT)[168].

Ahora bien, el art. 4° del REP dispone que la actividad penitenciaria ha de desarrollarse dentro de los límites establecidos por la Constitución, los tratados internacionales ratificados por Chile y vigentes, las leyes, sus reglamentos y las sentencias judiciales, declarando expresamente que: *ningún interno será sometido a torturas, tratos crueles, inhumanos*

---

[166]   Mario Durán, "Nociones para la interpretación y delimitación del nuevo delito de apremios ilegítimos u otros tratos crueles, inhumanos o degradantes", *Revista de Derecho* volumen 27, (2020): 11.

[167]   *Ídem*, 12.

[168]   Claudio Nash, "Alcance del concepto de tortura y otros tratos crueles, inhumanos y degradantes", (Anuario de Derecho Constitucional Latinoamericano, año XV, 2009), 585-601, Nasch, alcance del concepto de tortura.pdf

o degradantes, de palabra u obra, ni será objeto de un rigor innecesario en la aplicación de las normas. No obstante, esta declaración legal, Gendarmería informa que a la fecha no cuenta con información sistematizada respecto de la cantidad de personas privadas de libertad lesionadas o afectadas en su integridad física o síquica, por funcionarios o funcionarias de la institución, de modo tal que no hay una base de datos que permita determinar responsabilidades[169].

Según el estudio "Condiciones de vida en los Centros de Privación de Libertad en Chile", un 25,6% de la población carcelaria declara haber sido golpeado/a al interior del penal. De ese universo, un 66% indica haber sido golpeado/a por personal penitenciario, un 32,2% por internos y un 1,4% por policías[170].

5.3 Derecho a un trato no discriminatorio

Todos los instrumentos internacionales de derechos humanos prohíben la discriminación por motivos de raza, color, sexo, idioma, religión o creencias religiosas, opinión política o de otra índole, origen nacional, étnico o social, nacimiento o cualquier otra condición, estableciéndose protecciones específicas respecto de ciertos grupos minoritarios[171].

El art. 1° de la CPR consagra el principio de libertad e igualdad de las personas tanto en dignidad y derechos. Consecuentemente, el catálogo de derechos constitucionales contempla en su art. 19 inc. 2°, *la igualdad ante la ley y [...] que en Chile no hay personas ni grupos privilegiados.* El art. 5° del REP recoge el principio de no discriminación, al señalar que sus normas deben ser aplicadas imparcialmente no pudiendo existir diferencias de trato fundadas en el nacimiento, raza, opinión política, creencia religiosa, condición social o cualesquiera otras circunstancias. Asimismo, se establece el deber para la administración penitenciaria de

---

[169] INDH, Estudio de las condiciones carcelarias en Chile, Diagnóstico del cumplimiento de los estándares internacionales de derechos humanos en la privación de libertad, 2018, 205.

[170] Diego Piñol, Mauricio Sánchez, "Condiciones de vida en los centros de privación de libertad. Análisis a partir de una encuesta aplicada a seis países de Latinoamérica", *Instituto de asuntos públicos. Centro de Estudios Seguridad Ciudadana Universidad de Chile*, Santiago: Universidad de Chile, (2015) 33.

[171] Véase, CADH (art. 2); PIDCP (art. 2 y 6); Convención Internacional sobre la Eliminación de todas las formas de discriminación racial (art. 5); Conjunto de Principios (Principio 5); Reglas de Mandela (Regla 2).

procurar la realización efectiva de los derechos humanos compatibles con la condición del interno. Sin embargo, tratándose de personas privadas de libertad pertenecientes a grupos doblemente marginados, existen múltiples deficiencias que impiden el ejercicio de este derecho, las que veremos más adelante en el capítulo relativo a este grupo de personas.

5.4 Derecho a la libertad ideológica y religiosa. Respeto a la identidad cultural

Las personas presas tienen derecho a la libertad de conciencia y religión, por tanto, pueden profesar, manifestar, practicar, conservar y cambiar su religión, según sus íntimas creencias. Asimismo, pueden participar en actividades religiosas y espirituales, y ejercer sus prácticas tradicionales y recibir visitas de sus representantes religiosos o espirituales. La administración penitenciaria debe reconocer la diversidad y pluralidad religiosa y espiritual y debe otorgar las facilidades para el ejercicio de este derecho, contando con lugares para la realización de prácticas religiosas y/o culturales. Diversos instrumentos internacionales así lo reconocen[172].

En nuestro derecho, el art. 19 n°6 de la CPR garantiza a todas las personas la libertad de conciencia, la manifestación de todas las creencias y el ejercicio libre de todos los cultos que no se opongan a la moral, a las buenas costumbres o al orden público. En el mismo sentido, el art. 6 inc. 2 del REP reconoce el derecho a la libertad ideológica y religiosa de los privados de libertad. No obstante, en la práctica, el INDH ha constatado que no se otorgan todas las facilidades. Se evidencia, por un lado, falta de espacios exclusivos para la realización de ceremonias o ritos religiosos en todas las cárceles, y con absoluta claridad la inexistencia de espacios exclusivos para celebraciones y ceremonias indígenas. Donde existen estos espacios, están principalmente asociados a las religiones más tradicionales, por lo que hay falta de consideración e inclusión de las necesidades

---

[172]   DUDH (art. 18); PIDCP (art. 18); CADH (art. 12); CDN (art. 14); Principios y Buenas Prácticas (Principio XV); Reglas de Mandela (Regla 65 y ss.); Convenio 169 de la OIT sobre pueblos indígenas y tribales en países independientes (art. 8).

culturales de la población de pueblos originarios[173], lo que ha sido ratificado por la jurisprudencia[174].

5.5 Derecho a la salud

El derecho a la salud es un derecho social que obliga a los Estados a crear las condiciones necesarias para que todas las personas, sea cual sea su condición, puedan gozar de un bienestar físico y psíquico. No reconoce distingo, por lo que la privación de libertad no puede implicar el cercenamiento del derecho. El art. 19 n°9 de la CPR consagra el derecho a la protección de la salud, lo que implica responsabilidad del Estado en orden a proporcionar atención, realizar acciones de prevención, promoción y recuperación de la salud y rehabilitación del individuo, derecho que debe garantizarse a través de las instituciones públicas o privadas, en la forma y condiciones que determine la ley. En el caso de las personas presas, esta prestación debe ser otorgada por Gendarmería o por la empresa concesionaria, a través de las vías establecidas al efecto.

En el REP se encuentran varias disposiciones que regulan la materia: el art. 6° inc. 3° que establece el deber de la administración penitenciaria de velar por la vida, integridad y salud de los internos; el art. 10, que dispone como uno de los principios regulativos de la organización de los establecimientos penitenciarios, la asistencia médica de la forma que más se asemeje a la asistencia que se otorga en el medio libre; y el párrafo 2° intitulado *De la atención médica de los internos*, arts. 34 y ss., que

---

[173]   INDH, Estudio de las condiciones carcelarias, 2018, 215: "Si bien en todos los recintos se manifiesta un ejercicio libre de prácticas religiosas y culturales, aquellas asociadas a pueblos originarios no cobran relevancia ni son mencionadas, excepto en algunos recintos del norte grande como el CP Arica, CCP Iquique y CP Alto Hospicio, CDP Calama; y en algunas del sur como en el CP Valdivia, CCP Osorno. Es así como en el norte del país se mencionaron celebraciones como el Machac mara, martes de challa y año nuevo indígena; y en el sur We tripantu y rogativas".

[174]   Corte de Apelaciones de Temuco. SCA Rol N°41-2018 de 4 de mayo de 2018. El voto disidente argumentó, en el caso del Machi Celestino Córdova, quien en repetidas ocasiones había solicitado el permiso de salida en atención a la necesidad espiritual y cultural del condenado, que: "la privación de libertad no puede ser un impedimento para que el amparado pueda ejercer tal costumbre ancestral, en la medida en que su desarrollo no afecta el cumplimiento de la pena [...] Que, el hecho que el Reglamento de Establecimientos Penitenciarios – norma administrativa - no contemple este tipo específico de salida, no puede constituir un obstáculo para el cumplimiento de convenios internacionales suscritos por nuestro país, que reconocen el derecho de los pueblos originarios a conservar sus costumbres ancestrales e instituciones propias y lo obligan a aplicar la legislación nacional tomándolas en consideración".

agrupa una serie de reglas relativas a la atención médica, tratamiento y hospitalizaciones.

La regla general es la garantía de acceso a tratamiento y hospitalización dentro de la unidad penal, ya se trate de unidades penales tradicionales o unidades concesionadas a empresas privadas, caso en el cual se estará, además, a lo establecido en el respectivo contrato de concesión. Excepcionalmente, en caso de requerirse internación en un establecimiento hospitalario externo, ya sea porque el recinto penal no cuenta con unidad de hospitalización o esta es deficiente, el Director Regional debe autorizar la salida, previa certificación del personal médico del establecimiento penal que dé cuenta de alguna de las siguientes situaciones:

a) Casos graves que requieran con urgencia, atención o cuidados médicos especializados que no se pueda otorgar en la unidad médica del establecimiento. En este caso, si la urgencia lo amerita, el Jefe del establecimiento podrá autorizar la salida, lo que deberá ser ratificado por el Director Regional, dentro de las 48 horas siguientes.

b) Cuando el penado requiera atenciones médicas que, sin revestir caracteres de gravedad o urgencia, no puedan ser prestadas en el establecimiento. Tratándose de establecimientos concesionados, cuyo contrato de concesión considere atención de salud, la autorización de atención o internación en el exterior de la unidad penal podrá referirse a clínicas u hospitales privados, sin que ello pueda importar costo alguno para la institución.

Estas autorizaciones son otorgadas para llevar a las personas presas a los establecimientos hospitalarios que formen parte de los servicios de salud de la red pública, salvo que la persona desee ser atendida en algún establecimiento hospitalario privado, en cuyo caso debe contar con recursos para financiar dicha atención. En ambos casos, el establecimiento propuesto deberá satisfacer los requerimientos de seguridad que Gendarmería determine. Con todo, la duración de permanencia en los establecimientos hospitalarios externos será definida por el personal médico de Gendarmería, el que realizará o solicitará evaluaciones de salud con la periodicidad que el caso amerite.

Tratándose de las personas detenidas y sujetas a prisión preventiva, en casos graves de enfermedad o accidente, la posibilidad de que salgan de los establecimientos penitenciarios debe ser decretado por el juez de la causa. No obstante, el Jefe del establecimiento, en caso de enfermedad grave y de extrema urgencia, podrá autorizar bajo su responsabilidad la salida sin la correspondiente autorización judicial, siempre que esta autorización no pudiere ser recabada oportunamente, adoptando las medidas necesarias para no entorpecer la acción de la justicia y dando inmediata cuenta de lo actuado al Juzgado de Garantía y al Director Regional de Gendarmería.

Si bien, la regulación es medianamente coherente con el estándar internacional (Reglas de Mandela, Reglas 24 y ss.)[175], la realidad penitenciaria dista mucho de las declaraciones normativas. Del último informe del INDH se reparan diferentes aspectos observados en las cárceles, relativos a: acceso a la atención, dotación de personal de salud en cada unidad penal, estructura de la enfermería, suministro de medicamentos, calidad y trato en la atención, privacidad y confidencialidad, atención a personas con VIH y con problemas de salud mental, observaciones todas que evidencian enormes carencias que impiden el ejercicio y goce del derecho a la salud de las personas privadas de libertad[176].

5.6 Derecho al trabajo

El derecho al trabajo es un derecho ampliamente reconocido por el derecho internacional de los derechos humanos, debido a su valor como elemento de formación y reinserción social de las personas presas. Ha de ser siempre voluntario y su protección se articula sobre la base del reconocimiento de la dignidad humana y la prohibición de la tortura, penas, tratos crueles, inhumanos y degradantes. Su contenido será tratado en el capítulo relativo al trabajo penitenciario.

5.7 Derecho a la educación

En nuestro país, el art. 19 n°10 de la CPR garantiza la obligatoriedad de la educación básica y media, debiendo el Estado financiar un sistema gratuito que asegure el acceso de toda la población. Ahora bien, las personas privadas de libertad no están excluidas de acceder a este derecho.

---

[175] En el mismo sentido, Conjunto de Principios (Principio N°24); Reglas de Bangkok (Regla 11).
[176] INDH, Estudio de las condiciones carcelarias, 2018, 116-128.

En conformidad con lo anterior, el art. 59 del REP establece el derecho de toda persona presa a que la administración penitenciaria le permita, dentro del régimen del establecimiento, efectuar estudios de enseñanza básica en forma gratuita. No obstante, la misma reglamentación luego señala que estará sujeta a los alcances y limitaciones que las disposiciones legales pertinentes establecen para la población no recluida, declaración esta última que relativiza el deber.

En cambio, la enseñanza media no está garantizada, solo se establece el deber de la administración de incentivar, con fines de reinserción social, la realización de estos estudios, o enseñanza técnica o de otro tipo. En la práctica, el INDH ha constatado deficiencias en el acceso y ejercicio del derecho a la educación por quienes están tras las rejas[177].

En el ámbito internacional, el derecho a la educación está orientado hacia el pleno desarrollo de la personalidad humana y del sentido de su dignidad, fortaleciendo el respeto por los derechos humanos y las libertades fundamentales, así ha sido reconocido por las Reglas de Mandela (Reglas 4-104)[178]. El Comité de Derechos Económicos, Sociales y Cultu-

---

[177]   *Ídem*, 232: "Con excepción de algunas cárceles específicas, es un elemento que está al interior de las prisiones, al menos en la educación primaria. A nivel de la existencia de recintos educacionales, considerando la información expuesta [...] y los resultados de las observaciones a recintos penitenciarios, hay cuatro cárceles que no tienen recintos educativos en su interior. En cambio, pese a la información expuesta, en el caso del CDP de Puerto Aysén, se constató en terreno la existencia de un colegio. De aquellos que [...] consigna sin un establecimiento educacional, en las observaciones se apreció que no disponen de una escuela los recintos de CDP Pozo Almonte ni Combarbalá. Según se aprecia [...], tampoco hubo estudiantes adscritos a algún sistema de enseñanza alternativo. En cambio, en los recintos CDP Chile Chico y CDP Cochrane si bien no hay escuela se accedió a exámenes libres, según se reporta en los informes particulares de cada cárcel. Se puede apreciar [...] que, en 2018 en las 36 cárceles en estudio, 6.128 personas privadas de libertad estuvieron en la escuela al interior de los recintos o bien en un sistema alternativo a través de exámenes libres. Al desagregar según sexo, fueron 5.530 hombres y 598 mujeres. En este universo, además, diez personas recibieron educación fuera de las escuelas. De lo expuesto en el ámbito educacional, un 83,3% de las cárceles que incluye este Informe tienen un recinto educacional en su interior, y en el resto existe la posibilidad de estudiar mediante algún mecanismo alternativo, restando solamente dos establecimientos en que sus ocupantes no pueden acceder a este derecho".

[178]   En el mismo sentido, PIDESC (art. 13.1); DUDH (art. 26); Principios Básicos (Principio 6). Por su parte, la Resolución 1990/20 del Consejo Económico y Social de Naciones Unidas recomienda a los Estados miembros fomentar la educación en los establecimientos penitenciarios, como una forma de contribuir en la prevención del delito, la inserción social de los reclusos y la reducción de reincidencia. De acuerdo con esta resolución, en concordancia con las Reglas de Mandela, la formulación de las políticas de educación deberá tener en cuenta las siguientes directrices: a) La educación en establecimientos de privación de libertad debe orientarse al desarrollo de toda la persona, teniendo presente los antecedentes de orden social, económico y cultural de los internos. b) Todos los internos deben gozar de acceso a la educación, con inclusión de programas de alfabetización, educación básica, formación profesional, actividades creadoras, religiosas y culturales, educación física y deportes,

rales de Naciones Unidas ha llegado a afirmar que la educación es fundamental para la emancipación de la mujer, la protección de los niños contra
la explotación laboral, el trabajo peligroso y la explotación sexual, la promoción de los derechos humanos y la democracia, entre otros aspectos.
Por consiguiente, en el ámbito penitenciario el derecho a la educación es
sumamente importante, por lo que se debe garantizar su acceso sin discriminación alguna y sin distinción de género. Adicionalmente, debe tomarse en cuenta la diversidad cultural y necesidades especiales de las personas
privadas de libertad, respetando su identidad cultural e idiomática.

5.8 Derecho a comunicarse con el exterior y mantener relaciones de familia

El régimen penitenciario ha de pensarse de tal forma que establezca
vías que mantengan abiertas las relaciones de las personas presas con el
mundo exterior, permitiendo que la vida al interior de la cárcel se asemeje
lo más posible a la vida en el medio libre. De este modo se cumple con el
principio de normalización penitenciaria, resocialización y humanización
de las penas. Se ha sostenido que los contactos con el mundo exterior
humanizan el castigo, de manera que la persona presa no pierda las relaciones con su familia o amistades. En la actualidad este principio inspira
gran parte las modernas políticas penitenciarias como única alternativa
que puede evitar el retroceso a las prisiones custodiales cuando se ha veri-
ficado la imposibilidad de resocializar mediante el castigo[179].

---

educación social, enseñanza superior y servicios de bibliotecas. c) Se debe hacer todo lo posible por
alentar a los internos a que participen activamente en todos los aspectos de la educación. d) Todos
quienes intervienen en la administración y gestión de establecimientos de privación de libertad deben facilitar y apoyar la educación en la mayor medida posible. e) La educación debe constituir
el elemento esencial del régimen penitenciario; no deben ponerse impedimentos disuasivos a los
internos que participen en programas educativos oficiales y aprobados. f) La enseñanza profesional
debe orientarse a un desarrollo más amplio de la persona y responder a las tendencias del mercado
laboral. g) Debe otorgarse una función importante a las actividades creadoras y culturales, que son
especialmente indicadas para permitir a los reclusos desarrollarse y expresarse. h) Siempre que sea
posible, debe permitirse la participación de los internos en actividades educativas fuera de los establecimientos de privación de libertad. i) Cuando la instrucción debe impartirse en el establecimiento
de privación de libertad, se debe contar con la mayor participación posible de la comunidad exterior.
j) Se deben proporcionar los fondos, el equipo y el personal docente necesarios para que las personas
privadas de libertad puedan recibir la instrucción adecuada.

[179] Mapelli, *et.al.*, *Ejecución de la pena*, 238.

Por otro lado, los contactos con el mundo exterior también se usan como instrumentos eficaces para lograr la pacificación de un establecimiento y estimular la convivencia ordenada de los presos. Por ello se contemplan restricciones, sanciones, y recompensas en torno a estas comunicaciones. Ambos temas, las comunicaciones con el mundo exterior y las salidas al medio libre serán tratados en capítulos aparte.

5.9 Derecho a petición ante las autoridades competentes

El derecho a petición es ampliamente reconocido en el ámbito internacional, consiste en el derecho de toda persona presa a presentar, diariamente, peticiones o quejas al director del establecimiento penitenciario o al funcionario penitenciario autorizado a representarlo, ante el inspector de prisiones durante las inspecciones, ante la administración penitenciaria central, ante la autoridad judicial o ante cualquier otra autoridad competente, incluidas las autoridades con facultades en materia de revisión o recurso.

En el ámbito nacional, el derecho a petición se consagra en el art. 19 n°14 de la CPR, derecho que es recogido por el art. 9° del REP al disponer que las personas privadas de libertad, en defensa de sus derechos e intereses, pueden dirigirse a las autoridades competentes y formular las reclamaciones y peticiones pertinentes, a través de los recursos legales que correspondan, todo lo cual será visto en el capítulo relativo al control administrativo y jurisdiccional de la pena privativa de libertad.

5.10 Derecho que surge al momento del egreso

Al momento del egreso, el art. 6° inc. 4° del REP establece una prerrogativa especial para quienes hayan cumplido condena en un establecimiento penitenciario de régimen cerrado, pues se establece la posibilidad de que pernocten extraordinariamente en el penal hasta las 07:00 horas del día siguiente, a la fecha de cumplimiento de condena, siempre y cuando se solicite como medida de resguardo de la integridad física. La forma en que se implemente la medida será determinada por resolución fundada del respectivo Director Regional. Con todo, la persona deberá permanecer siempre separado del resto de la población penal, y la administración penitenciaria deberá adoptar todas las medidas de seguridad que correspondan.

6. DEBERES DE LAS PERSONAS PRIVADAS DE LIBERTAD

No cabe duda de que las personas presas tienen deberes, no obstante, estos no pueden configurar exigencias que vayan más allá del cumplimiento del contenido del castigo penal, y de la circunstancia excepcional del encierro. Por ello, en el ámbito internacional la relevancia está puesta en los derechos de los privados de libertad, más que en los deberes u obligaciones, porque el objetivo de la legislación supranacional es la protección de los derechos humanos y no el establecimiento de deberes.

En nuestra reglamentación, la administración penitenciaria tiene dos grandes funciones: la custodia y la reinserción social, de modo que para cumplir con ellas debe asegurar y mantener un orden mínimo al interior del establecimiento penitenciario. Por consiguiente, la observancia de las normas reglamentarias resulta imprescindible para la realización de estas tareas. El art. 33 del REP establece los deberes que deben cumplir todas las personas que se encuentren en una unidad penal, ya sea en calidad de detenidas, sujetas a prisión preventiva o condenadas. A saber:

a) Permanecer en el establecimiento penitenciario hasta su liberación: En el caso de las personas condenadas esta restricción viene impuesta por la sentencia condenatoria que priva de libertad al sujeto como consecuencia de la comisión de un hecho delictivo. La persona condenada debe permanecer recluida hasta el momento de su egreso, por cumplimiento efectivo de la pena o por la obtención de algún beneficio intrapenitenciario que lo excarcele. Si el reclusa o recluso se fuga de la unidad penal comete quebrantamiento de condena, ilícito contemplado en los arts. 90 y 91 del CP.

b) Acatar las normas de régimen interno: El REP señala que todas las personas privadas de libertad están obligados a cumplir los preceptos reglamentarios y especialmente, los de orden y disciplina, sanidad e higiene, corrección en sus relaciones y en su presentación personal, así como conservar cuidadosamente las instalaciones del establecimiento y el utensilio y vestuario que eventualmente les sean proporcionados.

c) Mantener una actitud de respeto y consideración con los compañeros de internación o cualquier persona que se encuentre al interior del establecimiento, con los funcionarios de la administración penitenciaria y autoridades judiciales o de otro orden, tanto dentro del establecimiento penitenciario como fuera de ellos, en ocasiones de traslados o prácticas de diligencias.

d) Conservar el orden y aseo de las dependencias que habitan y del establecimiento, y mantener una presentación personal aseada.

El incumplimiento de estos deberes puede implicar una infracción al régimen disciplinario lo que tendrá impacto en la calificación de la conducta. Esta última situación podría incidir, cualitativa y cuantitativamente, en el cumplimiento de la condena, al limitar las posibilidades del condenado de acceder a beneficios intra penitenciarios.

CAPÍTULO CUARTO

EL ESTABLECIMIENTO PENITENCIARIO

1. EL ESTABLECIMIENTO PENITENCIARIO

La cárcel moderna, como espacio en el que se segrega física y socialmente a un grupo de personas con el objeto de ejecutar el castigo penal, puede adoptar distintos tipos de organización espacial (edificios, celdas, amoblamiento, entre otras cuestiones materiales), e ideal (diferentes formas de ordenamiento social las que incluso pueden determinar el diseño espacial). La cárcel es una construcción social compleja que corporiza una mezcla de espacio real e ideal; son a la vez materiales, funcionales e ideológicas[180].

A fines del siglo XVIII y comienzo del siglo XIX, el diseño de las prisiones era un asunto sumamente discutido. La distribución del espacio debía responder al cumplimiento de ciertos objetivos: facilitar el mayor grado de control y vigilancia, evitar las enfermedades contagiosas como su propagación, y propender a la rehabilitación de las personas condenadas. De ahí que, en el diseño de la prisión se desarrollaron principalmente cuatro estilos arquitectónicos: el estilo radial, panóptico, poste telegráfico y, el de prisiones de nueva generación que incorpora el diseño capsular[181], todos

---

[180]   Al respecto véase Lefebvre, *La producción del espacio*. (España: Capitán Swing, 2013).

[181]   El estilo radial (utilizado en Londres,1842), fue el estilo arquitectónico predominante del siglo XIX, caracterizado por una construcción que implica varias alas o pabellones que parten de un punto central, lo que permitía que el control y la coordinación se ubicaran en el punto de pivote. El panóptico (utilizado en Luisiana,1971), consiste en que un solo guardián posicionado en una torre alta y central podía ejercer una vigilancia continua alrededor de la prisión, sin que los prisioneros pudieran ver al guardián o saber si estaban siendo vigilados. El poste telegráfico (utilizado Francia, 1898), se basa en un modelo de construcción que incluye varios bloques de celdas, individuales y oblongos, dispuestos a cada lado de un corredor o pasillo de enlace, lo que permitía un mayor grado de socialización entre los internos. El diseño capsular (utilizado en E.E.U.U, 1982), se caracteriza por la construcción de varias unidades, cada una de las cuales contiene un grupo reducido de internos, que dan a un área central con múltiples propósitos, permitiendo al personal observar tanto las actividades de reclusión como las recreativas de una forma más práctica.

responden, en primer lugar, a la necesidad de control y vigilancia, y en algunos más que en otros, al objetivo de la reinserción, como necesidad secundaria.

En Chile, el sistema penitenciario moderno se inicia en 1842 con la creación de la Penitenciaría de Santiago, la que responde a un diseño a grandes rasgos radial[182]. El sistema de prisión que se adoptó en ese entonces fue el de reclusión solitaria, con horas destinadas al sueño y alimentación, y reunión de los presos únicamente para la instrucción primaria, religiosa y para el aprendizaje de un oficio lucrativo. Junto con la Penitenciaría de Santiago, se crearon cárceles, presidios, colonias penales, casas de corrección, en distintas ciudades de Chile, dispersas en su organización, hasta que se inicia, con el primer Reglamento Carcelario del año 1911, un proceso de instauración de una institucionalidad carcelaria organizada, centralizada y jerarquizada[183].

En la actualidad, el sistema carcelario chileno se estructura en torno al concepto de establecimiento penitenciario, el que ha sido definido en el art. 11 del REP, como aquel recinto donde deben permanecer custodiadas las personas privadas de libertad, ya sea en calidad de detenidas y mientras sean puestas a disposición del tribunal pertinente, las personas sometidas a prisión preventiva y las personas condenadas al cumplimiento de penas privativas de libertad, todas las cuales estarán sujetas a la atención, vigilancia y custodia de la administración, según corresponda. Corresponde también a esta denominación los establecimientos destinados al

---

[182] Carlos García, "La influencia chilena en la construcción del primer edificio penitenciario argentino", *Revista de Estudios Criminológicos y Penitenciarios*, n.°9 (2006): 118-119: El penólogo norteamericano Negley Teeters, al realizar una extensa gira por las penitenciarías de Sudamérica a mediados del siglo XX, viendo que en varios países se designaban con el nombre de *Panópticos* las penitenciarías radiales (Bogotá, Quito, La Paz, Lima) afirmaba: "Pese a que todas esas penitenciarías son llamadas, en la mayoría de los países, *Panópticos*, siguiendo la creación del fantástico alarde de Jeremy Bentham, en toda Sudamérica no existe un panóptico real [...] desde la Penitenciaría de Santiago construida en 1843[...] hasta la de La Paz, terminada en 1896, encontramos la clara influencia de la Penitenciaría de Filadelfia. Todas ellas son variantes arquitectónicas del divinamente inspirado sistema de los reformadores de Filadelfia". Probablemente, la principal limitante del diseño de Bentham sea que la capacidad para internos en un establecimiento circular es inversamente proporcional al poder de inspección, esto quiere decir que mientras más celdas se construyan, más debe agrandarse la circunferencia y, por lo tanto, alejarse progresivamente de la torre de vigilancia. Por este motivo se privilegiaron en Europa y América los diseños carcelarios radiales, que en muchos casos podían expandirse sin perder sus niveles de seguridad.

[183] Para quien quiera profundizar véase: Marco Antonio León, "Documento para la historia de las prisiones en Chile en el siglo XX (1911-1965), *Revista Chilena de Historia del Derecho Universidad de Chile*, (2008): 371-561.

cumplimiento de las penas sustitutivas, los destinados al control de los beneficios legales y reglamentarios que se ejecuten en el sistema abierto, como, asimismo, las dependencias que brindan apoyo postpenitenciario a las personas que hubiesen dado cumplimiento a su condena y las que supervisan y controlan la libertad condicional[184].

En cuanto a su nacimiento y extinción, estos establecimientos son creados, modificados o suprimidos por Decreto Supremo del Ministerio de Justicia, previo informe favorable, o a propuesta del Director Nacional de Gendarmería, siendo su administración materia de resolución por parte de dicha jefatura. La administración, en todo caso, siempre corresponde a Gendarmería. En relación con esto último, es necesario señalar que en el mundo existen principalmente tres modalidades de administración del establecimiento penitenciario: leasing, privatización y una mixtura de ambas. El sistema de leasing se configura a partir de una alianza con privados de manera que estos diseñan, construyen y equipan los establecimientos penitenciarios sin intervenir en la operación del recinto (muy utilizado en países latinoamericanos). La modalidad de privatización delega en forma absoluta la administración del penal a los actores privados, relegando el rol estatal a la mínima intervención reguladora (modelo observado en Estados Unidos, e Inglaterra). Y la modalidad de carácter mixto consiste en la delegación a privados de una parte importante de las tareas del penal o una "terciarización" de ciertas tareas, dejando a cargo de Gendarmería, o su equivalente en otro país, la facultad exclusiva de vigilancia y castigo[185].

Chile adoptó un sistema mixto de administración creando cárceles públicas y concesionadas, pero en ambas la administración se ejerce por Gendarmería. Las cárceles concesionadas son el resultado de una alianza público-privado, que se justificó en la necesidad de dar respuesta a los graves problemas de hacinamiento que presentaba la prisión. En este tipo de cárceles se otorga la concesión a un privado para que diseñe, construya

---

[184]   Gendarmería de Chile, Compendio Estadístico 2020, 11, Compendio_Estadistico_Penitenciario2020.pdf (gendarmeria.gob.cl). Según información estadística de Gendarmería de Chile, diciembre de 2020, hoy existen 173 unidades penales, correspondientes a 43 Centros de Detención Preventiva (CDP); 31 Centros de Cumplimiento Penitenciario (CCP); 6 Centro Penitenciario Femenino (CPF); 1 Unidad Especial de Alta Seguridad (UEAS); 10 Complejos Penitenciarios (CP); 21 Centros de Educación y Trabajo (CET); 1 Centro de Readaptación Abierto (CRA); 41 Centros de Reinserción Social (CRS); 19 Centros de Apoyo para la Reinserción Social (CAIS).

[185]   Guillermo Sanhueza, Francisca Pérez, "Cárceles concesionadas en Chile: evidencia empírica y perspectivas futuras a 10 años de su creación", *Política criminal* volumen 12, n.°24 (2017): 1069.

y equipe un establecimiento penal, genere un manual operativo para capacitar al personal de la institución, mantenga la infraestructura y equipamiento, provea servicios de alimentación, salud y reinserción social, quedando siempre la función de custodia, vigilancia y administración a cargo de Gendarmería, es decir, a cargo del Estado. En cambio, en las cárceles públicas todas estas funciones son asumidas directamente por el Estado a través de Gendarmería[186].

Hoy en día, el modelo de privatización o externalización de los servicios penitenciarios ha sido fuertemente criticado. Se ha dicho que no es nada más que una parcela en la que el sector privado ha hecho acto de presencia con el consecuente interés de obtener ganancias lucrativas. Asimismo, se ha reparado en que, si la prisión es concebida como una pena orientada a la resocialización, función esta última en la que ya es difícil legitimar al Estado, con mayor razón, es más problemático aceptar que esas competencias queden en manos del mundo empresarial. Por otra parte, se han planteado también riesgos de discriminación por razones económicas entre los condenados, pues el hecho de que existan cárceles privadas, mejor dotadas y más confortables, y a la vez cárceles públicas con condiciones deficientes, podría configurar una tentación para incorporar una nueva forma de enriquecimiento, pudiendo establecerse pagos encubiertos para lograr el traslado de las personas privadas de libertad desde cárceles públicas a cárceles privadas.

En contraposición a esta crítica, algunos han planteado que no es posible tener una postura radical sobre el tema y que el debate está mal enfocado. Plantean que el problema residiría más bien en la fiscalización del sector privado más que en el cuestionamiento a su participación. Es decir, en la falta de fórmulas que obliguen a las empresas adjudicatarias a firmar contratos exigentes en todas las cuestiones sensibles para la materia, que

---

[186] En Chile, el sistema de cárceles concesionadas comenzó a gestarse el año 2000, bajo el mandato del expresidente Ricardo Lagos E. Se trataba de un momento en que los déficits en infraestructura, niveles de hacinamiento y servicios básicos requerían una inversión importante. La respuesta estatal fue la implementación de un "Programa de Concesiones de Infraestructura Penitenciaria con capitales privados", agrupados en diferentes grupos de acuerdo con macrozonas regionales. El proyecto original contemplaba un total de 10 establecimientos distribuidos en 4 grupos, de los cuales se han implementado 8 en la siguiente conformación: El grupo 1 compuesto por Iquique, La Serena y Rancagua; el grupo 2 compuesto por Antofagasta y Concepción, y finalmente el grupo 3 compuesto por Santiago 1, Valdivia y Puerto Montt.

incluya cláusulas de penalización y resolución del contrato, lo que permitiría ejercer un control efectivo sobre la prestación del servicio[187].

Ahora bien, sea cual sea la modalidad adoptada, el Estado nunca puede desligarse de su función primaria, aún en casos en que ceda parte de sus funciones o habilite a un privado a actuar en nombre del Estado. Así lo ha manifestado la Corte IDH, en el caso "Ximenes López v. Brasil":

> Una persona o entidad que, si bien no es un órgano estatal, está autorizada por la legislación del Estado para ejercer atribuciones de autoridad gubernamental. Dicha conducta, ya sea de persona física o jurídica, debe ser considerada un acto del Estado, siempre y cuando estuviere actuando en dicha capacidad (…) La acción de toda entidad, pública o privada, que está autorizada a actuar con capacidad estatal, se encuadra en el supuesto de responsabilidad por hechos directamente imputables al Estado, tal como ocurre cuando se prestan servicios en nombre del Estado[188].

2. PRINCIPIOS ORGANIZATIVOS DEL ESTABLECIMIENTO PENITENCIARIO

En todo establecimiento penitenciario la organización interna se configura a partir de ciertos presupuestos o principios, que se establecen con el objeto de determinar el orden social, la vigilancia y la consecución de los objetivos que el sistema carcelario se propone. A su respecto, el art 10 del REP establece que los establecimientos penitenciarios se organizarán conforme a los siguientes principios:

a) Una ordenación de la convivencia adecuada a cada tipo de establecimiento, basada en el respeto de los derechos y la exigencia de los deberes de cada persona. b) El desarrollo de actividades y acciones tendientes a la reinserción social y disminución del compromiso delictivo de los

---

[187] Facultad de Derecho de la Universidad Diego Portales, "Condiciones carcelarias", *Informe Anual sobre Derechos Humanos en Chile 2005*, (2006), 31-46 Centro de Derechos Humanos UDP–Universidad Diego Portales | Informe Anual sobre Derechos Humanos en Chile 2006. Por su parte la Universidad Diego Portales denuncia la existencia de "una serie de falencias en la implementación de esta política, las cuales ponen en peligro la materialización de los objetivos que se pretende lograr. Se trata de conflictos tales como problemas con los términos y condiciones de los contratos de concesión; demoras en las entregas e incumplimientos de plazos y problemas con el nuevo sistema adoptado, el cual no sería más barato que el antiguo. Estas falencias son especialmente preocupantes al presentarse en un contexto de grave hacinamiento carcelario en el país […] Además, estas falencias siembran dudas respecto del real alcance de los objetivos que se pretenden lograr con esta política".

[188] Corte IDH. Caso Ximenes López v. Brasil. Serie C No. 149. Parágrafos 86-87. (4 de julio de 2006).

condenados. c) La asistencia médica, religiosa, social, de instrucción y de trabajo y formación profesional, en condiciones que se asemejen en lo posible a las de la vida libre. d) Un sistema de vigilancia que garantice la seguridad de los internos, funcionarios, recintos y de toda persona que en el ejercicio de un cargo o en uso de una facultad legal o reglamentaria ingrese a ellos. e) La recta gestión y administración para el buen funcionamiento de los establecimientos.

a) Una ordenación de la convivencia adecuada a cada tipo de establecimiento, basada en el respeto de los derechos y la exigencia de los deberes de cada persona:

La ordenación social de un penal viene determinada por el régimen penitenciario que se aplica en su interior. Cuando hablamos de régimen penitenciario nos referimos a un conjunto de reglas que regulan jurídica y socialmente la forma de estar privados de libertad. Son pautas que establecen las condiciones, elementos y factores que determinan la forma de ejecución del castigo. En otras palabras, el régimen penitenciario establece las condiciones de vida que tendrá el individuo preso y, por tanto, sus limitaciones: si podrá o no salir de prisión, los horarios que debe respetar, las reglas disciplinarias que debe acatar, además de aquellas medidas específicas aplicables en su tratamiento dentro del penal. Todo ello con el objeto de conseguir orden, control y una adecuada convivencia entre las personas presas, y entre estos y los funcionarios custodiales.

El sistema chileno distingue tres tipos de regímenes penitenciarios: el régimen cerrado, abierto o semiabierto, los que a su vez van a determinar el tipo de establecimiento penitenciario. Si el régimen penitenciario es cerrado (art. 29 REP), se buscará garantizar la seguridad en la custodia de las personas privadas de libertad, fundado en principios de seguridad, disciplina y orden. Se regulan los horarios de encierro y desencierro, el conteo diario y periódico, la forma de efectuar los allanamientos, las requisas, traslados, los criterios para clasificar a las personas, las comunicaciones orales y escritas, las actividades programadas y/o autorizadas, y todo lo relativo a una situación de encierro total.

Si el régimen penitenciario es abierto (art. 31REP), la ordenación social es diferente, ya que el orden y la disciplina que se aplica en su interior tendrá como objetivo el logro de una convivencia similar al de la colectividad civil, con ausencia de controles rígidos, tales como formaciones, allanamientos, requisas, intervención de visitas y correspondencia, sin perjuicio, de que el Director Regional, en casos calificados, pueda ordenar dichos controles. Este régimen se aplica en los casos en que la sentencia judicial decreta una pena sustitutiva o, cuando la administración penitenciaria concede un beneficio intra penitenciario.

Por último, entre los dos sistemas referidos, se establece un régimen mixto (art. 30 REP), el que se caracteriza por una convivencia estructurada en torno a la actividad laboral y la capacitación, por lo que los controles de seguridad son menos exigentes dado que funcionan en base a la decisión y voluntad de la persona presa de cumplir fielmente lo exigido. En este tipo de regímenes las personas pueden circular con libertad, sin ser vigilados, dentro de un recinto de trabajo y estudio, porque la ordenación se funda en principios de confianza y auto cuidado.

Ahora bien, en la elección del régimen a aplicar la LOGenchi (art. 3° inc.final) dispone expresamente que el régimen penitenciario es incompatible con todo privilegio o discriminación arbitraria, y solo considerará aquellas diferencias exigidas por políticas de segmentación encaminadas a la reinserción social y a salvaguardar la seguridad del imputado o condenado y de la sociedad.

En materia de horario, este es fijado por resolución del Director Regional respectivo, de modo tal que puede variar entre regiones. El horario debe fomentar hábitos similares al del medio libre, tales como horas de inicio y término de la jornada diaria, alimentación, y garantía de al menos ocho horas diarias para el descanso. En el resto del tiempo deberán atenderse las necesidades físicas y espirituales, para lo cual se deben realizar actividades de tratamiento, formativas y culturales[189].

---

[189] En la práctica, es común encontrar módulos o pabellones de personas que no tienen ninguna actividad cotidiana formativa, cultural o de tratamiento. Son personas que pasan sus horas diarias deambulando por el patio, lo que incrementa la ansiedad personal y colectiva del grupo. Como consecuencia de ello, se producen riñas y peleas constantes. Esta realidad se aprecia en los módulo o pabellones que albergan privados de libertad calificados con alto y, en algunos casos, mediano compromiso delictual.

b) El desarrollo de actividades y acciones tendientes a la reinserción social y disminución del compromiso delictivo de los condenados:

Como ya vimos en el capítulo segundo, la reinserción social se configura como principio y también como fin de la ejecución de la pena. Por lo tanto, se dispone a nivel reglamentario que todas las acciones y actividades que se planifiquen o diseñen por parte de la institución deben tener por objeto la disminución del compromiso delictivo de las personas privadas de libertad. La institución de Gendarmería en sus lineamientos generales se ha propuesto contribuir a la reinserción social, para lo cual debe fomentar conductas, habilidades, destrezas y capacidades que incrementen las probabilidades de resocialización de la población penal, involucrando en este proceso a sus familias, instituciones, empresas y comunidad en general.

c) La asistencia médica, religiosa, social, de instrucción y de trabajo y formación profesional, en condiciones que se asemejen en lo posible a la vida en el medio libre:

Cabe destacar que la regla impone condiciones de ejecución de estos servicios en condiciones similares a las del medio libre, aplicando el principio de normalización penitenciaria. Respecto de ello nos remitimos a lo expuesto en el capítulo tercero de este manual.

d) Un sistema de vigilancia que garantice la seguridad de los internos, funcionarios, recintos y de toda persona que en el ejercicio de un cargo o en uso de una facultad legal o reglamentaria ingrese a ellos:

La custodia de las personas privadas de libertad es la principal función que tiene Gendarmería. Por ello la gran preocupación de la institución es la vigilancia, pues debe garantizar el cumplimiento eficaz de la detención, prisión preventiva y cumplimiento de las condenas que los tribunales determinen. En cambio, la reinserción social no es exclusiva de la institución, sino que el cometido legal es contribuir a la reinserción social de las personas detenidas o condenadas.

Ahora bien, por vigilancia ha de entenderse la acción ejercida por la administración penitenciaria en orden a la observación activa, atenta y personalizada de la conducta de las personas puestas a su disposición, en cualquier condición, con el fin de prevenir toda acción que pueda atentar contra la vida de esas personas y el deber institucional de hacer cumplir la pena impuesta, o de ponerlas oportunamente a disposición de los tribunales cuando estos lo soliciten. En el caso de la población penal con penas sustitutivas o con beneficios intrapenitenciarios, la vigilancia adquiere el carácter de control del cumplimiento de estas medidas en el medio libre.

e) La recta gestión y administración para el buen funcionamiento de los establecimientos:

En relación con esta regla nos remitimos a los principios que configuran el concepto de buena administración, y que podemos resumir en: racionalidad, objetividad, transparencia, coordinación, eficiencia y eficacia.

3. TIPOS DE ESTABLECIMIENTOS PENITENCIARIOS

Se ha dicho que existen distintos tipos de establecimientos penitenciarios, los que vienen determinados por el régimen penitenciario aplicable en su interior y la consideración de ciertos criterios, regulados por el art. 13 del REP, y que están dados por la edad de quienes ingresan, el sexo, la naturaleza de las actividades y acciones para la reinserción social, los tipos de delitos cometidos, el nivel de compromiso delictual, en su caso, las especiales medidas de seguridad o de salud que la situación de algunas personas internas haga necesario, además de otros criterios orientadores. Lo anterior da cuenta que se recoge del derecho internacional de los derechos humanos el estándar de separación, que exige recluir de forma separada a ciertos grupos de personas, ya fuere en el mismo establecimiento o en otro diverso (Reglas de Mandela, Regla 11).

Ahora bien, lo óptimo es la creación de establecimientos especializados dedicados a la atención de cada uno de estos grupos. De no ser posible, se cumple con el principio de separación si en un mismo establecimiento penitenciario existen dependencias destinadas a unos y a otros, salvaguardando las separaciones exigidas. El art. 14 del REP distingue entre detenidos, sujetos a prisión preventiva, y condenados y respecto de cada uno de estos grupos se separan las mujeres de los hombres; y los adolescentes de los adultos.

Así, dependiendo del tipo de régimen penitenciario y los criterios recién mencionados nos encontramos con los siguientes Centros:

1) Centros de Detención Preventiva o CDP (art. 15 REP): Se trata de aquellos centros que cumplen la función de recibir a las personas detenidas y con medida cautelar de prisión preventiva. Estos establecimientos, por su propio fin, siempre tendrán un régimen penitenciario cerrado.

2) Centros de Cumplimiento Penitenciario o CCP (art. 15 inc.2° REP): Se trata de aquellos centros cuyo fin es ejecutar la reclusión de personas condenadas a penas privativas de libertad. Podrán tener regímenes cerrado, abiertos o semi abiertos, según sean los objetivos perseguidos con el tratamiento de reinserción.

3) Centros Penitenciarios Femeninos o CPF (art. 16 inc. final y art. 19): Se trata de centros o secciones destinadas a recibir mujeres, tanto en calidad de presas preventivas como condenadas, las que deben estar separadas unas de otras. En estas unidades deben existir sectores especialmente acondicionados para recibir a los hijos menores de dos años de las internas privadas de libertad. También deben estar preparados para tratamiento prenatal de las mujeres embarazadas. Debe contar con personal médico adecuado, así como con personal especializado en guarderías.

4) Complejos Penitenciarios o CP (art.16): Se denominan de esta manera los establecimientos penitenciarios que coexisten en un mismo perímetro, y aplican un régimen interno y tratamiento diferenciado a la población penitenciaria, con el apoyo de servicios únicos centralizados de seguridad, administración, salud, reinserción social, laboral y de registro y movimiento de la población penal. Los establecimientos que forman parte de un Complejo Penitenciario pueden albergar a personas detenidas, sujetas a prisión preventiva o condenadas, con excepción de los Centros Penitenciarios Femeninos, los cuales podrán recibir mujeres de toda calidad procesal.

5) Centros de Educación y Trabajo o CET (art.17): Se trata de centros penitenciarios destinados a contribuir al proceso de reinserción social de las personas condenadas. Para dicho objetivo se proporciona o facilita al recluso o reclusa trabajo regular y remunerado, capacitación o formación laboral, se ejecutan programas de intervención y formación psicosocial, y se apoya la formación educativa. Además,

pueden constituir unidades económicas productivas y comerciales de bienes y servicios. Estos establecimientos pueden tener un régimen cerrado, semi cerrado o abierto.

6) Centros de Reinserción Social o CRS (art. 20 REP): Se trata de establecimientos penitenciarios destinados fundamentalmente al seguimiento, asistencia y control de las personas condenadas a penas sustitutivas. Estos establecimientos podrán también realizar el seguimiento, asistencia y control de las personas condenadas que se encuentren haciendo uso del beneficio de libertad condicional, así como también, de aquellas que estén en proceso de eliminación de antecedentes penales, en aquellos casos en que los Centros de Apoyo para la Integración Social no tengan cobertura.

7) Centros de Apoyo para la integración social o CAIS (art. 20 inc. final REP): Se denomina de esta forma a los establecimientos penitenciarios destinados fundamentalmente al seguimiento, asistencia y acompañamiento a las personas que, habiendo cumplido sus condenas, requieran de apoyo para su reinserción social, a través de la entrega de oferta programática, así como los destinados al seguimiento, asistencia y control de las personas condenadas que se encuentren haciendo uso del beneficio de libertad condicional y de aquellas que estén en proceso de eliminación de antecedentes penales.

8) Establecimientos Penitenciarios Especiales (art. 21 REP): Se trata de establecimientos destinados a la custodia de determinados grupos de privados de libertad, sean detenidos, presos preventivos o condenados[190].

9) Pensionados (art. 22 REP): Son departamentos existentes al interior de un establecimiento penitenciario destinados para las personas presas que, reuniendo los requisitos reglamentarios, deseen permanecer en ellos mediante el pago de una mensualidad, cuyo monto y modalidad se fijará en la forma prevista por el REP. En la actualidad,

---

[190] Jonatan Valenzuela, "Incendio en Capuchinos: sobre la cárcel como inequidad", en *Igualdad, inclusión y derecho. Lo político, lo social y lo jurídico en clave igualitaria*, ed. Fernando Muñoz (Santiago: LOM Ediciones, 2013), 179-191. La institucionalidad carcelaria chilena genera condiciones que permiten diferencia de trato en relación con los privados de libertad que son ex funcionarios de las Fuerzas Armadas, Carabineros, Policía de Investigaciones o Gendarmería de Chile, quienes pueden optar a recintos penitenciarios especiales.

casi no existen por configurar un factor de discriminación en base a los recursos económicos de los privados de libertad.

10) Secciones cárceles (art. 122 REP): Las secciones cárceles que funcionan en las unidades de Carabineros de Chile, son consideradas como establecimientos penitenciarios para todos los efectos.

11) Centros de Internación Provisoria y de Régimen Cerrado (CIP-CRC): Son establecimientos dependientes del Servicio Nacional de Menores en los que presta apoyo personal uniformado de Gendarmería. De acuerdo a lo señalado por el art. 43 de la Ley N°20.084, la administración de los centros cerrados de privación de libertad y de los recintos donde se cumpla la medida de internación provisoria, corresponderá siempre y en forma directa al Servicio Nacional de Menores, con excepción de los centros de internación semi-cerrados, cuya administración puede corresponder en forma directa al Servicio Nacional de Menores o a los colaboradores acreditados que hayan celebrado los convenios respectivos con dicha institución. Para garantizar la seguridad y la permanencia de los infractores en los centros de internación provisoria y régimen cerrado, se establecerá en ellos una guardia armada de carácter externo, a cargo de Gendarmería. Esta permanecerá fuera del recinto, pero estará autorizada para ingresar en caso de motín o en otras situaciones de grave riesgo para los adolescentes y revisar sus dependencias con el solo objeto de evitarlas.

4. ADMINISTRACIÓN DEL ESTABLECIMIENTO PENITENCIARIO

La dirección y organización de todo establecimiento penitenciario está bajo el mando de Gendarmería, institución que ejerce un servicio público, y cuya finalidad principal es atender, vigilar y contribuir a la reinserción social de las personas detenidas o condenadas. Debido a sus fines y naturaleza, la institución es jerarquizada, disciplinada y obediente, de modo tal que, para ejercer sus funciones se organiza en una Dirección Nacional y Direcciones Regionales. La Dirección Nacional está a cargo de un Director Nacional, nombrado por el Presidente de la República, como autoridad máxima de la institución y, en cada región del país, existe una Dirección Regional, a cargo de un Director Regional que es de la exclusiva confianza del Director Nacional.

De acuerdo con el art. 3° de su ley, la institución tiene las siguientes facultades:

- Dirección de todos los establecimientos penales del país, aplicando las normas previstas en el régimen penitenciario que señala la ley y deber de velar por la seguridad interior de ellos. Además, estará cargo de la seguridad perimetral de los centros del Servicio Nacional de Menores para la internación provisoria y el cumplimiento de las sanciones privativas de libertad de los adolescentes por infracción de ley penal.

- Cumplimiento de las resoluciones emanadas de autoridad competente, relativas al ingreso y a la libertad de las personas sometidas a su guarda, sin que le corresponda calificar el fundamento, justicia o legalidad de tales requerimientos.

- Recibir y poner a disposición del tribunal competente los imputados conforme a lo dispuesto en el Código Procesal Penal y leyes especiales.

- Colaborar en la vigilancia de los centros del Servicio Nacional de Menores para adolescentes que se encuentran en internación provisoria o con sanción privativa de libertad, realizando las siguientes funciones: 1) Ejercer la vigilancia y custodia perimetral permanente de los centros privativos de libertad; 2) Controlar el ingreso al centro; 3) Colaborar en el manejo de conflictos al interior de los centros, tales como fugas, motines y riñas; 4) Asesorar a los funcionarios del Servicio Nacional de Menores en el manejo de conflictos internos y de la seguridad en general; 5) Realizar los traslados de los adolescentes a tribunales y a otras instancias externas de acuerdo a solicitudes de la autoridad competente.

- Custodiar y atender a las personas privadas de libertad en las siguientes circunstancias: 1) Mientras permanezcan en los establecimientos penales; 2) Durante las salidas autorizadas con vigilancia por orden emanada de los tribunales o autoridad administrativa competente; 3) A los egresados de los recintos carcelarios en los casos que la ley determine.

- Contribuir a la reinserción social de las personas privadas de libertad, mediante la ejecución de acciones tendientes a eliminar su peligrosidad y lograr su reintegración al grupo social.

- Asistir en el medio libre a las personas que accedan al mismo por encontrarse cumpliendo condenas o por otra causa legal, en las condiciones que señalen los reglamentos.
- Resguardar la seguridad interna de los recintos donde funcionan el Ministerio de Justicia, la Corte Suprema y en general los Tribunales de Justicia que determine el Presidente de la República por decreto supremo, sin perjuicio de las atribuciones de las fuerzas de orden.
- Contratar, directamente, el planeamiento, estudio, proyección, construcción, ampliación, reparación y conservación de los inmuebles donde funcionen los establecimientos penitenciarios del país, cualquiera sea el monto que la ejecución de dichas obras importe.
- Administrar el dispositivo de monitoreo telemático, de conformidad con lo dispuesto en la Ley N ° 18.216 y el reglamento respectivo.

4.1 El Director Nacional

El Director Nacional es la máxima autoridad de la institución, Jefe de la Dirección Nacional, es nombrado por el Presidente de la República y permanece en el cargo mientras cuente con su confianza. A la Dirección Nacional le corresponderá la dirección superior, técnica, operativa y administrativa de Gendarmería. De conformidad con su ley, la Dirección Nacional organiza su trabajo a través de distintos departamentos: la subdirección de administración y finanzas, la subdirección de reinserción social, la subdirección operativa y la Escuela de Gendarmería.

Dentro de sus obligaciones y atribuciones podemos mencionar las siguientes (art. 6° LOGenchi):

- Dirigir y administrar el servicio.
- Planificar, coordinar y controlar el funcionamiento de la institución conforme a las políticas fijadas por el Gobierno y generar un plan de acción institucional.
- Asesorar o informar al Ministerio de Justicia en los asuntos de competencia de Gendarmería.
- Proponer a la referida secretaría de Estado los reglamentos necesarios para el desarrollo institucional.
- Generar un plan de comunicaciones coherente y estratégico para el servicio.

- Ejercer el control sobre la gestión global de la institución, disponiendo las auditorías que correspondan.

- Disponer los estudios necesarios para el desarrollo y ejecución de las políticas penitenciarias.

- Dictar las resoluciones e impartir las instrucciones necesarias tendientes a obtener un adecuado funcionamiento del servicio.

- Determinar los establecimientos en que los condenados cumplirán sus penas y disponer los traslados de ellos de acuerdo con la reglamentación vigente.

- Disponer y señalar el establecimiento donde los detenidos e imputados deben permanecer privados de libertad, recabando la autorización del juez competente cuando deban salir del territorio jurisdiccional del tribunal de la causa.

- Administrar los bienes y recursos de la institución, velando por su buen uso y su conservación, de acuerdo con las normas legales que rigen la materia.

- Fijar los horarios y turnos de trabajo que debe cumplir el personal, para lo cual determinará los descansos o franquicias compensatorias de acuerdo con las necesidades del servicio.

- Ordenar la instrucción de sumarios o investigaciones sumarias, y aplicar las medidas disciplinarias, que corresponda, de acuerdo con la ley y reglamentos.

- Delegar en los Subdirectores, los Jefes de Departamentos y los Directores Regionales, las atribuciones que estime necesarias para el mejor funcionamiento del servicio.

- Deducir querella de conformidad al artículo 111 del CPP, cuando se refiera a hechos que revistan caracteres de delito, en los términos del art. 6° n°20 de su ley.

- Proponer anualmente al Ministerio de Justicia, el proyecto de presupuesto de Gendarmería.

- Velar por el cumplimiento de las normas aplicables a Gendarmería, en especial por la observancia del principio de probidad funcionaria al interior de la institución.

- Ejercer las demás atribuciones que su ley u otras leyes le confieran.

4.2 El Director Regional

En cada región del país existe una Dirección Regional a cargo de un Director Regional que es de la exclusiva confianza del Director Nacional. Está encargado de la conducción administrativa, técnica y operativa de Gendarmería en la región. Entre sus atribuciones más importantes se encuentra (art. 12 LOGenchi):

- Supervisar y controlar el funcionamiento administrativo de las unidades penales o establecimientos penitenciarios que de ella dependan.
- Velar por el eficaz desempeño del personal a su cargo y por la adecuada administración del presupuesto.
- Comunicar al Director Nacional las necesidades presupuestarias de la Dirección Regional y de las unidades penales y especiales que de ella dependan.
- Supervisar y controlar los programas y proyectos de reinserción social en establecimientos penitenciarios de administración directa, concesionados y aquellos del medio libre.

4.3 El Alcaide

El Alcaide es una autoridad unipersonal nombrada por el Director Nacional para ejercer la Jefatura del establecimiento penitenciario. Realiza sus funciones asesorado por un órgano colegiado llamado Consejo Técnico, órgano que él preside, y que está llamado a decidir una serie de cuestiones relacionadas con el tratamiento de la población penitenciaria. Sus atribuciones están diseminadas a lo largo del REP, entre las que se encuentran:

- Presidir el Consejo Técnico, y en conjunto articular las acciones de tratamiento de la población penal.
- Autorizar visitas extraordinarias, como íntimas.
- Ordenar la aplicación de medidas extraordinarias de seguridad.
- Autorizar el ingreso de libros, revistas o, periódicos para la población penal.
- Conceder, en casos de urgencia y extrema gravedad, las salidas de aquellas personas privadas de libertad que por enfermedad grave requieren tratamiento fuera del penal.

- Custodiar y distribuir las remuneraciones producto del trabajo de las personas presas.
- Imponer sanciones disciplinarias, incluida la incomunicación o aislamiento provisorio.
- Informar al Servicio Nacional de Menores del ingreso de un lactante al interior de un establecimiento penitenciario de mujeres.
- Conceder, suspender o revocar los permisos de salida.
- Responder a las peticiones o quejas de las personas presas.

4.4 El Consejo Técnico

El Consejo Técnico es un órgano colegiado que asesora al Alcaide en el tratamiento de la población penitenciaria. Está integrado por un jefe operativo; oficiales penitenciarios; personal de vigilancia; profesionales y funcionarios a cargo de áreas de rehabilitación y del normal desarrollo del régimen interno. En el caso de las cárceles concesionadas, podrán formar parte del Consejo Técnico miembros del personal profesional o técnico de la empresa concesionaria, miembros de la comunidad, representantes de organismos comunitarios, o personas que estén vinculadas con los temas a tratar, todos con previa citación o invitación del Alcaide. Su forma de funcionamiento y la frecuencia de sus sesiones es regulada por resolución interna del Director Nacional, de acuerdo con la complejidad y naturaleza del establecimiento.

Su principal función es ser un ente articulador de las acciones de tratamiento de la población penal, cuyas atribuciones están establecidas en el art. 119 REP, el que dispone que a este órgano le corresponde:

- Formular, proponer y evaluar los proyectos y programas de reinserción dirigidos a la población penal, sean estos psicosociales, laborales, educacionales, de capacitación, culturales, deportivos, recreativos u otros.
- Proponer modificaciones al régimen interno sobre la base de criterios técnicos claramente definidos.
- Definir y proponer estrategias tendientes a lograr o mejorar las relaciones con la comunidad y colaborar con el Alcaide en gestiones con el empresariado destinadas a fomentar su participación en los proyectos laborales y productivos que se desarrollen.

- Proponer al Alcaide los criterios para la selección y evaluación del personal que se desempeñará en programas de tratamiento.
- Proponer actividades de capacitación y perfeccionamiento para el personal del establecimiento en relación con los programas o proyectos de reinserción que se implementen.
- En los establecimientos en que se ejecute un contrato de concesión, el Consejo Técnico deberá asumir las funciones y/o actividades que le hayan sido asignadas en el contrato respectivo y, además, asesorar al Alcaide en la revisión de la propuesta técnica elaborada por la sociedad concesionaria para la ejecución del programa de reinserción social y cada uno de sus subprogramas.

5. PRINCIPALES FACULTADES DE LA ADMINISTRACIÓN PENITENCIARIA

A continuación, revisaremos dos de las más importantes atribuciones que Gendarmería tiene sobre las personas privadas de libertad: los traslados de unidad penal y los registros corporales. Estas atribuciones, por su naturaleza, podrían afectar gravemente los derechos de las personas presas, por lo que es necesario atender al cumplimiento de todas las exigencias que el derecho nacional e internacional prescribe para la legítima ejecución de estos actos.

5.1 Los traslados

5.1.1 Aspectos generales

El lugar donde se cumple condena no es irrelevante para la persona condenada ni para su familia. De ahí que en el ámbito internacional la regla general es que la persona privada de libertad ingrese al centro penitenciario más próximo a su domicilio. La razón de ello es que sería óptimo que todo el proceso de reinserción social se lleve a cabo en un solo establecimiento penitenciario, que esté cercano al lugar de residencia del privado de libertad, con el fin de evitar el desarraigo familiar y social

(Reglas de Mandela, Reglas 58-59)[191]. Sin embargo, es muy común que se traslade a los internos o internas a distintos establecimientos penitenciarios, en variadas ocasiones y por distintas razones.

Incluso, la CorteIDH se ha pronunciado al respecto indicando que los Estados tienen la obligación de favorecer el desarrollo y fortaleza del núcleo familiar, obligación que se traduce en la realización de acciones positivas para lograr efectivamente la convivencia entre las personas que son familiares, extendiendo esta obligación a las personas privadas de libertad. En un fallo de reciente data, caso López y otros vs. Argentina[192], la Corte señaló que hay cuatro cuestiones básicas que se deben considerar:

a) El traslado de un privado de libertad de una cárcel a otra podría afectar los derechos de: i) integridad personal y reinserción o readaptación (art. 5 de la CADH); ii) la protección de la familia (art. 17 de la CADH) y, iii) de la vida privada (art. 11.2 CADH), entendido como derecho a la propia identidad.

b) Las restricciones a los derechos de las personas privadas de libertad deben reducirse al mínimo posible. Es decir, el Estado debe procurar que la afectación inevitable de los derechos que se produce con el encierro sea la menor posible.

c) Todas las modalidades del traslado deben estar reguladas por la ley.

d) Aun cuando esta norma establezca la decisión de la autoridad (judicial o administrativa) en términos discrecionales, dicha decisión debe estar fundada de acuerdo con los parámetros señalados, analizados bajo los criterios de idoneidad de la medida, necesidad y proporcionalidad.

---

[191]   En el mismo sentido, Principios y Buenas Prácticas (Principio IX 4., XVIII). Por otro lado, la Convención sobre los Derechos del Niño (art.9) dispone que, en virtud del Principio de no separación, los niños, niñas y adolescentes no deben ser separados de sus padres contra la voluntad de estos, por lo que, ante un traslado de alguna persona presa, ligada parentalmente al menor, puede generarse una transgresión a esta disposición al obstruir o incluso al anular todo tipo de comunicación entre padres e hijos.

[192]   Corte IDH. Caso López y otros v. Argentina. Serie C No. 396. Parágrafo 32 y ss. (25 de noviembre de 2019).

Ahora bien, en el caso de disponerse un traslado de unidad penal, el derecho internacional prescribe ciertas exigencias: la exposición al público debe ser lo menos posible, se deben adoptar medidas adecuadas para proteger a los internos e internas de insultos y de la curiosidad del público, impidiendo toda clase de publicidad. Asimismo, estará prohibido transportarlos en malas condiciones de ventilación, luz, o por cualquier medio que les imponga un sufrimiento físico innecesario. Por último, el gasto que ocasione el transporte es a expensas de la administración penitenciaria y en condiciones de igualdad para todos (Reglas de Mandela, Regla 73).

En el ámbito nacional, el art. 53 inc.2° del REP regula un estándar similar al del derecho internacional señalando que, en resguardo del derecho a visitas, los condenados deberán permanecer recluidos preferentemente cerca de su lugar habitual de residencia. Sin embargo, en la mayoría de los casos esto no acontece porque la autoridad penitenciaria dispone con frecuencia el traslado de personas desde un centro penitenciario a otro, para optimizar la utilización de plazas carcelarias, por motivos de seguridad, o para redefinir el poder al interior del penal. En estos casos, la decisión administrativa puede transformarse en una decisión ilegal y arbitraria, cuando la misma no tiene el propósito de contribuir a la reinserción social de las personas presas o asegurar sus derechos, sino que responde únicamente a un acto de poder infundado o desviado, lo que se encuentra prohibido.

Asimismo, se ha constatado que una de las dificultades en el mantenimiento de las relaciones entre las personas privadas de libertad y sus familiares es la reclusión de personas en centros penitenciarios extremadamente distantes de sus domicilios o de difícil acceso por las condiciones geográficas y vías de comunicación, resultando muy costoso y complicado para los familiares realizar visitas periódicas, lo cual eventualmente podría configurar una violación del derecho a la protección a la familia.

En el caso "Norín Catrimán y otros v. Chile", el Estado fue condenado por la Corte IDH por no tomar en consideración el derecho a la protección de la familia respecto de personas privadas de libertad pertenecientes a pueblos originarios que requerían su traslado a un penal cercano al lugar de su residencia. Se estableció que en el caso de las personas indígenas privadas de libertad la adopción de esta medida es especialmente importante dada la importancia del vínculo que tienen estas personas con su lugar de origen o sus comunidades [193].

El traslado como acto administrativo no está definido en la reglamentación penitenciaria, sin embargo, a partir de las normas que lo regulan se puede definir como un acto administrativo que emana del Director Nacional de Gendarmería o de los Directores Regionales, previa delegación de esta facultad por parte del primero, que cumpliendo con los requisitos establecidos en la propia regulación y en consonancia con los derechos garantizados en la Constitución, las leyes y los distintos instrumentos internacionales, determina que una persona condenada a una pena privativa de libertad sea reubicado en un recinto penitenciario distinto al que reside al momento de dictarse la resolución respectiva.

El art. 6 n°12 de la LOGenchi, establece que es una obligación y atribución del Director Nacional determinar los establecimientos en que las personas condenadas cumplirán sus condenas y disponer los traslados de acuerdo con la reglamentación vigente. Forma parte de esa reglamentación el art. 53 inc.2 del REP que da cuenta de la recepción del estándar internacional al disponer que las personas privadas de libertad han de permanecer recluidos en lugares cercanos a su lugar de residencia y, el art. 28 del REP, que regula el traslado como medida de seguridad cuando se dan los supuestos que la norma prevé. Junto con ello, el Director Nacional podrá dictar las resoluciones e instrucciones que estime pertinentes con el objeto de establecer los procedimientos administrativos aplicables

---

[193]   Corte IDH. Caso Norín Catrimán y otros v. Chile. Serie C No. 279. Parágrafo 404 y ss. (29 de mayo de 2014): "[…] el Estado se encuentra obligado a favorecer el desarrollo y la fortaleza del núcleo familiar. Asimismo, ha afirmado el derecho de toda persona a recibir protección contra injerencias arbitrarias o ilegales en su familia, así como también que los Estados tienen obligaciones positivas a favor del respeto efectivo de la vida familiar. Así, ha reconocido que el disfrute mutuo de la convivencia entre padres e hijos constituye un elemento fundamental en la vida de familia […] Tratándose de las personas privadas de libertad, ha señalado que el Estado se encuentra en una posición especial de garante, toda vez que las autoridades penitenciarias ejercen un fuerte control o dominio especial sobre las personas que se encuentran sujetas a su custodia […] Las visitas a las personas privadas de libertad por parte de sus familiares constituyen un elemento fundamental del derecho a la protección de la familia, tanto de la persona privada de libertad como de sus familiares, no solo por representar una oportunidad de contacto con el mundo exterior, sino porque el apoyo de los familiares hacia las personas privadas de libertad durante la ejecución de su condena es fundamental en muchos aspectos, que van desde lo afectivo y emocional hasta el apoyo económico. Por lo tanto, sobre la base de lo dispuesto en los artículos 1.1 y 17.1 de la Convención Americana, los Estados, como garantes de los derechos de las personas sujetas a su custodia, tienen la obligación de adoptar las medidas más convenientes para facilitar y hacer efectivo el contacto entre las personas privadas de libertad y sus familiares. […]".

a las distintas situaciones de traslado de unidad penal. La última de ellas es la Resolución Exenta N°5055[194], la cual establece y regula distintos procedimientos de traslado, incluido el traslado fundado en estrictas razones de seguridad penitenciaria, el cual puede resolverse mediante una simple comunicación digital como, por ejemplo, un mensaje electrónico. Este último procedimiento contradice la normativa vigente, como se explicará a continuación.

5.1.2 Traslado como medida de seguridad

El traslado como medida de seguridad está regulado en el art. 28 del REP, el que dispone que es una atribución del Director Nacional disponer el ingreso o traslado a departamentos, módulos, pabellones o establecimientos especiales a los penados cuya situación haga necesaria la adopción de medidas dirigidas a garantizar la vida e integridad física o psíquica de las personas, y el orden y seguridad del recinto. Esta atribución puede ser delegada en los Directores Regionales, lo que ocurre normalmente, pues son estos últimos los que están en permanente contacto con las cárceles de la región que dirigen. No requiere del consentimiento del condenado.

El objetivo de este régimen de extrema seguridad es la preservación de la seguridad de las personas presas, como los compañeros de internación del trasladado, del régimen del establecimiento, de los funcionarios, y de las tareas impuestas a la administración. Para adoptar esta medida se establecen criterios a tener en consideración: reincidencia, tipo de delito, reiteradas infracciones al régimen normal de los establecimientos penitenciarios, requerimientos sanitarios, y otros antecedentes de carácter técnico que sean necesarios. Asimismo, se requiere de un informe técnico, emitido por el Consejo Técnico, recomendando la medida. Por último, la resolución debe ser notificada a la persona condenada (en el día o a más tardar al día siguiente, entregándole copia de la misma) y en su cumplimiento o ejecución deberán observarse todas las normas de trato humanitario.

Por la naturaleza de este traslado, el acto administrativo debe ser revisado a lo menos a los 60 días siguientes a aquel en que se produjo el ingreso o traslado. Si es confirmado, será revisado nuevamente a los 90

---

194   Res. Exe. N°5055 de Genchi, que aprueba procedimientos administrativos de traslado de personas privadas de libertad, de 6 de agosto de 2019.

días de la primera revisión y posteriormente a los 120 días de la última. En caso de producirse una nueva confirmación, la internación y las condiciones especiales de seguridad serán revisadas a lo menos cada seis meses. La misma norma dispone que los Alcaides serán personalmente responsables del cumplimiento de las condiciones excepcionales de este régimen e informarán trimestralmente a las Direcciones Regionales acerca de su cumplimiento.

En materia de traslados a módulos o pabellones especiales de seguridad, las Reglas de Mandela prohíben el aislamiento prolongado o indefinido y restringen su utilización a situaciones excepcionales, como último recurso, por el menor tiempo posible y con sujeción a una evaluación independiente. Las reglas también aclaran que el régimen de aislamiento no se impondrá en virtud de la condena, y que jamás se aplicará a mujeres y a niños. Del mismo modo, el Comité de Derechos Humanos de las Naciones Unidas ha expresado su opinión sobre el hecho de que los períodos prolongados de aislamiento pueden constituir tortura, u otros tratos o penas crueles, inhumanos o degradantes.

Por su parte, la CIDH en varios informes sobre la situación de los derechos humanos de las personas privadas de libertad en las Américas, refiere explícitamente el problema al reconocer que existe una práctica de realizar traslados sucesivos e indiscriminados de población reclusa como forma de control interno de los penales y como medidas disciplinarias y, que el traslado de personas como castigo no solo implica su destino a un establecimiento distante, sino que muchas veces el castigo consiste precisamente en trasladar intencionalmente a la persona a una cárcel cuyas condiciones son peores[195].

Sin embargo, y a pesar de estas exigencias, la práctica demuestra que en muchas ocasiones este instrumento es utilizado como una sanción encubierta respecto de personas refractarias al régimen penitenciario, sin que se den los supuestos exigidos por la norma. Esta forma de proceder resulta jurídicamente inaceptable desde el momento que la autoridad administrativa solo está autorizada para aplicar las sanciones contenidas en el art. 81 del REP, dentro de las cuales el traslado de unidad penal no está

---

[195] CIDH, "Informe sobre los derechos humanos de las personas privadas de libertad en las Américas", OEA/Ser.L/V/II. Doc. 64 (31 diciembre 2011), párrafo 25. INFORME SOBRE PERSONAS PRIVADAS DE LIBERTAD EN LAS AMRICAS (oas.org)

contemplado, por lo que el acto administrativo dictado en esas circunstancias es ilegal. En este último caso, la autoridad penitenciaria estaría
ejerciendo sus competencias fuera del marco legal al instrumentalizar el
traslado para redefinir estratégicamente la forma como se ejerce el poder
al interior del penal.

Polo Rivera sostiene que los traslados se pueden usar como una forma
de castigo que permite exceder a aquello que normativamente se permite
en un Estado social y democrático de derecho:

> Y es que resulta inevitable que, en un régimen disciplinario estricto, los traslados operen
> como una forma de controlar los comportamientos de los presos, repartiendo premios y
> correctivos, que al fin y al cabo redundan en una vida más dramática de los detenidos;
> la prisión (y en particular el traslado) es precisamente la dosificación del castigo mismo,
> que actualmente está en cabeza de una autoridad administrativa[196].

Ahora bien, la Resolución Exenta N°5055 regula un procedimiento de
traslado de unidad penal, por medida de seguridad, requerida por la administración penitenciaria, pero sin sujeción a ninguna de las exigencias
que dispone el art. 28 del REP. Dicho procedimiento se funda en la atribución que el art. 6° n°12 de la LOGenchi otorga al Director Nacional,
de determinar los establecimientos en que los condenados van a cumplir
sus condenas, y disponer de los traslados. A pesar de que la misma norma
finaliza indicando que esta facultad se debe ejercer "de acuerdo con la
reglamentación vigente".

De acuerdo con esta regulación la administración penitenciaria puede,
según lo estime pertinente la autoridad que resuelva, en casos debidamente calificados y fundado en estrictas razones de seguridad penitenciaria,
ejecutar un traslado dentro o fuera de una región, de una o más personas (traslados masivos), mediante una simple comunicación digital, sin
sujeción a las prevenciones estipuladas en el art. 28 del REP. Lo anterior
infringe claramente el principio de juricidad, pues esta forma de proceder
implica que el acto administrativo de traslado podría realizarse sin sujeción a ninguna de las exigencias que el REP dispone, es decir, entregado a
la absoluta discrecionalidad de la institución, que evalúa la calificación del
caso de acuerdo con sus propios criterios. Por consiguiente, un traslado

---

[196] Jesús Polo, Robinson Bohórquez, Sebastián Monsalve, Vanezza Escobar, "Realidades disparatadas
del sistema carcelario. Un análisis de los traslados en Colombia", *Diálogos de derecho y política*,
año 2, n.°8 (2011):18.

efectuado de esta forma es un acto administrativo impugnable ante la justicia, porque se funda en una resolución cuya jerarquía normativa es inferior al reglamento y porque no cumple con las exigencias que prevé el art. 28 de este último. Se trata de una regulación propia de la institución, que puede afectar o restringir gravemente derechos fundamentales, cuestión que ha sido recogido por algunos fallos[197].

5.1.3 Traslado voluntario de personas condenadas

Este tipo de traslado consiste en la solicitud voluntaria de la persona condenada ante el Alcaide del penal en el que se encuentra recluida para ser trasladado a otro recinto penitenciario dentro o fuera de la región. Se trata de un traslado pasivo y su regulación no está en el REP, sino que en la resolución a la que hemos hecho referencia.

De acuerdo con el procedimiento administrativo que esta resolución establece, la solicitud se presenta ante el Alcaide de la unidad penal de origen, quien deberá realizar un examen de admisibilidad, previo a la tramitación oficial del requerimiento. Las causales de inadmisibilidad que permiten rechazar de plano el traslado son: a) Inexistencia de sección que pueda albergar a la persona condenada en el establecimiento penal solicitado como destino como, por ejemplo, inexistencia de sección femenina o masculina, de programa de residencia transitoria, de sección habilitada para albergar a personas en consideración a su condición sexual, calidad procesal, u otras; b) Existencia de una solicitud voluntaria o judicial en trámite, en el mismo establecimiento u otro distinto al solicitado. En este caso el solicitante deberá desistirse de la petición anterior para la gestión de la nueva solicitud; c) Que exista una resolución que deniega el traslado

---

[197]   Véase, Juzgado de Garantía de Valdivia. JG Rit N°3220-2020 de 2 de junio de 2020: "Tercero: Que, la aplicabilidad del artículo 28 del D.S. N° 518 al traslado realizado mediante la Resolución Exenta N° 3.159, de 14 de mayo de 2020, fue discutida en la audiencia de 2 de junio de 2020 como cuestión previa, y el Tribunal resolvió que sí lo era, en síntesis, por cuanto siendo el traslado de unidad penal una decisión que afecta gravemente derechos fundamentales, no podía sostenerse que era limitada sólo por la decisión de seguridad del Director Nacional de Gendarmería en conformidad al artículo 6 N° 12 el D.L. N° 2859 (que por lo demás expresamente previene la reglamentación vigente como límite a esa facultad), sino que también por la norma sobre traslados prevista en el D.S. N° 518 y la obligación de fundamentación de la Ley N° 19.880, siguiendo en este punto la doctrina de la Excma. Corte Suprema en causas Rol N° 6.597- 2018 y N° 24.825-2018, en la que el Máximo Tribunal aplicó el citado artículo 28 a traslados entre Establecimientos Penitenciarios. En el mismo sentido, causa Rol N° 207-2020 de la Corte de Apelaciones de Concepción".

administrativo al mismo establecimiento que se solicita como destino, que haya sido dictada dentro de los dos meses anteriores a la petición del solicitante.

En el caso que se dé curso a la solicitud de traslado, el Alcaide del penal de origen elabora el informe técnico que es remitido con el expediente de traslado al Alcaide del penal de destino. Este último evacúa el respectivo informe técnico de traslado, y lo remite con el expediente a la Dirección Regional de su localidad. Si la solicitud de traslado voluntario es dentro de una misma región, la Dirección Regional una vez recibido el expediente, elabora la resolución de traslado respectiva, la que se funda en los informes técnicos de traslado. Si la solicitud de traslado voluntario es fuera de la región de origen, la Dirección Regional del establecimiento de destino, remite los antecedentes e informes al subdirector operativo, junto con dar cuenta de la existencia de toda información relevante no contenida en los informes técnicos. Con dichos antecedentes el subdirector operativo resuelve la solicitud a través de una resolución fundada.

Ahora bien, sin perjuicio de tratarse de una solicitud voluntaria de traslado, si esta se funda en la seguridad personal del solicitante, el Alcaide debe indagar su veracidad y posible solución en conjunto con su equipo técnico y operativo. Si se constata la veracidad de riesgo a la integridad física del solicitante, la autoridad, en el evento de no poder dar solución al conflicto que aqueja a la persona condenada, deberá gestionar la solicitud bajo la figura de "requerimiento de la administración penitenciaria". De no constatarse antecedentes serios y veraces respecto del riesgo a la seguridad personal del privado de libertad, deberá tramitar el traslado conforme al procedimiento señalado anteriormente, refrendando los antecedentes y hechos habidos en su respectivo informe técnico de traslado.

Por último, el Director Regional o el subdirector operativo, según corresponda, podrá acceder o denegar la solicitud de acuerdo a los informes técnicos que tenga a la vista, y deberá dictar el respectivo acto administrativo, el que ha de fundarse en las variables técnico- penitenciarias que resulten del análisis del expediente. Esta resolución es notificada al solicitante, entregándole copia del acto administrativo y dejando constancia escrita del hecho. En el caso de accederse al traslado, el establecimiento de origen efectuará las coordinaciones pertinentes para su ejecución. Con todo, el solicitante siempre podrá retractarse en cualquier etapa del proceso de la gestión y ejecución del traslado, lo que debe realizar por escrito, debiendo la administración penitenciaria detener en forma inmediata su tramitación o ejecución, procediendo a comunicar en el menor plazo posible a todos los intervinientes de esta determinación. Si el traslado ya se ejecutó, el solicitante deberá acogerse nuevamente al proceso de traslado voluntario si deseare volver al establecimiento de origen u otro distinto.

En nuestra realidad penitenciaria es de común ocurrencia que las personas privadas de libertad soliciten voluntariamente traslado de unidad penal, cuando se sienten amenazados en su seguridad individual o por otras razones, incluso a lugares alejados del lugar de residencia de su familia[198]. No obstante, en la mayoría de los casos, la respuesta por parte de la administración penitenciaria no es satisfactoria, por lo que debe intervenir la autoridad judicial:

> Que, en la especie, no se advierte la adopción de medidas efectivas por parte de la recurrida tendientes a evitar o poner término a la amenaza de la garantía constitucional del interno por quien se recurre, toda vez que los cambios de módulo no han impedido que el recluso siga siendo objeto de agresiones por los demás presos [...] Que, siendo un deber de Gendarmería velar por la integridad de los internos, tal omisión en la adopción de medidas basadas en el bienestar del recluso y existiendo los medios para llevarla a efecto, importa necesariamente la existencia de una arbitrariedad que vulnera la garantía consagrada en el artículo 19 N° 1 de la Constitución Política de la República, por lo que procede acoger la acción impetrada, en el sentido de ordenar a la recurrida prestar especial atención a la situación del interno y resguardar sus intereses comprometidos, es decir, mantener un actuar permanente orientado a tal fin. Entre tales medidas de resguardo de la integridad personal del recurrente, se encuentra el cambio de recinto de reclusión a un recinto que otorgue las debidas seguridades al recluso[199].

5.1.4 Traslados de personas condenadas por orden judicial

Las personas privadas de libertad podrán ser trasladados de unidad penal, dentro de la misma región o fuera de esta, por orden de un tribunal competente, lo que debe ser ejecutado mediante un acto administrativo

---

[198] Pablo Cádiz, "Hacinamiento en cárceles: Más de 2500 internos pidieron traslado de penal o módulo en 2015", t13.cl, 6 de febrero de 2016, última revisión 27 de marzo de 2022, https://www.t13.cl/noticia/nacional/hacinamiento-carceles-mas-2500-internos-pidieron-traslado-penal-o-modulo-2015. En el año 2015, más de 2.500 internos pidieron traslado de unidad penal o de módulo, peticiones que están directamente ligadas a las malas condiciones de los recintos carcelarios y a los riesgos de violencia que enfrentan los reos.

[199] Corte Suprema. SCS Rol N°63147-2020 de 8 de julio de 2020. En el mismo sentido, Corte Suprema. SCS Rol N°44591-2017 de 8 de marzo de 2018. Juzgado de Garantía de Valdivia. Rit N°575-2020 de 22 de junio de 2020; Rit N°7464-2019 de 9 de diciembre de 2019.

dictado por el Director Regional o subdirector operativo, según corresponda. No corresponde a un traslado pasivo ni activo, sino que, a un traslado judicial.

Ahora bien, la administración penitenciaria en ocasiones representa al tribunal variables técnicos-penitenciarias que resultan desfavorables para la ejecución del traslado, proponiendo un nuevo establecimiento de destino. No obstante, si el tribunal insiste en el cumplimiento de lo ordenado, se debe acatar la resolución, toda vez que la LOGenchi (art.3° letra b) dispone expresamente el *cumplir las resoluciones emanadas de autoridad competente, relativas al ingreso y a la libertad de las personas sometidas a su guarda, sin que le corresponda calificar el fundamento, justicia o legalidad de tales requerimientos.* Es decir, la última palabra siempre es de la judicatura.

En relación con los traslados judiciales existe un acuerdo del pleno de la Corte Suprema, del año 2007, reiterado en el año 2019, que instruye a los tribunales de garantía, de juicio oral en lo penal, de letras con competencia en garantía y del crimen del país, en el sentido que los referidos tribunales deben abstenerse de disponer el ingreso de imputados a un centro penitenciario determinado, ya que tal precisión corresponde a Gendarmería, debiendo reservar esta decisión solo a casos excepcionales y por motivos fundados que deben ser explicitados al resolver. Si bien, se refiere a imputados, la judicatura comprende a los condenados teniendo en cuenta lo dispuesto en el art. 7° del CPP, que define la calidad de imputado como toda persona a quien se atribuyere participación en un hecho punible desde la primera actuación del procedimiento dirigido en su contra y hasta la completa ejecución de la sentencia.

Como consecuencia de ello, los tribunales se abstienen en muchos casos de trasladar a las personas privadas de libertad, sean imputadas o condenadas, evitando de esta forma el control jurisdiccional del acto administrativo lo que deriva en la falta de tutela judicial efectiva de los actos de la administración penitenciaria. Sin embargo, se debe precisar que se trata de un simple acuerdo o instructivo de la Corte Suprema, de modo tal que su vinculatoriedad legal es discutible.

5.1.5 Traslado por acercamiento familiar

En la reglamentación penitenciaria chilena, el art. 53 inc. 2° del REP señala expresamente y de forma imperativa que, en resguardo del derecho a visitas, los condenados deberán permanecer recluidos preferentemente cerca de su lugar habitual de residencia. El derecho internacional de los derechos humanos considera que la única forma óptima de alcanzar el fin de la reinserción social es intervenir con un tratamiento que permita a la persona mantener sus vínculos familiares.

Una situación que merece especial atención se produce cuando la persona presa tiene hijos menores de 18 años, puesto que, a más del grado de vulnerabilidad en la que se está por la sola privación de libertad, se añade la situación de vulnerabilidad de la descendencia. En el ámbito internacional, el art. 3° de la CDN establece la obligación de que *en todas las medidas concernientes a los niños que tomen las instituciones públicas o privadas de bienestar social, los tribunales, las autoridades administrativas o los órganos legislativos, una consideración primordial a que se atenderá será el interés superior del niño.*

Esta Convención, integrada al ordenamiento jurídico chileno en virtud del art. 5° inc. 2° de la CPR, reconoce expresamente en su art. 9.3 el derecho del niño de mantener una relación directa y regular con ambos padres en aquellos casos en que el niño esté separado de uno o de los dos padres, como cuando alguno de estos se encuentra privado de libertad. En consecuencia, si el padre o madre se encuentra recluido en un penal alejado del lugar de residencia del hijo o hija menor de edad, se hace imposible o muy difícil el ejercicio efectivo de este derecho.

5.1.6 Traslados de personas privadas de libertad en tránsito

Se entiende "en tránsito" el ingreso temporal de una persona privada de libertad a un establecimiento penitenciario con el objeto de cumplir una diligencia determinada. El Alcaide del penal en tránsito deberá llevar un minucioso registro de las personas privadas de libertad que estén en esa condición para procurar el resguardo de su integridad física. Una vez resuelta la diligencia, deberá gestionarse en breve plazo la devolución al establecimiento de origen.

5.1.7 El traslado administrativo: ejercicio de una potestad reglada

Si bien, la LOGenchi otorga la facultad al Director Nacional de la institución, quien puede delegarla en los Directores Regionales, de determinar el lugar de encierro de las personas condenadas, y disponer los traslados de estas personas a distintos establecimientos penitenciarios, el ejercicio de esta potestad es reglada.

La institución de Gendarmería es un servicio público del Estado, en consecuencia, respecto de cualquier potestad que ejerza debe hacerlo dentro del ámbito de juridicidad definido por la CPR (arts. 6° y 7°). Así lo señala el art. 4° del REP al disponer que la actividad penitenciaria se desarrollará con las garantías y dentro de los límites establecidos por la Constitución, las leyes, los reglamentos, las sentencias judiciales y los tratados internacionales ratificados por Chile y que se encuentren vigentes. Asimismo, en conformidad al art. 5° del mismo cuerpo reglamentario, la autoridad penitenciaria tiene la obligación de procurar la realización efectiva de los derechos humanos de los internos que sean compatibles con su condición de presos. En consecuencia, todo traslado en tanto acto administrativo debe sujetarse al siguiente bloque de legalidad:

a) Los derechos, garantías y límites establecidos en los tratados internacionales ratificados por Chile y que se encuentren vigentes.

b) Los derechos, garantías y límites establecidos en la Constitución Política de la República.

c) Los derechos, garantías y límites establecidos en las leyes y reglamentos, en lo específico el REP, la Ley N°19.880, Ley de Bases de los Procedimientos Administrativos, y la Ley N°18.575 Ley de Bases Generales de la Administración del Estado.

De no cumplirse el bloque de legalidad descrito es posible impugnar administrativa y judicialmente el acto administrativo. En el caso del control jurisdiccional, la judicatura deberá revisar todos y cada uno de los elementos del acto: los subjetivos (investidura, competencia), los objetivos (motivos o fundamentos de hecho, o de derecho, objeto, fin), y los formales (procedimiento, formas de extensión del acto). Todos ellos se deben ajustar a la regulación específica a la que hemos hecho referencia, cuestión que ha ratificado la jurisprudencia de la Corte Suprema:

Que la facultad de la autoridad administrativa de Gendarmería de Chile para disponer el traslado de los condenados contemplada en el artículo 6 n°12 de su ley orgánica y en el artículo 11 del Reglamento de Establecimientos Penitenciarios supone una ponderación de las circunstancias de hecho que conducen al ejercicio de esa prerrogativa, evaluación que pertenece a la motivación del acto administrativo, cuya ausencia contravendrá el principio de razonabilidad y devendrá por ello en ilegal[200]

También se ha dicho que no resulta plausible reducir el examen de las actuaciones administrativas a la mera constatación de la existencia de facultades legales para adoptar las determinaciones que se revisan, a los tribunales llamados a conocer de estos hechos les correspondía analizar el mérito de las decisiones administrativas que puedan afectar las garantías constitucionales del amparado[201].

5.1.8 Los traslados y la conducta

En el capítulo siguiente veremos que las personas privadas de libertad para poder acceder a permisos de salida o beneficios intrapenitenciarios deben alcanzar una buena o muy buena conducta en distintos aspectos de su quehacer diario, y luego deben mantener la misma. Uno de los tanto

---

[200]   Corte Suprema. SCS Rol N° 93904-2021 de cuatro de enero de dos mil veintidós; SCS Rol N°82336-2021 de 4 de noviembre de 2021; SCS Rol N°4781-2017 de 15 de febrero de 2017.

[201]   Corte Suprema. SCS Rol N° 26492-2014 de 30 de octubre de 2014; SCS Rol N°31538-2014 de 11 de diciembre de 2014:"En un sentido similar se ha sostenido que la decisión pronunciada por el órgano administrativo, resulta arbitraria y contraria a derecho mientras no se efectúe una investigación ajustada a un debido proceso administrativo y se expida, previamente el correspondiente informe técnico"; SCS Rol N°5932-2013 de 20 de agosto de 2013: "la decisión pronunciada por el órgano administrativo, sustentada en meras aseveraciones sin demostración, resulta arbitraria y contraria a derecho mientras no se efectúe una investigación ajustada a un debido proceso administrativo y se expida, previamente el correspondiente informe técnico en relación a los hechos que aconsejaría el traslado de las amparadas, en los términos que previene el precepto legal ya citado y el artículo 6 N°10 y 12 de la ley orgánica de Gendarmería de Chile"; SCS Rol N°16.575-2014 de 26 de junio de 2014: "Que del texto del recurso aparece que la situación descrita, consistente en el traslado de establecimiento penal como medida de seguridad, o como castigo en opinión del recurrente, constituye una de las situaciones tuteladas por el artículo 21 de la Constitución Política de la República, desde que se ha denunciado lo que la defensa estima una amenaza a la libertad personal o a la seguridad individual del amparado, razón por la cual se revoca la resolución apelada de dieciocho de junio de dos mil catorce, escrita a fojas 17, por la cual se declaró inadmisible la acción de amparo interpuesta a fojas 7, y en su lugar se dispone que aquélla es admisible, debiendo la Corte de Apelaciones de Santiago darle la tramitación que en derecho corresponda, a fin de pronunciarse sobre el fondo del asunto". Corte de Apelaciones de Santiago. SCA Rol N°1346-2012 de 25 de septiembre de 2012: " debe tener presente que el traslado a Puerto Montt se impuso como una sanción con ocasión de un hecho ilícito, por el cual el amparado fue condenado a una pena privativa de libertad, [...] es posible entender que la mantención de la sanción, por más de cuatro años, se ha traducido, en la práctica, en una forma indirecta de afectar el reducido espacio de libertad individual que tiene un condenado de las características del amparado, y que guarda relación con mantener contacto con su familia cercana o bien ejercer alguna actividad que le permita desarrollarse, para que en el futuro, aun lejano, pueda reinsertarse en la sociedad, o, como lo dictaminó la Excma. Corte Suprema a fojas 29, en un agravamiento de las condiciones en que debe mantenerse privado de libertad para cumplir la condena impuesta. Por lo anterior, se acogerá la acción en los términos que se dirá en la parte resolutiva".

problemas que padecen las personas presas cuando son trasladadas de unidad penal, es que se ha hecho una práctica común por parte de la administración penitenciaria, calificar la conducta como regular cuando se ingresa al nuevo establecimiento penitenciario. Esto implica comenzar nuevamente el camino de "hacer conducta", para luego subirla progresivamente en grado, de modo tal de lograr, después de varios meses, la conducta buena o muy buena. De esta forma, las personas que tenían buena o muy buena conducta y son trasladadas de unidad penal, ven frustrada la posibilidad de postular a los permisos de salida o beneficios intrapenitenciarios, en circunstancias que la mayoría de los traslados son dispuestos unilateralmente por la administración penitenciaria sin que intervenga la voluntad de quien se encuentra en prisión. Esta forma de proceder no tiene asidero en ninguna norma del REP y en muchas ocasiones da cuenta de que el traslado de unidad penal se utiliza como castigo encubierto o como una forma de redefinir el poder al interior de las cárceles lo que genera perniciosas consecuencias para el proceso de resocialización de la persona privada de libertad.

5.2 Los registros

La administración penitenciaria, como medida de seguridad, y con el objeto de detectar la tenencia de elementos declarados prohibidos por la autoridad, puede disponer la realización de registros corporales a las personas presas. Estos registros corporales implican una intromisión en la esfera más íntima de las personas presas, por lo que en su ejecución deben observarse, estrictamente, todas las exigencias que prevé el derecho nacional e internacional.

En el ámbito internacional no se prohíben, pero se exige que se ejecuten de un modo en que se respete la dignidad intrínseca del ser humano y su intimidad, así como los principios de legalidad, necesidad y proporcionalidad. En consecuencia, no pueden utilizarse para acosar ni intimidar al recluso o reclusa ni para inmiscuirse innecesariamente en su intimidad. Junto con ello, debe dejarse constancia de los registros personales en que se desnude a la persona, registros de orificios corporales y registros de las celdas, así como de los motivos que precedieron a la actuación, la identidad de quienes llevaron a cabo la diligencia y los resultados obtenidos.

Se consideran registros invasivos los registros personales que impliquen desnudar a la persona y los registros de orificios corporales, los que solo se pueden efectuar cuando sean absolutamente necesarios, exigencia esta última que podrá ser controlada judicialmente. Es por esta razón que la normativa internacional sugiere a las administraciones penitenciarias idear o poner en práctica alternativas adecuadas y eficaces como, por ejemplo, implementar máquinas detectoras de metales (Reglas de Mandela, Regla 50 y ss.).

En el ámbito nacional, los registros también se regulan como medida de seguridad y con el objeto de detectar la tenencia de elementos declarados prohibidos por la autoridad. El art. 29 bis del REP establece distintos tipos de registros, los que deben ejecutarse de manera individual, respetando siempre la integridad y dignidad de la persona presa. A saber: el cotidiano o en situación normal, el especial, y por emergencia.

5.2.1 El registro cotidiano o en situación normal

El registro cotidiano o en situación normal consiste en una revisión visual y táctil exhaustiva de la vestimenta y especies que la persona porte. Se usa de forma cotidiana cuando estos últimos tienen contacto con personas del mundo exterior como, por ejemplo, las visitas, por lo que normalmente se hace una vez terminado el horario de estas. Dicha revisión no permite el registro corporal porque, expresamente, la regla alude a la vestimenta y especies que se porten. En consecuencia, este registro debe acotarse a los elementos indicados.

5.2.2 El registro especial

El registro especial consiste en la realización de una revisión corporal visual y táctil de las prendas y especies que porte el interno o interna, en el contexto de procedimientos especiales o preventivos, relacionados con salidas fuera del establecimiento penitenciario o ante procedimientos catalogados por el Alcaide como sensibles, por ejemplo, los allanamientos.

Este registro autoriza una revisión corporal, por lo que es más invasivo que el registro cotidiano, pero debe acotarse a los supuestos de hecho que establece la regla. Asimismo, queda prohibido el desprendimiento integral de la vestimenta, la ejecución de registros intrusivos, la realización de ejercicios físicos y, en general, cualquier otra actividad que menoscabe la dignidad de la persona privada de libertad. Para tal efecto, la administración penitenciaria deberá propender a la utilización de elementos tecnológicos, lo que ha sido refrendado por la jurisprudencia:

> Que, la circunstancia de haberse practicado el registro ya indicado el día 16 de agosto en horas de la mañana, en un patio abierto y con evidencias de estar al menos mojado, con los reclusos desnudos, demuestra que el procedimiento se practicó con rigor excesivo e innecesario. No resulta atendible la explicación entregada por la recurrida en el sentido de no contar con funcionarios en número suficiente para practicar el procedimiento en un recinto cerrado, por cuanto en los registros fílmicos no se evidencia que el personal sea insuficiente, sin perjuicio de la planificación previa que importa un registro de esta naturaleza, más aún si se usó canes adiestrados para aumentar la seguridad. Del mismo modo, resultó innecesario imponer el registro a los reclusos con desprendimiento total de sus ropas y hacerlos permanecer en ese estado por un tiempo no menor, pues si ello era necesario para cumplir con la finalidad del registro corporal o táctil, debía hacerse en un lapso prudente y acorde con la duración lógica de un acto como ese. Tampoco resulta admisible la explicación de la recurrida que el desprendimiento total de ropas de los reclusos fue un acto voluntario de estos, por cuanto la lógica de las cosas nos hace concluir que si así hubiere sido no se habría formulado la reclamación por la afectación a su dignidad e integridad[202].

5.2.3 El registro en situación de emergencia

El registro en situación de emergencia se realiza por la administración penitenciaria cuando existe la necesidad real y urgente de pesquisar, detectar o incautar cualquier elemento prohibido por el REP, respecto de situaciones que revistan características de delito o quiebre del régimen interno, a partir de la vulneración de la seguridad interna del establecimiento. Dicha actuación se realiza por funcionario del mismo sexo de la persona a quien se registra, en espacios previamente determinados, y de conformidad con los procedimientos establecidos por resolución del Director Nacional.

Por consiguiente, para efectuar un registro de este tipo deben concurrir los supuestos de hecho que la regla describe, es decir, se debe tener noticia o sospecha fundada de una situación o hecho que pudiera configurar un delito, o que pudiera significar un quiebre del régimen interno a partir de la vulneración de la seguridad interna. Solo concurriendo estos supuestos, los que deberían verificarse mediante antecedentes objetivos, se podría justificar la necesidad real y urgente de realizar este tipo de actuación.

---

[202]   Corte de Apelaciones de Valdivia. SCA Rol N°212-2017 de 30 de octubre de 2017.

De lo contrario, la administración podría en cualquier momento realizar registros de este tipo fundándose en supuestas situaciones de emergencia, sin que exista necesidad real.

Con todo, al igual que en el caso anterior queda prohibido el desprendimiento integral de la vestimenta, la ejecución de registros intrusivos, la realización de ejercicios físicos y, en general, cualquier otra actividad que menoscabe la dignidad de la persona privada de libertad. Por último, cuando existan antecedentes que hagan presumir que esta última oculta en su cuerpo algún elemento prohibido, susceptible de causar daño a la salud o integridad física de esta, o de otras personas, o de alterar la seguridad del establecimiento, la persona será derivada a la respectiva unidad médica para la realización del procedimiento correspondiente.

CAPÍTULO QUINTO

RELACIONES CON EL MEDIO LIBRE

I. COMUNICACIONES CON EL EXTERIOR

En conformidad con el principio de normalización penitenciaria la vida al interior de la prisión debería transcurrir, en lo posible, lo más parecido a la vida en el medio libre, entendiendo que su desarrollo está condicionado por la privación de libertad. Este enfoque es coherente con el fin de reinserción social que se atribuye a la pena, en su etapa de ejecución, y con el principio de humanización de las penas. Los instrumentos internacionales sobre la materia consideran conveniente que antes del término de la ejecución de una pena privativa de libertad, se adopten los medios necesarios para asegurar un retorno progresivo a la vida en sociedad, para morigerar el desarraigo social que la pena genera, y para reforzar los vínculos de la persona con su grupo social, antes de obtener la libertad (Reglas de Mandela, Regla 87).

El presente capítulo se ha dividido en dos partes. La primera parte, trata de las comunicaciones de las personas privadas de libertad, desde dentro del penal hacia el mundo exterior como, por ejemplo, contactos telefónicos, epistolares, acceso a los medios de comunicación, contacto con profesionales del área jurídica, entre otros, para finalizar con las visitas familiares e íntimas. La segunda parte, trata de los permisos de salida al medio libre, que son modalidades más avanzadas en propiciar la resocialización de quien cumple condena, porque la persona abandona el recinto carcelario para tener presencia social en la comunidad.

1. Derechos de las personas privadas de libertad

1.1 Derecho a una llamada telefónica

El art. 39 del REP reconoce el derecho de las personas privadas de libertad de informar a su familia o a quien haya determinado, el hecho de su internación o del traslado de establecimiento penal, regla que es coherente con el estándar establecido en el ámbito internacional (Reglas de Mandela, Regla 68). La información se efectuará por la propia persona a través del teléfono del establecimiento, en una sola comunicación, salvo que el tribunal competente haya decretado su incomunicación[203], caso en el cual la información se trasmitirá por personal de asistencia social o en su defecto, por personal encargado del ingreso, tan pronto como ello sea posible y dentro de las veinticuatro horas siguientes al ingreso o al traslado. En casos especiales, como el de traslados o ingresos masivos, la administración penitenciaria deberá efectuar la comunicación por medios igualmente eficaces. Esta diligencia se hace con el teléfono que la institución habilita para ello.

Ahora bien, en relación con la posibilidad de que las personas presas mantengan teléfonos celulares en su poder, hay voces que consideran que no deberían estar prohibidos porque facilitarían las comunicaciones con la familia. Sin embargo, en nuestro derecho y en el derecho comparado, la regla es la prohibición generalizada, dado que se tiende a pensar que los internos e internas que disponen de móviles dentro del establecimiento penitenciario son probablemente aquellos que van a realizar un uso delictivo de los mismos. Sin embargo, esta regla se flexibilizó debido a la emergencia sanitaria mundial producida por covid-19[204].

---

[203] El Tribunal podría decretar la pena de incomunicación con personas extrañas al establecimiento penal en el caso de quebrantamiento de sentencia, de conformidad al art. 90 del CP.

[204] Véase, Oficio N°155, emanado de la Dirección Nacional de Gendarmería, de fecha 2 de abril de 2020. Debido a la emergencia sanitaria provocada por covid-19, y con el fin de evitar su propagación, Gendarmería dispuso durante un tiempo la suspensión del ingreso de toda visita a los privados de libertad. No obstante, para garantizar el contacto entre las personas presas y sus familiares implementó una nueva modalidad de contacto consistente en la comunicación a través de medios tecnológicos como teléfonos celulares, ya sea de propiedad de los propios internos/as o dispuesto por la institución para aquellas personas que no cuenten con el aparato.

1.2 Acceso a los medios de comunicación

La posibilidad de que las personas presas dispongan de acceso regular a la información externa, a través de los medios de comunicación tradicionales como periódicos, radio, televisión e internet, es reconocido por los instrumentos internacionales. No existen causas justificadas que impidan el acceso a los medios de comunicación, salvo casos excepcionales, que deben ser aplicados restrictivamente. Incluso las Reglas de Mandela (Reglas 63-64), exigen que cada establecimiento penitenciario tenga una biblioteca suficientemente provista de libros instructivos y recreativos, para uso de toda la población reclusa, independiente de su categoría delictiva[205].

El art. 40 del REP regula el ejercicio de este derecho dando la posibilidad a las personas presas de informarse mediante la libre lectura de libros, diarios, periódicos, revistas, o a través del uso de aparatos de radio y televisión del establecimiento o de su propiedad, siempre y cuando el ingreso de estos medios haya sido autorizado por el Alcaide. En cuanto al ejercicio de la prerrogativa, esta no puede perturbar la seguridad o las actividades normales del establecimiento, como tampoco el derecho de las demás personas privadas de libertad al descanso y a vivir en un ambiente tranquilo. Por consiguiente, a nivel normativo se recoge de forma parcial el estándar, pues no existe el deber para la administración penitenciaria de tener una biblioteca.

Ahora bien, por resolución fundada del Alcaide, del Director Regional respectivo o del Director Nacional, el acceso y circulación de los medios de comunicación podría restringirse cuando se refieran a temas que pudieren afectar gravemente la seguridad o las actividades normales del establecimiento. Si bien la norma deja a discrecionalidad de la administración determinar cuándo se dan estos supuestos, lo anterior no obsta a la exigencia de fundamentación de la medida, la que siempre podría controlarse jurisdiccionalmente.

---

[205]   En el mismo sentido, Principios y Buenas Prácticas (Principio XVIII).

1.3 Comunicaciones epistolares

La comunicación epistolar se ha definido como un tipo de comunicación exclusivamente escrita, a través del cual un emisor envía en papel o a través de medios tecnológicos, un mensaje escrito a su destinatario. En el ámbito internacional, el derecho de la persona presa a mantener correspondencia con familiares y amigos es ampliamente reconocido (Reglas de Mandela, Regla 58.1)[206]. El art. 41 y ss. del REP regulan el derecho, autorizando a las personas condenadas a comunicarse en forma escrita, en su propio idioma, con sus familiares, amigos, representantes de organismos e instituciones de cooperación penitenciaria y, en general, con las personas que ellos deseen. Sin embargo, dado que no se permite la tenencia ni el uso de aparatos tecnológicos, la regla está pensada sobre la base de la carta como medio de comunicación.

En cuanto a las condiciones de ejecución se dispone que: a) Estas comunicaciones se efectuarán de manera que se respete al máximo la privacidad; b) La correspondencia del interno o interna que no hable español será traducida a expensas del remitente, a menos que careciere de medios, en cuyo caso la traducción se hará a expensas de la administración penitenciaria[207]; c) De toda correspondencia enviada por las personas internas o recibida por estos se llevará un control estricto con el fin de detectar cualquier irregularidad de la cual el funcionario encargado deberá dar cuenta, en su caso, al Alcaide. La obligación de comunicar las irregularidades se refiere en particular, a la presencia de claves o a la referencia a temas delictivos o que propendan a la alteración del orden interno del establecimiento o de la sociedad, relacionados con conductas terroristas, subversivas, de narcotráfico o crimen organizado; d) Las personas detenidas y sujetas a prisión preventiva, en lo que se refiere a este derecho, se regirán por lo que al respecto disponen las leyes procesales pertinentes. Por último, en caso de infracción al régimen disciplinario podría suspenderse la comunicación, ya que se contempla como sanción disciplinaria, cuestión que veremos más adelante.

---

[206]   En el mismo sentido, Conjunto de Principios (Principio 19).
[207]   En la práctica, nuestra realidad carcelaria da cuenta de carencias graves en la provisión de prestaciones sociales básicas, por lo que el servicio de traducción al interior de las cárceles chilenas es inexistente.

Si bien se establece que debe respetarse al máximo la privacidad de estas comunicaciones, con posterioridad la regla permite un control estricto de la correspondencia para detectar conductas que pudieren afectar la seguridad del establecimiento, lo que implica la revisión del contenido de la misiva. Lo anterior configura una infracción al derecho a la intimidad y privacidad personal, pues para ello debiera mediar la correspondiente orden judicial. He aquí una manifestación de la concepción que se tiene de la relación persona presa-Estado, y da cuenta de la falta de una ley de ejecución penitenciaria que regule la restricción de los derechos fundamentales de las personas presas.

1.4 Encomiendas y otras especies

La encomienda también es una forma de comunicación con el mundo exterior. El art. 48 del REP establece que las personas internas podrán recibir paquetes o encomiendas cuyo ingreso, registro y control será regulado por resolución del Director Nacional, regulación que ha de contener una nómina de las especies y alimentos permitidos y prohibidos, la que debe publicarse en un lugar visible para los visitantes[208].

De acuerdo con resoluciones internas de Gendarmería, la encomienda o paquete, es toda especie o conjunto de ellas, autorizadas por la administración penitenciaria, para ser ingresada o entregada, por personas mayores de edad que se encuentren enroladas para tal efecto, en un establecimiento penitenciario.

La finalidad de esta resolución es estructurar todo el mecanismo de control de los elementos destinados a satisfacer las necesidades esenciales de la población penal, como así también prevenir la ocurrencia de hechos que puedan constituir faltas al régimen interno y/o la comisión de delitos, que afecten o vulneren la seguridad e integridad de las personas o de las instalaciones de las unidades penales.

Por otro lado, en cuanto a las especies que pueden ingresar, recibir o mantener en su poder las personas presas, el REP en el art. 72 dispone

---

[208]   La última en la materia es la Res. Exe. N°6640-2020 de Genchi, que aprueba disposiciones generales para el ingreso, registro y control de especies permitidas que sean ingresadas por las visitas o mediante encomiendas en los establecimientos penitenciarios del subsistema cerrado, de fecha 31 de diciembre de 2020.

que, en todos los establecimientos penitenciarios, con excepción de los Centros de Reinserción Social, y los centros abiertos, queda prohibido el ingreso, recepción o mantención de objetos de valor y joyas. No obstante, si al momento del ingreso, el recluso portare estas especies o dinero, la administración penitenciaria por resolución interna debe regular la forma de custodia de estos elementos. Lo anterior, en concordancia con lo establecido en las Reglas de Mandela (Regla 67).

En cuanto a la tenencia de dinero, el art. 73 del REP, permite a las personas internas de los establecimientos de régimen cerrado y semi-abierto mantener dinero, siempre y cuando no supere el monto máximo permitido por resolución del Director Regional respectivo. No obstante, en casos calificados, el Director Nacional podría suspender, prohibir o restringir la circulación de dinero en un establecimiento penitenciario o secciones de este.

1.5 Contacto con profesionales del área jurídica

El derecho a defensa y acceso a la justicia es una de las prerrogativas más importantes que tiene quien se encuentra privado de libertad, reconocido por todos los instrumentos internacionales sobre la materia, pues a través de este se asegura el ejercicio de los demás derechos y su consecuente tutela judicial. De ahí que los Estados tengan el deber de facilitar oportunidades, tiempo e instalaciones adecuadas para recibir visitas de un asesor jurídico o proveedor de asistencia jurídica, de forma tal que pueda realizarse una entrevista, sin demora, interferencia ni censura y en forma plenamente confidencial, todo ello de conformidad con la legislación nacional aplicable (Reglas de Mandela, Regla 61).

En nuestro sistema procesal penal, el derecho a mantener comunicaciones regulares con profesionales del área legal le asiste tanto a la persona imputada como condenada durante todo el procedimiento penal, es decir, hasta la completa ejecución de la sentencia. Por consiguiente, puede ejercerse cada vez que se requiera, sin interferencia ni interrupción. El art. 44 del REP establece expresamente que las comunicaciones con el abogado u abogada defensora no podrán suspenderse en caso alguno. Incluso, en los casos en que se decrete judicialmente la incomunicación de la persona presa con personas ajenas al establecimiento penal, la comunicación con el profesional letrado no se suspende, y ha de poder ejercerse con arreglo a lo establecido en las leyes procesales pertinentes.

En cuanto a las condiciones de ejecución, la reglamentación indica que estas comunicaciones se llevarán a efecto en la forma dispuesta por el reglamento que regula las visitas de abogados, abogadas y otras personas habilitadas para ingresar a los establecimientos penales del país[209]. Ahora bien, las conferencias entre el usuario y el profesional deben ser privadas y su contenido amparado por el secreto profesional[210]. Junto con ello, las Reglas de Mandela, para proteger la confidencialidad de la comunicación, prohíbe intervenir o escuchar las conversaciones entre el profesional y la persona presa. Sin perjuicio de ello, el personal penitenciario podría, por motivos de seguridad, vigilar visualmente el contacto.

Por la relevancia de la materia, todo lo relativo al derecho a la defensa y acceso a la justicia, será tratado en el capítulo relativo al control jurisdiccional y administrativo de la pena privativa de libertad, por lo que volveremos sobre el punto.

2. *Las visitas*

2.1 Antecedentes generales

Desde el momento en que el derecho internacional de los derechos humanos asume que la finalidad de la ejecución de la pena privativa de libertad es la resocialización de la persona condenada, el derecho a visitas se consagra como un medio fundamental para morigerar el desarraigo social que supone la prisión y para preparar a la persona en su retorno al medio libre (Reglas de Mandela, Regla 58)[211]. La mayoría de las legislaciones, por regla general, recogen estas directrices y establecen el derecho de

---

[209]   Decreto N°643 del Ministerio de Justicia, que aprueba reglamento de visita de abogados y demás personas habilitadas a los establecimientos penitenciarios, de 25 de octubre de 2000.

[210]   El secreto profesional comprende la información reservada o confidencial que se conoce por el ejercicio de determinada profesión o actividad. Constituye una doble garantía, por una parte, protege al profesional en el desempeño autónomo de sus funciones respecto de antecedentes obtenidos en razón de su cargo, y que eventualmente pudieran acarrear responsabilidades penales, tales como el delito de encubrimiento y, por otra parte, protege al titular de la información que recurre al profesional solicitando auxilio técnico.

[211]   En el mismo sentido, Conjunto de Principios (Principio19); Principios y Buenas Prácticas (Principio XVIII): Las personas privadas de libertad tendrán derecho a [...] y a mantener contacto personal y directo, mediante visitas periódicas, con sus familiares, representantes legales, y con otras personas, especialmente con sus padres, hijos e hijas, y con sus respectivas parejas.

quienes padecen el encierro a disfrutar de estas comunicaciones con familiares y amigos, salvo que se encuentren sancionados con la suspensión de la visita, o se encontraren incomunicados por orden judicial, restricciones que en todo caso son temporales.

Ahora bien, no obstante, se permitan restricciones en casos debidamente justificados, no se debe perder de vista que la visita no es un derecho que involucre solo a la persona presa, sino que también se extiende a su familia. La CDN reconoce el derecho que tiene todo niño y niña de permanecer con sus padres con el fin de fortalecer el lazo familiar.

Por regla general, salvo casos en que esté en peligro la integridad física y emocional del niño, niña o adolescente, la experiencia enseña que el mejor entorno para un adecuado y armonioso desarrollo de los mismos es el grupo de personas que conforma su familia (entendida en un sentido amplio, y no circunscrita a la familia tradicional). En el mismo sentido, la CADH declara que la familia es el elemento natural y fundamental de la sociedad y debe ser protegida por la sociedad y el Estado[212].

En este sentido, nuestro país recientemente dictó la Ley N°21.430[213], la que en su art. 27 establece el derecho de todo niño, niña o adolescente a vivir en familia, preferentemente en la de origen, y completar así su adecuado desarrollo. Se hace hincapié en que el Estado tiene el deber de velar por la protección y consideración de la familia del niño, niña o adolescente, cualquiera que sea su composición, debiendo velar, además, por el ejercicio de este derecho cuando el niño, niña o adolescente no pudiere habitar con sus padres y/o madres, por encontrarse estos últimos privados de libertad.

Por consiguiente, en el caso de una separación forzada, como lo es la privación de libertad de uno o ambos padres, el niño y niña tiene derecho a mantener relaciones y a contactarse en forma directa con su familiar preso.

---

[212]   CADH (art. 17. 1): "La familia es el elemento natural y fundamental de la sociedad y debe ser protegida por la sociedad y el Estado".

[213]   Ley N°21.430 sobre garantías y protección integral de los derechos de la niñez y adolescencia, publicado en el Diario Oficial el 15 de marzo de 2022.

2.2 Las visitas en el REP

Para cumplir con las directrices internacionales, la residencia o domicilio de la persona condenada ha de ser un factor determinante al momento de definir el establecimiento penitenciario donde será recluida. Ello, por cuanto las distancias de traslado y los costos asociados pueden significar para los familiares la imposibilidad de visitarlo, sobre todo, en aquellos casos en que es la familia quien provee a la persona interna de ropa, alimentos, medicamentos, útiles de aseo, entre otros artículos[214].

En nuestro país, el art. 53 inc. 2° del REP recoge esta orientación, estableciendo que en resguardo del derecho a visitas los condenados deberán permanecer recluidos preferentemente cerca de su lugar habitual de residencia. Sin embargo, uno de los grandes problemas que sufren las personas presas en Chile, es el incumplimiento de esta norma, pues como vimos en el capítulo anterior, la autoridad administrativa, amparándose en la facultad legal que concede al Director Nacional determinar el lugar de cumplimiento de condena, decide por lo general de acuerdo a directrices técnicas de otra índole, sin considerar el lugar de residencia de la persona privada de libertad.

Por otro lado, la Corte Suprema, mediante instructivos internos, ha recomendado a los tribunales que tengan competencia en materia penal, abstenerse de disponer el lugar de cumplimiento de condena, y de determinar el traslado de la población interna, función que estaría reservada a Gendarmería, para luego en otros fallos sostener que la imposibilidad de las visitas familiares compromete los procesos de reinserción social y rehabilitación:

> Que habiendo sido trasladado el condenado al Centro de Cumplimiento Penitenciario de Arica amparado en una resolución que no se sujetó a la normativa reglamentaria ya descrita, se ha conculcado lo prevenido en la letra b) del número 7 del artículo 19 de la Carta Fundamental en cuanto a que la privación de libertad a que está sujeto en razón a estar cumpliendo las penas impuestas por el Tribunal de Juicio Oral en lo Penal de Talca se han agravado por la circunstancia de haber sido trasladado a un Centro de Cumplimiento distante por más de 2000 kilómetros del lugar donde actualmente cumple la pena impuesta y residencia de su familia, sin que se justificara con informes técnicos pertinente la necesidad de ese traslado[215].

---

[214] Coyle, *La administración Penitenciaria en el contexto de los derechos humanos. Manual para el personal penitenciario.* (Londres: Centro internacional de estudios penitenciarios, 2009), 98-99.
[215] Corte Suprema. SCS Rol N°8016-2012 de 30 de octubre de 2012.

2.3 Clasificación de las visitas

En el ámbito nacional, a partir de los arts. 49 y ss. del REP, se regula ampliamente el derecho a visitas, distinguiendo entre visitas ordinarias, extraordinarias y especiales, clasificación que se hace en consideración al régimen de ejecución aplicable a cada una de ellas.

2.3.1 Visitas ordinarias (art. 49)

Las visitas ordinarias son aquellas visitas periódicas que reciben las personas internas, de familiares o amigos, cuya frecuencia es de una vez por semana, en día, hora y lugar fijado por el Alcaide, y cuya duración mínima es de dos horas cada vez. Sus condiciones de ejecución son las siguientes:

- Los familiares que ingresen son aquellas personas autorizadas por el visitado.
- Los visitantes deben tener más de 14 años.
- Se permite un máximo de 5 visitantes por cada persona interna, simultáneamente.
- Se debe registrar el nombre, apellido y cédula de identidad del visitante autorizado.
- Se realizan conforme a las disposiciones internas de cada establecimiento.
- Tratándose de visitas a personas privadas de libertad recluidas en módulos o dependencias especiales, por motivos de seguridad, las visitas se harán en locutorios. No obstante, el Director Nacional, por resolución fundada, podría permitir otras modalidades, en atención a las circunstancias que hayan motivado la internación o las condiciones propias de la dependencia de que se trate.

2.3.2 Visitas extraordinarias (art. 50)

Las visitas extraordinarias son aquellas que concede el Alcaide en casos debidamente justificados. Se trata de una visita excepcional que se concede por razones fundadas. Sus condiciones de ejecución son las siguientes:

- La duración no supera los treinta minutos en el día, hora y lugar, previamente determinado por el Jefe del establecimiento.

- El visitante es una persona autorizada por la persona interna.
- De la visita se lleva un control estricto.

2.3.3 Visitas especiales (art.51)

Las visitas especiales son aquellas visitas familiares o conyugales autorizadas por el Alcaide a las personas internas que no gocen de permisos de salida y que lo hayan solicitado previamente. Se distingue entre visitas familiares y visitas íntimas, visita esta última que veremos en un título aparte. Las condiciones de ejecución de la visita familiar son:

- La persona interna deberá acreditar en su solicitud la relación de parentesco, conyugal o afectiva que lo liga con la o las personas que deseen visitarlo.
- Se conceden a lo menos dos veces al mes y su duración no será inferior a una ni superior a tres horas cada vez.
- El número de visitantes puede exceder el límite máximo establecido para las visitas ordinarias, lo que será determinado caso a caso.
- Se permite el ingreso de niñas y niños de cualquier edad, siempre y cuando vayan acompañados de un adulto, a cuyo cuidado se encuentren, prohibiéndose el ingreso de cualquier otro niña o niño que no sea familiar.

Para casos especiales, no previstos en ninguno de los tres tipos de visitas, el art. 53 inc. 1° del REP, faculta al Director Nacional, para que mediante resolución regule la forma en que se realizarán las visitas en estos casos, pudiendo delegar esta facultad en los Directores Regionales. Tratándose de personas detenidas y sujetas a prisión preventiva, el art. 55 del REP, señala que las visitas se regirán por las disposiciones de ese cuerpo reglamentario y las correspondientes a la ley procesal pertinente.

2.3.4 Visitas íntimas

La visita conyugal o visita íntima, históricamente, ha sido considerada una recompensa penitenciaria conectada con la idea de expiación y castigo que significa la pena para la persona condenada. Con la evolución del sistema penitenciario la "visita íntima", más que una recompensa, se considera como un derecho de la persona que, si bien es privada de su libertad ambulatoria, conserva el derecho a la libertad sexual. Asimismo, se ha señalado que el derecho a la "visita íntima", es una manifestación más del principio de normalización y humanización de las penas, y sirve como paliativo a la abstinencia sexual que padecen muchas de las personas presas[216].

Algunos autores se han interesado por la sexualidad en las prisiones, debido a las posibles situaciones y consecuencias que el encierro puede generar en ese ámbito. Se ha indicado que, si las personas internas son segregadas en razón del sexo y obligadas a una castidad forzada, podrían cometer agresiones sexuales. También se ha dicho que la abstinencia obligatoria, que conlleva la reclusión sin sexualidad, genera un aumento de la agresividad en las relaciones humanas provocando frecuentes tensiones y motines carcelarios. De esta forma, las visitas íntimas, tendrían por objeto contrarrestar las carencias sexuales y afectivas originadas por un largo período de encierro[217], junto con aminorar la violencia que el encierro genera.

En el plano internacional, las "visitas íntimas" fueron reconocidas por primera vez en las Normas Mínimas Penitenciarias (1971). En dicho cuerpo reglamentario se establecía que la visita íntima tenía por finalidad principal el mantenimiento de las relaciones maritales de la persona presa en forma sana y moral. Los instrumentos internacionales posteriores ampliaron el concepto para incorporar a las relaciones sexuales sin contrato legal[218], y para establecer condiciones mínimas de ejecución: no puede aplicarse discriminación, las reclusas podrán ejercerlo en igualdad de condiciones que los reclusos; se debe contar con procedimientos y locales que garanticen el acceso equitativo e igualitario y se debe prestar la debida atención a la seguridad y dignidad (Reglas de Mandela, Regla 58.2)[219].

---

[216] Al respecto se utiliza "visita conyugal", "visita sexual", "vis a vis", siendo preferible adoptar el vocablo "visita íntima", pues es más omnicomprensivo de todos los términos empleados al abarcar tanto los contactos conyugales, como los extraconyugales dando cuenta de la intimidad del contacto.

[217] Mapelli, *et.al, Ejecución de la pena*, 244.

[218] *Ídem*, 245. El Programa EuroSocial ha sostenido que la proyección de criterios morales sobre las visitas íntimas es lamentablemente muy frecuente. De forma explícita o no, legisladores y jueces invocan criterios morales restrictivos que no se exigen a las personas en la sociedad libre.

[219] En el mismo sentido, Reglas de Bangkok (Regla 27). Estas últimas hacen hincapié en la protección de las reclusas que han sido víctimas de violencia en el hogar, exigiendo una autorización por parte de las internas, en donde conste el nombre de las personas, parejas o familiares, a quienes se les permita la visita.

En consideración a la evolución que han tenido en el mundo las políticas públicas con enfoque de género, se espera que las visitas íntimas se regulen de tal manera que, en su ejercicio, no se efectúen distinciones basadas en consideraciones de género u orientación sexual. Asimismo, en virtud del principio de normalización penitenciaria se exhorta a que los contactos sexuales entre las personas privadas de libertad y sus parejas se autoricen bajo condiciones absolutamente normales, lo que implica, proveer medios anticonceptivos, profilácticos y locales adecuados para su realización.

En el ámbito nacional, la visita íntima no se concibe como un derecho, sino como un beneficio o gracia al que se accede de cumplirse con ciertos requisitos. Es un premio que se entrega al recluso o reclusa con muy buena conducta. Su regulación se encuentra en el art. 51 del REP, el que establece las siguientes reglas:

a) Las visitas deben ser autorizadas por el Alcaide de la unidad penal, si las condiciones del establecimiento lo permiten.

b) La persona interna debe solicitarlo previamente y acreditar en su solicitud, la relación de conyugalidad o afectividad que lo liga con la persona o personas que desee que lo visiten.

c) En cuanto a su frecuencia esta se concede una vez al mes y su duración no será inferior a una ni superior a tres horas cada vez.

d) En su regulación se debe incorporar lo que digan las resoluciones técnicas de Gendarmería al respecto.

En relación con las dependencias que se utilizan para la visita íntima existen lugares acondicionados para su ejercicio, pero no en todos los establecimientos penitenciarios. Si el establecimiento no cuenta con las condiciones adecuadas, en la práctica, las personas privadas de libertad utilizan construcciones improvisadas realizadas por ellos mismos, denominados "camaros", que consiste en amarrar frazadas y sábanas con cordeles para lograr una especie de cubículo cerrado y así poder tener relaciones sexuales sin ser vistos desde el exterior. La intimidad es mínima dado que quedan expuestos a ser vistos y escuchados por todos quienes se encuentren en el lugar de visitas, entre los cuales, puede haber niños y niñas.

En cuanto a los requisitos y formas de acceder a la visita íntima o venusterio, se ha detectado por el INDH que, si bien, algunos requisitos son comunes y uniformes a todas las cárceles que disponen de dependencias, en otros penales se agregan otras fases al proceso y nuevas exigencias[220]. Lo anterior evidencia que las visitas íntimas no son consideradas como un derecho, sino más bien un beneficio que otorga Gendarmería bajo determinados requisitos. Teniendo en consideración los principios de legalidad, reinserción, normalización penitenciaria y el principio de humanización de las penas, es posible impugnar la negativa al venusterio cuando se fundamente en consideraciones extralegales, toda vez que el acto administrativo dictado en esas condiciones podría ser arbitrario.

2.4 Restricciones al derecho de visitas

A partir de los arts. 56 y ss. del REP se dispone que todas las visitas se realizarán de manera que se respete al máximo la intimidad, y no tendrán más restricciones que las impuestas por razones de seguridad y de buen orden del establecimiento. Estos son los únicos motivos por los que el Alcaide podría limitar o suspender temporalmente las visitas a toda o parte de la población penal. Si la resolución es de carácter general, la misma será refrendada por el Director Regional respectivo[221]. Ahora bien, como todo acto administrativo, una restricción general o parcial, aunque sea temporal, es susceptible de revisión ante el órgano judicial, si falta motivación o fundamentación de la medida.

---

[220]   INDH, Estudio de las condiciones carcelarias, 2018, 145-146: "En el CCP de Iquique, los requisitos de postulación para quienes desean acceder a estas dependencias son: tener buena conducta y una entrevista con encargado. Según se informa, las parejas del mismo sexo pueden participar en el programa de visitas íntimas […] Los requisitos de postulación para quienes desean acceder a estas son tener pareja estable por más de seis meses o bien estar casados o con hijo/a, tener buena conducta y presentar exámenes preventivos […] El CCP de Antofagasta dispone del programa de visitas íntimas que funciona regularmente. Según se informa, las parejas del mismo sexo pueden participar en el programa al igual que los internos imputados […] En esta misma línea, se detectaron limitaciones en el acceso a las personas privadas de libertad en calidad de imputadas, ya sea porque no hay posibilidades de acceso para estas o porque se eleva el requisito, por ejemplo, en el CCP Parral […] El CPF Antofagasta requiere de una autorización del tribunal, al igual que en el CDP Taltal […] En el caso del CDP Cochrane y en el CDP Ovalle, derechamente no pueden acceder las personas imputadas".

[221]   En la actualidad, y debido a la emergencia sanitaria que ha producido la pandemia por el covid -19, se está aplicando en todos los penales del país la suspensión temporal de las visitas a los privados de libertad, con el objeto de evitar la propagación de la enfermedad. Véase, Oficio N° 155, de fecha 2 de abril de 2020, de la Dirección Nacional que instruye respecto a la realización de visitas virtuales entre internos y familiares mediante el uso de teléfonos móviles.

El Alcaide podría también impedir las visitas de determinadas personas por razones de seguridad, mala conducta, o cuya presentación sea indecorosa, claramente desaseada o alterada, o que se encuentren bajo el efecto del alcohol o drogas. En la práctica, cuando los visitantes son sorprendidos en alguno de estos supuestos, la administración dicta una resolución prohibiendo la visita respectiva por un determinado periodo. Al igual que en el caso anterior, tratándose de una restricción o suspensión del derecho a visita, siempre podrá impugnarse ante la justicia su falta de fundamento o desproporción:

> Que, sin perjuicio de lo razonado, es insoslayable señalar que la medida impugnada por esta vía resulta desproporcionada, toda vez que el extenso período de tiempo que comprende la sanción aludida indefectiblemente afecta los derechos del interno, pues los priva de un contacto familiar y emocional que resulta fundamental en el proceso de rehabilitación y posterior reinserción de éste. En ese contexto, el impedimento absoluto de visita por el lapso de seis meses resulta excesivo y, como se dijo, desproporcionado, toda vez que si bien la falta se encuentra configurada y resulta irredargüible que debe ser sancionada, no se debe desatender que la apelación de la recurrente alude al contexto de las visitas conyugales para justificar su inconducta. Por esta razón, la sanción no debió extenderse por un término tan amplio como el anotado y tampoco pudo impedir la visita familiar de la actora, toda vez que el Estado tiene que propender a proteger y fortalecer los vínculos familiares[222].

2.5 Condiciones de ejecución de la visita

Para resguardar la dignidad y privacidad de las personas privadas de libertad y sus visitantes, el derecho internacional ha establecido ciertas condiciones de ejecución de la visita. La visita debería realizarse en un ambiente que ofrezca un mínimo de privacidad, higiene y seguridad. La privacidad implica que en caso de que la visita sea vigilada por un agente estatal, este se encuentre a tal distancia que no pueda oír la conversación entre visitado y visitante[223].

---

[222]   Corte Suprema. SCS Rol N°33871-2019 de 25 de mayo de 2020. En este caso Gendarmería restringió por seis meses la visita de la pareja de un interno debido al porte de pastillas cuyo ingreso no estaba autorizado. El máximo tribunal determinó que el período de seis meses de restricción de la visita era desproporcionado. Véase, Corte de Apelaciones de Valparaíso. SCA Rol N°414-2018 de19 de julio de 2018, que acoge acción de amparo respecto de prohibición de visitas a la madre de condenado, toda vez que su actuar estaba justificado y la sanción excede término establecido en el reglamento.

[223]   Mapelli, et.al., *Ejecución de la pena*, 269.

En nuestra realidad penitenciaria, el INDH ha constatado que solo una pequeña parte de las cárceles mantienen un espacio exclusivo para estos fines. En el resto de los penales se utilizan espacios comunes para realizar las visitas, tales como gimnasio, patios, módulos multiuso, entre otros[224].

2.6 Registros corporales a las visitas

Los familiares, amigos o cercanos que visitan a una persona privada de libertad, antes de entrar a la unidad penal deben pasar por un proceso de revisión corporal y de sus bienes personales e insumos que deseen ingresar. Estas revisiones se pueden hacer a través de medios tecnológicos o de forma manual. Sin embargo, la normativa internacional exhorta a los Estados a preferir medios tecnológicos en la revisión de las visitas con el objeto de minimizar las posibles vulneraciones a la integridad física e intimidad de las personas adultas y de niños y niñas[225].

Asimismo, establece que estos registros no deben aplicarse de manera indiscriminada, sino que deben responder a criterios de necesidad,

---

[224]   INDH, Estudio de las condiciones carcelarias, 2018, 141-142: "Según se expresa en los informes de unidades penales, en los siguientes recintos existen estas dependencias, al que tiene acceso toda la población penal: CCP Iquique, CP Alto Hospicio, CCP Antofagasta, CP La Serena, CPF Talca, CCP Parral, CP Valdivia, CCP Coyhaique, CDP Cochrane y CDP Puerto Natales. En el CP Puerto Montt cada módulo tiene una sala de visitas que también es la sala multiuso. En las otras cárceles se aprecia que se destinan espacios como comedor, patio multiuso, gimnasio, cancha, sala multiuso, pabellones y módulos, pasillo, talleres, o bien que solo algunas personas tienen acceso a espacios exclusivos. Un caso particular es el del CP Punta Arenas en donde los hombres tienen acceso a un espacio exclusivo, pero las mujeres y personas jóvenes reciben a las visitas en los pasillos".

[225]   Ídem. "Según lo informado por Gendarmería, se utilizan medios tecnológicos para el proceso de revisión, no obstante, durante la observación se aprecia que estos no se usan. Se indica que se realizan desnudamientos a las visitas a través de una revisión corporal de forma manual que se aplica a todo/a visitante (CDP Taltal) [...] Con respecto a la utilización de medios tecnológicos para la revisión, sólo un interno consultado refiere la utilización de estos y el resto de la población penal consultada indica que a las visitas no se les revisa a través de medios tecnológicos, como paletas detectoras de metales o silla Boss. La información difiere de la otorgada por Gendarmería del recinto ya que señalan que a todas las personas se les revisa por medios tecnológicos (CDP Illapel) [...] Cuán intrusiva sea la revisión depende de cada cárcel, ya que, si bien hay protocolos a nivel nacional, hay prácticas instaladas en cada una en particular. Las informaciones en estos aspectos se recabaron por medio de entrevistas tanto a funcionarios/as encargados de estos procesos como a las personas privadas de libertad, quienes expresaron situaciones que han afectado a familiares o cercanos, inquiriendo especialmente sobre la forma en que los/as funcionarios/as uniformados de Gendarmería realizaban estas acciones".

razonabilidad y proporcionalidad, practicado en condiciones sanitarias adecuadas, por personal calificado del mismo sexo y compatibles con la dignidad humana y con el respeto a los derechos fundamentales. Por este motivo declara que deberán ser prohibidos por ley los registros intrusivos vaginales y anales (Reglas de Mandela, Reglas 50 y ss.)[226], cuestión que ha refrendado la Corte IDH advirtiendo, incluso, que estos registros se encuentran en el límite con la violencia sexual[227].

En nuestro sistema penitenciario el art. 54 inc. 3° del REP regula el registro corporal al visitante, indicando que todos los visitantes y sus pertenencias serán registrados por razones de seguridad. Es decir, el registro es indiscriminado, se aplica a la totalidad de las personas que quieran ingresar al recinto penitenciario. A su vez indica que este es realizado y dirigido por personal del mismo sexo del visitante conforme a los procedimientos determinados en la regulación que al respecto dicte el Director Nacional, regulación que ha de respetar siempre la dignidad de la persona. Por último, se dispone que el registro puede ser manual, pero se debe propender a su reemplazo por sensores u otros aparatos no táctiles.

El INDH, en lo que se refiere específicamente a las revisiones corporales, ha constatado que estas incluyen a personas adultas, niñas y niños, adolescentes y mujeres embarazadas revistiendo diversos grados de intervención. Asimismo, se ha podido comprobar que el procedimiento es normalmente realizado por personas del mismo sexo y, que la revisión corporal manual se efectúa en dependencias diferenciadas para hombres y mujeres. En estas revisiones se ha constatado desnudamientos, exigencia de realización de ejercicios físicos como sentadillas o revisión visual de genitales[228]. En lo que respecta al trato que reciben los visitantes, se han

---

[226] En el mismo sentido, Principios y Buenas Prácticas (Principio XXI).

[227] Corte IDH. Caso Miguel Castro Castro v. Perú. Serie C No. 160. Parágrafo 312 y ss.(25 de noviembre de 2006): "los actos de violencia sexual que sufrió una interna bajo una inspección vaginal dactilar constituyeron violación y, consecuentemente, de acuerdo a la Convención para Prevenir y Sancionar la Tortura, configuraron por sus efectos tortura [...] el Estado es responsable por la violación del derecho a la integridad personal consagrado en el artículo 5.2 de la Convención Americana, así como por la violación de los artículos 1, 6 y 8 de la referida Convención Interamericana para Prevenir y Sancionar la Tortura [...]".

[228] INDH, Estudio de las condiciones carcelarias, 2016-2017, 88: "Los testimonios para la determinación de las formas de revisión corporal son proporcionados por funcionarios/as, visitantes y la misma población penal, pero, además, en algunos casos la observación fue directa. Se indagó especialmente en torno a la forma de efectuar estas revisiones corporales y se pudo apreciar que persisten en algunas unidades las prácticas de someter a desnudamientos a adultos, niños y niñas. Estos desnudamientos son totales o parciales, entendiendo por estos últimos el tener que desprenderse del sostén

recopilado distintas opiniones, lo que depende de la práctica instalada en cada establecimiento penal[229].

II. LOS PERMISOS DE SALIDA

1. *Principio de progresividad*

Antes de entrar al estudio particular de los permisos de salida nos referiremos al principio de progresividad, criterio sobre el cual se estructura el sistema de autorizaciones o permisos que implican la salida transitoria del establecimiento penitenciario. Este principio se fundamenta en el hecho de que la pena privativa de libertad conlleva un desarraigo social, es decir, provoca desocialización, por lo que el tratamiento penitenciario enfocado en la reinserción social busca morigerar este efecto permitiendo la apertura gradual o paulatina a mayores espacios de libertad.

---

y/o posteriormente bajarse los calzones". Incluso en algunas unidades penales se ha constatado el hecho de pedir a los visitantes, especialmente mujeres: "realizar sentadillas y aplicación de paletas entre las piernas o espejos para observar la zona vaginal". Según Informe del INDH, Estudio de las condiciones carcelarias, 2018, 135: "De la información expuesta y a nivel estadístico, el instrumento con más presencia son las paletas detectoras de metales, las que están presentes en todas las cárceles en a lo menos tres unidades, y las que pueden ser usadas para revisar visitas y para otras funciones. De las 36 cárceles, la mayor cantidad está en el CDP Vallenar que registra 13 paletas. En cuanto a las sillas detectoras de elementos introducidos en el cuerpo (silla Boss) se observaron en 22 cárceles, todas con una unidad excepto en el CP Arica en donde existen dos. En los 14 establecimientos penales restantes no hay sillas de este tipo. Esto implica que en un 61,1% de las cárceles mantienen estos elementos, lo que es relevante ya que el 38,9% de las cárceles contempladas en este estudio no los tienen, abriéndose la posibilidad al uso de sistemas manuales de inspección. Sin embargo, la presencia de una silla Boss no garantiza que no se realicen inspecciones manuales según lo que se apreciará más adelante. En cuanto a arcos detectores de metales, están presentes en 21 recintos penales. En los 15 restantes no hay presencia de esta tecnología, representando el 41,7% de los recintos que incluye este estudio".

229   INDH, Estudio de las condiciones carcelarias, 2018, 137-138: "Al consultar con la población penal respecto del trato que reciben las personas que los visitan por parte de los/as funcionarios/as de Gendarmería se les solicitó calificarlo como bueno, regular o malo. Pudiendo ser calificada de distintas formas por distintas personas en una misma cárcel. Menciones a un mal trato se recibieron en 11 cárceles y a un trato regular en 22. Se indicó unánimemente por todos los/as entrevistados/as como malo en el CCP Iquique, CDP Vallenar, CCP Talca y CP Valdivia. Se mencionó como regular y malo en el CP Arica, CPF Antofagasta, CDP Taltal, CDP Tocopilla, CCP Linares, CCP Cauquenes, CCP Molina y CP Puerto Montt. Por último, se da a conocer que el trato que reciben las visitas, a veces, es denigrante debido a los desnudamientos y tocamientos. Asimismo, se señala que, a veces, destruyen la comida que traen las visitas al frente de estas, CCP Linares. Se calificó como un trato bueno por todos los/as entrevistados/as en el CDP Pozo Almonte, CCP Chañaral, CDP Combarbalá, CDP Chanco, CDP Ancud, CDP Chile Chico, CDP Cochrane, CDP Porvenir y CDP Puerto Natales".

En nuestro sistema penitenciario el principio de progresividad se recoge en diversas normas. Así, el art. 93 del REP prescribe: *Las actividades y acciones, tendrán como referente el carácter progresivo del proceso de reinserción social del interno y en su programación deberá atenderse a las necesidades específicas de cada persona a quien se dirige.* En el mismo sentido, el art 96 inc. 2° dispone que los permisos de salida se ordenan de acuerdo con su extensión, es decir de menos a más, dado que *se inspiran en el carácter progresivo del proceso de reinserción social,* y se conceden *de modo que sólo el cumplimiento satisfactorio de las obligaciones que impone el uso provechoso del que se conceda, permitirá postular al siguiente.* Asimismo, el art 107 reitera que: *La reinserción familiar y social del condenado tiene carácter progresivo, por lo que los permisos de salida pueden concederse por un lapso inferior al máximo permitido, debiendo el Jefe del Establecimiento fijar el día, la hora de salida y la extensión horaria del permiso.*

Por su parte, el DL N°321 sobre libertad condicional se inserta en la cúspide de este sistema progresivo, dado que los tiempos de cumplimiento mínimo de condena para postular a la mayoría de los permisos de salida, se fijan en relación con el tiempo mínimo de cumplimiento de condena exigido para postular a la libertad condicional, beneficio que de concederse configura una puerta de salida anticipada al medio libre. No obstante, es importante destacar que no es requisito previo para la concesión de este último, haber obtenido los permisos de salida que de forma progresiva se regulan en el REP, de modo tal que es posible obtener la libertad condicional sin haber pasado por el sistema progresivo de permisos. Por consiguiente, esta progresividad se aplica al interior del sistema de permisos o autorizaciones temporales.

2. Los permisos de salida en nuestro sistema penitenciario

En nuestro derecho penitenciario los permisos de salida son definidos como beneficios que forman parte de las actividades de reinserción social y que confiere a quienes se les otorgan, gradualmente, mayores espacios de libertad. Se regulan a partir de los arts. 96 y ss. del REP y se les clasifica, atendida su extensión en: salida esporádica, dominical, de fin de semana y, salida controlada al medio libre. También existen permisos especiales en el DL 943, que crea el Estatuto laboral y de formación para el trabajo penitenciario, y el DL N°222, de 1974, que extiende beneficios de salidas diarias y dominicales bajo palabra de honor, norma jurídica esta última en desuso[230].

Ahora bien, en el derecho penitenciario contemporáneo, el término beneficio no debe ser entendido como un premio o recompensa del que se hace merecedor la persona condenada. Si bien, para quien se encuentra gozando de un permiso de salida, la flexibilización momentánea de la privación de libertad representa un alivio al régimen totalitario propio del encierro, que puede ser percibido por la persona interna y la comunidad como un premio, la finalidad perseguida a través de los permisos de salida es otra, de modo tal que estos no deben ser considerados como una ventaja o trato preferente por parte de la administración penitenciaria ante una conducta deseada o libre de reproches[231]. Se trata de medidas preparatorias y progresivas en la futura reincorporación del recluso o reclusa al medio libre, lo que ha sido reconocido por distintos instrumentos internacionales.

Así lo establecen las Reglas de Mandela (Regla 86), al disponer que es conveniente que antes de que el recluso termine de cumplir su pena es necesario adoptar las medidas necesarias para asegurarle un retorno progresivo a la vida en sociedad. Indican que este propósito puede alcanzarse, según los casos, con un régimen preparatorio para la puesta en libertad, organizado dentro del mismo establecimiento penitenciario o en otra institución apropiada, o mediante la libertad condicional bajo una vigilancia que no debiera confiarse a la policía y que comprenda una asistencia social eficaz[232].

En el mismo sentido, es importante comprender que estos permisos no constituyen en sí mismo la medida o actividad resocializadora, sino que

---

[230] No tiene aplicación bajo la actual normativa penitenciaria, conforme lo indica el Oficio N°224, de fecha 14 de septiembre de 2011, de la entonces Subdirección Técnica de Genchi.

[231] María Alicia Salinero, "Los permisos de salida en la legislación chilena", *Informe en Derecho Defensoría Penal Pública*, n.°5 (2007): 8. SALINERO ALICIA, Informe en Derecho, Beneficios.pdf

[232] En el mismo sentido, Reglas de Bangkok (Regla 45): "Las autoridades penitenciarias brindarán en la mayor medida posible a las reclusas opciones como la visita al hogar, prisiones abiertas, albergues de transición y programas y servicios de base comunitaria, a fin de facilitar a su paso del encarcelamiento a la libertad, reducir la estigmatización y restablecer lo antes posible su contacto con sus familiares"; Reglas de Bangkok (Regla 63): "Al adoptarse decisiones relativas a la puesta en libertad condicional anticipada se tendrán en cuenta favorablemente las responsabilidades de cuidado de otras personas de las reclusas y sus necesidades específicas de reinserción social".

son el instrumento a través del cual la medida resocializadora se ejecuta en libertad, por ejemplo, tratándose de la salida dominical, la actividad resocializadora es el reforzamiento y mantención de los vínculos familiares o sociales, no la salida del establecimiento por un día.

2.1 Tipos de permisos

2.1.1 Salida dominical (art. 103)

El beneficio de salida dominical consiste en la autorización que da el Alcaide a las personas condenadas que, previo informe favorable del Consejo Técnico y, a partir de los doce meses anteriores al día en que cumplan el tiempo mínimo para optar a la libertad condicional, quieran salir del establecimiento los domingos, sin custodia, por un período de hasta quince horas. Se persigue fortalecer el contacto de la persona con su entorno familiar y personal, así como probar la confiabilidad de este y su desenvolvimiento en libertad.

2.1.2 Salida de fin de semana (art. 104)

El beneficio de salida de fin de semana consiste en la autorización que da el Alcaide a las personas condenadas que quieran salir el fin de semana, previo informe favorable del Consejo Técnico y, siempre que durante tres meses continuos hayan dado cumplimiento cabal a la totalidad de las obligaciones que impone el beneficio de salida dominical. En este caso podrán ser autorizados para salir del establecimiento desde las dieciocho horas del viernes hasta las veintidós horas del día domingo como máximo. Se trata de un permiso amplio que también persigue el fortalecimiento de los lazos familiares y la posibilidad de desarrollar otras actividades.

2.1.3 Salida controlada al medio libre (arts. 105-106)

El beneficio de salida controlada al medio libre consiste en la autorización que da el Alcaide a la persona condenada, previo informe del Consejo Técnico y, a partir de los seis meses anteriores al día en que cumpla el tiempo mínimo para optar a la libertad condicional, para salir durante la semana por un período no superior a quince horas diarias, con el objeto de concurrir a establecimientos laborales, de capacitación laboral o educacional, a instituciones de rehabilitación social o de orientación personal, con el fin de buscar o desempeñar trabajos.

El permiso se concederá por los días y extensión horaria estrictamente necesarios para la satisfacción del objetivo que le sirve de causa, los que deberá corresponder a los indicados anteriormente. Asimismo, se establece la obligación para los beneficiados de presentar con la periodicidad que determine el Alcaide, los antecedentes que den cuenta del provecho que les haya reportado el uso de la salida, tales como contratos de trabajo, certificados de estudio o capacitación, u otros de similar naturaleza, correspondiendo a la administración penitenciaria establecer los controles necesarios. Ahora bien, las personas beneficiadas con este permiso podrán ser autorizadas para gozar de la salida de fin de semana.

2.1.4 *Salida esporádica (art. 100 y ss.)*

La salida esporádica es un beneficio intrapenitenciario que consiste en la autorización para abandonar el recinto penitenciario, bajo vigilancia, por un plazo determinado. Según el motivo que le sirve de fundamento se establecen cuatro tipos de salida, las que se deben otorgar preferentemente en horario diurno, sin que se encuentre prohibido su concesión en horario nocturno. Lo que sí se prohíbe es su otorgamiento de forma conjunta o acumulativa. Veamos cuales son los tipos de salida esporádica:

- **Salida esporádica por hechos de gran trascendencia en la vida familiar**

El Alcaide podrá autorizar, con vigilancia, la salida esporádica de las personas condenadas con el objeto que estos visiten a sus parientes próximos o a las personas íntimamente ligadas con ellos, en caso de enfermedad, accidente grave o muerte de ellos o que estén afectados por otros hechos de semejante naturaleza, importancia o trascendencia en la vida familiar, por un período no superior a diez horas, para lo cual tendrán en cuenta los antecedentes respecto a la conducta y confiabilidad del postulante y las medidas de seguridad que se requieran.

- Salida esporádica para comparecencia personal en diligencias urgentes

La misma autorización se podrá conceder con custodia, para la realización de diligencias urgentes que requieren de la comparecencia personal de la persona interna, lo que se extenderá por el tiempo estrictamente necesario, no pudiendo exceder de seis horas la duración total de la salida.

- Salida esporádica como premio o estimulo especial

El Alcaide podrá autorizar la salida, con vigilancia, una vez al año y por un máximo de diez horas, a las personas internas que habiendo cumplido un tercio de su pena privativa de libertad hayan sido propuestos por el Consejo Técnico como merecedores de este permiso como premio o estímulo especial.

- Salida esporádica para la realización de actividades de reinserción social

El Alcaide, previo informe del Consejo Técnico, podrá autorizar la salida con custodia, a las personas internas que ejecuten actividades deportivas, recreativas, y culturales, por el tiempo estrictamente necesario para el cumplimiento de sus fines.

2.1.5 Permisos de salida establecidos en el DL 943

Existen otros permisos de salida regulados en el DL 943, que aprueba el reglamento que establece un estatuto laboral y de formación para el trabajo penitenciario, los cuales serán vistos en el capítulo relativo al trabajo penitenciario.

2.2 Requisitos

2.2.1 Requisitos comunes a la salida dominical, de fin de semana y salida controlada al medio libre

Antes de entrar al estudio de los requisitos, es necesario reiterar que quedan excluidos de solicitar estos permisos los condenados a presidio perpetuo calificado, pues no pueden ser favorecidos con ninguno de los beneficios que contemple el REP, o cualquier otro cuerpo legal o reglamentario que importe su puesta en libertad, aunque sea de forma transitoria. Excepcionalmente, podría autorizarse la salida, con las medidas de seguridad que se requieran, cuando el cónyuge, conviviente civil, o alguno de sus padres o hijos se encontrare en inminente riesgo de muerte o hubiere fallecido.

- **Tiempo mínimo de cumplimiento de condena**

Los permisos de salida se otorgan a quienes hayan cumplido un tiempo mínimo de privación de libertad. Para determinarlo se distingue entre penas superiores e inferiores a un año. Tratándose de penas superiores a un año, el tiempo mínimo de cumplimiento de condena, para postular a la salida dominical, se cumple en los doce meses previos al tiempo mínimo para postular a la libertad condicional. En el caso de la salida de fin de semana, el tiempo mínimo se cumple en los nueves meses previos al tiempo mínimo para postular a la libertad condicional. Y para el caso de la salida controlada al medio libre, el tiempo mínimo se cumple en los seis meses previos al tiempo mínimo para postular a la libertad condicional.

Tratándose de penas inferiores a un año, se tiene el derecho a postular a los permisos de salida, cumpliendo los requisitos generales cuando les sean aplicables. De acuerdo con el Oficio 201/2020 del Director Nacional de Genchi[233], las personas condenadas a penas iguales o inferiores a un año, que cumplan los requisitos generales, señalados en el art. 110 y que les sean aplicables, podrán optar a permisos de salida, de acuerdo a los siguientes criterios: a) No se exigirá tiempo mínimo de reclusión; b) No es aplicable la calificación de conducta; c) Se debe evaluar, cuando le sean aplicables, los requisitos establecidos en las letras b), c) y/o d) del artículo 110 del REP; d) Podrán postular indistintamente a los permisos de salida dominical, de fin de semana o controlada al medio libre, una vez que empiecen a dar cumplimiento a la pena respectiva.

- **Conducta**

El art. 110 letra a) del REP exige contar con muy buena conducta en los tres bimestres anteriores a la postulación. No obstante, se examinará la conducta del postulante durante toda su vida intrapenitenciaria a fin de

---

[233]   Oficio 201/2020 del Director Nacional de Genchi, de fecha 7 de mayo de 2020.

constatar si, con anterioridad a los tres bimestres referidos, registra infracciones disciplinarias graves a considerar antes de conceder el beneficio.

- **Escuela**

El art.110 letra b) del REP exige haber asistido regularmente y con provecho a la escuela del establecimiento, según conste del informe emanado del Director de la escuela, salvo que el postulante acredite a través de certificados pertinentes, tener dificultades de aprendizaje o estudios superiores a los que brinda el establecimiento. Ahora bien, respecto al concepto de provecho, Molina sostiene que no significa que se ha de aprobar el nivel de educación respectivo, sino que, por mandato reglamentario, el análisis deberá realizarse considerando las circunstancias personales del postulante, sus características y los recursos del establecimiento. De esta forma, el autor señala que se puede plantear, válidamente, el cumplimiento de este elemento en favor de aquellos que tienen problemas de aprendizaje, más aún si no se ha logrado brindar educación diferencial en el establecimiento penal[234].

- **Actividades de reinserción social**

El art. 110 letra c) del REP exige haber participado en forma regular y constante en las actividades programadas en la unidad penal, tales como, capacitación y trabajo, culturales, recreacionales, según informe del jefe operativo.

- **Contar con redes externas de apoyo**

El art. 110 letra d) del REP exige tener la posibilidad cierta de contar con medios o recursos de apoyo o asistencia, sean familiares, penitenciarios o de redes sociales. El recluso o reclusa deberá acreditar que cuenta con estos medios o recursos, para lo cual se evacuará un informe social.

---

234 Francisco Molina, "Estado actual de los beneficios de salida ¿una reforma necesaria o un beneficio mal aprovechado?", *Revista de Derecho Universidad Católica de la Santísima Concepción*, n.°35 (2008): 35.

2.2.2 *Requisitos especiales a la salida esporádica*

Son distintos para cada tipo de salida:

1) Salida esporádica por hechos de especial trascendencia en la vida familiar:

   a) Consentimiento de la persona condenada.
   b) Acreditar el hecho o fundamento de la salida.
   c) Acreditar el parentesco o relación que liga a la persona condenada con el tercero.
   d) Acreditar la ausencia de un peligro de fuga o de comisión de un nuevo delito con ocasión del uso del permiso. Para estos efectos se examinan los antecedentes de conducta y confiabilidad. No se requiere de informe favorable del Consejo Técnico, lo que se comprende por las características de las circunstancias que autorizan la salida: no previsibles y que exigen de una rápida resolución.

2) Salida esporádica para comparecencia personal en diligencias urgentes:

   a) Consentimiento de la persona condenada.
   b) Acreditar el hecho o fundamento de la salida.
   c) Acreditar la ausencia de un peligro de fuga o de comisión de un nuevo delito con ocasión del uso del permiso, bajo los mismos aspectos que la salida anterior.

No se requiere de informe favorable del Consejo Técnico, lo que se comprende por las características de las circunstancias que autorizan la salida: no previsibles y que exigen de una rápida resolución.

3) Salida esporádica como premio o estimulo especial:

   a) Consentimiento de la persona condenada.
   b) Haber cumplido un tercio de la pena impuesta.
   c) Ser propuesto por el Consejo Técnico.
   d) Acreditar la ausencia de un peligro de fuga o de comisión de un nuevo delito con ocasión del uso del permiso.

4) Salida esporádica para la realización de actividades de reinserción social:

a) Consentimiento de la persona condenada.
b) Acreditar el fundamento de la salida.
c) Contar con informe favorable del Consejo Técnico del recinto penitenciario.

2.3 Concesión

El cumplimiento de los requisitos formales solo da derecho a postular, pues la concesión o no del permiso depende de otros factores. Ahora bien, el procedimiento de postulación no tiene una regulación establecida en el REP. En el parecer de Molina, esta falencia procedimental puede subsanarse recurriendo al art. 2° de la Ley N°19.880 que establece las Bases de los Procedimientos Administrativos, y que hace aplicable dicha regulación a los actos administrativos que emanen de Gendarmería. De modo tal que, de acuerdo con lo dispuesto en el art.18, el proceso debe contener al menos tres etapas: iniciación, instrucción y finalización. Asimismo, de conformidad con el art. 10 y 34, las personas interesadas podrían efectuar alegaciones, aportar antecedentes al proceso, y proponer diligencias al Alcaide[235].

De acuerdo con lo dispuesto en el art. 98 del REP, la concesión del permiso respectivo es una facultad privativa del Alcaide, pero condicionada a la existencia de un informe favorable del Consejo Técnico. Por lo tanto, si el informe es negativo, es vinculante para el Jefe del establecimiento. El único caso en que no se requiere participación de este órgano es en la salida esporádica por razones familiares o por comparecencia personal, pues dada la urgencia del permiso se estima razonable que el Jefe del establecimiento decida solo. El quorum de aprobación, por regla general, es la mayoría simple, sin embargo, existen casos especiales que, por la gravedad de los delitos cometidos, se requiere unanimidad, además de la ratificación del Director Regional respectivo. Nos referimos a los crímenes o simples delitos que, de conformidad al derecho internacional de los

---

235   Molina, "Estado actual de los beneficios de salida", 36-37.

derechos humanos y su jurisprudencia, constituyen genocidio, crímenes de lesa humanidad o crímenes o delitos de guerra.

Ahora bien, en la evaluación de la solicitud, el Alcaide y el Consejo Técnico deben evaluar los siguientes factores: peligro de fuga, probabilidades de reincidencia delictiva y avances efectivos en el proceso de reinserción social. Veamos someramente que implica cada uno de ellos:

- **Peligro de fuga**

Para descartar el peligro de fuga, el Alcaide y el Consejo Técnico, cuando corresponda, deberán considerar todas aquellas circunstancias relativas a la confiabilidad de la persona condenada, es decir, elementos que permitan presumir que esta, con ocasión del permiso de salida, no quebrantará su condena. El art. 109 del REP establece criterios que deberán ser evaluados por la autoridad administrativa, los que podrían ser indiciarios de este peligro como, por ejemplo: la gravedad de los delitos cometidos; la gravedad de la pena asignada al delito; el número de delitos que se le imputaren y el carácter de los mismos; la existencia de procesos pendientes; el hecho de encontrarse sujeto a alguna medida cautelar personal y la existencia de condenas anteriores cuyo cumplimiento se encontrare pendiente, atendiendo a la gravedad de los delitos, además de toda otra circunstancia relativas a la confiabilidad del postulante[236].

Se entenderá que son especialmente graves los delitos de homicidio, castraciones, mutilaciones, lesiones graves gravísimas, lesiones graves, lesiones menos graves, violación, abuso sexual, secuestro, sustracción de menores, tormentos o apremios ilegítimos, asociación ilícita, inhumaciones y exhumaciones, cualquiera haya sido la denominación que dichas conductas hubieren tenido al momento de su condena, que fueren perpetrados en el contexto de violaciones a los derechos humanos, por agentes del Estado o por personas o grupos de personas que actuaron con la autorización, el apoyo o la aquiescencia del Estado.

Así lo dispone el art. 109 bis del REP, norma introducida por el Decreto N°924, del Ministerio de Justicia, publicado en el año 2016, el que

---

[236]   Se ha dicho que la gravedad de la pena, la existencia de procesos o condenas pendientes, aumentan las probabilidades de fuga ya que el mayor tiempo que el condenado debiera estar privado de libertad, serían un estímulo fuerte para que este, con ocasión del permiso, no regrese al penal.

tuvo por objeto adecuar la legislación nacional para dar cumplimiento a los compromisos internacionales asumidos por el Estado chileno en materia de derechos humanos. En su mensaje se deja por sentado que los crímenes o simples delitos que, de conformidad al derecho Internacional de los derechos humanos y su jurisprudencia, constituyen genocidio, crímenes de lesa humanidad o crímenes o delitos de guerra, son considerados hechos de la más alta gravedad, que lesionan profundamente los principios básicos de todo Estado Democrático de Derecho y que, por lo mismo, merecen el mayor de los reproches por parte de la comunidad internacional que adscribe al respeto irrestricto de los derechos humanos. De esta forma, tratándose de delitos cuya naturaleza pugna con los más elementales derechos de que goza la persona humana, resulta justificado elevar el estándar para el otorgamiento de beneficios.

- **Probabilidad de reincidencia delictiva**

Los permisos de salida se otorgan cuando pueda presumirse que la persona condenada respetará las reglas que regulan el permiso y no continuará su actividad delictiva. Para descartar dicha probabilidad, el art. 96 del REP menciona dos elementos: necesidades de reinserción social y evaluación respecto de la participación del postulante en actividades para la reinserción social que, con su colaboración, se hayan determinado según los requerimientos específicos de atención.

Las necesidades de reinserción social del recluso o reclusa están en directa relación con el fin atribuido al cumplimiento de las penas privativas de libertad y al carácter instrumental de los permisos de salida. Por lo tanto, el Alcaide deberá determinar si la concesión del permiso satisface o no esas necesidades. Si la medida no responde al fin resocializador o si este se puede lograr dentro del establecimiento penal, la autoridad deniega la solicitud.

- **Evaluación de los avances efectivos en el proceso de reinserción social**

Para estos efectos, el art. 97 del REP dispone que será fundamental el informe psicológico que dé cuenta de la conciencia del delito, del mal causado con la conducta y de la disposición al cambio. Se pretende constatar que la persona interna responde efectiva y positivamente a las orientaciones de los planes y programas de reinserción social y, por otra, evitar la mera instrumentalización del sistema con el fin de conseguir beneficios.

Tratándose de concesión de permisos a personas condenadas por crímenes o simples delitos que, de conformidad al derecho internacional de los derechos humanos y su jurisprudencia, constituyen genocidio, crímenes de lesa humanidad o crímenes o delitos de guerra, el informe respectivo deberá dar cuenta, además, del arrepentimiento por los hechos cometidos. Asimismo, para poder autorizar alguno de los permisos de salida a estas personas, el art. 109 ter (norma introducida por el Decreto N°924), dispone que estas, además de cumplir con los requisitos generales para su obtención, deberán acreditar por cualquier medio idóneo que han aportado antecedentes serios y efectivos en causas criminales por delitos de la misma naturaleza. Para estos efectos se considerará la colaboración realizada en las causas en que actualmente se investigue, se juzgue o se haya juzgado a la persona condenada, incluso cuando aquella se hubiere prestado con posterioridad a la dictación de la respectiva sentencia condenatoria. La misma regla se aplicará tratándose de la colaboración prestada en causas de la misma naturaleza, seguidas en contra de otras personas.

Por último, en la consideración de todos los requisitos mencionados y en la evaluación de todos los factores, deberá siempre tenerse presente las circunstancias personales del postulante y las características y recursos del establecimiento.

2.4 Renovación o concesión de un nuevo permiso

Previo a la renovación o concesión de un nuevo permiso, el Alcaide evaluará el uso que se ha hecho de la salida anterior. El incumplimiento de cualquiera de las obligaciones que se imponga a la persona beneficiaria facultará a la autoridad para suspender o revocar el permiso. De igual forma, si las circunstancias existentes al momento de conceder el permiso cambian, de modo que ya no resulta aconsejable mantenerlo, la autoridad debe suspenderlo o revocarlo.

Ahora bien, antes de hacer efectivo un permiso de salida, el Alcaide informará a las personas internas, individual o colectivamente, de las obligaciones que deben cumplir, tales como, las limitaciones horarias, presentación personal al regreso u otras que el caso amerite. Deberá indicarles, expresamente, que el incumplimiento de cualquiera de las obligaciones importará la suspensión o revocación del beneficio. Respecto de las personas extranjeras, la autoridad penitenciaria deberá recabar información relativa a la existencia de alguna orden de expulsión pendiente y deberá dar a conocer a las autoridades pertinentes que se hará uso de un permiso de salida, a fin de evitar una expulsión anticipada.

2.5 Suspensión y revocación de un permiso

Las causales de suspensión y revocación de un permiso de salida se encuentran en diversas disposiciones del REP. Se distinguen distintos supuestos:

- **Modificación de las circunstancias que dieron origen a la concesión del permiso (REP, art. 99)**

El Alcaide deberá suspender o revocar el permiso de salida si las circunstancias que se tuvieron en vista al momento de su concesión cambian, de modo tal que ya no resulte aconsejable la mantención de la medida. Estas modificaciones o cambio de circunstancias deben tener lugar con posterioridad a su otorgamiento. Pueden referirse a hechos que recaigan exclusivamente en la persona o conducta de la misma, o comprender hechos que digan relación con el motivo de la salida como, por ejemplo, la mejoría del estado de salud de familiar, en el caso de un permiso o salida esporádica. Por lo tanto, no cubre el cambio en la apreciación jurídica de las circunstancias que existían al momento de otorgamiento de la medida y que se mantuvieron invariables[237].

- **Comisión de un nuevo delito y quebrantamiento de condena durante o con ocasión de un permiso de salida (REP, art. 113)**

La comisión de un nuevo delito, durante o con ocasión de un permiso de salida, implica su revocación y se aplica a las personas internas que

---

[237] Corte de Apelaciones de Valdivia. SCA Rol N°66-2018 de 1 de octubre de 2018, resolvió acoger amparo interpuesto en favor de varios condenados de la cárcel de Río Bueno, que habían sido beneficiados con distintos permisos de salidas, y que contaban con informe favorable del Consejo Técnico de su penal de origen. Sin embargo, por razones de fuerza mayor, los internos fueron trasladados al Complejo Penitenciario de Valdivia, en donde se realiza un nuevo Consejo Técnico que informa negativamente la mantención de las medidas, sin que haya habido un cambio de circunstancias atribuibles a los presos. La Corte acoge el amparo y mantiene los permisos.

ingresen o reingresen al establecimiento en calidad de detenidas, sujetas a prisión preventiva o condenadas por un nuevo delito, cometido mientras hacían uso de alguno de los permisos de salida. Si Gendarmería toma conocimiento de la imputación delictiva, pero la persona no ingresa o reingresa al establecimiento en alguna de las calidades señaladas anteriormente, la administración penitenciaria no podría revocar el permiso, a lo más solo podría suspenderlo[238].

Si, por el contrario, se revoca el permiso por el supuesto de ingresar o reingresar al recinto penitenciario, en alguna de las calidades señaladas anteriormente, y luego se decreta la libertad por falta de mérito, se revoca la resolución que lo somete a proceso, se decreta sobreseimiento temporal y definitivo o se dicta sentencia absolutoria, se debe restituir el derecho a postular a nuevos beneficios en las condiciones que se tenían antes del nuevo encarcelamiento o en los términos previstos en el art.111 del REP, según corresponda.

Ahora bien, en el caso de quebrantamiento de condena se distingue dos situaciones: a) Una presentación voluntaria a la unidad penal después de la fecha y/u hora establecida, es decir, la persona se presenta con retraso y; b) Un quebrantamiento de condena propiamente tal. El primer caso se corresponde con un incumplimiento de las obligaciones impuestas, por lo que ameritaría la suspensión del permiso si el retraso es injustificado, y no su revocación. Así, se desprende del art. 80 letra g) del REP, que establece como supuesto de falta disciplinaria leve el presentarse al establecimiento después de las horas fijadas cuando se hace uso de un permiso de salida. En el segundo caso, se entiende que la persona se ha fugado durante o con ocasión del permiso, es decir, no volvió al establecimiento penitenciario.

- Incumplimiento de las órdenes impartidas (REP, art. 99)

El cumplimiento de las obligaciones establecidas por el Alcaide es condición de vigencia del permiso ya que el incumplimiento de ellas importará su suspensión o revocación. La determinación de la medida a aplicar

---

[238] Corte de Apelaciones de Valdivia. SCA Rol N°34-2019 de 22 de mayo de 2019, acoge acción de amparo por revocación de permiso de salida basado en la noticia informal que tuvo el Alcaide y el Consejo Técnico de que el interno se vio envuelto en un hecho que podría revestir carácter de delito, lo que fue denunciado al Ministerio Público. Sin embargo, el condenado no ingresó al recinto penal en calidad de detenido o preso como dice la regla.

queda entregada a la discreción de la autoridad, según sea la gravedad de la falta cometida, es decir, impone un criterio de proporcionalidad a la discrecionalidad. De esta forma, si la medida no es proporcional al tipo de incumplimiento es posible impugnar la decisión.

En todos los supuestos de suspensión y revocación las circunstancias que justifican la causal deberán acreditarse y ponerse en conocimiento de la persona condenada, el que tendrá derecho a ser oída. Por lo tanto, la decisión ha de tomarse una vez se permita esta diligencia. Con todo, adoptada la decisión, desde el momento que se notifica a la persona condenada queda sin efecto el permiso, lo que repercute en la calificación de la conducta la que normalmente es calificada con nota mínima, es decir "pésima". Ello significa que, para volver a solicitar un permiso, el recluso o reclusa deberá lograr varios bimestres de muy buena conducta, lo que establece un plazo adicional de espera o suspensión[239].

2.6 Efectos del uso insatisfactorio de un permiso

En el caso que se haya hecho uso de un permiso de salida en forma insatisfactoria, para volver a postular se debe cumplir con requisitos adicionales

- **En el caso de quebrantamiento de condena (REP, art. 111)**

Las personas condenadas que hayan quebrantado o que voluntariamente hayan dejado de cumplir su pena privativa de libertad, deberán cumplir un tercio del saldo insoluto de la pena quebrantada para efectos de postular nuevamente a un permiso de salida, cualquiera sea el plazo que les falte para cumplir el tiempo mínimo de postulación a la libertad condicional. Sin perjuicio de ello, y en conformidad con el principio de inocencia que rige en el proceso penal, se establece que el Alcaide podrá otorgar un nuevo permiso mientras no se haya dictado sentencia por quebrantamiento.

---

[239] De acuerdo con lo establecido en el art. 112 del REP, el Tribunal de conducta solo podrá aumentar en un grado la nota de conducta que el recluso haya obtenido en el bimestre anterior.

- **Comisión de un nuevo delito (REP, art. 113)**

La persona condenada que con ocasión de un permiso de salida cometa un nuevo delito, no podrá postular nuevamente durante el tiempo que le reste de condena. Sin embargo, podrá solicitar un nuevo permiso luego de cumplir, efectivamente privado de libertad, el saldo de condena que estaba cumpliendo al momento que le fuere revocado el permiso, y luego de cumplido los tiempos mínimos que determine el nuevo delito cometido. Sin perjuicio de ello, la libertad por falta de méritos, la revocación de la resolución que somete a proceso, los sobreseimientos temporal y definitivo y la sentencia absolutoria restituirán a este su derecho a postular a nuevos permisos de salida.

2.7 Recursos

El acto administrativo que resuelve la solicitud de un permiso de salida no está exento del deber de fundamentación, lo que debe ser coherente con el mérito de los antecedentes y con el respeto de los principios que el propio REP, la Constitución y los tratados internacionales establecen para orientar el tratamiento penitenciario. De esta forma, el acto administrativo siempre es susceptible de impugnación, tanto en sede administrativa como judicial, aun cuando el REP no establezca directamente esta vía recursiva. Tratándose del procedimiento administrativo, es posible aplicar supletoriamente la Ley N°19.880, y en el caso del control jurisdiccional, el juez siempre puede controlar la legalidad y posible arbitrariedad de la medida, a través de las acciones constitucionales y recursos procesales que nuestro sistema de justicia penal establece[240].

---

[240] Corte Suprema. SCS Rol N°19147-2017 de 22 de mayo de 2017; SCS Rol N°1506-2014 de 21 de enero de 2014. En este último caso el máximo tribunal confirma decisión de la Corte de Apelaciones de Rancagua, que restituye beneficios de salidas revocados por Gendarmería, pues la no presentación oportuna del interno a la unidad penal no le era imputable. Corte de Apelaciones de San Miguel. SCA Rol N°251-2017 de 1° de julio de 2017. En este caso se acoge acción de amparo en favor de condenado al que se le había negado permiso de salida, por existir informes contradictorios emanados de la propia institución. Corte de Apelaciones de la Serena. SCA Rol N°56-2014 de 6 de junio de 2014. En este caso se acoge acción de amparo pues Gendarmería al suspender los beneficios al condenado sin ajustarse a un racional y justo procedimiento, ha incurrido en un acto arbitrario e ilegal. Corte de Apelaciones de Copiapó. SCA Rol N°145-2013 de 3 de mayo de 2013. La Corte acoge acción de amparo, dejando sin efecto la suspensión de la salida dominical de un interno. Las decisiones de los órganos del Estado deben cumplir con estándares de racionalidad y fundamentación suficiente de sus determinaciones.

CAPÍTULO SEXTO

BENEFICIOS QUE EXCARCELAN

1. LIBERTAD CONDICIONAL

1.1 Concepto

La libertad condicional ha sido definida, tradicionalmente, como un beneficio penitenciario que adelanta el momento de la excarcelación[241], lo que implica un cambio radical de las condiciones de cumplimiento de condena haciendo variar diametralmente la intensidad del castigo penal. Su principal efecto es que no modifica ni extingue la pena, sino que esta se cumple de otra forma, no con privación de libertad absoluta, sino que bajo una libertad condicionada. Su fundamento se encuentra en la visión de los movimientos de reforma penitenciaria de los siglos XVIII y XIX que ven como fin principal de la ejecución de la pena privativa de libertad la resocialización de la persona condenada.

Los instrumentos internacionales sobre la materia no consagran un derecho a la libertad condicional, pero si hacen hincapié en la importancia

---

[241] Mapelli, *et.al.*, *Ejecución de la pena*, 281. La doctrina ha señalado que "el concepto de beneficio penitenciario históricamente fue elaborado en el ámbito del derecho privado, y se interpretó como equivalente al *status* de una persona, en un sentido similar al derecho de gracia, reconocido a determinadas personas que, por hallarse en una situación jurídica especial, merecían asimismo contrarrestar los perjuicios derivados de esa especialidad. Valga como ejemplo el llamado beneficio de abdicación, que permitía a la viuda renunciar a toda participación en los bienes del matrimonio, exonerándose de las deudas que el esposo hubiese contraído. Frente a esta primera aproximación, la Ciencia Penitenciaria aportó otro significado al concepto de "beneficio", bien distinto del anterior, entendido ya no como un *status* de la persona, sino como la propia acción con la que se mejora la condición de una persona y que se ajusta más fielmente a su acepción actual".

de que exista un sistema de evaluación de libertades anticipadas, y un sistema de beneficios adaptado a las diferentes categorías de la población penitenciaria y a los diferentes métodos de tratamiento. Por consiguiente, la obligación del Estado es mantener un sistema que permita la evaluación de libertades anticipadas para todas las personas privadas de libertad.

En Chile, la libertad condicional se encuentra regulada en el Decreto Ley N°321 de 1925, del Ministerio de Justicia y su reglamento[242], normativa que ha sido objeto de varias modificaciones, siendo relevante la última introducida por la Ley N°21.124, de fecha 19 de enero de 2019, que redefine el instituto, al señalar en su primer artículo, que la libertad condicional es un medio de prueba de que la persona condenada a una pena privativa de libertad y a quien se le concediere, demuestra avances en su proceso de reinserción social.

Para comprender el alcance de la nueva formulación es necesario referirse a la norma anterior, la que disponía que la libertad condicional era un medio de prueba de que el *"delincuente"*, condenado a una pena privativa de libertad y a quien se le concediere, se encontraba corregido y rehabilitado para la vida social. En consideración a la literalidad de la norma, se interpretaba que el cumplimiento adecuado del régimen de libertad condicional era una demostración de que la persona condenada estaba preparada para el medio libre y, por consiguiente, la propia libertad condicional era la prueba o la demostración de esa reinserción. Con la modificación, la libertad condicional se otorga a las personas condenadas que han demostrado avances en su proceso de reinserción social, no que "estén preparados para la vida en el medio libre"[243]. Este cambio en el modo de concebir el instituto es una manifestación del carácter progresivo que tienen los beneficios penitenciarios, de modo tal que esa parte de la condena que se cumple en libertad sigue participando del proceso de resocialización.

---

[242] Decreto N°338 del Ministerio de Justicia, publicado en el Diario oficial el 17 de septiembre de 2020.
[243] Departamento de Estudios Defensoría Nacional. "La libertad condicional bajo las nuevas normas del Decreto Ley N°321". (Defensoría Penal Pública, 2019), 2. 14270.pdf (dpp.cl). La Defensoría Penal Pública ha sostenido que este artículo no viene a incorporar un criterio adicional, y sólo pretende ilustrar el hecho de que el cumplimiento de la pena constituye un proceso y que, si bien toda forma de cumplir una condena se debe orientar a la reinserción, bajo el principio de progresividad para obtener este beneficio, es necesario demostrar algún avance o progreso en la capacidad demostrada por el sujeto para enfrentar la vida en el medio libre.

1.2 Naturaleza jurídica

En un comienzo la libertad condicional fue considerada como un auténtico beneficio, un premio, una gracia otorgada por la autoridad administrativa al buen recluso o reclusa, esto es, a la persona con muy buena conducta y que, además, hubiese demostrado avances en su proceso de resocialización. Por lo tanto, obedecía a un acto discrecional de la administración penitenciaria, no siendo obligatorio su otorgamiento. Se asociaba más bien con la idea de castigo -expiación de ese castigo y premio, lo que estaba directamente relacionado con los fines retributivos de la pena.

Con posterioridad, la comprensión del concepto evolucionó hasta concebir el instituto como un derecho subjetivo supeditado a la concurrencia de ciertos requisitos legales. Es decir, de concurrir los requisitos legales o reglamentarios, la administración penitenciaria debía otorgar la libertad condicional. Esta interpretación se consideró acorde con el fin resocializador de la pena privativa de libertad, y con la idea de restringir cada vez más la discrecionalidad de quien lo otorga[244].

Sin embargo, en nuestro derecho, y a partir de la reciente modificación, se produjo una regresión en la comprensión del concepto. El art. 1° inc. 2° del DL N°321 dispone expresamente que la libertad condicional es un beneficio, desconociendo el carácter de derecho que la doctrina y jurisprudencia de la Corte Suprema le había estado otorgando, conforme a la antigua redacción de la norma. Al respecto, el máximo tribunal, en variada jurisprudencia, venía sosteniendo que de concurrir los requisitos legales la Comisión de libertad condicional no puede rechazar su otorgamiento, careciendo de margen de discrecionalidad en su decisión, y que todo rechazo debía fundarse en la falta de alguno de estos requisitos[245].

No obstante, y a pesar de la literalidad de la norma, se puede seguir afirmando que la ley sigue exigiendo requisitos objetivos para su concesión. De este modo, es posible decir que redefinir la libertad condicional como un beneficio no debiese tener mayores repercusiones prácticas,

---

[244]   En el derecho comparado destaca el trabajo de Mapelli y en nuestro derecho véase Ana María Morales, "Redescubriendo la libertad condicional", *Conceptos Fundación Paz Ciudadana* (2013): 1-21.

[245]   Corte Suprema. SCS Rol N°16821-2018 de 30 de julio de 2018; SCS Rol N°45850-2017 de 4 de enero de 2018; SCS Rol N°45121-2017 de 28 de diciembre de 2017; SCS Rol N°133-2017 de 10 enero 2017. Corte de Apelaciones de Valparaíso. SCA Rol N°233-2017 de 8 de julio de 2017.

puesto que la medida sigue sujeta a la concurrencia de requisitos objetivos y a la exigencia de fundamentación por parte de la autoridad[246].

1.3 Requisitos

La libertad condicional al constituir un beneficio que adelanta el momento de la excarcelación está pensada para condenas de larga duración. Por ello, es requisito previo que la condena privativa de libertad sea de un año o más. Cumplido ello, el art. 2° del DL N°321 establece los restantes requisitos:

1.3.1 Tiempo mínimo de cumplimiento de condena

La regla general es haber cumplido de forma efectiva la mitad del tiempo de condena impuesta en la sentencia definitiva. Las excepciones dicen relación con ciertos delitos que por diferentes razones (gravedad o simplemente decisiones de política criminal) exigen de tiempos mínimos mayores de cumplimiento de condena. Estas situaciones especiales se regulan en los arts. 3°, 3° bis y 3° ter del DL N°321 y son las siguientes:

i. Personas condenadas a presidio perpetuo calificado: solo podrán postular a la libertad condicional cumplidos cuarenta años de privación de libertad efectiva. Si la Comisión de libertad condicional rechaza el beneficio, no es posible volver a postular sino después de dos años desde su última presentación.

ii. Personas condenadas a presidio perpetuo simple: solo podrán postular al beneficio de la libertad condicional una vez cumplidos veinte años de privación de libertad. A diferencia del caso anterior, si no se concede, no existe la restricción de dos años para una nueva postulación.

iii. Personas condenadas por los delitos de parricidio, femicidio, homicidio calificado, robo con homicidio, violación con homicidio, violación, infanticidio, y por los delitos contemplados en el número 2 del art. 365 bis y en los arts. 366 bis, 366 quinquies, 367, 411 quáter, 436 y 440, todos del CP; homicidio de miembros de las policías, de integrantes

---

[246]   Departamento de Estudios Defensoría Nacional, "La libertad condicional", 4.

del cuerpo de Bomberos y de Gendarmería, en ejercicio de sus funciones; y el delito de elaboración o tráfico de estupefacientes: solo
podrán postular a este beneficio cuando hubieren cumplido dos tercios de la pena.

iv. Personas condenadas a dos o más penas, cuya suma alcance o supere
los cuarenta años de privación de libertad: solo podrán postular al
beneficio de libertad condicional una vez que hayan cumplido veinte
años de reclusión.

v. Personas condenadas por los incisos tercero y cuarto del art. 196 de
la Ley N°18.290: solo podrán postular una vez que hayan cumplido
dos tercios de la condena.

vi. Personas condenadas a presidio perpetuo por delitos contemplados
en la Ley N°18.314 (que determina conductas terroristas y fija su
penalidad) y, además condenadas por delitos sancionados en otros
cuerpos legales: solo podrán postular al beneficio de la libertad condicional una vez que hayan cumplido diez años de pena, siempre que
los hechos punibles hayan ocurrido entre el 1° de enero de 1989 y
el 1° de enero de 1998 y suscriban previamente una declaración que
contenga una renuncia inequívoca al uso de la violencia.

vii. Respecto de las mujeres condenadas en estado de embarazo o maternidad de hijo menor de 3 años se establece una regla especial: Si
se trata de los delitos señalados en los incisos tercero y quinto del
art. 3°, se podrá conceder la libertad condicional una vez cumplida
la mitad de la pena privativa de libertad de forma efectiva. Para que
se pueda aplicar esta norma, el informe de postulación que elabora
Gendarmería deberá contener la indicación del estado de embarazo
o maternidad de hijo menor de 3 años de la mujer que postula al
beneficio.

viii. Personas condenadas por delitos de homicidio, homicidio calificado,
secuestro, secuestro calificado, sustracción de menores, detención
ilegal, inhumación o exhumación ilegal, tormentos o rigor innecesario, y asociación ilícita, que la sentencia en conformidad al derecho internacional, hubiere considerado como genocidio, crímenes
de lesa humanidad o crímenes de guerra, cualquiera haya sido la
denominación o clasificación que dichas conductas hubieren tenido
al momento de su condena; o por alguno de los delitos tipificados en
la Ley N°20.357: podrán postular a este beneficio cuando, además

de los requisitos del art. 2º, hubieren cumplido dos tercios de la pena o, en caso de presidio perpetuo, los años de privación de libertad efectiva establecidos en los incisos primero y segundo del art. 3º, según corresponda.

Ahora bien, es posible que se susciten diversas situaciones a la hora de determinar el tiempo mínimo de postulación a la libertad condicional. Veamos algunas de ellas:

- **Persona condenada cumpliendo dos o más penas privativas de libertad**

En el caso de cumplimiento de dos o más penas privativas de libertad, el art. 2º Nº1 del DL 321, dispone que se sumará su duración, y el total que así resulte se considerará como la condena impuesta para calcular el tiempo mínimo aplicable. Es decir, por "tiempo de condena", se entiende el total de las condenas que se estén cumpliendo, incluyendo las que se impongan mientras cumple estas, deducidas las rebajas que haya obtenido por gracia (es decir, por aplicación de otras figuras jurídicas que tengan como efecto la modificación de la pena). Ahora bien, si la persona es condenada por dos o más delitos sometidos a distintas exigencias surge la interrogante de cómo calcular el tiempo mínimo. Veamos dos ejemplos:

Ejemplo 1:

El condenado "X" cumple una condena por delito de lesiones menos graves, ilícito que exige el cumplimiento efectivo de la mitad del tiempo de condena y, además, cumple una condena por robo con intimidación, cuyo tiempo mínimo de postulación es de dos tercios. ¿Se aplica la mitad o dos tercios de cumplimiento efectivo de condena para efectos de la postulación? o, ¿se suma la mitad del tiempo del delito común y dos tercios del otro delito? En virtud del principio de legalidad habrá de aplicar a cada delito la exigencia propia de su tiempo mínimo y luego se hace el cálculo total. Sin embargo, Gendarmería, en la práctica, hace el cálculo teniendo en consideración el delito más grave, opinión que también ha sostenido la Contraloría General de la República[247].

---

[247] Contraloría General de la República: Dictamen Nº2.771, 3 de febrero de 2020. La misma opinión ha sostenido la Contraloría, quien ha sostenido que "los reos sentenciados a penas superiores a veinte años por haber cometido más de un delito y entre estos alguno de los delitos detallados en el inciso tercero del artículo 3° del Decreto Ley N°321, deben cumplir dos tercios de la condena para

Ejemplo 2:

El condenado "Y" cumple varias condenas por delitos contra la propiedad cuya suma total supera los cuarenta años de privación de libertad. Todas estas infracciones penales están sometidas a la regla de los dos tercios. Sin embargo, también existe la regla especial del art. 3° inc. 4° del DL N°321 que establece que *las personas condenadas a dos o más penas, cuya suma alcance o supere los cuarenta años de privación de libertad, sólo podrán postular al beneficio de libertad condicional una vez que hayan cumplido veinte años de reclusión.* Es decir, se trata de un caso subsumible en dos supuestos legales: la regla del art. 3° inc. 3° que exige dos tercios del cumplimiento efectivo de condena o, la regla especial del art. 3° inc. 4°, cuya exigencia es de veinte años de privación de libertad. Bien, aplicando el principio de especialidad, pro-reo, pro homine, y realizando una interpretación sistemática y armónica de las normas que regulan la libertad condicional de las personas condenadas a presidio perpetuo, habrá de concluirse que la persona puede postular a los veinte años de cumplimiento efectivo de sus penas. Así lo ha resuelto alguna jurisprudencia:

> Que, además de lo anterior, analizando el tratamiento que tiene el presidio perpetuo, en la reglamentación el artículo 3 inciso 2° del DL 321, pena de encarcelamiento que lo es por toda la vida que le reste a la persona condenada, se otorga al condenado el derecho a postular a los veinte años de cumplimiento efectivo de la pena. Cabe preguntarse entonces ¿resulta razonable exigir al amparado un tiempo mayor a los 20 años, en circunstancias que si su condena fuera a presidio perpetuo simple sí tendría esa posibilidad? ¿Considerando que la pena de presidio perpetuo simple, lo es por toda la vida que le reste a la persona condenada, es equitativo hacer exigencia mayor a un condenado a penas que suman 52 años?[248].

---

acceder al beneficio de la libertad condicional, única regla aplicable según se reitera en el artículo 4°, n°1, del citado Decreto N°2.442, de 1996".

[248] Corte de Apelaciones de Valdivia. SCA Rol N°103-2020 de 1° de diciembre de 2020. Corte de Apelaciones de Santiago. SCA Rol N°3287-2018 de 2 de enero de 2019: "Que, de este modo, en el caso de la especie, en que el amparado fue condenado a diez años y un día de presidio como autor de robo con intimidación y veinte años como autor de robo con homicidio, para optar la libertad condicional debe cumplir seis años ocho meses por el primer ilícito y trece años cuatro meses por el segundo, esto es, veinte años. [...] la conclusión anterior resulta igualmente falta de lógica, de justificación y de justicia que aquella a que se ha hecho mención en la parte final del motivo que antecede, pues carece de razonabilidad que una persona condenada a presidio perpetuo pueda optar antes a la libertad condicional que otra condenada a penas que, aunque varias, tengan una limitación temporal determinada [...] una interpretación lógica del artículo 3° del Decreto Ley N° 321, especialmente de su inciso cuarto, conduce a concluir, por una parte y como se dijo, que si entre las varias condenas hay una o más por delitos que exigen dos tercios de cumplimiento para gozar de libertad condicional, deben cumplirse esos dos tercios aun cuando ese tiempo sume más de diez años, Pero, por otra, si en la misma hipótesis o incluso no concurriendo delitos que exigen tal cumplimiento, la suma del

- **Persona condenada que hubiere obtenido por gracia alguna rebaja o se le hubiere fijado otra pena:**

Este supuesto tratado por el art. 2° N°1 del DL 321 dispone que se ha de considerar la pena rebajada como condena definitiva. En consecuencia, si la persona condenada ha obtenido rebaja de meses por año, en conformidad a la Ley N°19.856, o la pena se reduce por efecto de unificación de penas, prescripción, u otro instituto similar, entonces la nueva fijación de pena es la que se considera para calcular el tiempo mínimo de postulación.

1.3.2 Conducta intachable

En nuestro sistema penitenciario la piedra angular sobre el cual descansa el sistema de beneficios es la conducta. Tratándose de la libertad condicional se exige "conducta intachable durante el cumplimiento de la condena". En términos generales, se dice que es conducta intachable aquella que no admite falta, tacha o reproche alguno, es decir, se trata de una definición que está dentro del ámbito de lo moral, por lo que en materia penitenciaria este concepto no podría tener ese cariz. Por ello, la conducta intachable para efectos de la libertad condicional se define legalmente en el art. 2° N°2, como la calificación de la conducta con nota "muy buena" en los cuatro bimestres anteriores a la postulación o, en caso de que la condena impuesta no excediere de quinientos cuarenta y un días, nota "muy buena" durante los tres bimestres anteriores a la postulación.

Antes de las modificaciones que introdujo la Ley N°21.124 se utilizaba el mismo término: conducta intachable, pero no estaba definido legalmente, de modo tal que la jurisprudencia interpretaba de forma amplia el concepto. Con la modificación se zanja la problemática, de modo tal que lo único que verifica la Comisión de libertad condicional respecto de este requisito, es la concurrencia de la nota "muy buena" en los cuatros o tres bimestres anteriores, según corresponda.

---

tiempo exigido excede los veinte años, ese tiempo debe ser, precisamente, veinte años". En el mismo sentido, Corte de Apelaciones de la Serena. SCA Rol N°981-2019 de 8 de agosto de 2019.

1.3.2.1 Breve excurso: la conducta y su calificación

Todo lo concerniente a la conducta y su calificación está regulado en el art. 2° N°2 del DL 321, el DS N°338, y la Resolución Exenta N°5419, que aprueba el procedimiento para la calificación de la conducta. La nueva regulación tuvo por objeto disminuir la discrecionalidad de la administración penitenciaria, evidenciada en la disparidad de criterios que se podían hallar en los distintos establecimientos penitenciarios, por lo que hoy la calificación de la conducta es un procedimiento estandarizado.

A diferencia de lo que ocurría anteriormente, el poder de decisión se descentraliza en distintos funcionarios administrativos que evalúan diferentes factores del comportamiento de las personas internas, para luego proponer una evaluación promedio al Jefe del establecimiento penitenciario. Este último calificará la conducta, en base a lo propuesto por un tribunal denominado "Tribunal de conducta", y en consideración a las faltas graves y menos graves sancionadas que podrían afectar a la persona en el período respectivo. Asimismo, la normativa introduce la posibilidad de que terceros externos a la administración penitenciaria puedan participar con derecho a voz en el tribunal y se menciona expresamente la posibilidad de impugnación administrativa de la resolución que califica la conducta.

La calificación de la conducta se define por la regulación como la acción realizada por el Jefe del establecimiento penitenciario de régimen cerrado o semiabierto, consistente en la calificación de la conducta de una persona condenada a una pena privativa de libertad de más de un año de duración. Lo anterior, en base a los antecedentes proporcionados y analizados por el Tribunal de conducta, el que considerará como factores: la adaptación al régimen interno y la participación en actividades de reinserción social, en un período bimestral.

Por ello, en todo establecimiento penitenciario donde haya personas condenadas a penas privativas de libertad, habrá un Tribunal de conducta. Este tribunal no ejerce jurisdicción, sino que es un órgano administrativo colegiado que está integrado por personas que desempeñan los siguientes cargos o funciones: Jefatura técnica local; Jefatura de régimen interno; Encargado de coordinar los programas laborales y de capacitación al interior de los establecimientos penitenciarios; Encargado de realizar la coordinación del ámbito educacional en el establecimiento penitenciario, y un Secretario, designado por el Jefe del establecimiento penitenciario, que tiene la función de registrar en un acta todas las opiniones y sus fundamentos. Asimismo, pueden integrarlo con derecho a voz, un miembro de los Tribunales de Justicia designado por la Corte de Apelaciones, un miembro de la Defensoría Penal Pública, designado por la Jefatura de la Defensoría Regional, y un miembro del Ministerio Público, designado por la Jefatura de la Fiscalía Regional.

El órgano se reúne de manera bimestral, dentro de los primeros cinco días hábiles del mes siguiente al bimestre a evaluar (comenzando por los meses de enero-febrero) y, extraordinariamente, cuando lo cite el Jefe del establecimiento[249], y su función es evaluar dos factores: la adaptación al régimen interno y la participación en actividades de reinserción social. La adaptación al régimen interno se evalúa en función del cumplimiento satisfactorio de las normas del régimen penitenciario, tales como las relacionadas con el respeto a los procedimientos de seguridad o régimen interno, y el comportamiento mostrado durante traslados, visitas y salidas autorizadas. También se evalúa la conservación del aseo, cuidado y mantención del equipamiento e instalaciones del establecimiento penitenciario. No se tomará en cuenta para la evaluación de este factor las faltas menos graves y graves sancionadas en el bimestre a evaluar, ya que su consideración se hace por el Jefe del establecimiento penitenciario al momento de calificar la conducta, a diferencia de las faltas leves las que sí se evalúan.

Por su parte, la participación en actividades de reinserción social es voluntaria y está sujeta a la realidad de cada establecimiento penitenciario. Por lo tanto, la evaluación ha de tomar en consideración la oferta programática, disponibilidad de cupos en las actividades, dotación de profesionales, entre otros, que exista en cada unidad penal. A su vez, dentro de este factor se evalúan distintas áreas: intervención especializada, actividades educacionales, actividades laborales[250], las cuales tienen asignada una ponderación específica.

---

[249] Le corresponde al Jefe del establecimiento penitenciario citar a las sesiones y comunicar los acuerdos del Tribunal de conducta, debiendo asistir a todas las sesiones que se realicen. Para que pueda llevarse a efecto una sesión, se requiere la asistencia de la totalidad de las personas que la integran o, en caso de ausencia o impedimento de alguna de ellas, de quienes les subroguen o reemplacen, según corresponda.

[250] De acuerdo con la Res. Exe. N°5419 de Director Nacional de Genchi, de 5 de noviembre de 2020 (arts. 13 y ss.): El área de intervención especializada comprende: la valoración de la asistencia a actividades estructuradas sugeridas en el plan de intervención individual orientadas a influir específicamente en el riesgo de reincidencia delictual, siempre y cuando se encuentren disponibles para la

Realizada la evaluación de cada factor[251] y sus respectivas áreas, corresponde determinar el término medio de las notas que será propuesta a la Jefatura del establecimiento penitenciario. Esta última autoridad calificará la conducta, dentro de los primeros cinco días hábiles del mes siguiente al bimestre a valorar, en base a la proposición hecha por el Tribunal de conducta, y considerando las faltas graves y menos graves sancionadas en el período respectivo. Ahora bien, en caso de que la Jefatura determine una nota distinta al término medio de las notas examinadas en cada área, deberá consignar claramente los fundamentos de la decisión y los antecedentes que se tuvieron a la vista. Con todo, la Jefatura solo podrá aumentar en una nota en la escala de evaluación, la calificación de conducta que haya obtenido una persona en el bimestre anterior. De otra parte, si hubiere existido una falta disciplinaria sancionada deberá disminuir la calificación de conformidad con las reglas establecida en la resolución a la que hemos hecho referencia, cuyo efecto deberá reflejarse en el bimestre en el que se sanciona la referida falta.

Ahora bien, la primera calificación de la conducta requerirá de al menos treinta días desde que la persona ingresa al establecimiento penitenciario en calidad de condenada. Esta calificación será siempre "buena", salvo que la persona hubiese sido sancionada por la comisión de una falta grave o menos grave durante el período de prisión preventiva, considerando los

---

persona condenada. El área de actividades educacionales comprende la valoración de la participación tanto en actividades educativas formales (conforme a alguna de las modalidades reconocidas por el Mineduc), como en aquellas validadas por el respectivo Consejo Técnico del establecimiento penitenciario. El área de actividades laborales comprende la valoración de la participación en actividades laborales o de formación para el trabajo, consideradas por la reglamentación laboral penitenciaria vigente, o la participación en actividades de capacitación que se encuentren disponibles.

[251] La ponderación de los factores y áreas es de un 20% para el factor adaptación al régimen interno y de un 80% para el factor de participación en actividades de reinserción social según el siguiente desglose: intervención especializada 40%, actividades educacionales 20% y actividades laborales 20%. Lo anterior se dispuso así con el objeto de fomentar la participación de las personas condenadas en actividades destinadas a la resocialización social. Ahora bien, no procederá la evaluación con una nota del área respectiva, y se reducirá del denominador para el cálculo de la ponderación, en situaciones cuya falta de cumplimiento no sea atribuible a la persona condenada. Ellas son: a) Cuando la persona no participe en intervención especializada, ya sea por no contar con un plan de intervención individual, o de contar con uno este determina que no requiere de dichas actividades, o de requerir tales acciones estas no están disponibles para la persona en el periodo evaluado. b) Cuando la persona condenada no participe en actividades de intervención especializada por causas no atribuibles a ella. c) Cuando la persona condenada no participe en actividades educacionales, de capacitación, laborales o de formación para el trabajo por causas no atribuibles a ella.

seis meses anteriores al inicio de su condena, debiendo graduarse la rebaja en función de la gravedad y reiteración de la falta.

Por último, la resolución que contenga la calificación será notificada personalmente a la persona condenada, entregándole copia de esta, y procederán en contra de ella los recursos administrativos previstos en la Ley N°19.880. En caso de que transcurran los plazos legales, sin que haya respuesta de la autoridad, opera el silencio administrativo positivo, de conformidad con lo dispuesto expresamente en el art. 24 de la Resolución Exenta N°5419.

1.3.3 Informe psicosocial de postulación

La regulación exige contar con un informe de postulación psicosocial, el que es elaborado por un equipo profesional del área técnica de Gendarmería, cuyo objetivo es orientar sobre los factores de riesgo de reincidencia, con el fin de conocer las posibilidades de reinserción que tiene la persona en el medio libre, además, de contener los antecedentes sociales y las características de personalidad del sujeto, dando cuenta de la conciencia de la gravedad del delito, del mal que este causa y de su rechazo explícito a tales hechos[252].

Este requisito se incorporó por la Ley N°21.124, a propósito de la jurisprudencia que la Corte Suprema venía asentando en los últimos años

---

[252] El art.14 del reglamento señala cuales son los requisitos que el informe debe cumplir: a) Una descripción de la metodología empleada para elaborar el informe que haga referencia a las técnicas utilizadas para recabar la información, especialmente, las entrevistas realizadas, los documentos consultados, los instrumentos aplicados y sus resultados; b) Una descripción de la persona postulante, que haga referencia a sus antecedentes individuales, laborales y familiares, al delito cometido, a su riesgo de reincidencia, necesidades de intervención, recursos y fortalezas; c) Una descripción de las actividades de reinserción social realizadas por la persona postulante durante el cumplimiento de su condena, que incluya los objetivos perseguidos y los logros alcanzados por su participación en estas actividades; d) Un análisis global del proceso de reinserción social que explique la manera en que se vinculan las necesidades de intervención, los recursos y fortalezas de la persona postulante. Este análisis deberá incluir una fundamentación técnica de las áreas visualizadas como facilitadoras del proceso de reinserción social y de las áreas que requieren un mayor desarrollo para evitar reincidencias; e) Según la evaluación de las necesidades de intervención, sugerir actividades y programas que podrían apoyar el proceso de reinserción social de la persona postulante una vez que se encuentre en el medio libre; f) Incorporar las expectativas que la persona postulante tiene respecto a su proceso de reinserción social en el medio libre. De esta forma se quiso reducir al máximo la subjetividad de los encargados de la elaboración de este documento, incluso en la parte final de la norma se establece expresamente que las afirmaciones deben apoyarse en datos que sean contrastables, evitando incluir juicios de valor u opiniones sin fundamento técnico.

en orden a establecer que la libertad condicional, de cumplirse con los requisitos legales exigidos, es un derecho. El máximo tribunal en múltiples fallos venía sosteniendo que la Comisión de libertad condicional debía fundar su decisión de rechazo, en la ausencia o insuficiencia de alguno de los requisitos legales, y no en consideraciones extralegales, como lo eran las conclusiones del informe psicosocial, de lo contrario el órgano se estaba excediendo en sus atribuciones:

> La decisión de la Comisión recurrida no fundamenta, ni siquiera de manera breve, por qué concretamente en relación al amparado el contenido del informe psicosocial le impide reintegrarse a la sociedad, sin que baste, como se ha dicho, la mera y general remisión a la opinión de los peritos informantes, porque ello en definitiva importaría radicar en éstos, y no en la Comisión, decidir el otorgamiento de la libertad condicional y, además, aceptar que tal asunto se defina en último término, nada más que en base a apreciaciones subjetivas obtenidas en una entrevista llevada a cabo en un determinado momento del encierro, opacando de ese modo el cumplimiento de los demás extremos, en particular el observar una conducta intachable durante todo el período sujeto a calificación, lo que en definitiva haría vanos los esfuerzos concretos de los internos por mantener periódicamente una correcta conducta en el interior del recinto con el objeto de acceder a la libertad condicional[253].

Ahora bien, la ley no exige que el informe sea favorable, de lo contrario, sería la institución penitenciaria quien en última instancia estaría decidiendo a quién se le concede la libertad condicional, cuestión inaceptable si se considera que el mismo órgano administrativo que ejecuta el castigo tenga, además, ese poder de decisión[254]. El informe, por consiguiente, es orientativo y no vinculante para la Comisión:

> Que el informe psicosocial de Gendarmería de Chile, elaborado en cumplimiento de la normativa legal aplicable, no refiere antecedentes categóricos que permitan orientar sobre factores de riesgo de reincidencia del amparado, que impidan reconocer su posibilidad de reinsertarse a la sociedad al momento de postular a libertad condicional conforme lo expresa el Decreto Ley N°321, en el texto actual de su artículo 2 n°3. Por el contrario, aquel refiere que el amparado durante el proceso de reclusión dedica el tiem-

---

[253]   Corte Suprema. SCS Rol N°32684-2018 de 27 de diciembre de 2018; SCS Rol N°32677-2018 de 27 de diciembre de 2018; SCS Rol N°29717-2018 de 11 de diciembre de 2018; SCS Rol N°3-2019 de 7 de enero de 2019.

[254]   Véase, Biblioteca del Congreso Nacional, "Historia de la Ley N°21.124", 4-5-6. https://www.bcn.cl/historiadelaley/nc/historia-de-la-ley/7616/. El proyecto de modificación contenido en la moción de los senadores Hernán Larraín, Felipe Harboe, Alberto Espina y Pedro Araya, ampliaba los requisitos para postular a la libertad condicional, pues exigía haber sido favorecido previamente con otro beneficio intrapenitenciario y contar con un informe favorable de Gendarmería. Dicha propuesta no prosperó.

po, principalmente a actividades de la Brigada de Incendios y que el año 2019 cursó 1° y 2° año de enseñanza media[255].

En el mismo sentido, el art. 5° del DL N°321 establece la posibilidad de que la Comisión de libertad condicional tenga a la vista otros antecedentes diferentes al informe psicosocial y que se estimen necesarios para mejor resolver, como lo podrían ser antecedentes incorporados por la defensa de la persona postulante. Lo anterior se vincula con el derecho a defensa contemplado en el art. 8° de la CADH; 19 n°3 de la CPR; y los arts. 7 inc. 1° y 93 letra b) del CPP[256].

1.4 Breve excurso: libertad condicional y crímenes de lesa humanidad

Los tribunales internacionales afirman que existe una infracción de la obligación de sancionar cuando las penas que se imponen a los culpables, además de carecer de la proporcionalidad y pertinencia requerida por el derecho internacional, no son efectivamente cumplidas. La CorteIDH ha expresado: "el Estado deberá abstenerse de recurrir a figuras como la amnistía, la prescripción y el establecimiento de excluyentes de responsabilidad, así como medidas que pretendan impedir la persecución penal o suprimir los efectos de la sentencia condenatoria"[257]. Es decir, se pretende que no haya impunidad.

Por su parte, la CIDH en relación con la aplicación de reducciones de pena a los responsables de crímenes de lesa humanidad, ha manifestado precisamente al Estado chileno el deber internacional de "abstenerse de aplicar beneficios típicos de crímenes menos graves que puedan desvirtuar los efectos de las sentencias condenatorias", recalcando la necesidad de aplicar "requisitos más exigentes para casos de graves violaciones". Declara que una verdadera apreciación del bien jurídico lesionado debe

---

[255]   Corte Suprema. SCS Rol N°43643-2020 de 22 de abril de 2020. En el mismo sentido, SCS Rol N°43642-2020 de 22 de abril de 2020.

[256]   Si bien nuestra legislación no contempla una norma que permita la participación de un abogado letrado en la Comisión de libertad condicional que pueda representar los intereses de los postulantes, en la práctica, en algunas regiones de nuestro país, los defensores penales penitenciarios pertenecientes a la Defensoría Penal Pública participan del proceso con derecho a voz. La defensa en esta instancia podría incorporar certificados de estudios, antecedentes laborales, otros informes sicológicos, entre otros antecedentes.

[257]   Corte IDH. Caso de los Hermanos Gómez Paquiyauri v. Perú. Serie C N°110 Parágrafo 232. (8 de julio de 2004).

considerar las finalidades de la pena, la garantía de no repetición y las consideraciones a los afectados incluyendo a la humanidad misma[258].

Es decir, en el ámbito del derecho internacional de los derechos humanos no se prohíbe otorgar beneficios carcelarios a personas condenadas por delitos de lesa humanidad, pero se establecen estándares más exigentes para su concesión. Al respecto, la disposición más relevante es el art. 110 del Estatuto de Roma, que contempla la posibilidad de que una persona condenada pueda solicitar la reducción de su pena, tras cumplir dos terceras partes de ella, o 25 años de prisión en caso de cadena perpetua. Para que prospere la solicitud se exigen otras circunstancias, tales como, la voluntad de la persona condenada de cooperar con las investigaciones de la Corte o la facilitación de forma espontánea de la ejecución de la sentencia del tribunal. Junto con ello, se deben ponderar adecuadamente otros factores como la salud de la persona condenada; la solvencia de la reparación civil impuesta en la condena; los efectos que la liberación anticipada producirían a nivel social, sobre las víctimas y sus familiares, entre otros factores[259].

Nuestro país suscribió el tratado antes indicado por lo que se genera la obligación estatal de cumplir con los términos de este instrumento. Sin embargo, a raíz de un conjunto de decisiones del máximo tribunal que tuvieron como resultado la excarcelación de varios condenados por

---

[258] Véase, CIDH, Comunicado de Prensa N°185/18, 17 de agosto de 2018, CIDH expresa preocupación por otorgamiento de libertad condicional a condenados por graves violaciones a los derechos humanos en Chile (oas.org)

[259] Estatuto de Roma (art.110). Examen de una reducción de la pena: 1. El Estado de ejecución no pondrá en libertad al recluso antes de que haya cumplido la pena impuesta por la Corte. 2. Solo la Corte podrá decidir la reducción de la pena y se pronunciará al respecto después de escuchar al recluso. 3. Cuando el recluso haya cumplido las dos terceras partes de la pena o 25 años de prisión en caso de cadena perpetua, la Corte examinará la pena para determinar si esta puede reducirse. El examen no se llevará a cabo antes de cumplidos esos plazos. 4. Al proceder al examen con arreglo al párrafo 3, la Corte podrá reducir la pena si considera que concurren uno o más de los siguientes factores: a) Si el recluso ha manifestado desde el principio y de manera continua su voluntad de cooperar con la Corte en sus investigaciones y enjuiciamientos; b) Si el recluso ha facilitado de manera espontánea la ejecución de las decisiones y órdenes de la Corte en otros casos, en particular ayudando a esta en la localización de los bienes sobre los que recaigan las multas, las órdenes de decomiso o de reparación que puedan usarse en beneficio de las víctimas; o c) Otros factores indicados en las reglas de procedimiento y prueba que permitan determinar un cambio en las circunstancias suficientemente claro e importante como para justificar la reducción de la pena. 5. La Corte, si en su examen inicial con arreglo al párrafo 3, determina que no procede reducir la pena, volverá a examinar la cuestión con la periodicidad y con arreglo a los criterios indicados en las reglas de procedimiento y prueba.

delitos de lesa humanidad[260], se produjeron una serie de acciones político
– constitucionales y movilizaciones sociales por reclamos de impunidad e
incumplimiento de estándares internacionales[261], lo que motivó la introducción del nuevo art. 3° bis al DL N°321, el que eleva expresamente los
estándares requeridos para otorgar la libertad condicional a los perpetradores de delitos de lesa humanidad.

Por consiguiente, en nuestra legislación actual las personas condenadas
por delitos de homicidio, homicidio calificado, secuestro, secuestro calificado, sustracción de menores, detención ilegal, inhumación o exhumación
ilegal, tormentos o rigor innecesario, y asociación ilícita, que la sentencia, en conformidad al derecho internacional, hubiere considerado como
genocidio, crímenes de lesa humanidad o crímenes de guerra, cualquiera
haya sido la denominación o clasificación que dichas conductas hubieren
tenido al momento de su condena; o por alguno de los delitos tipificados
en la Ley N°20.357, solo podrán postular a este beneficio cuando, además
de los requisitos del art. 2°, hubieren cumplido dos tercios de la pena o,
en caso de presidio perpetuo, los años de privación de libertad efectiva
establecidos en los incisos primero y segundo del art. 3°, es decir 20 o 40
años de privación de libertad efectiva, según corresponda.

Junto con ello, el postulante deberá acreditar la circunstancia de haber colaborado sustancialmente al esclarecimiento del delito o confesado
su participación en el mismo, o aportado antecedentes serios y efectivos de los que tenga conocimiento en otras causas criminales de similar

---

[260]   Corte Suprema. SCS Rol N°16817-2018 de 30 de julio de 2018; SCS Rol N°16.819-2018 de 30 de
         julio de 2018; SCS Rol N°16.820-2018 de 30 de julio de 2018; SCS Rol N°16.821-2018 de 30 de
         julio de 2918; SCS Rol N°16.822-2018 de 30 de julio de 2018.
[261]   Cath Collins, "Negacionismo en la era de la Postverdad: verdad, justicia y memoria en Chile, a
         dos décadas del caso Pinochet", en *Informe Anual sobre Derechos Humanos en Chile 2018*, ed.
         T.Vial (Santiago, Ediciones Universidad Diego Portales: 2018), 17-105. Matías Meza-Lopehandía,
         "Libertad condicional de condenados por delitos de lesa humanidad en Chile. Análisis de jurispru-
         dencia reciente 2015-2018", *Asesoría Técnica Parlamentaria Congreso Nacional de Chile*, 2018,
         1-16, obtienearchivo (bcn.cl). El autor concluye que la Corte Suprema osciló entre dos posiciones: la
         primera, consideraba que el carácter de lesa humanidad de los delitos cometidos tiene efectos en la
         procedencia de la libertad condicional, al atribuir discrecionalidad a la comisión de libertad condi-
         cional para otorgarla o no y, al elevar los requisitos de conformidad al Estatuto de Roma, particular-
         mente en lo que dice relación con los tiempos mínimos, aunque también, implícitamente, en relación
         con la exigibilidad de la disociación del condenado respecto del crimen cometido. Y la segunda, que
         establece que los únicos requisitos aplicables a los condenados por delitos de lesa humanidad son
         los establecidos por el DL N°321, los cuales serían taxativos y de cumplimiento objetivo, por lo que
         generarían un derecho a la libertad condicional.

naturaleza. Lo anterior se acreditará con la sentencia, en el caso que se hubiere considerado alguna de las atenuantes de los números 8° y 9° del art. 11 del CP, o con un certificado que así lo reconozca expedido por el tribunal competente.

Ahora bien, con el fin de determinar si es procedente la concesión del beneficio, las autoridades llamadas a decidir valorarán, además, los siguientes factores: a) Si el otorgamiento de la libertad condicional no afectare la seguridad pública por el riesgo de comisión de nuevos delitos de igual naturaleza; b) Si la persona condenada ha facilitado de manera espontánea la ejecución de las resoluciones durante la etapa de investigación y enjuiciamiento, en particular colaborando en la localización de los bienes sobre los que recaigan multas, comisos o de reparación que puedan usarse en beneficio de las víctimas; c) Si con el otorgamiento de la libertad condicional pudiese presumirse que la persona condenada no proferirá expresiones o realizará acciones que afecten a las víctimas o a sus familiares. Es decir, se adaptó la legislación nacional a los criterios que han sido reconocidos por el derecho internacional de los derechos humanos y por la Corte Penal Internacional.

1.5 Procedimiento

Podría decirse que el procedimiento para postular a la libertad condicional se desarrolla en dos etapas. La primera ante Gendarmería, institución que acredita mediante informe del respectivo Tribunal de conducta el cumplimiento de los requisitos de tiempo mínimo y conducta intachable y, la segunda, ante la Comisión de libertad condicional, órgano llamado a decidir si concede o no el beneficio.

El informe se acuerda por el tribunal a más tardar los días 25 de marzo y 25 de septiembre de cada año y contiene la nómina de las personas que cumplen con los requisitos de postulación, con indicación del lugar que fijen como residencia, así como también la nómina de las personas que cumplen con el tiempo mínimo durante los meses de abril, mayo y junio, o durante octubre, noviembre y diciembre, del respectivo período. En este último caso, se trata de personas condenadas que cumplen su tiempo mínimo de postulación fuera de los períodos en que se reúne la Comisión, de modo tal que opera una regla especial que impone al respectivo órgano la obligación de pronunciarse respecto a la libertad condicional de las personas, cuyo tiempo mínimo se cumple en los dos meses siguientes a los meses de abril y octubre de cada año.

De esta forma se soluciona el problema de las personas internas que habiendo cumplido el tiempo mínimo fuera de los períodos en que por ley se reúne la Comisión, se vieran obligados a esperar mucho tiempo para la resolución de su caso. En la práctica, el órgano se pronuncia anticipadamente acerca de la libertad condicional, beneficio que, de concederse, se hace efectivo al momento de cumplirse el tiempo mínimo, y siempre que a esa fecha se reúna todavía el requisito exigido por el n°2 del art. 2° del D.L N°321, es decir, la conducta[262].

A estas nóminas se adjunta el informe de postulación psicosocial de cada uno de los postulantes, y demás antecedentes del caso particular, todo lo cual se remite por el Jefe del establecimiento penitenciario a la Comisión de libertad el primer día hábil del mes de abril y de octubre respectivamente. En el caso de las personas que se encuentren en el supuesto del art. 3° bis del DL N°321, el informe es remitido previamente a la Jefatura superior de la Dirección Regional quien, previa revisión de los requisitos, lo remite a la Comisión de libertad condicional. Ahora bien, en el tiempo que transcurre desde la entrega del informe y la fecha en que la Comisión resuelve las postulaciones, puede ocurrir cualquier hecho o circunstancia que pudiese ser de relevancia para la evaluación que el órgano hace de aquellos factores que inciden en el proceso de reinserción social del postulante, por lo que se establece la obligación para Gendarmería de informar inmediatamente.

La segunda etapa se verifica cuando se reúne la Comisión de libertad condicional, órgano encargado de emitir un pronunciamiento fundado sobre su concesión, rechazo o revocación, reunión que se efectúa en la Corte de Apelaciones respectiva, durante los primeros quince días de abril y octubre de cada año. El órgano está integrado por un ministro de Corte de Apelaciones, quien preside; cuatro jueces de Juzgados de Garantía o de Tribunales de Juicio Oral en lo Penal, elegidos por la Corte de Apelaciones respectiva, con la excepción de la Comisión correspondiente a la

---

[262] Por ejemplo, en el caso de un condenado que cumple el 1° de mayo de 2021 el tiempo mínimo para optar a la libertad condicional, y reúne la conducta requerida, la Comisión de abril de 2021 deberá pronunciarse acerca del otorgamiento del beneficio, el que se hará efectivo en caso de concesión, a partir del 1° de mayo de 2021.

Corte de Apelaciones de Santiago, que estará integrada por diez jueces de Juzgados de Garantía o de Tribunales de Juicio Oral en lo Penal. En cada Comisión habrá un secretario que será un funcionario designado por la Corte y que deberá confeccionar el acta respectiva.

Las resoluciones que se adopten serán remitidas a la Jefatura del establecimiento penitenciario de origen, a la Dirección Nacional de Gendarmería, a la Dirección General de Carabineros, a la Dirección General de Investigaciones y demás organismos pertinentes. La Jefatura del establecimiento, o quien esta designe, notificará personalmente lo resuelto a los postulantes. En el caso de las personas a quienes se les concede el beneficio, deberá informarle las obligaciones a que quedan sujetos y el Centro de Apoyo para la Integración Social (CAIS) o unidad de control en la que deben presentarse.

1.6 *Sistema de supervisión de la libertad condicional*

La Ley N°21.124 introdujo modificaciones en esta materia, estableciendo un sistema de supervisión a cargo de Gendarmería, el que es llevado a cabo por un Delegado de libertad condicional. Para tales efectos se establece un plan de intervención y reuniones periódicas con la persona beneficiada. Anterior a la modificación, la supervisión era mínima, debiendo la persona condenada someterse a un control administrativo, que se traducía en una firma semanal en un establecimiento de Gendarmería.

En la actualidad, los libertos quedan sujetos a la supervisión de un Delegado de libertad condicional[263], el que debe elaborar y supervisar el

---

[263] El Delegado de libertad condicional tendrá como funciones las siguientes: a) Evaluar, cuando corresponda, el riesgo de reincidencia y las necesidades de intervención de los casos que le sean asignados, así como los factores protectores y motivacionales que puedan facilitar el proceso de reinserción social. b) Elaborar un plan de intervención individual dentro de los siguientes cuarenta y cinco días hábiles, desde que se le asigne la persona con libertad condicional para dar inicio a la supervisión establecida en el presente reglamento. c) Efectuar actividades de intervención especializada y de derivación asistida, tendientes a la reinserción social. d) Supervisar el cumplimiento de las condiciones establecidas en el plan de intervención individual de las personas y hacer seguimiento de todas aquellas situaciones que pudiesen afectar su cumplimiento, en particular, cuando aquellas pudieran configurarse en causal de revocación del beneficio. e) Informar de manera oportuna al Consejo Técnico de cualquier situación que diga relación con las funciones de este. f) Mantener un registro de todas las actuaciones realizadas en la supervisión del caso, consignando las actividades, entrevistas, visitas en terreno y demás acciones relevantes para la evaluación de los avances en el cumplimiento de los planes de intervención individual. g) Evacuar los informes que le sean requeridos en virtud de su función.

cumplimiento de un plan de intervención que oriente el cumplimiento de la pena hacia la reinserción social de la persona condenada. Este sistema de supervisión es administrado por Gendarmería, a través de los CAIS, salvo en aquellos lugares en que estos últimos no tengan cobertura, caso en el que la operación del sistema se podría implementar en otras unidades dependientes de Gendarmería.

Una vez notificada la resolución que concede el beneficio, la persona liberta debe presentarse en el respectivo centro o unidad, de acuerdo con la residencia que hubiere fijado, para realizar el registro administrativo. Luego de ello, es citada a una reunión de ingreso con la Jefatura de unidad o quien este nombre, para la designación del Delegado de libertad condicional a cargo de la supervisión. En caso de no concretarse la presentación, se informa a la Comisión de libertad condicional para que esta última emita un pronunciamiento respecto de la continuidad o revocación del beneficio.

En cuanto al plan de intervención individual este deberá integrar la realización de actividades tendientes a la reinserción social, priorizándose actividades que fortalezcan la vinculación con la red social, comunitaria, y que operen como facilitadores para una eficaz reinserción[264]. Junto con ello, y en caso de ser pertinente, el plan contendrá actividades de intervención especializada, pudiéndose sugerir la derivación a programas en las áreas de educación, empleo, consumo de alcohol/drogas, violencia contra terceros, u otros similares, todo lo cual es aceptado por la persona condenada, firmando el referido plan como prueba de su compromiso a dar cumplimiento a las actividades y condiciones allí establecida.

---

[264] DS N°338, Reglamento Libertad Condicional (art. 26): Colaboración con entidades públicas y privadas. Gendarmería de Chile propenderá y facilitará, a través de distintos medios, la participación de entidades públicas y privadas en materias relacionadas con educación, capacitación y colocación laboral, en beneficio de las personas con libertad condicional. A través de los delegados de libertad condicional, apoyará y articulará el acceso de la persona supervisada a la red de protección del Estado, según se requiera. Los organismos estatales y comunitarios que otorguen servicios relativos a la salud, educación, capacitación profesional, empleo, vivienda, recreación y otros similares deberán considerar especialmente toda solicitud que los delegados de libertad condicional formulen para la adecuada intervención de las personas bajo su supervisión.

1.7 Beneficio del art. 8 del DL N°321

El período de libertad condicional se extiende durante todo el tiempo que reste del cumplimiento total de condena. La pena se considerará cumplida si termina el período de libertad condicional sin que el beneficio haya sido revocado, o si la persona obtuviere el beneficio establecido en el art. 8° del DL N°321. En este último caso, se trata de personas que han cumplido con la mitad del período de libertad condicional y con las condiciones establecidas en su plan de seguimiento e intervención individual, por lo que solicitan la condonación del saldo de pena que les queda. Se exceptúan de este último beneficio, los condenados por delitos de genocidio, crímenes de lesa humanidad y de guerra y demás que establece el art. 3° bis de la regulación.

1.8 Causales de revocación

Son causales de revocación de la libertad condicional el incumplimiento del plan de intervención individual sin justificación suficiente[265], la condena por nuevo delito y cuando el liberto/a condicional no se hubiere presentado al establecimiento correspondiente dentro del plazo establecido para ello. Gendarmería deberá informar a la respectiva comisión para que esta última se pronuncie respecto a la continuidad o cesación del beneficio.

En el primer caso el legislador prevé la posibilidad de que el incumplimiento pueda deberse a una causa justificada y suficiente, en cuyo caso

---

[265] DS N°338, Reglamento Libertad Condicional (art. 25): Condiciones del cumplimiento del plan de intervención individual. Se definirán como condiciones generales de cumplimiento del plan de intervención individual: a) La presentación en el Centro de Apoyo para la Integración Social o la unidad de control perteneciente a Gendarmería de Chile que le fuere designada, que permita realizar el registro administrativo y la reunión de ingreso requeridas para la asignación de un delegado de libertad condicional a cargo de la supervisión. b) La asistencia a entrevistas individuales con el delegado de libertad condicional que le fuere asignado, salvo situaciones debidamente justificadas. c) La participación en acciones y programas especializados, individuales y/o grupales, dirigidos a disminuir los factores de riesgo delictual, que fueren contemplados como necesarios en su plan de intervención individual. d) La participación y asistencia, a través de procesos de derivación asistida, a organismos y programas de la red intersectorial, que se encuentren establecidos como acciones técnicas en su plan de intervención individual. e) Mantener un lugar de residencia estable y conocido que permita la supervisión y la asistencia a las actividades programadas, y el deber de informar de manera oportuna un cambio de residencia, de modo de garantizar la continuidad de la intervención a través de la derivación a una nueva unidad de control.

no procedería la revocación. El segundo caso trata de una causal que opera de pleno derecho, y en el tercero, la comisión tendrá que decidir de acuerdo con el mérito de los antecedentes. En caso de revocación del beneficio, la comisión ordenará el ingreso de la persona al establecimiento penitenciario que corresponda, con el fin de que cumpla el tiempo que le falte para completar su condena.

1.9 *Libertad condicional e irretroactividad*

A partir de las modificaciones introducidas a la libertad condicional esta materia ha sido objeto de debate por los operadores del derecho. La Ley N°21.124 quiso resolver la interrogante sobre cuándo se aplican estas modificaciones, introduciendo la siguiente disposición en el art. 9° de la reglamentación: *Para los efectos del presente decreto ley, se entenderá que los requisitos para la obtención del beneficio de la libertad condicional son aquellos que se exigen al momento de la postulación.*

Es decir, aplicación *in actum*, lo que colisiona con el principio de irretroactividad de la ley penal desfavorable. Esto ha significado que muchísimos condenados que, en conformidad a la antigua ley, cumplían el tiempo mínimo para postular a la libertad condicional, hayan visto frustrado su derecho, desde que la nueva modificación legal, al aumentar los tiempos mínimos, los dejó fuera del proceso. No obstante, existe jurisprudencia minoritaria de distintas Cortes de Apelaciones y Corte Suprema, que aplican la ley vigente al momento de la condena y no la actual porque se trataría de una ley penal penitenciaria desfavorable que no podría aplicarse retroactivamente:

> La aplicación de la nueva ley, en este caso la Ley 20.931 que modifica el art. 3° del Decreto Ley 321 sobre Libertad Condicional, supone que no se afecte situaciones jurídicas consolidadas o, de otro modo, que el penado que bajo el imperio de la ley hasta entonces vigente cumpla los requisitos legales debe regirse por dicha ley. En esencia, porque es un principio del derecho, si bien de orden legal, que la ley solo disponga para el futuro, lo que en ciertas materias como sucede con la ley penal tiene un rango superior, ocurre así también, con los derechos adquiridos [...] Que, volviendo a la idea inicial, respecto de las situaciones jurídicas que no deben ser afectadas por la nueva ley, debe tenerse presente que un principio básico limitador del *ius puniendi* estatal consiste en que la ley penal dispone solo para el futuro y no puede jamás tener efecto retroactivo (con la única excepción que la nueva ley sea más favorable) [...] Que el ámbito de aplicación del principio de irretroactividad de la ley penal desfavorable se extiende a los distintos aspectos del Derecho Penal sustantivo, incluyendo también lo relativo a la ejecución penitenciaria [...] la literalidad del inciso tercero recién citado no limita la razón jurídica que fluye de una interpretación sistemática de este precepto con la Carta Fundamental.

En efecto, la Constitución habla de ley más favorable, con lo que se refiere no sólo a la pena específica que la ley señala en abstracto, sino también a otros aspectos penales sustantivos que puedan mejorar la situación jurídico material de los sentenciados [...] no han de compararse solamente las penas previstas en las dos leyes en juego, sino que debe apreciarse su contenido total en sus consecuencias penales [...] Que lo expuesto implica que, precisamente, se está en presencia de la hipótesis contemplada en el art. 18 inciso tercero del Código Penal, alegado por los condenados pues conforme con lo que se viene señalando la ley penal más benigna no es sólo la que des incrimina o la que establece una pena menor, pues puede provenir también de otras circunstancias, como una nueva modalidad ejecutiva de la pena, el cumplimiento parcial de la misma, las previsiones sobre condena condicional, *probation*, libertad condicional[266].

En cambio, existe también jurisprudencia de Cortes de Apelaciones, ratificada por la Corte Suprema que ha interpretado la disposición afirmando que el carácter de las normas que modifican los tiempos de postulación al beneficio de la libertad condicional es administrativo y no penal, por lo que rige la ley vigente al momento de la postulación:

En este sentido, al modificarse dicho artículo por la Ley N°21.124, queda establecido como un beneficio respecto del cual se puede postular, no resultando posible estimar que exista una especie de derecho adquirido a su favor, sino que se trata de un proceso al cual podrá someterse una persona que sirve una condena, máxime si para establecer la época en la cual se deben cumplir los requisitos para la postulación a la libertad condicional, debemos recurrir al artículo 9° del Decreto Ley en referencia, el cual expresamente señala que "Para los efectos del presente decreto ley, se entenderá que los requisitos para la obtención del beneficio de la libertad condicional son aquellos que se exigen al momento de la postulación". De esa forma, al haber entrado en vigencia la Ley N°21.124 el 18 de enero de 2019, es indudable que los presupuestos que debían reunir los condenados a los efectos de ser postulados al proceso de octubre de 2020, eran aquéllos que fija la ley vigente a partir de esa fecha[267].

Ahora bien, esta comprensión de los beneficios intrapenitenciarios es un retroceso en la materia porque transgrede el principio de legalidad de las penas. En efecto, si se considera que no puede ser ejecutada pena alguna en otra forma que la prescrita por la ley, ni con otras circunstancias o accidentes que los expresados en su texto, habrá que entender que el *estatus* jurídico aplicable a la persona condenada queda determinado por

266   Corte Suprema. SCS Rol N°710-2008 de 06 de mayo de 2008; SCS Rol N°36806-2017 de 01 de agosto de 2017; SCS Rol N°3647-2017 de 2 de febrero del 2017. Corte de Apelaciones de Valparaíso. SCA Rol N°129 -2017 de 18 de mayo del 2017. Corte de Apelaciones de San Miguel. SCA Rol N°230- 2017 de10 de junio de 2017. Corte de Apelaciones de Santiago. SCA Rol N°411-2017 de 17 de marzo del 2017; SCA Rol N°1503-2016 de 20 de enero del 2017; SCA Rol N°1417-2016 de 04 de enero del 2017; SCA Rol N°2915-2017 de 24 noviembre 2017.

267   Corte Suprema. SCS Rol N°14.650-2019 de 4 de junio de 2019. SCS Rol N°25-2020 de 3 de enero de 2020. Corte de Apelaciones de Concepción. SCA Rol N°251-2020 de 13 de octubre de 2020.

lo que prescribe la ley, respecto a cómo se ejecuta esa pena, desde el momento en que esta queda firme y ejecutoriada. Siguiendo a Oliver, la irretroactividad penal debe su existencia a la seguridad jurídica, es decir, la no exclusión de la posibilidad de que los ciudadanos conozcan el ordenamiento jurídico y prevean las consecuencias jurídico-penales de sus futuras actuaciones, lo que implica que no podrían aplicarse retroactivamente las disposiciones que regulan la forma de ejecutarse esas consecuencias. Se deduce a *contrario sensu*, la prohibición de aplicar una nueva ley o una ley promulgada con posterioridad al juzgamiento o a la condena, si ella perjudica a quien cumple condena, pues en tal caso vulnera su dignidad y derechos fundamentales, por lo que debe prevalecer o primar la *lex praeter*, esto es, la ley antigua, aunque haya sido derogada, pues resulta más favorable, lo que obedece a la garantía legal de la *lex mitior*[268].

Para Morales, esta concepción administrativista de la pena es lo que ha generado la falta de control de su ejecución:

> La libertad condicional es un modo distinto de cumplir la pena, por tanto, no pueden quedar desvinculadas a las normas penales. Así, la libertad condicional participa en la esencia del carácter de pena, pues se integra como el último período de cumplimiento de la pena privativa de la libertad[269].

2. REBAJA DE CONDENA POR CONDUCTA SOBRESALIENTE

2.1 Concepto

La rebaja de condena por comportamiento sobresaliente forma parte del sistema de beneficios intrapenitenciarios que se aplican en nuestro sistema carcelario y por los efectos que produce se considera una medida que adelanta el momento de excarcelación. Se regula en la Ley N°19.856,

---

[268]   Así lo consideró el voto de minoría del Tribunal Constitucional que, en caso Rol N°8536-2020, rechazó un requerimiento de inaplicabilidad por inconstitucionalidad que impugnaba el art. 9° del DL N°321, en tanto que consagra el criterio *tempus regit actum* al señalar que los requisitos exigidos para postular a la libertad condicional son los que se reúnen al momento de la postulación, de lo que deriva la aplicación *ipso facto* de la regla que dispone nuevos tiempos mínimos más elevados de postulación.

[269]   Morales, "Redescubriendo…", 3.

recientemente modificada por la Ley N°21.421[270], y por el Decreto N°685 del Ministerio de Justicia, que aprueba el reglamento de la ley[271]. Toda esta regulación crea un sistema de reinserción social de los condenados sobre de base a la observación de buena conducta.

El beneficio consiste en la obtención de una reducción del tiempo total de condena en base a comportamiento sobresaliente, lo que implica llevar a cabo, de manera continua y provechosa, una serie de actividades encaminadas a la reinserción social. Por consiguiente, se considera como una herramienta capaz de crear en la persona condenada la voluntad y capacidad de llevar adelante una vida sin infracciones penales.

En su aplicación práctica, y de conformidad con los arts. 2° y 3° de la ley, el beneficio opera rebajando del tiempo total de condena, dos o tres meses, por cada año en que el comportamiento del interno se ha calificado como sobresaliente. La rebaja será de dos meses, la primera mitad del tiempo total de la condena, y de tres meses, a partir de la segunda mitad, por cada año de comportamiento sobresaliente. Ahora bien, si la condena lo es a número de años impares, la rebaja de tres meses se aplica en el año mismo en que se cumpla la referida mitad de tiempo. Veamos los siguientes ejemplos:

Ejemplo 1:

El condenado "X" está cumpliendo una pena privativa de libertad de doce años de presidio mayor en su grado medio, como autor del delito de robo con violencia. Durante la primera mitad de su condena, es decir, durante los seis primeros años, de cumplir con los requisitos legales, podría postular a dos meses de rebaja por cada año de comportamiento sobresaliente; luego al séptimo año y por todo el saldo de pena que le reste podría postular a tres meses de rebaja de condena por cada año con el mismo comportamiento.

---

[270] Ley N°21.421 que excluye de los beneficios regulados en la Ley N°19.856 a quienes hayan cometido delitos de carácter sexual contra personas menores de edad, publicada en el Diario Oficial el 9 de febrero de 2022.

[271] Decreto N°685 del Ministerio de Justicia, que aprueba Reglamento de la Ley N°19.856, que crea un sistema de reinserción social de los condenados en base a la observación de buena conducta, de 29 de noviembre de 2003.

Ejemplo 2:

El condenado "Y" está cumpliendo una pena privativa de libertad de cinco años y un día de presidio mayor en su grado mínimo, como autor del delito de robo con violencia. Durante los dos primeros años de su condena, de cumplir con los requisitos legales, podría postular a dos meses de rebaja por cada año de comportamiento sobresaliente; luego al tercer año y por todo el saldo de pena que le reste podría postular a tres meses de rebaja de condena por cada año con el mismo comportamiento.

2.2 Personas beneficiadas

Son beneficiarias las personas condenadas por sentencia ejecutoriada que cumplen efectivamente una pena privativa de libertad y las personas condenadas que se encuentran haciendo uso del beneficio de libertad condicional.

2.3 Requisitos

Los requisitos de postulación son:

    a) Estar cumpliendo condena por sentencia ejecutoriada.

    b) Haber permanecido ininterrumpidamente privado de libertad durante el año que será objeto de calificación.

    c) Que su conducta haya sido calificada con nota "buena" o "muy buena" en los tres bimestres anteriores al período en que se inicia el proceso de calificación de comportamiento sobresaliente.

El órgano encargado de verificar el cumplimiento de estos requisitos legales es la administración penitenciaria, la que deberá confeccionar la nómina de postulantes y presentar la misma a una comisión denominada "Comisión de beneficio de reducción de condenas", en adelante, la Comisión, para que ejerza sus facultades. Por lo tanto, no es necesaria ninguna acción por parte de la persona interna en orden a activar el proceso, pues todas las personas condenadas que cumplan con estos requisitos deben ser postuladas, aun cuando pudieren estar afectos a una causal de exclusión del art. 17 de la ley, cuestión que deberá declarar la propia Comisión.

Ahora bien, estos requisitos se exigen solo para la primera postulación, una vez calificado siempre debe ser presentado al proceso, a menos que sea excluido.

2.4 Comisión de rebaja de condena

La Comisión es un órgano que se debe conformar en cada territorio jurisdiccional de Corte de Apelaciones. Está integrada, por regla general, por un ministro de Corte de Apelaciones, tres Jueces de Letras con competencia en materia penal o miembros del Tribunal de Juicio Oral en lo Penal, un abogado, dos peritos, psicólogo y trabajador social. En los territorios jurisdiccionales de las Cortes de Apelaciones de Santiago y San Miguel el número de integrantes es mayor [272]. Las comisiones sesionan en las unidades penales donde se encuentran las personas condenadas, desde el 5 de noviembre de cada año hasta el 25 del mismo mes.

Son tres sus atribuciones: declarar las exclusiones, calificar el comportamiento y declarar la caducidad.

- **Declarar las exclusiones**

La ley establece límites en la aplicación de este beneficio, lo que obedece a razones de política criminal. Por ello, deja fuera del proceso a todas aquellas personas condenadas que pudieren encontrarse en alguna de las hipótesis de exclusión que regula el art. 17 de la ley. De estar afecto, la Comisión lo declara así, indicando cuál es la causa específica y señalando la improcedencia de la calificación del comportamiento. Las personas condenadas excluidas no podrán ingresar al sistema de calificación de comportamiento y deberán ser notificadas de ello personalmente por un

---

[272]   Ley N°19.856 (art. 10 inc. 3°): "En los territorios de las Cortes de Santiago y de San Miguel, la Comisión estará integrada por siete jueces con competencia en lo criminal, dos abogados y dos peritos, todos ellos nombrados en la forma antes indicada, además del respectivo Ministro de Corte, designado en la forma señalada en la letra a) precedente. Asimismo, en los territorios de las Cortes de Arica, Iquique, Valparaíso y Concepción, la Comisión estará integrada por cinco jueces con competencia en lo criminal, un abogado y dos peritos, todos ellos nombrados en la forma indicada, además del respectivo Ministro de Corte, designado en los mismos términos señalados en el inciso anterior."; (Art. 11): "División de la comisión. Si en razón al número de internos que deban ser objeto de calificación, la Corte de Apelaciones respectiva estima indispensable dividir el trabajo de la Comisión, deberá designar, para esos efectos, un Ministro de Corte adicional".

funcionario de Gendarmería, o por uno o más de los miembros de la Comisión, cuando ésta lo decida, por mayoría de sus miembros.

Son causales de exclusión:

a) El quebrantamiento de condena, la fuga, evasión o intento de fuga o evasión:

El quebrantamiento de condena está tipificado como delito en el art. 90 del CP, por lo que, en base al respeto irrestricto del principio de legalidad, se concluye que solo la existencia de una sentencia condenatoria firme y ejecutoriada por quebrantamiento podría configurar el primer supuesto de exclusión. No obstante, existe jurisprudencia que configura la causal con la sola constatación de no cumplimiento de condena:

> Que según se informó por el Alcaide del Centro de Detención Preventiva de Chanco en cumplimiento de la medida para mejor resolver decretada, con fecha 5 de agosto de 2015 el amparado no se presentó a cumplir con el beneficio intrapenitenciario de salida controlada al medio libre, pues se encontraba bajo custodia del personal de Carabineros de Chile de la 1ª Comisaría de Chanco por su participación en un delito de receptación [...] Luego de formalizada la investigación por ese nuevo hecho, se dio orden de libertad y traslado al CDP de Chanco para que continúe cumpliendo la condena cuya rebaja se discute por esta vía [...] Que tal situación es la que se denomina como quebrantamiento de condena [...] Que, sin embargo, el artículo 17 de la indicada normativa, que regula los límites a la aplicación de beneficios, dispone que tales no tendrán aplicación en caso alguno, cuando se dieren una o más de las siguientes circunstancias: a) La persona privada de libertad hubiere quebrantado su condena, se hubiere fugado, evadido o intentado fugarse o evadirse [...] Que de lo anterior se colige que los supuestos de privación ilegal de libertad que se reclaman no concurren en la especie, por cuanto la decisión de la autoridad administrativa se funda en la causa legal de rechazo contenida en el art. 17 letra a) de la Ley N°19.856[273].

En relación con los otros supuestos, se ha considerado suficiente para estos efectos, únicamente, los antecedentes aportados por Gendarmería.

b) El incumplimiento de las condiciones impuestas durante el régimen de libertad condicional:

Esta causal se configura cuando se revoca el beneficio de libertad condicional por incumplimiento de las condiciones que constan en el plan de intervención del liberto/a condicional.

---

[273]   Corte Suprema. SCS Rol N°27836-2016 de 1° de junio de 2016.

c) La persona hubiere delinquido durante el cumplimiento de su condena, o estando en libertad provisional durante el proceso respectivo:

En el primer supuesto, la jurisprudencia ha manifestado que las penas sustitutivas participan del carácter de pena, por lo tanto, se encuentran incluidas.

> Que, en cuanto al fondo de lo decidido por la autoridad administrativa, ciertamente la causal de exclusión del artículo 17 letra c) de la Ley N°19.856, también alcanza a las penas sustitutivas pues estas son precisamente sanciones penales y no beneficios, lo que resulta palmario luego de la modificación de la Ley N°20.603 a la Ley N°18.216 [274].

Tratándose del segundo supuesto, esto es, cometer el delito durante el período de libertad provisional, se esgrime el mismo argumento anterior, toda vez que la libertad condicional es una forma distinta de cumplir condena. Ahora bien, para que se configuren ambas causales es necesario contar con sentencia condenatoria firme y ejecutoriada, que esté dentro del plazo del cumplimiento de la condena o libertad condicional.

d) Se trate de personas condenadas a presidio perpetuo, sea simple o calificado:

Este grupo de condenados queda fuera de la aplicación de los beneficios que establece esta ley por la gravedad de sus condenas, y porque el presidio perpetuo lo es para toda la vida de la persona condenada, sin perjuicio del beneficio de la libertad condicional.

e) El condenado hubiere cometido algún delito al que la ley asigna como pena máxima el presidio perpetuo, o alguno de los delitos perpetrados en contra de una víctima menor de edad, sancionados en los artículos 141, inciso final, y 142, inciso final, ambos en relación con la violación; los artículos 150 B y 150 E, ambos en relación con los artículos 361, 362 y 365 bis; los artículos 361, 362, 363, 365 bis, 366, 366 bis, 366 quáter, 366 quinquies, 367, 367 ter y 374 bis; el artículo 411 quáter, en relación con

---

la explotación sexual; y el artículo 433, n°1, en relación con la violación, todos del Código Penal, a menos que en la sentencia condenatoria se hubiere aplicado a su respecto la circunstancia atenuante prevista en el artículo 73 de dicho Código:

Esta causal de exclusión obedece a la modificación que introdujo la Ley N°21.421, por iniciativa del poder ejecutivo, dada la gravedad que conlleva atentar contra la integridad sexual de un niño, niña o adolescente y las particulares circunstancias de este tipo de ilícitos. Así se propuso excluir a quienes sean condenados o condenadas por estos crímenes de la posibilidad de acceder a los beneficios regulados en la Ley N°19.856. Es decir, se prohíbe que estas personas obtengan la rebaja de su condena.

Ahora bien, el único supuesto que elimina la concurrencia de la causal es la atenuante de responsabilidad penal llamada eximente incompleta del art. 73 del CP. Para que dicha circunstancia atenuante sea considerada por la Comisión es necesario que el fallo condenatorio la haya acogido y declarado expresamente.

Ahora bien, en relación con la voz "cometido" la jurisprudencia ha señalado que se alude al autor:

> La voz "cometido" que usa el legislador aquí nos remite necesaria y solamente al autor, pues únicamente éste es, en primer lugar, el que ejecuta la acción y, en segundo lugar, el que puede ser afectado por esa pena. Por lo demás, sabido es que el encubrimiento, desde un punto de vista doctrinario, reviste más bien el carácter de un delito relacionado pero distinto, puesto que la acción se desarrolla después de cometido el ilícito original. En consecuencia, el amparado no está incluido en la causal del artículo 17 letra e) de la Ley N°19.856, lo que implica que debe acogerse su acción[275].

f) El condenado hubiere obtenido el beneficio establecido en esta ley con anterioridad:

El beneficio de reducción de condena opera solo una vez. Por lo tanto, si el condenado ya obtuvo este beneficio durante el cumplimiento de otras condenas privativas de libertad, queda excluido. Este supuesto se configura con el Decreto del Ministerio de Justicia que da cuenta de que con anterioridad se le otorgó el beneficio, y con las resoluciones judiciales que acogen la procedencia del beneficio. Por el contrario, no da lugar a la

---

[275] Corte de Apelaciones de Valparaíso. SCA Rol N°341-2015 de 22 de diciembre de 2015.

exclusión, la circunstancia de que un condenado haya acumulado, durante el cumplimiento de otras penas privativas de libertad, meses de rebaja de condena, cuando dicha rebaja no se hubiese reconocido por los medios señalados.

g) La condena hubiere sido dictada considerando concurrente alguna de las circunstancias agravantes establecidas en los números 15 y 16 del art. 12 del CP:

Para que opere esta causal es necesario que la sentencia condenatoria expresamente señale que se acoge alguna de las agravantes o ambas. Ahora bien, se ha discutido si los efectos de la compensación de circunstancias modificatorias, que se anulan mutuamente, escapan al alcance del supuesto, cuestión que la jurisprudencia ha resuelto desfavorablemente a los intereses de la persona condenada:

> Que es un hecho no debatido que el amparado fue condenado por el delito de robo con fuerza en las cosas en lugar habitado, sentencia que consideró la agravante del n°16 del art. 12 del C. P., de modo tal que, resulta claro que en la especie se ha procedido por la Comisión de Beneficio de Reducción de Pena al estudio y análisis de la conducta de un sentenciado que se encontraba en una de las hipótesis que el art. 17 de la Ley 19.856 establece como exclusión de la aplicación de sus beneficios, por lo que la reducción reconocida sobre la base de un factor como la buena conducta intrapenitenciaria -que tampoco ha sido discutida- no resulta posible, al existir norma legal expresa que lo impide, la que establece que "no tendrán lugar en caso alguno" ante la concurrencia de uno o más de los factores que detalla, entre los cuales se encuentra la causal de la letra g) del artículo 17 de la Ley ya citada, esto es, que la condena hubiere sido dictada considerando la circunstancia agravante del n°16 del artículo 12 del Código Penal[276].

Por último, respecto al órgano autorizado para declarar la exclusión, la Corte Suprema ha sostenido un criterio ambivalente. Por una parte, ha dicho que corresponde a la Comisión como al Ministerio de Justicia (órgano que emite el decreto respectivo de rebaja de condena), dado que la norma señala "que en caso alguno" se puede otorgar el beneficio si concurre alguna causal de exclusión, indicando que el Ministerio de Justicia también podría reexaminarlo:

> La intervención de la referida Comisión constituye un acto jurídico administrativo afinado que ha de ser reexaminado en los términos del art. 53 de la Ley 19.880, toda vez que

---

[276] Corte de Apelaciones de Rancagua. SCA Rol N°253-2016 de 28 de octubre de 2016. En el mismo sentido, Corte de Apelaciones de Santiago. SCA Rol 1957-2018 de 5 de octubre de 2018.

el dictamen de la Comisión de Beneficio de Reducción de Pena ha sido dictado fuera de los casos que la ley que regula su funcionamiento prevé[277].

Por otra parte, reciente jurisprudencia ha revertido el criterio:

> En primer lugar, del artículo 2 de la ley citada, que previene que aquellas personas que demuestren un comportamiento sobresaliente tendrán derecho a una reducción del tiempo de su condena equivalentes a dos meses por cada año de cumplimiento, lo que determina que, a diferencia de otros instrumentos penitenciarios, el de la especie no es de carácter discrecional, sino de índole legal -e imperativo, "tendrán derecho"- cuyos presupuestos, que previene el artículo 7 del mismo cuerpo legal, sólo han de ser verificados por la Comisión [...] Por otra parte, el artículo 10, junto con establecer la Comisión mencionada, prevé que ésta será competente para efectuar la calificación de comportamiento necesaria para acceder a los beneficios, y en los artículos siguientes señala las modalidades de la función [...] Cuando se revisa por otra autoridad administrativa el mérito de lo obrado por la ya referida Comisión disponiéndose constatar nuevamente la concurrencia de las exigencias ya comprobadas, se desconoce la conclusión del acto resolutivo -cuestión que se encuentra regulada en la Ley No. 19.880- que reconoció la procedencia del "derecho" al beneficio, y, por tal razón, importa una actuación que excede las competencias legales en virtud de las cuales obró la administración[278].

• Calificación del comportamiento

Descartada la concurrencia de alguna causal de exclusión, la Comisión procede a calificar el comportamiento de la persona condenada. El período por calificar es anual y comprende los doce meses previos al inicio del proceso de calificación, esto es, desde noviembre del año anterior a octubre del año en que se sesiona. En caso de que se trate del primer período de calificación, y la persona postulante hubiere estado en prisión preventiva, deberán calificarse los doce meses en calidad de condenado/a y, además, el tiempo en que estuvo privado de libertad como imputado/a.

Lo que la Comisión examina son los informes y antecedentes de cada persona condenada para determinar si satisfacen los cuatro factores obligatorios a evaluar: trabajo, educación, rehabilitación y conducta, para luego calificar si el comportamiento anual ha sido sobresaliente o no.

---

[277]   Corte Suprema. SCS Rol N°3278-2015 de 4 de marzo de 2015; SCS Rol 27836-2016 de 1° de junio de 2016; SCS Rol N°387-2017 de 17 de enero de 2017: "que, sin embargo, el artículo 17 de la Ley N°19.856 regula los límites a la aplicación de beneficios, disponiendo que ellos no tendrán aplicación en caso alguno, cuando se dieren una o más de las circunstancias que enumera, correspondiéndole en consecuencia al Ministerio de Justicia, discernir sobre la concurrencia de las causales que impiden acceder a los beneficios de la Ley N°19.856".

[278]   Corte Suprema. SCS Rol N°1430-2022 de 24 de enero de 2022.

Además, deberá atender al nivel de integración y apoyo familiar de la persona condenada, si lo tuviere, y al nivel de adaptación social demostrado en uso de beneficios intrapenitenciarios cuando se le hubieren otorgado. Este deber fue introducido por la Ley N°21.421 pues anteriormente la norma utilizaba la expresión "podrá atender" lo que implicaba darle un carácter facultativo a la consideración.

Asimismo, la Ley N°21.421 incorporó la obligación para la Comisión de tener en consideración informes sociales y psicológicos relativos a las personas condenadas, elaborados previamente para la postulación a algún beneficio intrapenitenciario o la libertad condicional. En caso de no contar con ellos, deberá solicitar especialmente que se elaboren por profesionales de Genchi, para los fines de esta ley.

Ahora bien, el art. 7° de la ley define lo que se entiende por comportamiento sobresaliente indicando que se considerará de esa forma aquel que revelare notoria disposición del condenado/a para participar positivamente en la vida social y comunitaria, una vez terminada su condena. El contenido de cada uno de los factores a evaluar es el siguiente:

a) Estudio: En este factor se considerará la asistencia periódica del condenado/a a la escuela, liceo o cursos existentes en la unidad penal, siempre que ello redundare en una objetiva superación de su nivel educacional, vía alfabetización o conclusión satisfactoria de los cursos correspondientes a enseñanza básica, media o superior, según fuere el caso. La Comisión podrá eximir de este requisito a quienes tengan enseñanza básica y media completa o cuando tengan estudios superiores técnicos o universitarios.

b) Trabajo: En este factor, se considerará la asistencia periódica del condenado o condenada a talleres o programas de capacitación ofrecidos por la unidad penal, siempre que ello redundare en el aprendizaje de un oficio o labor provechosa. Asimismo, tratándose de personas condenadas que dominaren un oficio, el ejercicio regular de este al interior del recinto penal sea con fines lucrativos o benéficos.

c) Rehabilitación: En lo que respecta a este factor, se atenderá a la voluntad exhibida por la persona condenada, mediante el sometimiento a terapias clínicas, en orden a superar dependencia a drogas, alcohol u otros, en su caso. No se exige una superación de la adicción, sino la manifestación de una voluntad a superarla mediante la participación en diversas instancias de tratamiento dirigidas a dicho fin.

d) Conducta: Se evalúa el espíritu participativo, sentido de responsabilidad en el comportamiento personal, tanto en la unidad penal como durante los traslados, y, en general, cualquier otro comportamiento que revelare la disposición a la reinserción.

Con todo, el cumplimiento de los factores depende, por una parte, de la voluntad del condenado/a de participar y, por otra, de la oferta programática que en materia de reinserción tenga la unidad penal. Por ello, el art. 56 del reglamento señala que la falta de los medios necesarios o adecuados para impartir o facilitar la ejecución de instancias educacionales, laborales o de rehabilitación no podrán afectar de manera negativa la calificación del comportamiento de la persona condenada. En estos casos la Comisión deberá efectuar la calificación sobre la base de los elementos que existan. Para ello, el Consejo Técnico deberá elaborar un informe que dé cuenta de las condiciones materiales del establecimiento y de las acciones o actividades realizadas por la persona y que puedan servir para la acreditación de la notoria disposición a la participación social.

Por último, el comportamiento sobresaliente cesa en los siguientes casos:

a) Cuando el condenado/a incurre en alguna de las causas de exclusión mencionadas en el art. 17 de la ley.

b) Cuando el condenado/a no cumple con alguno de los requisitos mencionados en el art. 12 de la ley. Es decir, cuando no hubiere sido calificado con nota "muy buena" o "buena" en los tres bimestres anteriores a aquel en que procede la calificación.

c) Cuando la Comisión califica el comportamiento anual como "no sobresaliente".

- **Declarar la caducidad de los meses acumulados**

El sistema de reducción de condena se traduce en un período de acumulación de meses por cada año de comportamiento sobresaliente, pero que el condenado/a puede perder, en todo o en parte, si incurre en alguna de las conductas de cesación de comportamiento sobresaliente que menciona el art. 60 del reglamento y respecto de las cuales debe pronunciarse la Comisión.

Si se incurre en una causal de exclusión, la Comisión está obligada a declarar la caducidad de todos los meses acumulados, es decir, la persona condenada pierde todo. En situaciones como esta, le asiste al condenado/a el derecho a interponer ante el mismo órgano un recurso de reconsideración. En los dos casos restantes, la Comisión podrá declarar la caducidad del beneficio, es decir, la pérdida de todos los meses acumulados o la subsistencia de un porcentaje de ellos, de conformidad con el art. 8° de la Ley N°19.856.

Para que la Comisión pueda declarar la subsistencia de un porcentaje de los meses acumulados, deben concurrir los siguientes requisitos:

1) Que la cesación del comportamiento sobresaliente se deba a las causales de las letras b) y c) del art. 60, esto es, no obtener conducta buena o muy buena, en los tres meses anteriores a aquel en que se procede a la calificación, y calificación anual de comportamiento como no sobresaliente.

2) Que el condenado/a haya cesado en su comportamiento sobresaliente en un solo período de calificación, es decir, que se trate de la primera vez en que incurre en las causales mencionadas, ello de acuerdo con el art. 61 inc. 2° en relación con el art. 8° de la Ley N°19.856.

3) Resolución fundada de la Comisión.

La Comisión en estos casos solo podrá declarar la subsistencia de hasta un 80% de los meses de rebaja acumulados, es decir, en el mejor de los casos el condenado perderá un 20% de los meses. El hecho de que opere la caducidad de los meses acumulados es sin perjuicio de la procedencia futura del beneficio. Es decir, la persona condenada podrá ingresar nuevamente en el sistema de reducción de condena, salvo que la cesación de comportamiento sobresaliente se deba a una causal de exclusión, ya que en estos casos no podrá ser presentado en el futuro por Gendarmería.

2.5 Procedimiento

El proceso comienza con la elaboración de una nómina de postulantes que hace Gendarmería y que presenta a la Comisión, órgano que deberá pronunciarse, primero, de las exclusiones, para luego calificar el comportamiento sobresaliente de los no excluidos, que cumplan con los requisitos exigidos por la ley para mantenerse en el proceso. La calificación del comportamiento de sobresaliente trae como consecuencia la rebaja de meses año.

Ahora bien, no es la Comisión el órgano que otorga el beneficio, sino que una vez que se acerca la fecha próxima de cumplimiento de condena, con las reducciones efectuadas, el Alcaide comunicará al interno/a, con al menos 75 días hábiles de anticipación a la fecha estimativa de cumplimiento de condena, que puede elevar una solicitud para el reconocimiento de los meses de reducción. La solicitud se envía a la Secretaría Regional Ministerial de Justicia, junto a un conjunto de otros antecedentes que se incorporan en un informe consolidado.

La Seremía respectiva deberá revisar el cumplimiento de los requisitos objetivos, pudiendo considerar para estos efectos, únicamente, los antecedentes de que da cuenta el informe consolidado[279]. Luego el Ministerio de Justicia efectúa una segunda revisión a fin de determinar la posible existencia de una causal de exclusión[280], examen que contempla también el período comprendido entre la última calificación y el momento en que el Ministerio cuenta con los antecedentes y revisa la posible existencia de una causal de exclusión. De esta manera, se desprende que las facultades de la Seremía respectiva y del Ministerio de Justicia se limitan a cuestiones objetivas y a establecer causales de exclusión sobrevinientes o no advertidas por la Comisión, pero en ningún caso comprenden la facultad de recalificar el comportamiento del interno, ya que esta es una facultad entregada por el legislador a la Comisión, tal como lo señala expresamente el art. 10 de la Ley N°19.856: *Órgano calificador. Una comisión denominada "Comisión de beneficio de reducción de condena", será competente para*

---

[279]   En relación con la revisión de "requisitos objetivos", es menester señalar que ni la Ley de Rebaja de Condena ni el reglamento, determinan cuáles son los requisitos que revisten la calidad de objetivos. Sin embargo, considerando que la revisión de dichos requisitos solo puede realizarse sobre la base del informe consolidado, estimamos que el contenido de dicho informe delimita las facultades de la Seremía sobre la referida revisión a los antecedentes mencionados en el art. 70 del reglamento. En contraposición, los requisitos subjetivos deben ser entendidos como aquellos que miran al comportamiento del recluso, esto es, aquellos que integran la calificación de comportamiento sobresaliente, cuya evaluación es de competencia exclusiva de la Comisión.

[280]   Reglamento de Rebaja de Condenas, art. 77: "el rechazo de la procedencia del beneficio solo podrá fundarse en alguno de los supuestos previstos en el art. 17 de la ley N° 19.856".

efectuar la calificación de comportamiento necesaria para acceder a los beneficios previstos en el Título anterior.

El otorgamiento del beneficio se efectúa mediante decreto supremo emitido por el Ministerio de Justicia, y luego el Alcaide o quien este designe, notifica a la persona interna el mismo día en que se cumpla la fecha de la condena, con las rebajas efectuadas, y le otorgará la libertad inmediata. Asimismo, otorgará un certificado de cumplimiento de condena, documento que es muy importante para efectos postpenitenciarios, en lo que dice relación con la omisión y eliminación de los antecedentes penales. Efectuada la notificación, el Alcaide enviará al Registro Civil e Identificación copia del decreto supremo a fin de que se incorpore en el prontuario penal del beneficiado/a. En caso de rechazo, el art. 77 del reglamento establece que este debe ser fundado, acompañando los antecedentes a partir de los cuales se hubiere decidido.

2.6 Rebaja de condena y libertad condicional

Las personas condenadas que gozaren de libertad condicional y que hubieren presentado conducta sobresaliente durante la mitad del período en libertad, podrán postular al beneficio establecido en el art. 8° del DL N°321. Se entenderá que no ha habido falta cuando se haya dado cumplimiento a las condiciones que se hubieren impuesto al condenado/a, conforme a lo señalado en el reglamento de libertad condicional. Para la procedencia del beneficio, los CAIS otorgan un certificado que da cuenta del cumplimiento, el que se presenta junto con la solicitud de beneficio de reducción de condena al Ministerio de Justicia para la emisión de decreto supremo respectivo.

2.7 Rebaja de condena y reclusión parcial

Con anterioridad a la dictación de la Ley N°21.421, las personas condenadas a pena sustitutiva de reclusión parcial también eran beneficiarias de esta ley. Para dichos efectos constituía comportamiento sobresaliente el cumplimiento cabal del régimen de ejecución correspondiente a dicha pena sustitutiva. Hoy esta norma fue derogada por la reciente normativa, sin embargo, se introdujo un artículo transitorio el que dispone que el art. 16 de la Ley N°19.856 continuará vigente para la aplicación de los beneficios ahí señalados respecto de las personas condenadas cuyo comportamiento fuere presentado para calificación de la Comisión con anterioridad a la publicación de la Ley N°21.421.

2.8 Agravante especial

La Ley N°19.856 introduce en su art.18 una circunstancia modificatoria de responsabilidad especial que no está en el catálogo del CP, y que consiste en cometer un nuevo delito durante el tiempo correspondiente al período rebajado por esta ley. Para que concurra, el Ministerio Público deberá acreditar la agravante incorporando la sentencia condenatoria firme y ejecutoriada por el nuevo delito.

3. EL INDULTO

3.1 Concepto

El indulto es una institución muy antigua, residuo del poder absoluto y manifestación del derecho de gracia (atributo de la soberanía), que ha sido recogido por nuestro derecho, y que consiste en la renuncia de la pretensión punitiva por parte de quien tiene la facultad de ejercitarla o hacerla efectiva, fundado en el perdón. Su objetivo es remitir o conmutar, total o parcialmente una pena, sin que desaparezca el carácter de condenado, por lo que afecta a la pena y no al delito. En el ámbito penal se configura como una causal de extinción de responsabilidad penal, es decir, se trata de un motivo jurídicamente reconocido que determina que habiendo nacido la responsabilidad penal esta no llegue a concretarse, ya sea por razones jurídicas o por razones de política criminal.

En el ámbito internacional, el indulto ha sido reconocido por importantes instrumentos internacionales, como el PIDCP y la CADH[281], pues

---

[281] PIDCP (art. 6° n°4): "Toda persona condenada a muerte tendrá derecho a solicitar el indulto o la conmutación de la pena de muerte. La amnistía, el indulto o la conmutación de la pena capital podrán ser concedidos en todos los casos". CADH (art. 4° n°6): "Toda persona condenada a muerte tiene derecho a solicitar la amnistía, el indulto o la conmutación de la pena, los cuales podrán ser concedidos en todos los casos. No se puede aplicar la pena de muerte mientras la solicitud esté pendiente de decisión ante autoridad competente".

se ha usado históricamente como instrumento de política criminal, ya sea en procesos de pacificación, como método de corrección ante un posible error judicial, o también como un posible medio de adecuación de la norma legal a una coyuntura histórica. El problema surge respecto de aquellos delitos o crímenes de mayor gravedad, que constituyen violaciones a los derechos humanos, porque tratándose de esta clase de delitos existe un deber de penalización que impide en tales casos la exención total de la pena[282].

En nuestra legislación, el indulto es una figura reconocida a nivel constitucional, distinguiéndose el indulto particular, cuyo otorgamiento es facultativo del Presidente de la República mediante decreto supremo[283], del indulto general, el que es otorgado por el Senado mediante ley de quorum calificado[284]. En ambos casos, se requiere de un tiempo de cumplimiento efectivo de la pena, lo que viene dado por la gravedad del delito. La única limitación se refiere a los delitos terroristas, los que no pueden ser objeto de indultos particulares, salvo para conmutar la pena de muerte por la de presidio perpetuo[285].

A partir de esta limitación algunos autores han concluido que los derechos humanos son de tal importancia para las bases de nuestra

---

[282] Convención sobre la Prevención y Castigo del Crimen de Genocidio (arts. 4° y 5°); Convención sobre la Inaplicabilidad de la Prescripción a los Crímenes de Guerra y Crímenes Contra la Humanidad (art. 4°); Convención contra la Tortura y otros Tratos o Castigos Crueles, Inhumanos o Degradantes (art. 4°).

[283] CPR (art. 32 n°14): "Son atribuciones especiales del Presidente de la República: Otorgar indultos particulares en los casos y formas que determine la ley. El indulto será improcedente en tanto no se haya dictado sentencia ejecutoriada en el respectivo proceso. Los funcionarios acusados por la Cámara de Diputados y condenados por el Senado, sólo pueden ser indultados por el Congreso".

[284] CPR (art. 65): "Las leyes pueden tener origen en la Cámara de Diputados o en el Senado, por mensaje que dirija el Presidente de la República o por moción de cualquiera de sus miembros. Las mociones no pueden ser firmadas por más de diez diputados ni por más de cinco senadores. Las leyes sobre tributos de cualquiera naturaleza que sean, sobre los presupuestos de la Administración Pública y sobre reclutamiento, sólo pueden tener origen en la Cámara de Diputados. Las leyes sobre amnistía y sobre indultos generales sólo pueden tener origen en el Senado".
CPR (art. 63): "Sólo son materias de ley: 16) Las que concedan indultos generales y amnistías y las que fijen las normas generales con arreglo a las cuales debe ejercerse la facultad del Presidente de la República para conceder indultos particulares y pensiones de gracia. Las leyes que concedan indultos generales y amnistías requerirán siempre de quórum calificado. No obstante, este quórum será de las dos terceras partes de los diputados y senadores en ejercicio cuando se trate de delitos contemplados en el artículo 9°".

[285] CPR (art. 9° inc. 3°): "Los delitos a que se refiere el inciso anterior (conductas terroristas) serán considerados siempre comunes y no políticos para todos los efectos legales y no procederá respecto de ellos el indulto particular, salvo para conmutar la pena de muerte por la de presidio perpetuo".

institucionalidad, que la facultad de indultar se encuentra limitada por estos derechos, lo que sería concordante con el art. 5° inc. 2° de la Constitución, que señala como límites de la soberanía los derechos esenciales que emanan de la naturaleza humana. Es decir, al ser el indulto una manifestación de la soberanía no sería posible sostener el indulto respecto de delitos que implican directamente una violación a los derechos fundamentales, pues tales actos soberanos serían inconstitucionales[286] .

A nivel legal, el indulto se consagra en art. 93 N°4 del CP, como una causal de extinción de la responsabilidad penal, que solo remite o conmuta la pena, pero no quita al favorecido el carácter de condenado para efectos de la reincidencia o nuevo delinquimiento y demás que determinan las leyes. A continuación, veremos el indulto particular, por tratarse de una figura que tiene relevancia en el ámbito penitenciario.

3.2 Indulto particular

Se trata de una atribución especial del Presidente de la República, que se materializa mediante decreto supremo firmado por el Ministro de Justicia, por medio del cual se remite o conmuta, total o parcialmente, una pena. Se considera un acto de gobierno discrecional por cuanto se trata de una facultad constitucional directa que representa los intereses generales del país y que atiende principalmente a circunstancias particulares que se dan en la persona beneficiada.

Su regulación particular está dada por la Ley N°18.050 y por el Decreto N°1542 que fija el reglamento sobre indultos particulares, para dar cumplimiento al mandato constitucional contenido en el art. 63 N°16 de la Carta Fundamental, que señala que tal materia debe ser reglada por medio de una ley. En dicha regulación se establece que puede solicitarlo toda persona que se encuentre condenada por sentencia firme y ejecutoriada, con excepción de los condenados por conductas calificadas como delitos terroristas, por una ley dictada de acuerdo con el art. 9° de la CPR. Además, se requiere que el condenado se encuentre cumpliendo efectivamente la pena, y en casi todos los casos, que haya cumplido con determinada parte de la misma.

---

[286]   Lledó Vásquez, *Derecho Penal Internacional*, (Santiago: Editorial Congreso, 2000), 116.

En cuanto al procedimiento, el postulante deberá acompañar a su solicitud, copias autorizadas de las sentencias condenatorias de primera y segunda instancia y de casación (o nulidad, tratándose del nuevo proceso penal) si la hubiere, con la certificación de encontrarse firme y ejecutoriada. En la práctica, la administración penitenciaria recopila toda la información y eleva la solicitud al Ministerio de Justicia. Ahora bien, existen causas legales de denegación las que están reguladas en el art. 4° de la ley:

a) Cuando los condenados no se encuentren cumpliendo sus condenas en el respectivo establecimiento, si estuvieren condenados a prisión, presidio o reclusión; o en la localidad que se le señaló en la sentencia, si esta hubiere impuesto pena de relegación.

b) Cuando la solicitud se formule antes de haber transcurrido un año desde la fecha del decreto que haya resuelto una solicitud anterior.

c) Cuando se trate de delincuentes habituales o de condenados que hubieren obtenido indulto anteriormente. Nada dice la ley respecto a qué se entiende por delincuentes habituales.

d) Cuando no hubieren cumplido a lo menos la mitad de la pena, en los casos de condenados como autores de los delitos contemplados en los párrafos 5° y 6° del Título V(malversación de caudales públicos y fraudes y exacciones ilegales), en los Títulos VII y VIII (crímenes y delitos contra el orden de las familias, contra la moralidad pública y contra la integridad sexual) y en los párrafos 2, 3, 8 y 9 del Título IX (robo con violencia e intimidación en las personas, robo con fuerza en las cosas, estafas y otros engaños, incendios y otros estragos), todos del Libro II del CP. Sin embargo, no quedarán afectos a esta última exigencia, los condenados por delitos a que la ley asigna una pena no superior a las de presidio, reclusión, confinamiento, extrañamiento y relegación menores o destierro, en su grado mínimo.

e) Cuando no hubieren cumplido a lo menos, dos tercios de la pena en los casos de reincidentes, de condenados por dos o más delitos que merezcan pena aflictiva, y por los delitos de parricidio, homicidio calificado, infanticidio, robo con homicidio el previsto en el art. 411 quáter del CP, y elaboración o tráfico de estupefacientes.

f) Cuando habiendo obtenido la libertad condicional, se les hubiere revocado este beneficio y no fueren acreedores al indulto según el Tribunal de conducta del respectivo establecimiento penal, el cual deberá para este fin, conocer los antecedentes e informar sobre la petición.

En los casos contemplados en las letras d) y e), podrá considerarse una solicitud de indulto cuando hubieren cumplido a lo menos cinco años de su condena[287]. Por otra parte, la calidad de reincidencia no se tomará en consideración después de transcurridos diez años desde la comisión del hecho que motivó la condena anterior, si se tratare de un crimen; ni después de cinco, si se tratare de un simple delito. Si las condenas fueren varias, esta regla se aplicará separadamente respecto de cada una de ellas.

También puede pedir el indulto, quien le falten menos de tres meses para cumplir su condena. Y, por último, en casos calificados, el Presidente de la República podrá prescindir de los requisitos establecidos en la Ley N°18.050, y de los trámites indicados en su reglamento, y otorgar el indulto mediante decreto supremo fundado, siempre que el beneficiado esté condenado por sentencia ejecutoriada y no se trate de conducta terroristas. La calificación del caso puede estar dado por circunstancias excepcionales que afecten la vida de la persona condenada como, por ejemplo, lo es el padecimiento de una enfermedad terminal.

Otorgado el indulto que remite la pena se produce el efecto de extinguir la responsabilidad penal, dado que en los casos de conmutación y de reducción, siempre seguirá existiendo una pena que cumplir. Será total, cuando libera al beneficiado de todas las penas, incluyendo también las accesorias de manera explícita, porque el indulto de la pena principal no las comprende, a menos que se extienda a ellas de manera expresa. Será parcial, si el indulto remite solo una de las varias penas impuestas al condenado, o si solo cambia la naturaleza de la pena impuesta (conmutación de la pena), o reduce la o las penas impuestas.

Ahora bien, el indultado continúa con el carácter de condenado para los efectos de la reincidencia o nuevo delinquimiento y demás que determinen las leyes. Por otro lado, el beneficiario del indulto no queda

---

[287]   La ley dice que el cómputo del tiempo para estos efectos se hará en conformidad con lo dispuesto en los arts. 14, 15 y 16 del Decreto N°2.442, de 30 de octubre de 1926 sobre Reglamento de la ley de Libertad Condicional, el cual hoy se encuentra derogado.

liberado de la carga de cumplir con otras obligaciones de naturaleza no penal que puedan eventualmente derivarse del delito como, por ejemplo, las consecuencias comerciales, civiles (indemnizaciones), y las inhabilidades dimanantes del hecho punible.

3.3 Indulto conmutativo por covid -19

En el marco de la pandemia mundial por coronavirus covid-19 se promulgó la Ley N°21.228[288], que concede indulto general conmutativo y modalidad alternativa al cumplimiento de las penas mediante reclusión domiciliaria total, a las personas condenadas pertenecientes a grupos de riesgo. El objetivo de la ley fue la descongestión de las cárceles para evitar la propagación de la enfermedad[289]. Sin embargo, la medida se aplicó solamente a las personas que reunían los requisitos al momento de la entrada en vigencia de la ley, sin que a la fecha se haya vuelto a revisar la situación de personas que, cumpliendo con los requisitos exigidos, han ingresado a los recintos penitenciarios con posterioridad.

Son beneficiarios del indulto conmutativo general (art. 1°):

a) Personas que se encuentren privadas de libertad en virtud de una condena por sentencia ejecutoriada, y tengan setenta y cinco años o más. El indulto consiste en la conmutación del saldo de las penas privativas de libertad que les resta por cumplir y, en su caso, de la multa, por reclusión domiciliaria total, por el tiempo equivalente al respectivo saldo de condena.

b) Personas que se encuentren privadas de libertad en virtud de una condena por sentencia ejecutoriada, habiendo cumplido la mitad de la condena y restándoles por cumplir un saldo igual o inferior

---

[288]   Ley N°21.128 que concede Indulto General Conmutativo a causa de la enfermedad de covid 19 en Chile. Complementa la legislación la Res. Exe. N°5081 de Genchi, que aprueba el manual de indulto general conmutativo, de 24 de mayo de 2012.

[289]   Fiscalía Judicial de Chile, "Situación recintos penitenciarios en Pandemia Covin-19", *Informe de la Corte Suprema*, 2020: De acuerdo al informe de la Fiscal Judicial de la Corte Suprema sobre la situación penitenciaria en Chile y covid-19, la población privada de libertad es uno de los grupos con mayor exposición al contagio y potencialmente más perjudicado por la pandemia y otras enfermedades infectocontagiosas. Factores como el hacinamiento y el constante ingreso de internos y personas eventualmente portadoras aumenta el riesgo de contagio y genera condiciones para la propagación, poniendo en peligro la salud de las personas que cumplen castigo y la del personal de custodia.

a los treinta y seis meses, que sean mujeres que tengan cincuenta y cinco años o más y menos de setenta y cinco años, y hombres que tengan sesenta años o más y menos de setenta y cinco años. El indulto consiste en la conmutación del saldo de las penas privativas de libertad que les resta por cumplir y, en su caso, de la multa, por reclusión domiciliaria total, por el tiempo equivalente al respectivo saldo de condena.

c) Las mujeres que se encuentren privadas de libertad en virtud de una condena por sentencia ejecutoriada, habiendo cumplido un tercio de la condena y restándoles por cumplir un saldo igual o inferior a los treinta y seis meses, y estuvieren embarazadas o tuvieren un hijo o hija menor de dos años de edad, que resida en la unidad penal, consistente en la conmutación del saldo de las penas privativas de libertad que les resta por cumplir y, en su caso, de la multa, por reclusión domiciliaria total, por el tiempo equivalente al respectivo saldo de condena.

d) Personas que se encuentren cumpliendo pena de reclusión nocturna, o pena de reclusión parcial nocturna en establecimientos especiales, en virtud de una condena por sentencia ejecutoriada, habiendo cumplido un tercio de la condena y restándoles por cumplir un saldo igual o inferior a los treinta y seis meses, consistente en la conmutación del saldo de pena que les resta por cumplir, por reclusión domiciliaria nocturna, por el tiempo equivalente al respectivo saldo de condena.

e) Personas que se encuentren privadas de libertad en virtud de una condena por sentencia ejecutoriada, habiendo cumplido la mitad de la condena y restándoles por cumplir un saldo igual o inferior a los treinta y seis meses, y estuvieren beneficiados con el permiso de salida controlada al medio libre, consistente en la conmutación del saldo de las penas privativas de libertad que les resta por cumplir y, en su caso, de la multa, por reclusión domiciliaria nocturna, por el tiempo equivalente al respectivo saldo de condena que les reste por cumplir.

Son beneficiarios de la modalidad alternativa de cumplimiento de pena mediante reclusión domiciliaria total (art. 11):

a) Personas que se encuentren privadas de libertad en virtud de condena por sentencia ejecutoriada, y estuvieren beneficiadas con el permiso de salida dominical, o con el permiso de salida de fin de semana, habiendo cumplido la mitad de la condena y restándoles por cumplir un saldo igual o inferior a los seis meses, pasarán a cumplir su condena a través de la modalidad alternativa de cumplimiento de pena mediante reclusión domiciliaria total, por el tiempo equivalente al respectivo saldo de condena que les reste por cumplir.

b) Personas que se encuentren privadas de libertad en virtud de condena por sentencia ejecutoriada, y estuvieren beneficiadas con el permiso de salida dominical, o con el permiso de salida de fin de semana, habiendo cumplido la mitad de la condena y restándoles por cumplir un saldo superior a los seis meses e igual o inferior a los treinta y seis meses, transitoriamente pasarán a cumplir su condena a través de la modalidad alternativa de cumplimiento de pena mediante reclusión domiciliaria total, hasta el vencimiento del plazo de seis meses contado desde el día de entrada en vigencia de esta ley.

En estos dos últimos casos, a contar del día siguiente al vencimiento del plazo de seis meses, la persona condenada continuará con el cumplimiento de su respectiva pena privativa de libertad, en la forma que lo hacía con anterioridad a la entrada en vigencia de la ley, abonándose para estos efectos un día por cada día completo de cumplimiento bajo esta modalidad.

Ahora bien, la ley excluye del beneficio del indulto conmutativo general como de la medida alternativa de cumplimiento mediante reclusión domiciliaria total, a los condenados por delitos contra la vida, integridad física y psíquica de las personas, violencia intrafamiliar, secuestro, sustracción de menores, tortura, asociación ilícita, violación, parricidio, femicidio e infanticidio, entre otros delitos graves.

Por otra parte, respecto de los beneficiarios se contempla la posibilidad de solicitar al tribunal permisos especiales como, por ejemplo, salida dominical, fin de semana, y salida controlada al medio libre, previo cumplimiento de los requisitos exigidos. Para efectos de su concesión, el tribunal apreciará las necesidades de reinserción de la persona condenada y el adecuado y oportuno cumplimiento de la pena conmutada, debiendo respetar el principio de progresividad de los permisos, es decir, el cumplimiento satisfactorio del régimen de cada permiso concedido, y la acreditación por parte de la persona condenada, de avances efectivos en su proceso de reinserción social, le va a permitir postular al siguiente.

Asimismo, estas personas podrán solicitar al tribunal competente, autorización para la salida esporádica, por el lapso de horas que fije el juez, con el objeto de recibir atenciones de salud, visitar a parientes próximos o a las personas íntimamente ligadas con ellos, en caso de enfermedad, accidente grave o muerte, o en caso de que tales parientes o cercanos estuvieren afectados por otros hechos de semejante naturaleza, importancia o trascendencia en la vida familiar. Asimismo, podrán solicitar al tribunal competente, autorización para la realización de diligencias urgentes que requieren de la comparecencia de la persona condenada, por el tiempo estrictamente necesario que fije el juez. El tribunal podrá decretar que estas salidas se realicen con vigilancia de Gendarmería.

Ahora bien, el control del cumplimiento de la pena le corresponde a Gendarmería. El incumplimiento sin justificación oportuna hecha ante la administración penitenciaria o al tribunal, de la pena de reclusión domiciliaria total o la pena de reclusión domiciliaria nocturna, o de los permisos especiales que establece la ley, da lugar al cumplimiento efectivo del saldo de la pena original que se hubiese conmutado a la persona, abonándose el tiempo que hubiere alcanzado a cumplir de la pena de reclusión domiciliaria total o de la pena de reclusión domiciliaria nocturna, según sea el caso.

Por otro lado, en el caso de que la persona indultada fuere condenada por crimen o simple delito cometido durante el cumplimiento de la pena, deberá cumplir de manera efectiva el saldo de la pena original que se le hubiese conmutado, abonándose el tiempo que hubiere alcanzado a cumplir de la pena en reclusión domiciliaria, sin perjuicio de la aplicación de la pena que corresponda por el nuevo crimen o simple delito.

Asimismo, el incumplimiento sin justificación oportuna a Gendarmería o al tribunal de la modalidad alternativa del cumplimiento de la pena, da lugar a su revocación, debiendo continuar el cumplimiento efectivo de la pena en un establecimiento penitenciario. La persona que estuviere cumpliendo con esta modalidad, y que fuere condenada por crimen o simple delito cometido durante el cumplimiento de esta medida, deberá continuar el cumplimiento efectivo de la pena en un establecimiento penitenciario, sin perjuicio de la aplicación de la pena que corresponda por el nuevo crimen o simple delito. Ahora bien, el cumplimiento en tiempo y forma de esta modalidad alternativa se considerará especialmente para efectos del otorgamiento de nuevos beneficios penitenciarios y la postulación a libertad condicional.

4. LA PENA MIXTA

4.1 Concepto

Esta figura jurídica se incorporó con la reforma que introdujo la Ley N°20.603 a la Ley N°18.216, la que tuvo dentro de sus objetivos diversificar la respuesta penal y hacer un uso racional de la cárcel, sobre todo respecto de aquellas personas condenadas que, al momento de la imposición de la pena, no reunían los requisitos para una pena sustitutiva, pero que tampoco contaban con antecedentes penales anteriores. Su regulación se encuentra en el art. 33 de la Ley N°18.216 y en el Decreto N°515[290], que aprueba el reglamento de monitoreo telemático de condenados a penas sustitutivas a las penas privativas o restrictivas de libertad, y consiste en la interrupción de la pena privativa de libertad, originalmente impuesta, la que es reemplazada por el régimen de libertad vigilada intensiva. El tribunal la dispone, de oficio o a petición de parte, siempre que concurran los requisitos legales, previo informe técnico de Gendarmería.

En cuanto a su naturaleza jurídica se ha sostenido que, en estricto rigor, no es pena sustitutiva porque no está dentro del catálogo de penas sustitutivas, sino que se trata en una disposición aparte, y porque estas últimas se conceden al momento de dictar la sentencia. En cambio, la pena mixta se decreta durante el cumplimiento de la pena privativa de libertad, por lo que se concibe más bien, como un medio anticipado de poner término

---

[290]   Decreto N°515 del Ministerio de Justicia, que aprueba Reglamento de monitoreo telemático de condenados a penas sustitutivas a las penas privativas o restrictivas de libertad, publicado en el Diario Oficial el 18 de enero de 2013.

a una privación de libertad, asimilándose a una medida que adelanta el momento de la excarcelación[291]. Por ese solo motivo la tratamos en este capítulo, sin perder de vista que participa en lo sustantivo del carácter de pena sustitutiva.

4.2 Requisitos

a) La sanción impuesta al condenado no puede ser superior a 5 años y 1 día de presidio o reclusión mayor en su grado mínimo. En el caso, que en una misma sentencia se impusiere dos o más penas privativas de libertad, se sumará su duración, y el total que así resulte se considerará como la pena impuesta a efectos de su eventual sustitución. Ahora bien, de conformidad con el art. 1° de la Ley N°18.216, aun cuando se cumpla con este requisito, por razones de política criminal, quedan excluidos de esta pena: los autores de los delitos consumados previstos en los arts. 141, inc. 3°, 4° y 5°; arts. 142, 150 A, 150 B, 361, 362, 372 bis, 390, 390 bis, 390 ter y 391 del CP; o de los delitos o cuasidelitos que se cometan empleando alguna de las armas o elementos mencionados en las letras a), b), c), d) y e) del art. 2° y en el art. 3° de la Ley N°17.798, salvo en los casos en que en la determinación de la pena se hubiere considerado la circunstancia primera establecida en el art. 11 del mismo Código.

b) Al momento de discutirse la interrupción de la pena privativa de libertad, el penado no registre otra condena por crimen o simple delito, sin perjuicio de lo dispuesto en el inc. 2° del art. 15 bis[292].

c) El penado debe haber cumplido al menos un tercio de la pena privativa de libertad de manera efectiva.

d) El condenado debe haber observado un comportamiento calificado como "muy bueno" o "bueno", en los 3 bimestres anteriores a su solicitud, de conformidad con lo dispuesto en el reglamento de la ley de libertad condicional.

---

[291] César Ramos, "La pena mixta del art. 33 de la Ley N.°18.216", *Informe en Derecho Defensoría Penal Pública* (2015): 2. informe Cesar Ramos Pena mixta.pdf

[292] Ley N°18.216 (art. 15 bis inc. 2°): "Que el penado no hubiere sido condenado anteriormente por crimen o simple delito. En todo caso, no se considerarán para estos efectos las condenas cumplidas diez o cinco años antes, respectivamente, del ilícito sobre el que recayere la nueva condena".

e) Para discutir la posible interrupción de la pena privativa de libertad, la ley exige contar con un informe técnico que debe elaborar Gendarmería el que deberá contener: una opinión técnica favorable, un informe de comportamiento, y un informe de factibilidad técnica de aplicación de monitoreo telemático.

4.3 El informe técnico

La opinión técnica favorable es un pronunciamiento de Gendarmería que permite orientar sobre los factores de riesgo de reincidencia, a fin de conocer las posibilidades de la persona condenada de reinsertarse adecuadamente en la sociedad, mediante una pena a cumplir en libertad. Dicha opinión debe contener los antecedentes sociales y las características de personalidad del postulante y una propuesta de plan de intervención individual a cumplir en el medio libre. Junto con ello, deberá considerar la existencia de investigaciones formalizadas o acusaciones vigentes.

Se ha discutido si la expresión "opinión técnica favorable" que utiliza el legislador implica vinculatoriedad para el tribunal, a la hora de decidir la interrupción de la pena privativa de libertad, cuestión que es relevante cuando la opinión técnica es del parecer de no recomendar la pena mixta. La jurisprudencia se ha pronunciado en varios fallos negando la vinculatoriedad del informe, pues de lo contrario, la facultad jurisdiccional de decidir la interrupción o no de la pena quedaría radicada en último término en la institución administrativa:

> Que, si bien el informe de postulación a pena mixta elaborado por el psicólogo de Reinserción Social de Talca, establece que el sistema de libertad vigilada intensiva no sería eficaz, requiriendo la culminación del proceso de intervención del Centro de Cumplimiento Penitenciario de Talca, no es menos cierto que el informe social y psicológico unificado, relativo al cumplimiento del beneficio intrapenitenciario de salida dominical, emitido por las profesionales [...] son favorables en cuanto a la capacidad del condenado de autocontrol y para anteponer la reflexión ante la acción[293].

---

[293] Véase, Corte de Apelaciones de Talca. SCA Rol N°37-2015 de 30 de enero de 2015. En el mismo sentido, Corte de Apelaciones de la Serena. SCA Rol N°422-2015 de 13 de agosto de 2015. Corte de Apelaciones de Copiapó. SCA Rol N°239-2015 de 17 de septiembre de 2015. Corte de Apelaciones de Talca. SCA Rol N°838-2015 de 22 de diciembre de 2015. Corte de Apelaciones de San Miguel. SCA Rol N°1037-2016 de 15 de junio de 2016.

De lo anterior se deriva que la defensa de la persona condenada podría presentar informes, pericias propias u otros antecedentes, que complementen, contradigan o aporten a las conclusiones arribadas en el informe.

En cuanto al informe de comportamiento, se requiere tener una conducta calificada de "buena" o "muy buena" en los últimos tres bimestres anteriores a la postulación. En cuanto a la factibilidad técnica de aplicación de monitoreo telemático, la ley dispone que la libertad vigilada intensiva deberá ser siempre controlada a través de ese medio. Por ello se exige un informe que verifique los aspectos relativos a la conectividad de las comunicaciones en el domicilio y la comuna que fije el condenado para tal efecto[294]. Esto sin perjuicio de que, si no hay factibilidad técnica, el juez pueda disponer otras formas de control de la pena. De lo contrario, se incurriría en discriminación arbitraria, constitucionalmente prohibida[295].

4.4 Procedimiento

La ley no establece expresamente cual es el tribunal competente para conocer de una solicitud de pena mixta. Se ha discutido si la competencia radica en el tribunal que condenó al sujeto o radica en el Juzgado de Garantía como juez de ejecución. Algunos consideran que la solicitud de pena mixta, como asunto sustantivo, debe ser conocido por el tribunal que dictó la sentencia condenatoria. Otros, en cambio, opinan que el tribunal de ejecución es el competente en virtud de la facultad del art. 14 letra f) del COT, aunque no haya dictado la respectiva sentencia. Incluso para reafirmar este argumento se invoca el art. 36 inc. 2° de la Ley N°18.216 que dispone que, en casos excepcionales, el tribunal que conozca o deba conocer de la ejecución de una pena sustitutiva podrá declararse incompetente, a fin de que conozca del asunto el Juzgado de Garantía del lugar en que

---

[294]   Gendarmería solo puede verificar la factibilidad de una de las condiciones específicas de la libertad vigilada intensiva (obligación de mantenerse en el domicilio o lugar que determine el juez) y no respecto de las otras dos condiciones susceptibles de ser controladas por monitoreo telemático (prohibición de acudir a determinados lugares y prohibición de acercamiento a determinadas personas). Por lo tanto, si el juez al momento de la audiencia estima procedente imponer alguna de estas últimas condiciones, para lo cual se requeriría el monitoreo telemático como mecanismo de supervisión, deberá necesariamente requerir un informe de factibilidad técnica adicional respecto de los elementos propios referidos a esas condiciones (por ejemplo, lugares donde no se podrá acercar el condenado).

[295]   Corte de Apelaciones de Valdivia. SCA Rol N°645-2012 de 21 de enero de 2013. Corte de Apelaciones de la Serena. SCA Rol N°386-2015 de 28 de julio de 2015.

deba cumplirse dicha pena, cuando exista una distancia considerable entre el lugar donde se dictó la sentencia condenatoria y el de su ejecución.

Ahora bien, el tribunal de oficio o a petición de parte, debe citar a una audiencia de discusión de pena mixta, independiente de la orientación del informe, audiencia en la cual la defensa podrá incorporar todos los antecedentes que fundamenten su petición, incluido los antecedentes propios como, por ejemplo, informes sociales, laborales o sicológicos. Sin embargo, algunos tribunales han resuelto no citar a audiencia y por ende negar la pena mixta con el simple mérito negativo del informe técnico de Gendarmería. La jurisprudencia se ha manifestado, mayoritariamente, en sentido contrario, indicando que resolver de esa forma implica privar a priori a una persona de debatir sobre la procedencia de la pena mixta[296].

En caso de disponerse la interrupción de la pena privativa de libertad, el tribunal fijará el plazo de observación de la libertad vigilada intensiva por un período igual al de duración de la pena que reste por cumplir. Además, determinará las condiciones que deben cumplirse, conforme con lo prescrito en el art. 17 de esta ley, las que pueden consistir en:

a) Residencia en un lugar determinado, el que podrá ser propuesto por el postulante, debiendo, en todo caso, corresponder a una ciudad en que preste funciones un delegado de libertad vigilada o de libertad vigilada intensiva. La residencia podrá ser cambiada en casos especiales calificados por el tribunal y previo informe del delegado respectivo.

b) Sujeción a la vigilancia y orientación permanentes de un delegado por el período fijado, debiendo la persona condenada cumplir todas las normas de conducta y las instrucciones que aquel imparta respecto a educación, trabajo, morada, cuidado del núcleo familiar, empleo del tiempo libre y cualquiera otra que sea pertinente para una eficaz intervención individualizada.

c) Ejercicio de una profesión, oficio, empleo, arte, industria o comercio, bajo las modalidades que se determinen en el plan de intervención individual, si la persona condenada careciere de medios conocidos y honestos de subsistencia y no poseyere la calidad de estudiante.

---

[296]   Corte de Apelaciones de San Miguel. SCA Rol N°909-2015 de 5 de junio de 2015.

Junto con la imposición de estas condiciones, si el postulante presentare un consumo problemático de drogas o alcohol, el tribunal deberá imponer en la misma sentencia, la obligación de asistir a programas de tratamiento de rehabilitación de dichas sustancias, de acuerdo con lo señalado en el art. 17 bis de la Ley N°18.216.

Asimismo, podrá decretar una o más de las condiciones dispuestas en el art. 17 ter de la normativa:

a) Prohibición de acudir a determinados lugares.
b) Prohibición de aproximarse a la víctima, o a sus familiares u otras personas que determine el tribunal, o de comunicarse con ellos.
c) Obligación de mantenerse en el domicilio o lugar que determine el juez, durante un lapso máximo de ocho horas diarias, las que deberán ser continuas.
d) Obligación de cumplir programas formativos, laborales, culturales, de educación vial, sexual, de tratamiento de la violencia u otros similares.

En el caso de que el tribunal rechace la pena mixta, esta no podrá discutirse nuevamente sino hasta transcurridos seis meses desde su denegación. Sin perjuicio de ello, de conformidad con el art. 37 de la ley, la decisión acerca de la concesión, denegación, revocación, sustitución, reemplazo, reducción, intensificación y término anticipado de la pena mixta será apelable para ante el tribunal de alzada respectivo, de acuerdo con las reglas generales.

4.5 Reducción, reemplazo y revocación

El cumplimiento satisfactorio del régimen de pena mixta permite reducir la condena, pues el delegado respectivo podría proponer al tribunal la reducción del plazo de intervención, o bien, solicitar el término anticipado de la pena, en los casos que considere que la persona condenada ha dado cumplimiento a los objetivos del plan de intervención. De otro lado se dispone expresamente que la pena mixta no podrá acceder al reemplazo de la libertad vigilada intensiva por libertad vigilada simple, ni esta última por remisión condicional de la pena.

Por último, procede la revocación como consecuencia de un incumplimiento del régimen impuesto, o debido a la comisión de un nuevo delito.

En cualquiera de los dos casos, someterá al condenado al cumplimiento del saldo de la pena original, abonándose en su favor, el tiempo de cumplimiento de pena mixta de forma proporcional.

4.6 Pena mixta y otros beneficios intrapenitenciarios

La Ley N°18.216 no se refiere a la posibilidad de compatibilizar la pena mixta con otros beneficios intrapenitenciarios, como la rebaja de meses por conducta sobresaliente o la libertad condicional. En el caso de la rebaja de condena por conducta sobresaliente, si la persona condenada hubiese acumulado meses, en la práctica, estos últimos se pierden, sin que haya buenas razones para aceptar lo anterior, dado que si se reconoce el beneficio de rebaja de condena a los condenados que han obtenido libertad condicional, también debería extenderse a los beneficiados con la pena mixta, pues no hay fundamento racional para hacer una diferenciación. Por lo demás, la única manera de perder la rebaja es que la Comisión declare la caducidad o se trate de un caso de exclusión del art. 17 de la Ley N°19. 856.

En el caso de la libertad condicional, se ha señalado que esta no sería compatible con la pena mixta, pues esta última dispone la interrupción del cumplimiento efectivo de la pena, la que ya está interrumpida por la declaración de libertad condicional.

CAPÍTULO SIETE

EL RÉGIMEN DISCIPLINARIO

1. EL RÉGIMEN DISCIPLINARIO

Se ha dicho que el Estado tiene la posición de garante de los derechos de las personas privadas de libertad, de ahí que para poder responder de esta garantía requiere ejercer y mantener el control efectivo de la cárcel, lo que implica sostener un orden en su interior respetando los derechos de la población interna. De otra forma, la autoridad penitenciaria tampoco podría contribuir a la reinserción social, pues para poder ejercer las acciones conducentes a ello requiere de un régimen disciplinario que evite que los internos e internas se vean expuestos a abusos o malos tratos propinados por ellos mismos o por el personal penitenciario.

Ahora bien, el derecho internacional de los derechos humanos ha puesto el foco en que el régimen disciplinario no debiera ser el único mecanismo del sistema para lograr una convivencia ordenada (Reglas de Mandela, Regla 38.1). En la medida de lo posible se debe recurrir a mecanismos de prevención de conflictos, restauración y mediación para resolver diferencias entre presos/as o entre estos y los funcionarios custodiales, pues la aplicación de toda sanción introduce siempre un elemento de violencia en la relación privado de libertad – Estado[297]. Asimismo, se han ido desarrollando una serie de estándares que tiene por objeto regular la potestad sancionadora de la administración a fin de dotar de legitimidad a la sanción. Estos estándares se traducen en principios informadores del régimen disciplinario, algunos de ellos vistos en el capítulo primero de este manual, pero que tratándose del régimen disciplinario chileno analizaremos en su aplicación práctica.

---

[297]   En el mismo sentido, Normas Penitenciaria Europeas (Norma 56).

2. PRINCIPIOS INFORMADORES

2.1 Legalidad

Si en materia penal es indispensable que exista una ley que establezca la conducta y su castigo, no hay razón para no exigir lo mismo en materia disciplinaria. La potestad sancionadora de la administración también es una manifestación del *ius puniendi* estatal. De ahí que tanto las conductas infractoras, las sanciones disciplinarias, el procedimiento, la autoridad competente para resolver y la posibilidad de recurrir, debe estar previamente definido en una norma escrita de rango legal.

La Corte IDH se ha referido al alcance de lo dispuesto en el art. 9 de la CADH en cuanto al principio de legalidad e irretroactividad, indicando que si bien, los términos utilizados en dicho precepto parecen referirse exclusivamente a la materia penal, se debe precisar que las sanciones administrativas son, como las penales, una expresión del poder punitivo del Estado y que tienen, en ocasiones, naturaleza similar a la de estas[298]. Por su parte, el Conjunto de Principios se muestra menos exigentes en relación con el principio de legalidad, porque equipara el reglamento a la ley sin hacer mención del procedimiento[299]. Por su parte, las Reglas de Mandela (Regla 37) también aluden a la ley pertinente, o al reglamento de la autoridad administrativa competente, pero precisa lo que deberá determinarse en cada caso.

En nuestra legislación el principio se recoge en el art. 19 n°3 inc.7° y 8° de la CPR, respecto de las infracciones y sanciones penales, sin referirse expresamente a las sanciones administrativas. No obstante, el TC en varias resoluciones ha establecido que las sanciones administrativas

---

[298] Corte IDH. Caso Baena Ricardo y otros v. Panamá. Serie C No. 104. Parágrafo 106. (2 de febrero de 2001): "conviene analizar si el artículo 9 de la Convención es aplicable a la materia sancionatoria administrativa, además de serlo, evidentemente, a la penal. Los términos utilizados en dicho precepto parecen referirse exclusivamente a ésta última. Sin embargo, es preciso tomar en cuenta que las sanciones administrativas son, como las penales, una expresión del poder punitivo del Estado y que tienen, en ocasiones, naturaleza similar a la de éstas. Unas y otras implican menoscabo, privación a alteración de los derechos de las personas, como consecuencia de una conducta ilícita. Por lo tanto, en un sistema democrático, es preciso extremar las precauciones para que dichas medidas se adopten con estricto respeto a los derechos básicos de las personas y previa una cuidadosa verificación de la efectiva existencia de la conducta ilícita".

[299] Conjunto de Principios (Principio 30).

quedan sujetas al estatuto constitucional del art. 19 n°3, en lo relativo a los principios de legalidad y tipicidad, exigiendo que el acto administrativo sancionador se imponga en el marco de un debido proceso, teniendo siempre el afectado derecho a impugnarlo ante los tribunales de justicia:

> Este Tribunal ha precisado que los principios inspiradores del orden penal han de aplicarse, por regla general, al derecho administrativo sancionador, puesto que ambos son manifestaciones del *ius puniendi* [...] los principios inspiradores del orden penal contemplados en la Constitución Política de la República han de aplicarse, por regla general, al derecho administrativo sancionador, puesto que ambos son manifestaciones del *ius puniendi* propio del Estado[300].

Asimismo, el art.19 n°7 letra b) establece expresamente que cualquier medida que restrinja la libertad personal debe ser regulada por la Constitución o una ley, lo que debe concordarse con lo dispuesto en el art. 63 de la misma carta, que establece que son materias de ley *las que la Constitución exija que sean reguladas por una ley*. Sin embargo, en nuestro sistema penitenciario una norma de inferior jerarquía normativa, que no es reflejo de la voluntad soberana, restringe los derechos fundamentales de las personas privadas de libertad estableciendo tipos infraccionales y sanciones.

A partir de los arts. 75 y ss. del REP se regula el régimen disciplinario el que permite restringir, excepcionalmente, los derechos de las personas internas, como consecuencia de alteraciones en el orden y convivencia del establecimiento penitenciario o de actos de indisciplina o faltas, mediante las sanciones que establece, las que pueden ir desde una suspensión de visita hasta el encierro en celda solitaria, medidas todas que afectan directamente el desarrollo de la vida al interior del recinto carcelario y que no forman parte del contenido mismo del castigo penal.

---

[300] Tribunal Constitucional. STC Rol N°244-1996 de 26 de agosto de 1996. Este criterio se mantiene en fallos posteriores como, por ejemplo, STC Rol N°437-2005 de 21 de abril de 2005; STC Rol N°479-2006 de 8 de agosto de 2006; STC Rol N°480-2006 de 27 de julio de 2006. En esta misma línea Corte Suprema. SCS Rol N°4627-2008 de 11 de mayo de 2010: "se desprende como consecuencia la posibilidad de aplicar supletoriamente en el ámbito de las sanciones administrativas algunos de los principios generales que informan al derecho penal". La CGR ha replicado la argumentación: Dictamen N°14.571 de 22 de marzo de 2005 y Dictamen N°28.226 de 22 de junio de 2007.

2.2 Publicidad

Al igual que en el derecho penal, no basta que las infracciones disciplinarias estén previamente definidas por la ley, sino que se requiere que sean de público conocimiento. Por ello, cuando una persona ingresa a un recinto penal en calidad de detenida o condenada, debe ser rápidamente informada de cuáles son sus derechos y obligaciones, y dentro de estas últimas, las conductas que constituyen faltas y sus sanciones. Así lo han reconocido las Reglas de Mandela (Regla 54).

Sin embargo, en nuestro REP no hay una referencia expresa a la publicidad del régimen disciplinario, tampoco se establece que en caso de que la persona interna no sepa leer ni escribir, ha de ser la administración penitenciaria la encargada de cumplir con el deber de información. En la práctica, es posible advertir que las personas presas se imponen de cuáles son sus deberes a través de la información que le proporcionan sus pares, de otra forma la supervivencia al interior del recinto se haría insostenible.

2.3 Debido proceso

El debido proceso es la piedra angular del sistema de protección de los derechos humanos, pues la exigencia del cumplimiento de todas las garantías que permitan la adopción de decisiones justas es requisito esencial para la existencia de un Estado de Derecho. El derecho a ser oído, con las debidas garantías y dentro de un plazo razonable, por un órgano competente, independiente e imparcial, ha sido reconocido por la CADH[301],

---

[301] CADH (art. 8°): "Garantías Judiciales: 1. Toda persona tiene derecho a ser oída, con las debidas garantías y dentro de un plazo razonable, por un juez o tribunal competente, independiente e imparcial, establecido con anterioridad por la ley, en la sustanciación de cualquier acusación penal formulada contra ella, o para la determinación de sus derechos y obligaciones de orden civil, laboral, fiscal o de cualquier otro carácter. 2. Toda persona inculpada de delito tiene derecho a que se presuma su inocencia mientras no se establezca legalmente su culpabilidad. Durante el proceso, toda persona tiene derecho, en plena igualdad, a las siguientes garantías mínimas: a) derecho del inculpado de ser asistido gratuitamente por el traductor o intérprete, si no comprende o no habla el idioma del juzgado o tribunal; b) comunicación previa y detallada al inculpado de la acusación formulada; c) concesión al inculpado del tiempo y de los medios adecuados para la preparación de su defensa; d) derecho del inculpado de defenderse personalmente o de ser asistido por un defensor de su elección y de comunicarse libre y privadamente con su defensor; e) derecho irrenunciable de ser asistido por un defensor proporcionado por el Estado, remunerado o no según la legislación interna, si el inculpado no se defendiere por sí mismo ni nombrare defensor dentro del plazo establecido por la ley; f) derecho de la defensa de interrogar a los testigos presentes en el tribunal y de obtener la comparecencia, como testigos o peritos, de otras personas que puedan arrojar luz sobre los hechos;

y ratificado por la Corte IDH al señalar, en reiteradas oportunidades, que los procedimientos administrativos están sujetos a las reglas del debido proceso:

> [...] el elenco de garantías mínimas establecido en el numeral 2 del artículo 8 de la Convención se aplica también a la determinación de derechos y obligaciones de orden civil, laboral, fiscal o de cualquier otro carácter. Por esta razón, no puede la administración dictar actos administrativos sancionatorios sin otorgar también a las personas sometidas a dichos procesos las referidas garantías mínimas, las cuales se aplican *mutatis mutandis* en lo que corresponda[302].

Asimismo, los instrumentos internacionales protectores de las personas privadas de libertad desarrollan el contenido de la garantía. Las Reglas de Mandela (Regla 41) consideran que existe un debido proceso legal si se cumplen las siguientes directrices: 1. Toda denuncia relativa a la comisión de una falta disciplinaria por un recluso se comunicará con celeridad a la autoridad competente, quien la investigará sin demoras injustificadas. 2. Los reclusos serán informados, sin dilación y en un idioma que comprendan, de la naturaleza de los cargos que se les imputen, y dispondrán del tiempo y los medios adecuados para la preparación de su defensa. 3. Los reclusos estarán autorizados a defenderse solos o con asistencia jurídica, cuando el interés de la justicia así lo exija, en particular en casos que entrañen faltas disciplinarias graves. Si no comprenden o no hablan el idioma utilizado en la audiencia disciplinaria, contarán con la asistencia gratuita de un intérprete. 4. Los reclusos tendrán la posibilidad de solicitar una revisión judicial de las sanciones disciplinarias que se les hayan impuesto. 5. Cuando una falta disciplinaria se persiga como delito, el recluso tendrá derecho a todas las garantías procesales aplicables a las actuaciones penales, incluido el libre acceso a un asesor jurídico[303].

En el ámbito nacional, el art. 19 n°3 de la CPR consagra la garantía del debido proceso, el derecho a defensa técnica, y el derecho al juez natural, entregándole al legislador la facultad de establecer siempre las garantías de un procedimiento y una investigación racionales y justos. Sin embargo,

---

g) derecho a no ser obligado a declarar contra sí mismo ni a declararse culpable, y h) derecho de recurrir del fallo ante juez o tribunal superior. 3. La confesión del inculpado solamente es válida si es hecha sin coacción de ninguna naturaleza. 4. El inculpado absuelto por una sentencia firme no podrá ser sometido a nuevo juicio por los mismos hechos. 5. El proceso penal debe ser público, salvo en lo que sea necesario para preservar los intereses de la justicia".

[302]   Corte IDH. Caso Vélez Loor v. Panamá. Serie C No. 218. Parágrafo 142. (23 de noviembre de 2010).

[303]   En el mismo sentido, Principios y Buenas Prácticas (Principio XXII).

las normas que regulan el procedimiento disciplinario aplicable al interior de los establecimientos penitenciarios vienen dadas por el REP, el que adolece de graves falencias estructurales que dejan sin aplicación la garantía. Diversos autores chilenos coinciden en este diagnóstico, pues no existe un órgano independiente e imparcial que sustancie el procedimiento, debido a que es la propia administración penitenciaria quien se erige como investigador, juez y parte afectada.

Tratándose del debido proceso, una demostración de estas graves deficiencias se encuentra en el derecho a ser oído. En la realidad penitenciaria cotidiana se trata de una exigencia formal que se agota en una diligencia administrativa realizada por funcionario de Gendarmería consistente en tomar declaración al infractor. No se regula el lugar donde se ha de llevar a efecto la diligencia, o las personas que pueden presenciar la misma o la posibilidad de que el profesional que ejerce defensa esté presente. Esto implica, en la práctica, que la mayoría de las veces los internos prefieran guardar silencio, aunque se tenga una versión exculpatoria de los hechos, para evitar represalias de otros pares o agentes estatales. Ahora bien, la posibilidad de guardar silencio aquí no trae aparejado ningún beneficio porque, a diferencia del proceso penal, tampoco rige la presunción de inocencia.

En relación con la presunción de inocencia ha surgido la interrogante de si esta forma parte o no del derecho administrativo sancionador. En sede administrativa, no hay una disposición internacional, constitucional o una ley general que se refiera a la presunción de inocencia en los procedimientos sancionadores, sin embargo, se considera un derecho implícito derivado del art. 1 de la CPR (dignidad humana), del art. 19 N°3 inc. sexto (debido proceso) y séptimo (prohibición de las presunciones de derecho en responsabilidad penal) del mismo cuerpo constitucional. Asimismo, a nivel legal, la garantía se reconoce en el art. 4 del CPP. Por ello la doctrina y jurisprudencia mayoritaria se han mostrado favorables a la vigencia de la presunción de inocencia en los procedimientos sancionadores argumentando en torno a la tesis del *ius puniendi* único.

Ahora bien, la presunción de inocencia como regla de trato, se traduciría en el deber de los órganos administrativos y de los tribunales de justicia de considerar al imputado de una falta disciplinaria como inocente, obligación que regiría desde el inicio del procedimiento administrativo sancionador hasta la resolución que resuelva una reclamación judicial

de la resolución sancionadora. Surge la interrogante en cuanto a la eje-
cutabilidad de la sanción, dado que conforme al inc. final del art. 3 de
la Ley N°19.880, los actos administrativos gozan de una presunción de
legalidad, de imperio y exigibilidad frente a sus destinatarios, desde su
entrada en vigencia, autorizando su ejecución de oficio por la autoridad
administrativa, salvo que mediare una orden de suspensión dispuesta por
la autoridad administrativa dentro del procedimiento impugnatorio o por
el juez, conociendo por la vía jurisdiccional.

Por otro lado, en relación con la presunción de inocencia como distribución de la carga de la prueba, el reglamento establece que ha de resolverse la sanción con el parte de rigor y no contempla ninguna norma que
permita al imputado de la infracción disciplinaria rendir prueba al efecto,
sea personalmente o a través de su representante legal, en consecuencia,
no existe etapa de rendición de prueba.

Finalmente, tratándose de la presunción de inocencia como regla de juicio, o regla sobre la carga de la prueba material, la autoridad encargada de
proponer y aplicar una sanción es el Jefe del establecimiento penitenciario,
el que no se sujeta a ningún estándar mínimo de valoración de prueba, sino
que el REP dispone en términos vagos que se requiere de fundamentación.

De esta manera, en términos generales, la sustanciación del proceso
queda reducido a la redacción de un parte sancionatorio en el que se
detalla sucintamente el hecho, el tipo de falta cometida, la sanción que
se propone aplicar, las declaraciones de los funcionarios y del interno,
si este desea declarar, la recomendación del Consejo Técnico si procediere, y luego la proposición de una sanción por parte del Alcaide,
con sujeción a fundamentación, la que puede o no estar sujeta a aprobación judicial. En el caso de las faltas graves se establecen requisitos
adicionales, que veremos más adelante, exigencias que no suplen las
deficiencias descritas.

2.4 Principio de proporcionalidad

Como se indicó anteriormente el principio de proporcionalidad se aplica a todo ejercicio de la potestad sancionadora del Estado y persigue
mantener el adecuado equilibrio entre la gravedad del hecho y la sanción
que le corresponde considerando especialmente la culpa del infractor y las
circunstancias del hecho. Comprende el principio de idoneidad, necesidad
y proporcionalidad en sentido estricto.

En el ámbito penitenciario, el principio de idoneidad pretende evitar que las personas sean sometidas a sanciones que configuren castigos o tratos abusivos, tortura y otros tratos o penas crueles, inhumanas y degradantes. Al respecto, nuestra CPR consagra el derecho a la integridad personal asegurando a todas las personas el derecho a la vida y a la integridad física y síquica, prohibiéndose todo apremio ilegítimo, por consiguiente, las sanciones disciplinarias no pueden sobrepasar este límite. Esto es delicado tratándose de una de las sanciones disciplinarias que presenta las mayores objeciones para el derecho internacional: la celda de castigo o aislamiento, cuestión a la que dedicaremos un apartado especial.

En cuanto a la necesidad, ha de tenerse en consideración que el objetivo del régimen disciplinario es mantener la convivencia al interior de la cárcel. Por lo tanto, ha de evaluarse el grado de afectación de ese fin en relación con la preferencia de mecanismos de resolución alternativa de conflictos. Asimismo, si ha transcurrido tiempo entre la conducta infractora y las acciones administrativas dirigidas a cursar una sanción, la misma carece de oportunidad y por ende de necesidad.

En cuanto a la proporcionalidad, en sentido estricto, el art. 82 del REP hace referencia a la proporcionalidad en la aplicación de la sanción *de manera que el castigo sea justo, esto es, oportuno y proporcional a la falta cometida tanto en su drasticidad como en su duración y considerando las características del interno.* Ahora bien, la autoridad administrativa goza de una facultad discrecional amplia para efectos de determinar la sanción aplicable, pues el catálogo de sanciones que establece el REP permite aplicar una misma sanción a conductas que son muy disímiles entre sí, en cuanto a su naturaleza y gravedad, por ello no es baladí la elección que a su respecto se haga, para lo cual siempre habrá de considerarse las características personales del infractor.

2.5 Ne bis in idem

El principio del *ne bis in idem* es una garantía procesal limitadora del ejercicio del *ius puniendi* estatal que busca, en general, ser un remedio para la sobrerreacción estatal respecto de la misma situación desvalorada penalmente[304]. No tiene reconocimiento explícito en nuestra CPR, sin

---

[304]   Vera Sánchez, *Ne bis in idem Procesal, Identidad de hechos.* (Valencia: Tirant lo Blanch, 2021), 56.

embargo, es posible entender que está contenida dentro de la garantía del debido proceso (art. 19 n°3 inc, 6°). Asimismo, ha sido reconocida en distintos instrumentos internacionales, entre ellos, tratados internacionales sobre derechos humanos ratificados por Chile y que se encuentran vigentes, por lo que tiene plena aplicación en virtud de lo dispuesto en el art. 5 inc. 2° de la CPR[305].

A nivel legal, el art. 1 del CPP dispone que *la persona condenada, absuelta o sobreseída definitivamente por sentencia ejecutoriada, no podrá ser sometida a un nuevo procedimiento penal por el mismo hecho*. Lo anterior, en cuanto a la expresión *lo mismo* precisa de tres elementos: identidad de persona, hechos, y fundamento. En el plano sustantivo, el *ne bis in idem* impide que una circunstancia sea valorada dos veces para establecer el reproche penal o que un mismo hecho sea sancionado por segunda vez, como sería una sanción penal en conjunto con una sanción administrativa. En el plano procesal, el principio pretende asegurar a todo imputado que no se repita un juicio o una actuación administrativa sobre un asunto que ya fue conocido con anterioridad.

Ossandón señala que la doctrina penal considera que el principio en su vertiente procesal se refiere inequívocamente, por lo general, solo al procedimiento penal, mientras que su extensión al procedimiento administrativo es objeto de controversia. No obstante, menciona que la tendencia parece ir en el sentido de que la garantía debe abarcar también los casos de coincidencia penal y administrativa, cuando la reacción sancionatoria en este último ámbito es esencialmente equivalente a la penal. Respecto a este último punto, indica que en el ámbito europeo se ha extendido la garantía del *ne bis in idem* a sanciones que son calificadas como meramente administrativas por la legislación nacional, pero que tendrían una naturaleza sustancialmente penal[306].

En materia penitenciaria lo anterior tiene relevancia pues cuando una misma infracción disciplinaria a la vez configura un delito penal como es, por ejemplo, que un reo lesione a otro reo, se generan dos procedimientos respecto de un mismo hecho, un procedimiento administrativo (sumarísimo y con graves deficiencias estructurales) y un procedimiento

---

[305] PIDCP (art. 14.7); CADH (art. 8.4).
[306] Ossandón, Magdalena. "El legislador y el principio *ne bis in idem*", *Política criminal* volumen 13, n.° 26 (2018): 992-993.

penal (de lato conocimiento). El primero podría culminar con una sanción grave consistente en aislamiento en celda solitaria, lo que implica restringir aún más el ámbito de libertad de la persona condenada, por lo que la sanción podría asimilarse a una auténtica pena.

Ahora bien, si se considera que el art. 7 inc. 1° del CPP señala que las facultades, derechos y garantías que la CPR, el CPP y otras leyes reconocen al imputado, pueden hacerse valer por este desde la primera actuación del procedimiento dirigido en su contra y hasta la completa ejecución de la sentencia, es posible extender la aplicación del principio a la etapa de ejecución penal. Lo anterior es coherente con las Reglas de Mandela (Regla 39.1) que reconoce el principio en esa etapa al disponer que: *Los reclusos solo podrán ser sancionados conforme a la ley o el reglamento mencionados en la regla 37 y a los principios de equidad y de respeto de las garantías procesales. Ningún recluso será sancionado dos veces por el mismo hecho o falta.*

En este sentido, en el ámbito penitenciario, se pueden presentar dos situaciones: acumulación de dos o más sanciones administrativas por la misma infracción, o acumulación de una sanción penal y a la vez administrativa por la misma infracción.

En nuestro REP la posibilidad de aplicar más de una sanción disciplinaria por un mismo hecho queda, por regla general, descartada, pues el art. 81 inc. 1°, reconoce parcialmente la vigencia del principio: *las faltas de los internos serán sancionadas con alguna de las medidas siguientes sin que sea procedente su acumulación.* Sin embargo, sanciona como falta grave, la comisión de tres faltas menos graves durante un bimestre (art. 78 letra p)) y, como falta menos grave, la comisión de tres faltas leves en un bimestre (art. 79 letra o)) y tratándose de la sanción de internación en celda solitaria, el art. 86 inc. 2° dispone que esta sanción conlleva, además, la prohibición de recibir paquetes, salvo útiles de higiene y limpieza.

Frente a la duplicidad de sanción penal y administrativa, el REP dispone en el art. 91 que la comisión de falta disciplinaria que pudiere constituir delito será puesta en conocimiento de la autoridad competente, según la ley procesal vigente, sin perjuicio de la aplicación de las sanciones que prevé la reglamentación.

En la doctrina las posturas no son únicas. Una parte de la doctrina ha señalado que no habría infracción al principio en estudio por cuanto no se daría la concurrencia de la triple identidad en relación con su tercer elemento, esto es, el fundamento de la punición[307]. Argumentan indicando que las sanciones administrativas y las penales tendrían un distinto fundamento punitivo: para las sanciones administrativas penitenciarias el fundamento se encontraría en la mantención del orden y la seguridad del establecimiento, y en el caso de las sanciones penales se trataría de la protección de diversos bienes jurídicos individuales o colectivos.

La posición contraria cuestiona lo anterior argumentando que infringiría el principio de proporcionalidad, culpabilidad e igualdad, puesto que implicaría incrementar la pena que reciben los presos por sobre el umbral que se aplica al resto de las personas. Al respecto, es menester considerar que ambos tipos de sanciones representan la respuesta del Estado frente a un comportamiento no permitido, siendo el derecho sancionador una sola unidad[308]. La circunstancia de que el REP incluya en el catálogo de las faltas supuestos de hecho que también estén comprendidos en el catálogo del CP, no viene a ser sino una colisión de normas punitivas, colisión que debería ser resuelta mediante el principio de especificidad.

Por otro lado, se ha dicho que, si no se dispone de un sistema sancionatorio que castigue de forma inmediata las conductas más graves, constitutivas a la vez de ilícitos penales peligra la convivencia intrapenitenciaria. Sin embargo, se ha contraargumentado indicando que la administración penitenciaria no queda desprotegida, de respetarse la garantía, pues existen mecanismos de intervención inmediata para neutralizar actos peligrosos, ya sea aplicando medidas cautelares como el aislamiento provisorio (solo para efectos de controlar la situación) o la internación en un módulo de seguridad, respetando los requisitos que exige el art. 28 del REP.

Si bien, el art. 20 del CP señala que no se reputan penas las correcciones que los superiores impongan a sus subordinados, y administrados en uso de su jurisdicción disciplinaria, no se puede desconocer que a quien se le aplica un castigo o sanción, argumentando al efecto que se ha violentado una norma de conducta, típica -en tanto puede subsumirse dentro de

---

[307] Axel López, Ricardo Machado, *Análisis del régimen de ejecución penal*. (Buenos Aires: Fabián Di Placido Editor, 2004), 238.

[308] Claudio Nash, *Personas privadas de libertad y medidas disciplinarias en Chile: Análisis y propuestas desde una perspectiva de derechos humanos*. (Santiago: Centro de Derechos Humanos, Universidad de Chile, 2013), 39. En el mismo sentido, Raúl Carnevali, Francisco Maldonado, "El tratamiento penitenciario en Chile. Especial atención a problemas de constitucionalidad", *Ius et Praxi*, año 19, n.°2 (2013), 412.

las prohibiciones que el catálogo legal dispone- se le impone una pena, no obstante que se le quiera llamar de otra manera. Al respecto, se coincide con aquellos que señalan que aún a falta de una declaración programática en un texto general que regule la capacidad sancionatoria de la administración del Estado, debe mantenerse la inconstitucionalidad de aquellas normas que permiten la duplicidad sancionatoria o que hacen prevalecer la sanción disciplinaria frente a la penal cuando concurren ambas. Mantener la duplicidad no solo es conculcar el principio de legalidad, sino también el de igualdad ante la ley[309].

2.6 Intervención mínima

Las Reglas de Mandela (Regla 36) establecen que la disciplina y el orden se deben mantener sin imponer más restricciones de las necesarias para garantizar la custodia segura, el funcionamiento seguro del establecimiento penitenciario y la buena organización de la vida en común. Para ello fomentan la resolución de conflictos de manera desinstitucionalizada como, por ejemplo, la mediación u otro mecanismo alternativo legítimo, pues la aplicación de toda sanción introduce un elemento de violencia institucional que incrementa los efectos desocializadores. Si se quiere cumplir con la función de resocialización se sugiere evitar la sanción y buscar otras vías legítimas, menos lesivas de solución de conflictos.

En Chile, el mecanismo implementado para la resolución de los conflictos entre las personas privadas de libertad, y entre estos y los funcionarios custodiales, es el régimen disciplinario. No existen vías alternativas para reponer el orden. No obstante, el INDH en varios de sus informes ha constatado prácticas desinstitucionalizadas inaceptables como el "pago al contado", práctica que consiste en que el privado de libertad que comete una infracción disciplinaria, y que no quiere ser objeto de un procedimiento disciplinario formal, acepta ser "castigado" físicamente con la realización de ejercicios físicos o permite que se le golpee con tal de no ser sancionado formalmente. Estas malas costumbres son inadmisibles y se realizan en varios penales del país[310].

---

[309] Mapelli, et.al., *Ejecución de la pena*, 455-456.
[310] INDH, Estudio de las condiciones carcelarias, 2016-2017, 104-105: "Al indagar en la existencia de esta práctica, se reporta que se aplica en 15 unidades penales: CDP Tocopilla, CDP Taltal, CDP Vallenar, CCP San Antonio, CCP San Felipe, CDP Petorca, CCP Linares, CCP Bulnes, CDP Arauco,

3. FALTAS DISCIPLINARIAS

La afectación de los derechos de la población interna ha de ser excepcional y solo se puede justificar por razones de seguridad, alteraciones en el orden y convivencia al interior del establecimiento penitenciario, o actos de indisciplina o faltas. En función de ello, la administración penitenciaria tiene la potestad de sancionar aquellas conductas constitutivas de infracciones disciplinarias, siempre y cuando estén previamente tipificadas como tal. Por otro lado, entre los deberes que tienen las personas presas, se encuentra el acatamiento de las normas del régimen interno, y el cumplimiento de las sanciones impuestas.

Ahora bien, las faltas o infracciones disciplinarias se regulan a partir de los arts. 78 y ss. del REP y se clasifican debido a su gravedad en: graves, menos graves y leves. Sin embargo, esta calificación es cuestionable dado que el espectro de conductas que se califican de graves comprende conductas que van desde la tenencia de un celular hasta la violación de un interno por otro. Por otro lado, en la descripción típica del supuesto infraccional se utilizan términos ambiguos, conceptos jurídicos indeterminados, fórmulas abiertas tales como "similares", lo que infringe el principio de taxatividad, y por consiguiente el principio de legalidad, al permitir la incorporación de conductas no descritas por la regla. También en algunos supuestos se exige dolo en el agente, culpa grave o negligencia temeraria, conceptos jurídicos estrictos, que deben ser aplicados por operadores administrativos.

CDP Lebu, CDP Mulchén, CDP San Carlos, CCP Victoria, CDP Talagante y UEAS Santiago. Señalan algunos reportes, en relación con sanciones por fuera del reglamento hacia los internos/as, consultada la población penal, indica que se castiga cancelando la hora semanal de fútbol y que hay un uso arbitrario de este tipo de castigos por parte de los funcionarios. Indican que la situación se tiende a agravar cuando se confronta al funcionario en cuestión. Frente a la aplicación de castigos como el pago al contado, es decir, gendarmes que obliguen a los internos/as a realizar ejercicios físicos para evitar una sanción reglamentaria, indican que han sido víctimas y testigos de dichas situaciones al interior de la unidad penal, incluso forzando a los internos/as a realizar estos ejercicios desnudos. En la misma línea, se refiere la aplicación de golpes a modo de castigo, como puñetazos en el tórax con el fin de evitar una sanción estipulada en el reglamento. Otro castigo que señalan que se aplica es el traslado hacia otras unidades penales".

3.1 Faltas graves (art. 78 REP)

a) La agresión, amenaza o coacción a cualquiera persona, tanto dentro como fuera del establecimiento.

Este tipo de conductas, junto con configurar una infracción disciplinaria podría tipificar un ilícito penal, por ello los antecedentes se envían al Ministerio Público. En relación con esto último valga todo lo dicho en cuanto a la infracción al principio *ne bis in idem* si el hecho es sancionado por ambas vías. Respecto al lugar donde se comete la infracción, se usa la expresión, *tanto dentro como fuera del establecimiento*, es decir, su ámbito de aplicación podría alcanzar a conductas que se realicen fuera del establecimiento penitenciario como, por ejemplo, en el transcurso de un traslado de unidad penal o en el trayecto del privado de libertad al tribunal. Más no es posible extender el ámbito de aplicación de la infracción a la conducta del condenado en el medio libre, como sería el caso de un condenado con permiso de salida que amenaza a un funcionario en el exterior, dado que en este contexto no está en riesgo la seguridad del establecimiento penitenciario. En este último supuesto, de ser el hecho constitutivo de delito, solo procede la vía penal.

b) La resistencia activa al cumplimiento de las órdenes recibidas de autoridad o funcionario en el ejercicio legítimo de sus atribuciones.

El REP no define lo que significa resistencia activa, por lo que se trata de un concepto jurídico indeterminado. En términos generales, se ha entendido por ello la acción de oponer fuerza al cumplimiento de una orden con el fin de impedir la efectividad de esta, conducta que se ha de tener respecto de una autoridad o funcionario que actúa en el ejercicio legítimo de sus atribuciones. Esta figura admite comparación con la prevista en el delito del art. 261 n°2 del CP, que señala que cometen atentado contra la autoridad los que acometen o resisten con violencia, emplean fuerza o intimidación contra la autoridad pública o sus agentes, Carabineros, funcionarios de la Policía de Investigaciones o de Gendarmería de Chile, cuando aquella o estos ejercen funciones de su cargo. Valga lo dicho en cuanto a la infracción al principio *ne bis in idem* si el hecho es sancionado por ambas vías.

c) La participación en motines, huelgas de hambre, en desórdenes colectivos o la instigación a estos hechos cuando se produzcan efectivamente.

El REP tampoco define lo que ha de comprenderse por motín. En términos generales, por motín se entiende la revuelta o agitación con la que un grupo más o menos numeroso de personas quiere mostrar su oposición contra la autoridad, utilizando para ello la protesta, la desobediencia o la violencia. Se dice que el motín se desarrolla en un ámbito acotado, como una cárcel o un cuartel, esto para diferenciarlo de conceptos como rebelión o revuelta. Ahora bien, el motín no necesariamente dice relación con una oposición a la autoridad en cuanto autoridad, sino que en muchas ocasiones es un medio a través del cual se exigen mejores condiciones carcelarias o el cese de hostigamientos. Así, por ejemplo, a propósito de la pandemia por covid-19 se han suscitado una serie de motines en diferentes cárceles latinoamericanas para denunciar y protestar por deficientes condiciones de salubridad[311].

Por su parte, el desorden colectivo también es un concepto difuso, amplio e impreciso, pero que no alcanza a configurar una rebelión o revuelta, por lo tanto, en comparación con el motín ha de ser de menor intensidad y ha de afectar la ordenación interna del establecimiento penitenciario, de lo contrario la conducta es irrelevante.

En relación con la huelga de hambre, nos remitimos a lo dicho en el capítulo tercero de este manual, pues en el ámbito internacional se han levantado voces que han reivindicado esta acción como un derecho legítimo, por lo que es posible impugnar o controvertir la aplicación de una sanción por este hecho.

Por último, en cuanto a la expresión *cuando (estos hechos) se produzcan efectivamente*, habrá que entender, que se alude a la conducta consumada. En consecuencia, si se trata de un intento de motín, huelga de hambre o desorden, la conducta no podría ser sancionada por esta vía.

---

[311] Andrés Suarez, Nota de prensa: Desesperación en las cárceles de América Latina frente al Covid-19, 21 mayo 2020, https://www.france24.com/es/20200521-vulnerables-covid19-coronavirus-carceles-latinoamerica.

Marcela Tapia Silva

d) El intento, la colaboración o la consumación de la fuga.

La regla sanciona, expresamente, la conducta tentada como consumada. Asimismo, se sanciona al colaborador como al autor, de modo que no
hay distinción en cuanto al grado de participación (cómplice-encubridor).
Ahora bien, el CP no hace referencia a la fuga o intento de fuga de la
cárcel como delito, sino que regula en el art. 90 el delito de quebrantamiento de condena por el cual se establecen diversas sanciones a quienes
quebranten sus condenas o medidas de seguridad. En algunos casos se
agrega una sanción a la condena que se ha quebrantado, y en otros casos
se sustituye la pena[312].

e) Inutilizar o dañar de consideración, deliberadamente, dependencias, materiales o efectos del establecimiento, o las pertenencias
de otras personas.

El supuesto utiliza la expresión *consideración* para referirse a la entidad del daño, determinación que queda entregada a la discrecionalidad

---

[312] CP (art. 90): "Los sentenciados que quebrantaren su condena serán castigados con las penas que
respectivamente se designan en los números siguientes: 1.° Los condenados a presidio, reclusión o
prisión sufrirán la pena de incomunicación con personas extrañas al establecimiento penal por un
tiempo que, atendidas las circunstancias, podrá extenderse hasta tres meses, quedando durante el
mismo tiempo sujetos al régimen más estricto del establecimiento.2.° Los reincidentes en el quebrantamiento de tales condenas, a más de las penas de la regla anterior, sufrirán la pena de incomunicación con personas extrañas al establecimiento penal por un término prudencial, atendidas las circunstancias, que no podrá exceder de seis meses. 3.°Derogado. 4.° Los condenados a confinamiento,
extrañamiento, relegación o destierro, sufrirán las penas de presidio, reclusión o prisión, según las
reglas siguientes: Primera.–El condenado a relegación perpetua sufrirá la de presidio mayor en su
grado medio. Segunda. -El condenado a confinamiento o extrañamiento sufrirá la de presidio, por
la mitad del tiempo que le falte por cumplir de la pena primitiva. Tercera. -El condenado a relegación temporal o a destierro sufrirá la de reclusión o prisión por la mitad del tiempo que le falte por
cumplir de la pena primitiva. 5.° El inhabilitado para cargos y oficios públicos, derechos políticos y
profesiones titulares o para cargos, oficios o profesiones ejercidos en ámbitos educacionales, de la
salud o que involucren una relación directa y habitual con menores de dieciocho años de edad o para
la tenencia de animales, adultos mayores o personas en situación de discapacidad, que los ejerciere,
cuando el hecho no constituya un delito especial, sufrirá la pena de reclusión menor en su grado mínimo o multa de seis a veinte unidades tributarias mensuales. En caso de reincidencia se doblará esta
pena. 6.° El suspenso de cargo u oficio público o profesión titular que los ejerciere, sufrirá un recargo
por igual tiempo al de su primitiva condena. En caso de reincidencia sufrirá la pena de reclusión
menor en su grado mínimo o multa de seis a veinte unidades tributarias mensuales.7. ° El sometido
a la vigilancia de la autoridad, que faltare a las reglas que debe observar, sufrirá la pena de reclusión
menor en sus grados mínimo a medio. 8.° El condenado en proceso por crimen o simple delito a la
pena de retiro o suspensión del carnet, permiso o autorización que lo faculta para conducir vehículos
o embarcaciones, o a la sanción de inhabilidad perpetua para conducirlos, sufrirá la pena de presidio
menor en su grado mínimo".

de la administración penitenciaria, de modo tal que, dependiendo de la sanción que se pretenda aplicar, es posible impugnar la estimación que se hace del daño invocando el principio de proporcionalidad. Por otra parte, la expresión *deliberadamente* implica la exigencia de dolo directo en la conducta. Por último, teniendo en cuenta la redacción de la regla, entendemos que ha de tratarse de una conducta consumada, pues de haberse querido sancionar la conducta en un grado de desarrollo menor, se habría dicho expresamente, como en el caso anterior.

f) La sustracción de materiales o efectos del establecimiento y de las pertenencias de otras personas, internos o funcionarios.

La conducta descrita a la vez podría configurar un ilícito penal, por lo que, valga todo lo dicho en cuanto a la infracción al principio *ne bis in idem* si el hecho es sancionado por ambas vías. Ahora bien, del tenor literal de la regla también es posible afirmar que la conducta ha de estar consumada.

g) Divulgar noticias falsas o proporcionar antecedentes o datos, con la intención de menoscabar la seguridad del establecimiento o el régimen interno del mismo.

La conducta debe tener por objeto menoscabar la seguridad del establecimiento o su régimen. Si de los antecedentes del procedimiento sancionatorio no es posible ponderar la conducta a la luz de esta exigencia, es posible impugnar o controvertir el supuesto infraccional.

h) El porte, tenencia, uso, fabricación o proporción de elementos para la fabricación de armas blancas o de fuego, de explosivos, gases o tóxicos.

El supuesto infraccional se refiere a elementos que tengan la aptitud para la fabricación de armas de diverso tipo, por lo que es bastante amplio. Por lo tanto, los antecedentes del parte sancionatorio deben dar cuenta de cómo estos elementos podrían servir o sirven para la fabricación de armas, explosivos, gases o tóxicos. De no comprobarse esta finalidad la sanción es impugnable.

i) La tenencia, consumo o elaboración de substancias o drogas estupefacientes o psicotrópicas, bebidas alcohólicas o similares.

La expresión *similares* es una fórmula abierta inadmisible en el derecho sancionatorio administrativo en tanto también está regido por el principio de legalidad y sus derivados. Por consiguiente, toda sanción que se base en conductas que no estén previamente descritas y determinadas es impugnable.

j) La introducción al establecimiento o la tenencia de elementos prohibidos por la administración penitenciaria por razones de seguridad, tales como máquinas fotográficas, lentes de larga vista, filmadoras, grabadoras, intercomunicadores, teléfonos celulares y otros similares previamente determinados; el uso efectivo de dichos elementos o la salida del establecimiento de los productos de su utilización.

Aquí también se utiliza la expresión *y otros similares*. Valga lo dicho para el caso anterior respecto a la utilización de fórmulas abiertas.

k) Reñir con los demás internos usando armas de cualquier tipo.

La conducta por sancionar es la riña usando de armas, de forma tal que, si en la riña no se usan estos elementos, la conducta no podría sancionarse por esta vía. No se debe olvidar que muchos internos se ven obligados a reñir para defender su vida o integridad física. Sin embargo, las administraciones penitenciarias, por lo general, no hacen distinción al momento de cursar el procedimiento sancionatorio y no verifican, previamente, si la persona interna se vio compelida a reñir y a usar de la legítima violencia. En la práctica, son sancionados todos. Lo anterior, también es una consecuencia del hecho de que no exista en el procedimiento sancionatorio una fase destinada a la rendición de prueba. En ocasiones es muy fácil determinar esta circunstancia usando como medio probatorio las grabaciones de las cámaras de vigilancia del penal.

l) Dar muerte o causar lesiones a cualquier persona.
ll) Cometer violación, estupro y otros delitos sexuales.
m) La comisión de cualquier otro hecho que revista los caracteres de crimen o simple delito.

En los últimos tres supuestos se hace evidente la doble incriminación, puesto que unos mismos hechos se sancionan por vía administrativa como penal. En virtud del principio *ne bis in idem* es posible impugnar la sanción disciplinaria.

n) Desencerrarse, vulnerar el aislamiento o romper la incomunicación por cualquier medio.

Como se puede apreciar se utilizan conceptos no definidos por la reglamentación penitenciaria: desencierro, aislamiento o incomunicación. Se entiende por desencierro la salida de la celda. Quien ejecuta el desencierro es personal de Gendarmería, por consiguiente, no es una acción que pueda realizar el privado de libertad. El aislamiento consiste en ubicar al preso en una celda destinada para ello, con un régimen penitenciario más estricto que el régimen normal, ya sea por medida de seguridad o como consecuencia de la aplicación de una sanción disciplinaria. Y la incomunicación es una medida impuesta por el juez, en caso de quebrantamiento de condena, consistente en la imposibilidad de comunicarse con personas extrañas al establecimiento penitenciario.

ñ) El no regresar al establecimiento después de hacer uso de un permiso de salida.

Para aplicar este supuesto infraccional es necesario que el condenado regrese en algún momento al establecimiento penitenciario, ya sea porque voluntariamente decide presentarse después de la fecha y hora límite que tenía para hacer uso del permiso de salida, o porque es detenido previa orden judicial.

o) Forzar o inducir a otro a realizar algunas de las conductas descritas precedentemente.

Se castiga al que fuerza, es decir, al que obliga a otro mediante fuerza física o coacción a que haga algo en contra de su voluntad, y al que induce, es decir, al que influye en una persona para que realice una acción o piense del modo que se desea[313].

---

[313] En la jerga carcelaria chilena o COA, son "perros" o "perkins" los soldados de choque, es decir, condenados que ejecutan las ordenes de otros, ya sea porque están compelidos a realizar dichas acciones

p) La comisión de tres faltas menos graves durante un bimestre.

En este caso es evidente la infracción al principio *ne bis in idem*, porque la regla sanciona doblemente unos mismos hechos.

3.2 Faltas menos graves (art. 79 REP)

a) Denigrar e insultar a los funcionarios penitenciarios, a cualquier persona que trabaje o se encuentre al interior de un establecimiento penitenciario, a funcionarios judiciales, defensores públicos, fiscales y autoridades en general.

La conducta típica consiste en dos acciones copulativas: la primera, denigrar: acción que implica decir cosas negativas en contra del buen nombre, la fama y el honor de una persona o dirigir juicios despectivos, y la segunda, insultar: que significa dirigir a alguien o contra alguien palabras, expresiones, ofensas o gestos ofensivos. En consecuencia, no se trata de proferir cualquier expresión fuerte o grosera, sino que se requiere de una expresión que reúna estas dos acciones.

b) Desobedecer pasivamente las órdenes recibidas de autoridades o funcionarios en el ejercicio legítimo de sus atribuciones.

El REP no establece que ha de entenderse por desobediencia pasiva, por lo que se cuestiona la expresión en los mismos términos que la expresión *resistencia activa*. En términos generales, se entiende como la acción de oponerse a alguien, especialmente a una autoridad, sin actuar o cooperar. Es decir, se trata de una resistencia no violenta. Ahora bien, la resistencia es respecto de órdenes recibidas de autoridades o funcionarios que en el momento de la conducta estén ejerciendo legítimamente sus atribuciones.

c) Entorpecer los procedimientos de seguridad o de régimen interno (allanamientos, registros, recuentos, encierros, desencierro y otros similares).

o porque están influenciados para hacerlas, en ambos casos, a cambio de protección.

Bajo el concepto de *entorpecer* se encuentran aquellas conductas que tienen por objeto estorbar, retardar, retrasar, paralizar o dificultar un procedimiento. Por lo tanto, aquellas conductas que no afecten su normal desenvolvimiento no pueden configurar esta infracción, por ejemplo, si los presos no guardan silencio durante el encierro o un recuento, dicha acción podrá ser molesta, pero si no supone mayor problema para el procedimiento que se está ejecutando, no configura una infracción disciplinaria. Valga lo dicho aquí también respecto a la utilización de fórmulas abiertas como *y otros similares*

> d) Dañar deliberadamente dependencias, materiales, efectos del establecimiento o las pertenencias de internos, funcionarios o de otras personas, cuando el daño sea de escasa consideración.

Nuevamente se utilizan expresiones abiertas como *escasa consideración* para referirse a la entidad del daño, determinación que queda entregada a la discrecionalidad de la administración penitenciaria. En lo demás nos remitimos a lo dicho respecto de la infracción grave del art. 78 letra e).

> e) Dañar los mismos bienes con negligencia temeraria o culpa grave.

La conducta debe calificarse como negligencia temeraria o con culpa grave para sancionarla. El problema reside en que es la administración penitenciaria que determina si el tipo de conducta califica como negligente o culpable, en circunstancias que se trata de conceptos jurídicos que son estrictos en su comprensión.

> f) La introducción y el despacho de correspondencia por procedimientos distintos de los reglamentarios del establecimiento.

El supuesto infraccional está redactado en términos copulativos. Por consiguiente, el parte infraccional debería especificar cómo el interno ha podido con su actuar, desde dentro del penal, realizar la conducta típica de introducir.

> g) Organizar y participar en juegos de azar no permitidos.

El supuesto ha de referirse a juegos de azar no permitidos por ley.

h) Entorpecer las actividades de trabajo, de capacitación, de estudio, y en general todas aquellas que digan relación con el tratamiento penitenciario de los internos.

Nos remitimos a lo ya señalado respecto a la definición de *entorpecer*.

i) Negarse a concurrir a los tribunales, Fiscalía o lugares que se indique por mandato de la autoridad competente.

El supuesto sanciona la sola negativa, pero si finalmente el condenado es llevado a los lugares indicados, la conducta no pone en riesgo la seguridad del régimen o recinto penitenciario por lo que, de aplicarse una sanción, esta podría impugnarse.

j) La participación en movimientos colectivos que no constituyan motín pero que alteren el normal desarrollo de las actividades del establecimiento.

Se trata de un supuesto infraccional que restringe el derecho de las personas privadas de libertad a participar en movimientos colectivos como la huelga. Veremos en el capítulo respectivo al trabajo penitenciario que los derechos colectivos que tienen los trabajadores en el medio libre se prohíben al interior de un recinto penitenciario.

k) Negarse a dar su identificación cuando se le solicite por personal de servicio o dar una identificación falsa.

El supuesto no plantea mayores problemas interpretativos. Habrá que analizar el contexto en que se realiza la conducta y verificar si se produce una alteración a la seguridad del régimen o recinto penitenciario.

l) Regresar del medio libre en estado de manifiesta ebriedad o drogadicción.

Este supuesto infraccional abarca una conducta realizada en el medio libre, por lo que es discutible su tipificación a la luz del objetivo del régimen disciplinario, que es mantener la convivencia al interior del recinto. Si el objetivo de la regla es evitar la perturbación del orden del establecimiento penal, es posible impugnar la infracción si es que no hubo una efectiva puesta en riesgo de la convivencia en su interior.

ll) Atentar contra la moral y las buenas costumbres al interior del establecimiento, o fuera de ellos, con actos de grave escándalo y trascendencia.

La regla usa conceptos jurídicamente indeterminados como, *actos de grave escándalo o trascendencia*, determinación que hace discrecionalmente la administración penitenciaria. El supuesto también abarca conductas realizadas fuera del establecimiento penitenciario, regla que no se justifica a la luz del objetivo del régimen disciplinario, que es mantener la convivencia y el orden al interior del recinto penal y no regular la conducta de los condenados en el medio libre.

m) La comisión de cualquier hecho que importe una falta de las sancionadas en el libro tercero del Código Penal o en leyes especiales.

El supuesto infraccional hace evidente la doble incriminación, puesto que unos mismos hechos se sancionan tanto en sede administrativa como penal. En virtud del principio *ne bis in idem* es posible impugnar la sanción disciplinaria.

n) Forzar o inducir a otro a cometer alguna de las faltas contempladas en el presente artículo.

Valga lo dicho en la letra 78 letra o).

ñ) Mantener o recibir objetos de valor, joyas o sumas de dinero que excedan los máximos autorizados.

La regla pretende evitar la alteración del orden interno del establecimiento y la comisión de hechos delictivos contra la propiedad y la integridad física de la población interna. Si los privados de libertad comienzan a mantener objetos de valor, dinero o joyas por sobre el límite reglamentario, podrían generarse esos riesgos.

o) La comisión de 3 faltas leves en un bimestre.

En este caso también se sanciona doblemente unos mismos hechos. Nos remitimos a lo dicho en la letra p) del art. 78.

3.3 Faltas leves (art. 80 REP)

a) Los atrasos en llegar a las cuentas (encierros, desencierro, medio día, salida a Tribunales, Fiscalías y otros similares).

El atraso es una conducta leve que podría estar justificada. Antes de cursar la infracción disciplinaria la administración penitenciaria debe ponderar los descargos del infractor. Cuando el atraso es por enfermedad, dificultad física u otro similar, la conducta está justificada y no se puede sancionar.

b) Pretextar enfermedades inexistentes, o dar excusas falsas, como medio para sustraerse a las cuentas o al cumplimiento de sus deberes.

En cuanto al primer supuesto la administración penitenciaria debe justificar con antecedentes objetivos como, por ejemplo, certificación del estado de salud hecha por el médico o profesional de la salud que la enfermedad es inexistente.

c) El desaseo en su presentación personal o en las dependencias que habite el interno, entendiéndose por tal la suciedad o mal olor evidentes.

En la práctica, se ha constatado que muchas de estas conductas no son voluntarias, sino que responden a la falta de artículos personales para el aseo personal o para la limpieza de las dependencias. En estos casos, es posible aplicar el aforismo jurídico *a lo imposible, nadie está obligado*. Por consiguiente, la conducta no podría sancionarse.

d) La participación culpable en actos que afecten el orden y el aseo de recintos del establecimiento.

Se utiliza la expresión *culpable*, término jurídico que ha de interpretarse en forma estricta.

e) Alterar el descanso de los demás internos en cualquier forma.

Bajo este supuesto es posible abarcar conductas que van desde los gritos molestos en horarios de descanso, música con volumen alto, entre otras. Sin embargo, nuevamente nos encontramos con fórmulas abiertas que infringen el principio de tipicidad y determinación de la conducta.

f) Tener mal comportamiento en los traslados y permanencia en Tribunales, actuaciones judiciales dispuestas por el tribunal o la autoridad competente, o en comisiones exteriores (gritar, mofarse del público, insultar y otros actos similares) o realizar actos reñidos con la moral y las buenas costumbres, sin grave escándalo y trascendencia.

Bajo este supuesto nos encontramos con fórmulas abiertas y conceptos jurídicos indeterminados. Nos remitimos a lo ya dicho respecto de cada uno de ellos.

g) Presentarse a los establecimientos penitenciarios después de las horas fijadas cuando se hace uso de permiso de salida, o regresar a ellos en estado de intemperancia o causando alteraciones o molestias a los demás internos, aun cuando no exista ebriedad.

Valga aquí, lo dicho respecto de la conducta tipificada en el art. 79 letra l).

h) Formular reclamaciones relativas a su internación, sin hacer uso de los medios reglamentarios o establecidos en disposiciones internas del establecimiento.

El supuesto infraccional se refiere a quejas o peticiones que se hacen por cauces informales y no por los medios reglamentarios. Para Stippel esta restricción es criticable porque persigue menoscabar el derecho de petición. A menudo los privados de libertad no presentan sus quejas del personal o de la administración penitenciaria, directamente a estas entidades, por temor a que se tomen represalias en su contra y porque además perciben al operador como ineficiente para dar solución a su problemática[314].

---

[314]   Stippel, *Las cárceles y la búsqueda de una política criminal*, 156.

4. SANCIONES DISCIPLINARIAS

El art. 81 del REP regula el catálogo de sanciones aplicables, las que van desde una simple amonestación hasta el aislamiento o castigo en celda solitaria, sanción esta última a la que dedicaremos un apartado especial, por tratarse de la sanción más criticada por el derecho internacional de los derechos humanos. En la aplicación de toda sanción el REP establece un criterio de proporcionalidad en relación con la gravedad de la infracción, de modo tal que para cada tipo infraccional se determina un grupo de sanciones, las que no son acumulables.

Ahora bien, la elección de la sanción como su duración es facultad discrecional del Alcaide, pero sujeta a la ponderación de ciertos criterios: además de la gravedad de la misma, se debe tener en consideración las características de la persona interna y su conducta dentro del año. Asimismo, el art. 82 inc.1°, impone a la autoridad administrativa aplicar un criterio de justicia, *de manera que el castigo sea justo, esto es, oportuno y proporcional a la falta cometida tanto en su drasticidad como en su duración.* En caso de reincidencia el Alcaide podrá aplicar hasta el máximo la sanción y en caso de primerizos se podrá aplicar el mínimo de ella de acuerdo con la gravedad de la falta.

Las sanciones aplicables a las faltas leves son:

- Amonestación verbal.
- Anotación negativa en la ficha personal.
- Prohibición de recibir paquetes o encomiendas por un lapso de hasta quince días.

Las sanciones aplicables a las faltas menos graves son:

- Privación de participar en actos recreativos comunes hasta por treinta días.
- Prohibición de recibir paquetes o encomiendas por un lapso de hasta treinta días.
- Limitación de las visitas a un tiempo mínimo que no podrá ser inferior a cinco minutos, durante un lapso que no excederá de un mes, debiendo realizarse ella en una dependencia que permita el control de la sanción.
- Privación hasta por una semana de toda visita o correspondencia con el exterior.
- Revocación de permisos de salida.

Tratándose de infracciones graves podrá aplicarse cualquiera de las siguientes sanciones:

- Privación hasta por un mes de toda visita o correspondencia con el exterior.
- Aislamiento de hasta cuatro fines de semana en celda solitaria, desde el desencierro del sábado hasta el encierro del domingo.
- Internación en celda solitaria por períodos que no podrán exceder de diez días.

Ahora bien, en ninguna circunstancia podrán aplicarse castigos diversos a los señalados, o por otros funcionarios que los facultados por el REP. La infracción de esta norma será sancionada administrativamente, sin perjuicio de la responsabilidad penal que pudiera perseguirse por los mismos hechos.

4.1 Aislamiento o internación en celda solitaria

El aislamiento o internación en celda solitaria consiste en el encierro de una persona en un espacio reducido y solitario. La característica principal de esta medida es la ausencia de contacto humano significativo con otras personas. Parte de la doctrina considera que la sanción supone una auténtica privación de libertad derivada del carácter mensurable del bien jurídico: libertad. Se cuestiona, en consecuencia, la constitucionalidad de la sanción al considerar que su aplicación vulnera la prohibición de que la administración penitenciaria pueda imponer sanciones que, directa o indirectamente, impliquen privación de libertad[315].

Esta tesis es contraargumentada por quienes sostienen que la modificación del *status libertatis*, que se produce a consecuencia de la especial relación de sujeción a la que está sometido el interno, resultó ya legítimamente negada por el contenido del fallo condenatorio, el que ya determinó la restricción temporal del derecho fundamental a la libertad. De ahí que concluyan que el aislamiento en celda solitaria no puede considerarse como una sanción privativa de libertad, sino que meramente como un cambio en las condiciones de la prisión, es decir, una mera restricción de

---

[315] Carnevalli, "El tratamiento penitenciario en Chile", 414-415.

la libertad de movimiento dentro del establecimiento penal añadida a una privación de libertad impuesta exclusivamente por sentencia judicial[316].

En nuestra legislación, el principio de legalidad de las penas se expresa en la fórmula del art. 80 inc. 1° del CP que dispone que tampoco puede ser ejecutada pena alguna en otra forma que la prescrita por la ley, ni con otras circunstancias o accidentes que los expresados en su texto. Sin embargo, la regla se flexibiliza en el inc. 2°, cuando dispone respecto de los castigos disciplinarios, que ha de observarse también, además de lo que dispone la ley, lo que se determine en los reglamentos especiales para el gobierno de los establecimientos penitenciarios. Acto seguido declara que pueden imponerse reglamentariamente como castigos disciplinarios: el encierro en celda solitaria e incomunicación con personas extrañas al establecimiento penal por un tiempo que no exceda de un mes, u otros de menor gravedad.

Por consiguiente, la legislación penal admite el encierro en cela solitaria[317]. Para aplicarla se deben cumplir con ciertos requisitos, establecidos en el art. 85 y ss. del REP. A saber:

1) Esta medida se cumplirá en la misma celda o en otra de análogas condiciones de higiene, iluminación y ventilación. El Alcaide del establecimiento debe certificar que el lugar donde se cumple esta medida reúne las condiciones adecuadas para su ejecución.

2) El médico o paramédico del establecimiento certificará que el interno se encuentra en condiciones aptas para cumplir la medida.

3) Mientras dure el castigo disciplinario en celda solitaria, los sancionados deberán ser conducidos a un lugar al aire libre, previamente determinado por el Alcaide, a lo menos, durante una hora diaria, a fin de que si lo desean puedan realizar ejercicio físico.

---

[316] Mapelli, *et.al.*, *Ejecución de la pena*, 457.

[317] Nash, *Personas privadas de libertad*, 93. En cuanto a la aplicación de celdas de castigo en Chile: "Existen un total de 625 celdas de castigo a nivel nacional. El número de personas que han ocupado estas celdas de castigo ha aumentado de 4.644 personas en 2006 a 16.173 personas en 2011, afectando cerca del 32% de la población penitenciaria. Las 16.713 personas privadas de libertad sometidas a celdas de castigo en el 2011 han pasado un promedio de 10 días anuales recluidos. Dentro de las personas que fueron sometidas a celdas de castigo en 2011 cerca de un 11% son imputadas privadas de libertad. En los años (2010-2012) entre el 79 % y el 90% de las sanciones impuestas a las personas privadas de libertad, es la celda de castigo o aislamiento, siendo la medida más usada en el sistema disciplinario. Existen 148 reclamos asociados a la imposición de medidas disciplinarias en 2011, mientras en 2008 fueron 28".

4) Los internos sancionados con permanencia en celda solitaria deberán ser visitados diariamente por el Alcaide, el médico o paramédico y si el afectado lo pidiera, el ministro de su religión, quienes deberán dejar constancia escrita, si las personas internas hubieren sido objeto de castigos corporales o no se hubiere dado cumplimiento a lo dispuesto en el REP.

5) El médico o paramédico deberá pronunciarse sobre la necesidad de poner término o de modificar el encierro en celda solitaria, por razones de salud física o mental del afectado, lo que informará por escrito al Alcaide.

6) Toda persona interna afectada por esta medida disciplinaria no podrá recibir paquetes, salvo artículos de higiene y limpieza, que no importen riesgo para su seguridad o integridad, y los medicamentos autorizados por el médico del establecimiento.

7) No se aplicará esta sanción a las mujeres embarazadas y hasta seis meses después del término del embarazo, a las madres lactantes, y a las que tuvieren hijos consigo.

Por su parte, el derecho internacional de los derechos humanos admite excepcionalmente el uso de la celda de aislamiento como último recurso, limitado en el tiempo, y sujeto a ciertos requisitos (autorización de tribunal competente, control médico, control jurisdiccional), cuando se demuestre que es necesario para salvaguardar intereses legítimos relativos a la seguridad interna de los establecimientos, y para proteger derechos fundamentales, como la vida e integridad de las mismas personas privadas de libertad o del personal de dichas instituciones. La razón de esta regulación es que la prolongación y aplicación inadecuada e innecesaria de este tipo de medidas podrían configurar actos de tortura, o tratos o penas crueles, inhumanos o degradantes. En cambio, la prohíbe tratándose de privados de libertad pertenecientes a grupos doblemente marginados como mujeres embarazadas y madres de hijos lactantes.

Las Reglas de Mandela (Regla 43.1) señalan que las restricciones o sanciones disciplinarias no podrán, en ninguna circunstancia, equivaler a tortura u otros tratos o penas crueles, inhumanos o degradantes. En particular, prohíben las siguientes prácticas: el aislamiento indefinido, el aislamiento prolongado, el encierro en una celda oscura o permanentemente iluminada[318].

---

[318]   En el mismo sentido, Principios y Buenas Prácticas (Principio XXII); Principios básicos (Principio 7°).

En el mismo sentido, la jurisprudencia de la Corte IDH ha desarrollado una serie de estándares relativos a la celda de aislamiento o castigo, en tanto medida disciplinaria o de otra índole, pues solo será admisible si cumple estrictamente con los requisitos de legitimidad de las restricciones de derechos: legalidad, objetivo legítimo y proporcionalidad. También son relevantes para determinar la corrección de la medida, las condiciones en las cuales se aplica. Así, para ser legítima, debe cumplir con estándares mínimos de habitabilidad, espacio y ventilación. De no cumplir con esos estándares, la medida puede transformarse en un instrumento de tortura:

> La Corte considera que las celdas de aislamiento o castigo sólo deben usarse como medidas disciplinarias o para la protección de las personas por el tiempo estrictamente necesario y en estricta aplicación de los criterios de racionalidad, necesidad y legalidad. Estos lugares deben cumplir con las características mínimas de habitabilidad, espacio y ventilación, y solo pueden ser aplicadas cuando un médico certifique que el interno puede soportarlas. La Corte recalca que es prohibido el encierro en celda oscura y la incomunicación[319].

En nuestro ámbito, la jurisprudencia nacional se ha preocupado del cumplimiento de los requisitos legales descritos para su aplicación, más que emitir pronunciamiento respecto a la naturaleza de la sanción y la posible vulneración de derechos fundamentales[320].

4.2 Procedimiento de aplicación de las sanciones disciplinarias

El REP regula un procedimiento sucinto consistente en la recopilación sumaria de antecedentes que ha de revisar el Jefe del establecimiento penitenciario. Este último procede teniendo a la vista el parte de rigor el que contiene la declaración del infractor, la declaración de testigos y afectados si los hubiere y estuvieren en condiciones de declarar, así como también la recomendación del Consejo Técnico si este hubiere intervenido. En el caso de que la falta disciplinaria pudiere configurar delito esta será puesta en conocimiento de la autoridad competente, según la ley procesal vigente,

---

[319]   Corte IDH. Caso Montero Aranguren y otros (Retén de Catia) v. Venezuela. Serie C No. 150. Parágrafo 94. (5 de julio de 2006).

[320]   Corte de Apelaciones. SCA Rol N°302-2015 de 11 de noviembre de 2015. Corte de Apelaciones de Concepción. SCA Rol N°164-2015 de 13 de noviembre 2015. Corte de Apelaciones de la Serena. SCA Rol N°26-2015 de 26 de junio de 2015. Juzgado de Garantía de Río Negro. JG Rol N°1413-2008 de 24 de mayo de 2016.

sin perjuicio de la aplicación de las sanciones previstas en el REP. Es decir, se persigue tanto la responsabilidad disciplinaria como penal de la persona privada de libertad. De todo ello dejará constancia en la resolución que aplica la sanción, la que deberá notificar personalmente al infractor indicando la medida impuesta y sus fundamentos.

Ahora bien, en el caso de las personas imputadas, la aplicación de cualquier medida disciplinaria y su fundamento deberá ser informado inmediatamente al tribunal que conoce de la causa para su aprobación judicial. Tratándose de personas condenadas, este control jurisdiccional se exige en el caso de repetición de una medida disciplinaria. Por consiguiente, esta debe comunicarse al juez de garantía del lugar de reclusión, quien solo podrá autorizarla por resolución fundada y adoptando las medidas para resguardar la seguridad e integridad del interno[321]. En cambio, tratándose de la primera sanción, el REP permite que la autoridad penitenciaria prescinda del control jurisdiccional, sin que se vislumbre el fundamento de la distinción.

Empero, en el caso de una infracción grave rige el mismo procedimiento anterior, pero hay ciertas exigencias adicionales: antes de aplicar la sanción el Alcaide deberá escuchar personalmente al infractor. Además, copia de la resolución que sanciona una falta grave deberá ser remitida al Director Regional de Gendarmería para su conocimiento, quien podrá modificarla o anularla por razones fundadas. Por último, se establece la posibilidad de que se adopten por los jefes de turno medidas provisorias mientras se sustancia el procedimiento, como la incomunicación o aislamiento provisorio de cualquier persona interna que incurriere en falta grave, por un plazo máximo de veinticuatro horas, dando cuenta de inmediato al Alcaide, tiempo que debe computarse como un día para el cumplimiento de la sanción que en definitiva se imponga, aunque ella no sea la de aislamiento.

Con todo, en materia de aprobación judicial y debido proceso, los jueces se ven limitados a realizar un examen formal del cumplimiento de los requisitos. Es decir, no hay contradictoriedad de la imputación en

---

[321] Existe variada jurisprudencia penitenciaria que ha resuelto dejar sin efecto sanciones disciplinarias por falta de cumplimiento del requisito de la autorización judicial. Véase, Corte de Apelaciones de Valparaíso. SCA Rol N°339-2008 de 28 de marzo de 2018. Corte de Apelaciones de Concepción. SCA Rol N°51-2015 de 18 de marzo de 2015.

esta etapa, salvo cuando se impugna por la defensa la aprobación de la sanción, a través de los mecanismos procesales que prevé el CPP, pues en materia recursiva el REP no regula expresamente ninguna vía de impugnación.

De esta manera, es posible afirmar que no existe el debido proceso en los procedimientos disciplinarios que se sustancian al interior de los recintos carcelarios desde el momento en que la presunción de inocencia se haya infringida en todas sus facetas. Si bien se ha discutido en cuanto a si la aplicación de esta presunción, en los procedimientos administrativos sancionadores, ha de sujetarse a los mismos términos con que se aplica en el proceso penal o ha de tener matices, considerando cuestiones de eficiencia, eficacia y ciertas particularidades de la actividad administrativa[322], lo cierto es que tratándose de personas privadas de libertad la garantía es inexistente.

Como regla de trato, la persona privada de libertad cuando es imputada de una infracción disciplinaria no es tratada como inocente ni siquiera en la fase inicial del procedimiento. Lo anterior no se justifica puesto que nada impediría a la autoridad administrativa penitenciaria adoptar medidas cautelares o provisionales, con el objeto de resguardar el orden o la seguridad del recinto, mientras se sustancia el procedimiento administrativo sancionador y se determina responsabilidad. Ahora bien, estas medidas provisionales deben sujetarse a presupuestos o requisitos para no afectar gravemente y aún más la libertad personal del administrado, la que ya está afectada por la condición de persona privada de libertad.

Como regla de distribución de la carga de la prueba, la que tiene por objeto determinar a cuál de las partes corresponde aportar pruebas sobre un determinado hecho, no existe instancia o etapa de prueba. Tratándose del derecho administrativos sancionador, en general, Boutaud, quién es partidario de una aplicación matizada de la presunción de inocencia, distingue entre la prueba de los hechos, la participación del presunto

---

[322] Emilio Boutaud, "Debido proceso y presunción de inocencia: una propuesta para el Derecho administrativo sancionador", *Revista de Derecho Administrativo Económico*, n.°34 (2021): 9-38. El autor sostiene que la aplicación de la presunción de inocencia en los procedimientos administrativos sancionadores, en los mismos términos que en el proceso penal, no resulta infundada, sin embargo, propone una aplicación matizada del principio.

infractor y las agravantes de responsabilidad cuya acreditación le correspondería a la administración. En cambio, la prueba de los hechos excluyentes o extintivos y las atenuantes de responsabilidad, tales como el caso fortuito, la fuerza mayor, la diligencia debida, la prescripción de la infracción y la subsanación de la misma, recaería sobre el administrado[323].

En cuanto a la regla de juicio, la que se dirige a la autoridad encargada de resolver un procedimiento administrativo sancionador, imponiéndole el deber de hacer recaer sobre la parte que debía probar un hecho la falta o insuficiencia de prueba, la referencia que hace el REP a este respecto es vaga. A su respecto, dispone que quien propone la sanción es el Jefe del establecimiento penitenciario sujetándose a fundamentación, sin establecer un estándar probatorio, que en el marco de un sistema de libre valoración de la prueba, permita controlar la motivación del acto.

4.3 Recursos

Nuestra legislación penitenciaria no establece expresamente el derecho al recurso judicial. Sin embargo, a partir de lo que disponen los instrumentos internacionales sobre la materia, arts. 8° y 25 de la CADH, Regla 41.4 de la Reglas de Mandela, entre otros, y también lo dispuesto en los arts. 19 números 3, 20 y 76 de la CPR, que consagran la tutela jurisdiccional efectiva de los derechos fundamentales y el principio de inexcusabilidad por parte de los tribunales[324], es posible impugnar una sanción disciplinaria y solicitar la intervención judicial. En palabras de Mera:

> [...] la vigencia efectiva de los derechos humanos de los internos no puede quedar entregada a la buena voluntad y disposición de las autoridades penitenciarias, porque de lo que se trata en un Estado democrático de derecho es de contar con mecanismos para fiscalizar precisamente a estas autoridades, que son las que pueden desconocer

---

[323]   Boutaud, "Debido proceso y presunción de inocencia, 30.
[324]   La jurisprudencia chilena se ha pronunciado respecto a la inexcusabilidad judicial en el caso de que se impugne un procedimiento sancionatorio. Véase, Corte de Apelaciones de Concepción. SCA Rol N°18-2018 de 24 de enero de 2018. Corte de Apelaciones de Temuco. SCA Rol N°343-2014 de 30 de abril de 2014. Juzgado de Garantía de Valparaíso. JG Rol N°831- 2004 de 26 de marzo de 2004: "el reglamento de establecimientos penitenciarios no cumple con señalar la manera en cómo se han de cautelar efectivamente dichas garantías, por lo que el Tribunal debe examinar si para aplicar una medida de aquellas que dicho reglamento reconoce como sanciones, debe estarse únicamente a lo que dicho reglamento señala, o si en cambio ha de reconocerse otros derechos a la persona que es objeto de la aplicación de dichas sanciones".

los derechos de los penados. Las autoridades penitenciarias son parte del conflicto y no debieran, por eso, ser también juez del mismo[325].

En la práctica, es posible advertir la omisión de varios de los requisitos formales exigidos en estas reglas, respecto de lo cual hay creciente jurisprudencia[326]. En cuanto al fondo de los hechos, su impugnación se dificulta por falta de prueba o imposibilidad material de procurarse la misma. Por ello, considerando que las garantías del proceso penal han de tener vigencia y aplicación en el procedimiento sancionatorio disciplinario sería deseable que la imposición de sanciones se realice por un órgano independiente e imparcial; que se nombre un instructor; que no haya coincidencia entre quien instruye y quien sanciona; que se dé audiencia al presunto infractor para que pueda defenderse; que se garantice la asistencia jurídica; que se determine una etapa de rendición de prueba; y que se permita una segunda instancia ante la jurisdicción ordinaria.

4.4 Efectos de la aplicación de una sanción

La aplicación de toda sanción trae importantes consecuencias en la calificación de la conducta del interno, requisito indispensable para postular a los beneficios intrapenitenciarios. Tratándose de faltas graves o menos graves implica necesariamente una rebaja en uno o más grados en la calificación de la conducta del bimestre siguiente a la aplicación de una sanción. De ahí la relevancia de que el procedimiento disciplinario se ajuste estrictamente a derecho.

Finalmente, si el acto administrativo que aplica la sanción quedare sin efecto, sea como consecuencia de su impugnación judicial o por otro motivo, quedarán también sin efecto todos aquellos actos de la administración que emanen de aquel o que sean previos al mismo y que digan relación con él como, por ejemplo, la rebaja en la calificación de

---

[325]   Jorge Mera, *Derechos Humanos en el Derecho Penal chileno*. (Santiago: Editorial Jurídica Cono Sur,1998).

[326]   Corte Suprema. SCS Rol N°12207-2015 de 3 de agosto de 2015. Corte de Apelaciones de Concepción. SCA Rol N°164-2015 de 13 de noviembre de 2015. Corte de Apelaciones de la Serena. SCA Rol N°17-2015 de 14 de mayo de 2015. Corte de Apelaciones de Puerto Montt. SCA Rol N°56-2014 de 17 de septiembre de 2014. Corte de Apelaciones de Valdivia. SCA Rol N°29-2018 de 19 de abril de 2018. Juzgado de Garantía de Valdivia. JG Rit 4272-2020 de 7 de julio de 2020; JG Rit 4271-2020 de 7 de julio de 2020.

la conducta, el traslado de unidad penal o la revocación de un permiso de salida. Al haberse dejado sin efecto el acto terminal, pierden eficacia jurídica los actos administrativos que de él dependan. Así también lo ha dicho la jurisprudencia[327].

[327] Corte Suprema. SCS Rol N°12207-2015 de 31 de agosto de 2015. El fallo deja sin efecto resolución que revoca permiso de salida dominical, resolución que autoriza traslado del interno y rebaja en la calificación de conducta, pues habían sido consecuencia de una misma sanción, posteriormente declarada nula.

CAPÍTULO OCHO

GRUPOS MARGINADOS EN PRISIÓN[328]

1. ANTECEDENTES GENERALES

El derecho internacional de los derechos humanos identifica a ciertos colectivos de personas como "especialmente vulnerables", expresión que encubre la realidad de marginación en la que viven determinados grupos humanos, por lo que se ha preferido la expresión "grupos marginados en prisión". Se trata de colectivos de personas que, por su edad, raza, sexo, condición económica, características físicas, circunstancia cultural o política, encuentran mayores dificultades en su quehacer cotidiano para vivir y mantenerse en prisión. La mayoría de estos obstáculos provienen del mundo exterior y no de susceptibilidades personales o grupales, de modo tal que en la interacción de estas personas con su medio social se abren espacios de riesgo para la transgresión de sus derechos.

Dadas estas dificultades, el derecho internacional les da un tratamiento diferenciado lo que fundamenta en el principio de igualdad, en virtud del cual se exige tratar desigual a aquello que lo es. Y hoy es evidente, debido a los datos que proporciona la realidad que, durante la etapa de ejecución del castigo, ciertos grupos encuentran obstáculos mayores a la hora de adaptarse o mantenerse en prisión como, por ejemplo, mujeres, extranjeros, indígenas, minorías sexuales, adolescentes, entre otros.

---

[328] Se ha preferido la expresión "grupos marginados" en vez de "grupos vulnerables", terminología esta última usada por el derecho internacional de los derechos humanos, dado que la vulnerabilidad dice relación con la cualidad de vulnerable, esto es, que es susceptible de ser lastimado o herido, ya sea física o moralmente. El concepto puede aplicarse a una persona o a un grupo social según su capacidad para prevenir, resistir y sobreponerse a un impacto. De modo tal que el concepto tiene una connotación subjetiva, en circunstancias que la mayoría de las dificultades a las que se enfrentan estos grupos de personas, vienen impuestas y determinadas desde el ámbito exterior y no dicen relación con susceptibilidades personales o grupales.

Si bien, en nuestro sistema penitenciario rige el principio de no discriminación, y se establece el deber de la administración penitenciaria de procurar la realización efectiva de los derechos humanos compatibles con la condición de privación de libertad, estas declaraciones no devienen en la concreción de normas o reglas que se refieran de forma específica e integral al tratamiento penitenciario que han de recibir estos grupos, doblemente marginados, primero, por el hecho de la privación de libertad; y segundo, por la pertenencia a colectivos de personas que en el medio libre y por diversas circunstancias encuentran barreras para desarrollarse o acceder a mejores condiciones de bienestar.

Aunque a lo largo del REP se encuentren algunas normas protectoras, como el art. 13 que establece el principio de separación, aplicable a mujeres y jóvenes en cualquiera de los regímenes penitenciarios que regula; normas relativas a la mujer embarazada o madre de lactante; especiales consideraciones en la aplicación de la sanción de celda solitaria; o para el caso de ciertas figuras jurídicas como los permisos de salida, la consideración de las características personales del postulante; no existe una regulación íntegra y eficaz que sea capaz de dar respuesta a las diferentes problemáticas. En la práctica, el espacio cerrado se configura como condición propicia para la invisibilización y para la violación del principio que la propia reglamentación enarbola.

2. LA MUJER EN PRISIÓN

Históricamente las prisiones han sido pensadas y construidas para albergar a una población reclusa masculina, debido a que en un comienzo estas se configuraron como centros de trabajo forzado, impensado para las condiciones físicas de la mujer. Por tanto, la incorporación de la población femenina al mundo de la cárcel ha planteado desafíos por crear un sistema penitenciario que recoja las cuestiones de género.

En Chile, la población femenina que está dentro del sistema penitenciario alcanza un 11, 2% de la población total[329]. Su aumento ha sido ex-

---

[329]   Gendarmería de Chile, Compendio Estadístico 2020, Compendio_Estadistico_Penitenciario2020. pdf (gendarmeria.gob.cl). Según datos de Gendarmería de Chile, a diciembre de 2021, la población femenina total en el sistema penitenciario chileno es de 10.449 mujeres. De ellas, 3.375 se encuentran en el sistema cerrado. El resto de la población se encuentra en sistema abierto y semi abierto.

plosivo en los últimos años, a diferencia de lo que ocurre con la población penal masculina que, si bien ha aumentado, lo ha hecho progresivamente. Lo anterior tiene su explicación en el endurecimiento de las penas de los delitos de hurto y tráfico ilícito de drogas y estupefacientes, delitos que estadísticamente son de común ocurrencia en las mujeres, dada su baja inclinación a cometer delitos violentos y a la necesidad de generar recursos desde el hogar[330].

En cuanto a las características especiales del grupo, Aedo señala que se trata de mujeres que en su mayoría son jefas de familia monomarentales, cerca del 90% tienen hijos o hijas menores, han sido víctimas de violencia de género, provienen de hogares con altos niveles de marginación socioeconómica y sufren de abandono de sus redes de apoyo. Se inician en el delito tardíamente, son menos violentas y reinciden menos que los hombres[331]. Para Guerrero y Villagra, su paso por la cárcel suele empeorar las condiciones de exclusión, estigma y pobreza previa lo que, sumado a la discriminación y los antecedentes penales, dificultan aún más las posibilidades de encontrar un trabajo lícito, lo que genera un círculo vicioso de pobreza, mercados de drogas y prisión[332].

Ahora bien, distintos instrumentos internacionales han sentado estándares destinados a la protección y mejoramiento de las condiciones carcelarias de las mujeres privadas de libertad, como lo son el principio de separación, la protección a la maternidad, el principio del interés superior del niño y reglas especiales aplicables en materia de sanciones disciplinarias[333]. A continuación, pasaremos revista a estos estándares para luego contrastarlos con la legislación nacional.

---

[330]   María Paz Von Dem Bussche, Fabiola Romo, "Mujeres privadas de libertad: Estándares nacionales e internacionales. Políticas de género en materia penitenciaria", (memoria para optar al título de licenciado en ciencias jurídicas y sociales, Universidad de Chile, 2015), 22-23.

[331]   Marcela Aedo y Laura Romero, "Cárcel, pandemia y mujeres privadas de libertad: algunas reflexiones desde la experiencia en Chile", en *Pandemia. Derechos Humanos, Sistema Penal y Control Social (en tiempo de coronavirus)* (2020), ed./coord. Iñaki Rivera (Valencia: Tirant lo Blanch, 2020), 295-312.

[332]   Angela Guerrero, Carolina Villagra, "Mujeres encarceladas en Latinoamérica y COVID-19. Recomendaciones para los sistemas penitenciarios de la región", última revisión 18 de enero de 2022, disponible en https://biblio.dpp.cl/datafiles/14958.pdf.

[333]   Pacto Internacional de Derechos Económicos, Sociales y Culturales; Convención sobre la eliminación de todas las formas de Discriminación contra la Mujer; Conjunto de Principios para la protección de todas las personas sometidas a cualquier forma de Detención o Prisión; Reglas de Bangkok, creadas especialmente para el tratamiento de las reclusas y de aquellas mujeres sometidas a medidas no privativas de libertad; Reglas de Mandela; y Reglas de Tokio.

2.1 Principio de separación

El principio de separación por categorías, recogido en las Reglas de Mandela (Regla 11), consiste en que los privados de libertad pertenecientes a categorías distintas deben ser alojados en establecimientos diferentes o en pabellones diferentes dentro de un mismo establecimiento, según su sexo y edad, sus antecedentes penales, los motivos de su detención y el trato que corresponda aplicarles. Así, los hombres deberán estar separados de las mujeres, ya sea en establecimientos diferentes o en pabellones distintos, si se trata del mismo establecimiento penitenciario; los presos en prisión preventiva separados de los penados; los encarcelados por deudas u otras causas civiles separados de los encarcelados por causas criminales; los jóvenes separados de los adultos.

Ahora bien, no obstante, el beneficio que proporciona la aplicación de esta regla, lo anterior no ha estado exento de crítica. Se ha sostenido que, si las separaciones convencionales no van seguidas de un diseño regimental íntegro de adaptación, el cumplimiento del estándar en la práctica se queda en meras separaciones físicas de los espacios. En consecuencia, para que en realidad este principio pueda realizar su fin, además de la separación física, el derecho internacional exige contar con posibilidades materiales de medios y personal que atiendan las necesidades especiales del colectivo que está separado. Cuando las separaciones no contemplan estos tratos o no implican cambios regimentales sensibles a las necesidades del grupo, lo que inicialmente pudiera ser entendido como un derecho del grupo separado, termina convirtiéndose en una segregación encubierta en favor del grupo dominante[334].

Por otra parte, algunas voces han relevado que la completa separación puede ocasionar graves perjuicios en quienes son obligados a vivir durante

---

[334] Mapelli, *et.al.*, *Ejecución de la pena*, 505. Al respecto el Programa Eurosocial ha sostenido que: "Básicamente en los sistemas actuales encontramos dos grandes criterios de separación con sentidos totalmente distintos. El uno —para el que se reserva la expresión separación, de carácter regimental—, y el otro, terapéutico y empírico experimental —al que denominaremos, clasificación. Mientras que las necesidades de aquel carecen de cualquier constatación empírica, de manera que el sentido de la separación se agota con el traslado del interno a la correspondiente sección o establecimiento, las de este responden formalmente a un método para conducir la ejecución penal, dentro de un programa global de ubicación de los penados en el establecimiento y con las condiciones más adecuadas al modelo individualizado de ejecución, es decir, con medidas específicas de formación, trabajo, tiempo libre, etc. La clasificación es la fórmula a través de la cual se articula el tratamiento resocializador al régimen y es, al menos, teóricamente el resultado de un proceso de individualización científica".

largos periodos de tiempo sin ningún tipo de contacto con personas del sexo opuesto, por lo que propugnan la realización de proyectos coeducativos en donde participen hombres y mujeres para ayudar a normalizar la vida dentro de la prisión.

Nuestro sistema penitenciario recoge el principio de separación en el art. 19 del REP, el que dispone la separación entre mujeres y hombres, ya sea en establecimientos penitenciarios distintos denominados Centros Penitenciarios Femeninos, o en aquellos lugares en que no existan estos centros, en dependencias separadas de la población penal masculina, sin perjuicio de que se incorporen a actividades conjuntas con dicha población. Por consiguiente, se recoge el estándar, el cual es posible de flexibilizar en beneficio del principio de normalización, lo que es considerado como un avance. No obstante, en la práctica, son escasas las actividades penitenciarias mixtas, debido principalmente a la falta de personal de seguridad que pueda custodiar estas actividades.

Ahora bien, una problemática fundamental que tienen en Chile las mujeres presas es el espacio físico que se destina para su habitabilidad. Si bien, son espacios separados del resto de la población masculina, por la cantidad de mujeres presas (que es notoriamente inferior), no en todos los penales se aplica el principio de clasificación, principio que sigue al de separación, y que consiste en disgregar a las personas privadas de libertad en función de su complejidad delictual, con el objeto de evitar el contagio criminógeno. De esta forma internas que tienen un bajo compromiso delictual se ven obligadas a convivir con internas que tienen un alto compromiso delictual, lo que no ocurre, en general, con la población masculina, porque a estos últimos se les clasifica en razón de su categoría delictual (alto, mediano o bajo compromiso) en módulos separados. Lo anterior trae varias consecuencias: supone un contagio criminógeno considerable, mayores roces y violencia entre las internas, estado sicológico de alerta constante, lo que desencadena en que aparezcan o se activen problemas de salud mental serios en estas personas como depresión, trastornos de personalidad, ideación suicida, entre otros.

Asimismo, el hecho que no haya espacio para hacer esta clasificación genera las condiciones que imposibilitan o dificultan excesivamente la posibilidad de tener buena conducta y mantenerla, lo que repercute directamente en la obtención de beneficios intrapenitenciarios. En consecuencia, a partir de cómo se concibe la organización espacial de la cárcel se produce una desigualdad de trato, que está enraizado en la arquitectura y diseño de la misma, la que ha sido pensada tradicionalmente para recibir y mantener a población masculina.

2.2 Protección a la maternidad

La encarcelación de la mujer embarazada es de última *ratio*, debido a las secuelas psicológicas que el alumbramiento en la prisión puede producir en la reclusa madre, y por el estigma que provoca en el niño o niña su nacimiento en prisión. Por lo tanto, los instrumentos internacionales exhortan a los jueces a preferir todas aquellas sanciones que no impliquen privación de libertad. De no ser posible, la encarcelación de una mujer en estas condiciones añade una dificultad mayor que la diferencia del resto.

En el caso de que ingrese una mujer embarazada a prisión, el estándar internacional prescribe que en los establecimientos penitenciarios para mujeres debe haber instalaciones especiales para el cuidado y tratamiento de las reclusas durante su embarazo, así como durante el parto e inmediatamente después. Por otra parte, en la medida de lo posible, debe procurarse que el parto tenga lugar en un hospital civil, para evitar la estigmatización que significa nacer en prisión y para mitigar posibles riesgos que pudiesen provenir de la falta de infraestructura, indumentaria, medios o personal médico del hospital penitenciario. Así lo disponen las Reglas de Mandela (Regla 28) y en específico las Reglas de Bangkok (Regla 48.1).

En nuestro derecho, el art. 19 del REP dispone que en los Centros Penitenciarios Femeninos (CPF) deben existir dependencias que cuenten con espacios y condiciones adecuadas para el cuidado y tratamiento pre y post natal, así como para la atención de hijos lactantes de las internas. En aquellos lugares en que no existan estos centros, se dispone que estas últimas permanecerán en dependencias separadas del resto de la población penal, sin que se recoja la anterior exigencia. Asimismo, tratándose de establecimientos concesionados, debe estarse además a lo establecido en el respectivo contrato respecto del cuidado, residencia y atención del lactante.

Por consiguiente, la recepción del estándar es parcial porque no hay una regulación unívoca, sino que depende del tipo de establecimiento penitenciario y, por otra parte, el REP no específica que se entiende por condiciones adecuadas. He ahí una razón que puede explicar el hecho de que las condiciones de infraestructura sean tan variadas en el país: desde unidades penales con instalaciones extremadamente restrictivas para la vida de niños y niñas, y otras que cuentan con elementos que se asemejan un poco más a una vida cotidiana en comunidad[335].

En relación con el trato que debe recibir la mujer que está por parir, en nuestra realidad penitenciaria se han registrado casos en que la experiencia ha sido indigna y degradante, aun cuando esta tenga lugar en hospitales civiles. Es el caso, por ejemplo, de una mujer indígena embarazada, privada de libertad, que dio a luz una niña, encadenada y frente a un gendarme, hecho que fue considerado por la Corte Suprema como una muestra de la interseccionalidad de la discriminación sufrida por una mujer indígena en su condición de madre[336].

2.3 Principio del interés superior del niño

En el ámbito internacional, existen dos principios fundamentales en la materia: el principio del interés superior del niño, reconocido por el art. 3° de la CDN, y el principio de que la pena no puede trascender de la persona del "delincuente", reconocido en el art. 5.3 de la CADH. El primero, significa que todas las decisiones que se tomen en relación con un niño, niña o adolescente deben ir orientadas a su bienestar y pleno ejercicio de derechos; el segundo, implica que la pena no debe sobrepasar los derechos humanos de la persona condenada, ni menos afectar los derechos de terceras personas. Por consiguiente, toda decisión de permitir que un niño o niña permanezca con su madre o padre en el establecimiento penitenciario

---

[335] En la actualidad las dependencias con espacios para lactantes están regulados y financiados, básicamente, por la Ley N°20.032, que establece el sistema de atención a la niñez y adolescencia a través de la red de colaboradores del Sename y su régimen de subvención, pues Gendarmería y el Sename han entendido que estas residencias serían lo que la referida ley denomina centros residenciales transitorios, porque los niños y niñas se encuentran separados de su medio familiar, aunque se encuentren bajo el cuidado de su madre. De acuerdo a lo dispuesto por la ley Gendarmería debe cumplir, básicamente, con las siguientes obligaciones: a) Controlar que el ingreso a las residencias se realice previa resolución judicial; b) Adoptar las medidas necesarias para el ejercicio del derecho de los niños, niñas o adolescentes que acojan, a mantener relaciones personales, contacto directo y regular con sus padres y con otros parientes, salvo resolución judicial en contrario; c) Asumir, a través de su Director, el cuidado personal y la dirección de la educación de los niños, niñas o adolescentes acogidos en el proyecto, respetando las limitaciones que la ley o la autoridad judicial impongan a sus facultades, a favor de los derechos y de la autonomía de ellos, así como de las facultades que conserven sus padres o las otras personas que la ley disponga.

[336] Corte Suprema. SCS Rol N°92795-16 de 1° de diciembre de 2016.

se debe basar en su interés, lo que ha de compatibilizarse con el hecho de que la pena no puede trascender hacia su persona. En el ámbito penitenciario la conciliación de estos principios instala un importante desafío[337].

Los instrumentos internacionales sobre la materia, Reglas de Mandela (Regla 29.1) y en específico, Reglas de Bangkok (Regla 49), establecen que, para el caso de madres privadas de libertad con hijos o hijas recién nacidos, se dispone que la encarcelación va a exigir que ambos permanezcan unidos en la misma unidad penal, siendo desaconsejable trasladar al bebé a una guardería, situación que debería durar lo que se corresponde con el tiempo natural de lactancia. Para ello, se debe brindar a las reclusas el máximo de posibilidades de dedicar tiempo a sus hijos. Ahora bien, si el niño o niña nace en prisión, no se debe registrar este hecho en su partida de nacimiento.

Para el caso de que los niños o niñas se mantengan con su madre o padre durante su primera infancia, los Estados deben facilitar servicios internos o externos de guardería, con personal calificado, lugar donde permanecerán estos cuando no se hallen atendidos por su familiar. Asimismo, deben proporcionar servicios de atención sanitaria especiales, incluidos servicios de reconocimiento médico inicial en el momento del ingreso y servicios de seguimiento constante de su desarrollo a cargo de especialistas. Por otra parte, se dispone expresamente, que aquellos que vivan en el establecimiento penitenciario nunca serán tratados como reclusos.

En caso de que se separe a los hijos de sus madres y sean puestos al cuidado de familiares o de otras personas u otros servicios para su cuidado, las Reglas de Bangkok (Regla 28) exhorta a brindar a las reclusas el máximo de facilidades para reunirse con ellos, cuando ello redunde en su interés. Por consiguiente, en las visitas en que se lleve a niños y niñas se deberá permitir el libre contacto entre ellos y la madre, y en lo posible, se deberá alentar a que estas visitas sean prolongadas.

---

[337]   Juzgado de Garantía de Valdivia. JG Rit 1510-2018 de 16 de abril de 2020. El fallo dispuso la interrupción de la pena privativa de libertad de una mujer que se encontraba cumpliendo condena al interior del recinto penitenciario con su hijo lactante, debido a los riesgos provenientes de contagio del virus Covid-19. En el mismo sentido, Juzgado de Garantía de Valdivia. JG Rit 1460-2018 de 16 de abril de 2020.

Ahora bien, el ordenamiento jurídico chileno reconoce a las mujeres privadas de libertad el derecho de ejercer personalmente el cuidado de sus hijos lactantes hasta los dos años, en lugares separados del resto de la población penal. En el caso que se disponga la privación de libertad de una mujer con hijo lactante, el Jefe del establecimiento deberá comunicar de inmediato este hecho al Servicio Nacional de Menores para los efectos de la respectiva subvención y de los programas o medidas que dicha institución debe desarrollar para el adecuado cuidado del niño o niña. Una vez que este último cumpla dos años deberá egresar del centro penitenciario, por lo que, de acuerdo con la Ley N°16.618, el Juez de Familia deberá pronunciarse acerca del destino del hijo cuando este deba abandonar el recinto penitenciario.

Con todo, el nacimiento de niños y niñas en prisión y su permanencia en dicho lugar, durante la primera infancia, o el ingreso de mujeres con hijos e hijas lactantes a prisión, no debe ser naturalizado en pos del principio del interés superior del niño, expresado en la necesidad de este último de mantener el vínculo primario con la madre. Existen voces que razonablemente denominan a esta situación como "la infancia que nace condenada", pues estas personas se nutren, desde que comienzan a experimentar la vida, de todas las sensaciones de estar en un lugar de encierro. Lo anterior contribuye al estereotipo que predice que son estos niños y niñas los que en un futuro van a delinquir.

Bustelo aborda esta última idea y, desde un enfoque de derechos humanos, plantea que el Estado incluye y excluye al mismo tiempo a quienes supuestamente debería defender. Y una de sus conclusiones, que comprende a la adolescencia, es que necesariamente se debe anunciar la libertad desde el nacimiento como una cuestión crucial para resolver un proyecto futuro en la materia[338].

En Chile, las organizaciones preocupadas por la infancia han planteado una serie de nudos críticos en la materia, los que dicen relación con: la discrecionalidad con que se aplican las medidas judiciales de protección; diferencias en la formación y postura frente al tema de los equipos uniformados y técnicos que atienden a estas mujeres y sus hijos, pues para los primeros primaría la idea de que residir en una unidad materno- infantil

---

338   Eduardo Bustelo, "Infancia en Indefensión", *Salud Colectiva*, n. °1 (2005): 253-284.

es un beneficio y no un derecho, posición propicia para vulneraciones; constatación de un vacío legal en la normativa que regula la situación dado que el REP indica que en los centros penitenciarios que albergan mujeres embarazadas y con hijos deben existir dependencias que cuenten con espacios y condiciones adecuadas, pero no especifica qué se entiende por adecuado, razón que explica las variadas condiciones de infraestructura de estas secciones; asimismo, cuando un niño ingresa con su madre a prisión se completa una "carpeta del niño", que contiene varios datos que no han sido estandarizados. Tampoco se cuenta con mecanismos homogéneos de fiscalización de esos datos y se advierte falta de una regulación estandarizada aplicable a los organismos ejecutores de estas secciones especiales, entre otros[339].

2.4 Estándar en materia de sanciones disciplinarias

Tratándose del procedimiento disciplinario existen normas protectoras de las mujeres embarazadas o madres de hijos lactantes. Los instrumentos internacionales, Reglas de Mandela (Regla 45.2) y Reglas de Bangkok (Regla 22 y ss.), establecen la prohibición de aplicar la sanción de aislamiento y medidas similares a mujeres y niños. En lo que respecta a métodos de coerción, las Reglas de Mandela (Regla 48.2) prohíbe su utilización en el caso de mujeres que estén por dar a luz, ni durante el parto ni el período inmediatamente posterior.

En el ámbito nacional, el art. 86 del REP recoge la directriz en la materia y dispone que no se aplicará la sanción de celda solitaria a las mujeres embarazadas y hasta seis meses después del término del embarazo, a las madres lactantes, y a las que tuvieren hijos consigo. En lo que respecta a las medidas de coerción, el REP no hace diferenciación.

3. EXTRANJEROS EN PRISIÓN

El fenómeno de los extranjeros requiere de una especial atención debido a los distintos problemas que, en general, enfrentan las personas que

---

[339]   Por ello, en el año 2017 se presentó el proyecto de ley "Ley Sayen", con la intención de que las mujeres privadas de libertad que estén embarazadas o tengan hijos menores de 3 años, puedan postergar el cumplimiento de su condena en una cárcel hasta que el niño supere dicha edad.

deciden trasladar su residencia a otro país en busca de mejores oportunidades: falta de trabajo, problemas con el idioma, racismo, xenofobia, entre otros. En el ámbito penitenciario, el ser preso extranjero trae aparejado esos mismos conflictos más aquellos que son propios de la convivencia
con la población carcelaria nacional: rechazo, burlas, aislamiento, entre
otros. Incluso, los procesos de reinserción social se dificultan por falta de
arraigo social y familiar, lo que hace más difícil la obtención de beneficios
intrapenitenciarios.

Todas estas circunstancias convierten a estas personas en sujetos que
encuentran múltiples dificultades para mantenerse y adaptarse en prisión.
La experiencia da cuenta que los migrantes suelen buscar protección en
mafias carcelarias o se ven obligados a realizar trabajos que el resto de la
población penitenciaria no querría realizar.

En el ámbito internacional se reconoce particularmente la dificultad
idiomática que presentan muchas personas presas extranjeras. Por ello,
las Reglas de Mandela (Reglas 61-62) establece el deber para los Estados
de otorgar servicios que faciliten la comunicación. Si un recluso no habla
el idioma local, la administración penitenciaria debe facilitar el acceso a
los servicios de un intérprete independiente y calificado. Asimismo, los reclusos de nacionalidad extranjera gozarán de facilidades adecuadas para
comunicarse con los representantes diplomáticos y consulares del Estado
del que sean nacionales. Si los Estados no tienen representación diplomática ni consular en el país, cuestión que ocurre con los refugiados y
apátridas, estos gozarán de las mismas facilidades para dirigirse al representante diplomático del Estado encargado de sus intereses o a cualquier
autoridad nacional o internacional que tenga la misión de proteger a las
personas en su situación.

En el ámbito nacional, Chile suscribió la Convención de Viena sobre
relaciones Consulares[340] la que, si bien tiene por finalidad regular las relaciones consulares entre Estados, consagra ciertos derechos de relevancia
para individuos imputados de un delito en un Estado distinto del de su
nacionalidad. Entre ellos se incluyen algunos derechos individuales del
extranjero privado de libertad: el derecho de información, el de notificación consular y el de comunicación consular.

---

[340] Convención de Viena sobre relaciones Consulares, adoptada el 24 de abril de 1963, suscrita por
Chile con fecha 23 de mayo de 1969.

Por otro lado, se han suscrito una serie de tratados y convenciones relativas al traslado de personas extranjeras condenadas, privadas de libertad, figura jurídica que se caracteriza por su carácter esencialmente humanitario, pues el traslado al país de origen de una persona condenada contribuye a su reinserción social, al aportar sustancialmente a su contención psíquica y emocional, permitiendo mantener su arraigo social y familiar.

En nuestro REP se contemplan dos disposiciones de protección relativas a personas extranjeras condenadas. El art. 42 que establece el deber de la administración penitenciaria de traducir, a expensas del interno que no hable español, su correspondencia, a menos que careciere de medios, en cuyo caso la traducción se hará a expensas de la administración, y el art. 108 que en materia de permisos de salida regula la situación de las personas extranjeras condenadas que tengan decreto de expulsión del país, pues antes de otorgar alguno de estos permisos, debe informarse a la Policía de Investigaciones el día, hora y duración del mismo.

3.1 El traslado de extranjeros privados de libertad

El traslado al país de origen de una persona condenada ya sea un chileno condenado en otro país que regresa a Chile a cumplir condena, o bien de una persona extranjera condenada en Chile que es trasladada a su país para continuar con el cumplimiento de su pena, es una figura que responde a la función resocializadora de la pena en su etapa de ejecución. En el ámbito internacional, se reconoce la existencia de dificultades en los establecimientos carcelarios para estas personas, por ello se han suscrito una serie de convenciones y tratados con el objeto de obtener un mayor desarrollo de la cooperación internacional en materia penal, que sirva a los fines de justicia y rehabilitación social.

De acuerdo con los instrumentos internacionales suscritos por nuestro país[341], cada Estado es soberano de acceder o no a las solicitudes pre-

---

[341] El Convenio de Estrasburgo sobre Traslado de Personas Condenadas de 1983, promulgada por Decreto N°1.317 el 10 de agosto del año 1998, del Ministerio de Relaciones Exteriores, publicado en el D.O el 3 de noviembre de 1998. La Convención Interamericana para el Cumplimiento de Condenas Penales en el Extranjero, adoptada el 9 de junio de 1993 por la Organización de Estados Americanos, promulgada por Decreto Supremo N°1.859 el 27 de octubre del año 1998, del Ministerio de Relaciones Exteriores, publicado en el D.O de 2 de febrero de 1999. El Tratado con Brasil

sentadas por los Estados donde se quiere que el condenado o condenada termine de cumplir su pena. En consecuencia, rige el principio de discrecionalidad, sin necesidad de expresión de causa. Sin embargo, existe consenso que en el ejercicio de esta facultad se debe tener en consideración la finalidad esencialmente humanitaria del traslado.

Ahora bien, para que se efectúe el traslado se debe dar el triple consentimiento: del Estado de condena (Estado donde se ha condenado a la persona que requiere ser trasladada); el Estado de la persona condenada; y el Estado de cumplimiento (Estado al cual el condenado desea ser trasladado)[342]. Junto con ello se requiere el cumplimiento de ciertas condiciones, las cuales son similares en cada uno de los Tratados o Convenios que se mencionan:

a) Que la persona condenada tenga la nacionalidad del Estado donde desea ser trasladado[343]. Se ha señalado que este requisito no puede ser interpretado como una limitación taxativa y perentoria para los casos en que los Estados parte, independiente de los Tratados o Convenciones, puedan otorgar y aceptar el traslado de condenados extranjeros a países distinto de los de su origen, cuando los condenados hayan tenido residencia en dicho país, o si su grupo familiar se encuentra radicado en dicho lugar o son nacionales del mismo[344].

b) Que la sentencia condenatoria esté firme o ejecutoriada[345].

---

sobre Transferencia de Presos Condenados, suscrito entre la República Federativa del Brasil y la República de Chile, el 29 de abril de 1998, promulgada por Decreto Supremo N°225, del Ministerio de Relaciones Exteriores, publicado en el D.O de 18 de marzo de 1999. El Tratado con Bolivia sobre Transferencia de Personas Condenadas, suscrito entre los Gobiernos de Chile y Bolivia, el 22 de febrero de 2001, promulgado por Decreto Supremo N°227, del Ministerio de Relaciones Exteriores publicado en el D.O de 10 de diciembre de 2004. El Tratado con Argentina sobre Traslado de Nacionales Condenados y Cumplimiento de Sentencias Penales, suscrito entre los Gobiernos de Chile y Argentina el 29 de octubre de 2002, promulgado por Decreto Supremo N°55, del Ministerio de Relaciones Exteriores publicado en el D.O de 30 de junio de 2005.

[342] Nicolás Orellana, "Traslado de Inmigrantes condenados en Chile Hacía su País de Origen", *Extensión Centro de Documentación Defensoría Penal Pública*, n. °4 (2011), 33, 6192-2.pdf (dpp.cl)

[343] En idénticos términos puede observarse el art. 3° letra a) del Convenio de Estrasburgo, el art. III numeral 4 de la Convención Interamericana para el cumplimiento de condenas penales en el extranjero, el art. III letra b) del Tratado respectivo con Brasil, el art. IV numeral 2 del Tratado respectivo con Bolivia y el art. 3° letra c) del Tratado respectivo con Argentina.

[344] Orellana, "Traslado de inmigrantes", 35.

[345] Los términos son similares y se consagran en el art. 3° letra b) del Convenio de Estrasburgo, el art. III numeral 1 de la Convención Interamericana para el cumplimiento de condenas penales en

c) Que le reste a la persona condenada que solicita su traslado, al menos 6 meses para el cumplimiento del total de la pena (salvo casos excepcionales) y que la sentencia no sea pena de muerte[346].

d) Que la persona condenada o su representante legal manifieste su deseo de ser trasladada o consienta en aquello[347].

e) Que el solicitante esté privado de libertad[348], salvo en el caso de los Estados que hayan ratificado la Convención Interamericana para el cumplimiento de condenas penales en el extranjero[349], así

---

el extranjero, el art. III letra d) del Tratado respectivo con Brasil, el art. IV numeral 4 del Tratado respectivo con Bolivia y el art. 3° letra b) del Tratado respectivo con Argentina.

[346] Al respecto puede observarse el art. 3° letra c) del Convenio de Estrasburgo aunque omite referencia a la pena de muerte, por otro lado se encuentra el art. III numeral 6 de la Convención Interamericana para el cumplimiento de condenas penales en el extranjero y el numeral 5 que establece la exclusión de la pena de muerte. En términos similares se encuentra el art. III letra c) del Tratado respectivo con Brasil, el art. IV numeral 7 del tratado respectivo con Bolivia –que señala que los Estados Partes podrían convenir un término de pena por cumplir menor a 6 meses– al respecto. Finalmente, el art. 3° letra d) del Tratado respectivo con Argentina.

[347] Los términos son similares y se consagran en el art. 3° letra d) del Convenio de Estrasburgo, el art. III numeral 2 de la Convención Interamericana para el cumplimiento de condenas penales en el extranjero, el art. III letra e) del Tratado respectivo con Brasil, el art. IV numeral 5 del Tratado respectivo con Bolivia y el art. 3° letra f) del Tratado respectivo con Argentina.

[348] Al respecto puede revisarse el art. 1° letra a) del Convenio de Estrasburgo que entiende que la expresión "condena" designará "cualquier pena o medida privativa de libertad o dictada por un Juez, con una duración limitada o indeterminada por razón de una infracción penal". Por su parte el art. II letra e) del Tratado respectivo con Brasil señala que entiende por "preso" a "una persona condenada por un delito según sentencia dictada en el territorio de una de las Partes". En este caso dicha disposición debe combinarse con el artículo IX que dispone que "1. El presente Tratado podrá hacerse extensivo a personas sujetas a vigilancia u otras medidas de conformidad con la legislación de una de las Partes en relación con los delincuentes juveniles. Las Partes deberán, de conformidad con sus legislaciones, convenir el tipo de tratamiento que deberá dispensarse a dichas personas en caso de traslado. El consentimiento para el traslado deberá recabarse de la persona legalmente autorizada. 2. Nada de lo dispuesto en el presente Artículo deberá interpretarse como una limitación de la capacidad que puedan tener las Partes, independientemente del presente Tratado, para otorgar o aceptar el traslado de delincuentes juveniles o de otros condenados." Por otro lado, el art. I numeral 3 del Tratado respectivo con Bolivia señala que condenado es "la persona que cumpla una pena consistente en privación de libertad en virtud de una sentencia firme".

[349] Convención Interamericana para el cumplimiento de condenas penales en el extranjero, Numeral IX: "La presente Convención también podrá aplicarse a personas sujetas a vigilancia u otras medidas de acuerdo con las leyes de uno de los Estados Partes relacionadas con infractores menores de edad. Para el traslado deberá obtenerse el consentimiento de quien esté legalmente facultado para otorgarlo. (…) Si así lo acordaren las Partes y a efectos de su tratamiento en el Estado Receptor, la presente Convención podrá aplicarse a personas a las cuales la autoridad competente hubiera declarado inimputable. Las Partes acordarán, de conformidad con su derecho interno, el tipo de tratamiento a dar a las personas trasladadas. Para el traslado deberá obtenerse el consentimiento de quien legalmente esté facultado para otorgarlo".

como con el tratado firmado con Argentina[350] los cuales permiten también el traslado de personas condenadas sujetos a regímenes de libertad vigilada.

f) Que el o los hechos que motivaron la condena constituyan también un ilícito penal en el país al cual se desea ser trasladado[351].

Por último, en la decisión de traslado los Estados podrán considerar la gravedad del delito, los antecedentes penales, el estado de salud, y los vínculos familiares, sociales o de otra índole que tuviere la persona en el Estado sentenciador y en el Estado receptor[352].

El procedimiento para que una persona extranjera condenada en Chile, nacional de unos de los Estados parte, manifieste su voluntad de ser transferido a su país de origen, consiste en una solicitud escrita, dirigida al Ministro de Justicia de Chile (Estado de condena) o al Ministro de Justicia o autoridad central designada del Estado al cual desea ser trasladado (Estado de cumplimiento), la que se presenta a través del Alcaide del centro penitenciario donde cumple condena o a través del representante consular del país de su nacionalidad[353].

Si la solicitud se presenta en Chile, el Ministerio de Justicia deberá informar a la brevedad del requerimiento al Estado de cumplimiento. Para ello, generará una carpeta del caso la que contendrá: copia autenticada de la sentencia con el atestado de encontrarse firme y ejecutoriada, certificación de tiempo restante de cumplimiento de la condena y textos legales penales aplicables al delito por el que se ha impuesto la condena, informe social, informe médico y psicológico del solicitante. Estos antecedentes los reunirá el Ministerio de Justicia y los enviará a la respectiva autoridad

---

[350] Tratado con Argentina, art. 1°: "1.- Las penas privativas de libertad o de sumisión al régimen de libertad condicional, o las medidas de seguridad impuestas en la República Argentina a nacionales chilenos podrán cumplirse en la República de Chile, de conformidad con lo dispuesto en el presente Tratado. 2.- Las penas privativas de libertad o de sumisión al régimen de libertad condicional, o las medidas de seguridad impuestas a nacionales argentinos en la República de Chile podrán cumplirse en la República Argentina de conformidad con lo dispuesto en el presente Tratado".

[351] Los términos son similares y se consagran en el art. 3° letra e) del Convenio de Estrasburgo, el art. III numeral 3 de la Convención Interamericana para el cumplimiento de condenas penales en el extranjero, el art. III letra a) del Tratado respectivo con Brasil, el art. IV numeral 1 del Tratado respectivo con Bolivia y el art. 3° letra a) del Tratado respectivo con Argentina.

[352] Convención Interamericana para el cumplimiento de condenas penales en el extranjero (art. V numeral 6).

[353] Ministerio de Justicia de Chile, "Documento de trabajo: Guía de traslado de condenados", División de defensa social, 2011, 2. https://biblio.dpp.cl/datafiles/6192-2.pdf

central, directamente o a través de su misión diplomática, para su remisión al Estado de cumplimiento, previa traducción, si fuese necesario.

Asimismo, solicitará a dicho Estado el certificado de nacionalidad, textos legales penales aplicables al delito, sistema de cumplimiento que seguirá y pronunciamiento acerca de la aceptación o rechazo de la petición de traslado. Si el requerimiento se efectúa ante un Estado extranjero, cualquier comunicación que sea enviada por este deberá estar dirigida al Ministerio de Justicia quien la ingresa, analiza e informa por la División de Defensa Social.

La resolución del Ministro de Justicia aprobando o rechazando una solicitud se enviará a la autoridad central del Estado de posible cumplimiento. En caso de aprobación, el Ministerio de Justicia chileno coordinará las acciones con Gendarmería y la Policía de Investigaciones para la salida de personas condenadas. El Estado de cumplimiento deberá asumir los gastos de traslado y una vez ejecutado este, se suspenderá el cumplimiento de la pena en el Estado de condena y comenzará el cumplimiento del saldo en el Estado de cumplimiento, bajo las normas de este último.

3.2 La expulsión del territorio nacional

La "expulsión" del territorio nacional, en términos generales, es una medida aplicable a una persona extranjera por el cual se le compele a abandonar el territorio nacional. Su fundamento político-criminal reside en criterios utilitaristas y de política criminal. En la actualidad, las políticas migratorias son coincidentes en aplicar la expulsión a personas extranjeras con responsabilidad penal, y las diferencias vienen dadas por ciertos matices relativos al tipo de delito y por la situación familiar del afectado.

La expulsión administrativa se encuentra regulada en la Ley N°21.935, llamada Ley de Migración y Extranjería y su Reglamento, normativa que contempla una serie de principios, derechos y obligaciones, y cuyo principal objetivo es modernizar nuestro sistema de migración, debido al creciente número de extranjeros que ha ingresado a nuestro país.

Entre los principios que conviene tener presente se encuentran: la promoción, respeto y garantía de derechos humanos de las personas extranjeras que se encuentren en Chile, sin importar su condición migratoria. El respeto por los deberes y obligaciones establecidos en la CPR, las leyes y los tratados internacionales ratificados por Chile y que se encuentren vigentes. La libertad de circulación en el territorio y el derecho a salir del mismo, del extranjero que se encuentra lícitamente dentro del territorio nacional. El aseguramiento de la igualdad ante la ley y la no discriminación. El principio de inclusión. La regulación de un procedimiento migratorio informado. El respeto por el interés superior del niño, niña y adolescente. El respeto y protección hacia la mujer extranjera. El principio de no criminalización y el principio pro homine, cuyo contenido está desarrollado expresamente, al disponerse que: *los derechos reconocidos en esta ley serán interpretados según la norma más amplia o extensiva. A su vez, cuando se trate de restringir o suspender derechos se interpretará de acuerdo a la norma más restrictiva.*

La expulsión del territorio está definida en el art. 126 de la ley como: *la medida impuesta por la autoridad competente consistente en decretar la salida forzada del país del extranjero que incurriere en alguna de las causales previstas en la ley para su procedencia.* Asimismo, indica *que la medida de expulsión puede ser decretada por resolución fundada de la autoridad administrativa correspondiente, o por el tribunal con competencia penal, de conformidad con lo establecido en el ordenamiento jurídico y, en especial, con lo dispuesto en la ley N°18.216, que establece penas que indica como sustitutivas a las penas privativas o restrictivas de libertad.* Por consiguiente, se distingue la expulsión decretada como pena sustitutiva de la expulsión administrativa.

Por la naturaleza de este manual veremos solamente las causales de expulsión que podrían afectar a las personas privadas de libertad, cumpliendo condenas en Chile, las que se incluyen en una subcategoría migratoria específica. No nos vamos a extender al procedimiento, el cual contempla garantías para los extranjeros expulsados, como el derecho a ser oído y la posibilidad de entablar recursos administrativos como jurisdiccionales, materia que por su extensión excede los márgenes de este trabajo.

En primer lugar, se debe precisar que la ley establece en el art. 133 inc. 2° que se suspenderá la ejecución de la medida de expulsión de los extranjeros que se encuentren sujetos a la custodia de Gendarmería de Chile, tales como los que estuvieren cumpliendo de manera efectiva pena privativa de libertad por sentencia firme y ejecutoriada, incluyendo aquellos que se encuentren con permisos de salida según lo dispuesto en el REP, los sometidos a prisión preventiva, los sujetos a libertad vigilada y los que estuvieren cumpliendo su pena de conformidad a lo dispuesto en la ley Nº18.216, con excepción de aquellos extranjeros que son expulsados como consecuencia de la aplicación de la pena sustitutiva de expulsión. Por lo tanto, mientras se esté cumpliendo condena no procede la ejecución de la expulsión administrativa.

Ahora bien, la ley distingue entre causales de expulsión en caso de permanencia transitoria y causales de expulsión para residentes. Cada una de ellas contempla variados supuestos y exigencias. Tratándose de personas condenadas el art. 127 de la ley dispone que son causales de expulsión del país para los titulares de un permiso de permanencia transitoria y para aquellos que carezcan de un permiso que los habilite para residir legalmente en el país, las personas que incurran durante su permanencia en el país en los siguientes supuestos:

- Hayan sido condenados en Chile o en el extranjero, o se encuentren en procesos judiciales pendientes en el extranjero informados por la Organización Internacional de Policía Criminal (INTERPOL) o por los organismos de justicia con que Chile tiene convenios, por los delitos de tráfico ilícito de estupefacientes o de armas, lavado de activos, tráfico ilícito de migrantes o trata de personas, trata de personas según lo dispuesto en el art. 411 quáter inc. 2° del CP, lesa humanidad, genocidio, tortura, terrorismo, homicidio, femicidio, parricidio, infanticidio, secuestro, sustracción o secuestro de menores considerando lo prescrito en el art. 141 inc. 5° e inc. final del CP, robo con intimidación o violencia, robo con homicidio y robo con violación; la comercialización, producción, importación, exportación, distribución, difusión, adquisición, almacenamiento o exhibición de material pornográfico, cualquiera sea su soporte, donde se utilice menores de edad; aquellos contemplados en los párrafos V y VI del Título VII y en los artículos 395, 396 y 397 numeral 1°, todos del Libro II del CP.

- Hayan sido condenados en Chile por crimen o simple delito, cuya pena no esté prescrita, o no haya sido efectivamente cumplida, con excepción de aquellos casos en que deban reingresar al país para efectos de dar cumplimiento a la condena.

De acuerdo al art. 128 de la ley, son causales de expulsión de residentes incurrir durante su residencia en el país en alguno de los siguientes supuestos:

- Hayan sido condenados en Chile o en el extranjero, o se encuentren en procesos judiciales pendientes en el extranjero informados por la Organización Internacional de Policía Criminal (INTERPOL) o por los organismos de justicia con que Chile tiene convenios, por los delitos de tráfico ilícito de estupefacientes o de armas, lavado de activos, tráfico ilícito de migrantes o trata de personas, trata de personas según lo dispuesto en el art. 411 quáter inciso 2° del CP, lesa humanidad, genocidio, tortura, terrorismo, homicidio, femicidio, parricidio, infanticidio, secuestro, sustracción o secuestro de menores considerando lo prescrito en el art. 141 inc. 5° e inc. final del CP, robo con intimidación o violencia, robo con homicidio y robo con violación; la comercialización, producción, importación, exportación, distribución, difusión, adquisición, almacenamiento o exhibición de material pornográfico, cualquiera sea su soporte, donde se utilice menores de edad; aquellos contemplados en los párrafos V y VI del Título VII y en los arts. 395, 396 y 397 numeral 1°, todos del Libro II del CP.

Por otra parte, por decreto fundado del Ministerio del Interior y Seguridad Pública no se otorgará carta de nacionalización a aquellos extranjeros que se encuentren en alguna de las siguientes situaciones: 1) Los que hayan sido condenados en los últimos diez años por hechos que en Chile merezcan la calificación de crímenes. 2) Los que hayan sido condenados en los últimos cinco años por hechos que en Chile merezcan la calificación de simple delito, y cuando existan antecedentes que así lo aconsejen.

Ahora bien, previamente a dictar una medida de expulsión, el art. 129 de la ley exige al Servicio, en su fundamentación, considerar respecto del extranjero afectado:1) La gravedad de los hechos en los que se sustenta la causal de expulsión.2) Los antecedentes delictuales que pudiera tener. 3) La reiteración de infracciones migratorias.4) El período de residencia regular en Chile.5) Tener cónyuge, conviviente o padres chilenos o radicados en Chile con residencia definitiva.6) Tener hijos chilenos o extranjeros con residencia definitiva o radicados en el país, así como la edad de los mismos, la relación directa y regular y el cumplimiento de las obligaciones

de familia, tomando en consideración el interés superior del niño, su derecho a ser oído y la unidad familiar.7) Las contribuciones de índole social,
política, cultural, artística, científica o económica realizadas por el extranjero durante su estadía en el territorio nacional.

En cuanto a la forma de disponer la medida, esta se materializa por
regla general por resolución fundada del Director Nacional del servicio, y
si bien esta última autoridad puede revocar o suspender temporalmente,
en cualquier momento, la medida, en ningún caso podrá hacerlo respecto
de aquellos extranjeros que hayan sido condenados por sentencia firme
y ejecutoriada, de los delitos que merezcan pena aflictiva señalados en el
numeral 5 del art. 32 de la ley[354].

Por último, una vez que se encuentre firme y ejecutoriada la resolución
que ordena la expulsión, se podrá someter al afectado a restricciones y
privaciones de libertad, surgiendo respecto del expulsado una serie de
garantías con el objeto de que el procedimiento se desarrolle con pleno
respecto a sus derechos fundamentales.

4. INDÍGENAS EN PRISIÓN

En el ámbito internacional, los derechos de los indígenas se articulan
tanto en base al reconocimiento de sus derechos individuales como colectivos. En cuanto a los primeros, son dos las ideas centrales: la obligación de garantizar el pleno goce y ejercicio de los derechos establecidos
en la CADH y, el principio de igualdad y no discriminación. En relación
con esto último, el Estado debe tomar en consideración las características propias que diferencian a los miembros de los pueblos indígenas

---

[354] Ley N°21.325 (art. 32 n°5): Hayan sido condenados en Chile o en el extranjero, o se encuentren en
procesos judiciales pendientes en el extranjero informado por la Organización Internacional de Policía Criminal (INTERPOL) o por los organismos de justicia con que Chile tiene convenios, por los
delitos de tráfico ilícito de estupefacientes o de armas, lavado de activos, tráfico ilícito de migrantes
o trata de personas, trata de personas según lo dispuesto en el artículo 411 quáter inciso segundo del
Código Penal, lesa humanidad, genocidio, tortura, terrorismo, homicidio, femicidio, parricidio, infanticidio, secuestro, sustracción o secuestro de menores considerando lo prescrito en el artículo 141
inciso quinto e inciso final del Código Penal, robo con intimidación o violencia, robo con homicidio
y robo con violación; la comercialización, producción, importación, exportación, distribución, difusión, adquisición, almacenamiento o exhibición de material pornográfico, cualquiera sea su soporte,
donde se utilice menores de edad; aquellos contemplados en los párrafos V y VI del Título VII y en
los artículos 395, 396 y 397 numeral 1º, todos del Libro II del Código Penal.

de la población en general, y que conforman su identidad cultural. Así lo manifestó la Corte IDH en el caso "Comunidad indígena Yakye Axa vs. Paraguay"[355]. En cuanto a los derechos colectivos, se han reconocido progresivamente por tratarse de pueblos que reclaman autonomía administrativa y jurídica, es decir, el derecho a la libre determinación.

En materia de justicia, Belmar y Lillo distinguen dos ámbitos: uno individual, que se relaciona con el acceso a la justicia estatal en igualdad de condiciones, y uno colectivo, que consiste en la posibilidad de que estos pueblos ejerzan su propia jurisdicción[356]. Por la naturaleza de este manual nos centraremos en el acceso a la justicia estatal, y en la imposición de la sanción privativa de libertad aplicable a las personas indígenas.

4.1 Acceso a la justicia estatal y pena privativa de libertad aplicable a los indígenas

En materia de acceso a la justicia estatal el Convenio 169 de la OIT establece cuatro reglas en la materia: i) En la aplicación de la ley se deberá tomar en consideración la costumbre indígena o su derecho consuetudinario; ii) En el caso de imposición de una sanción penal a un indígena deberá darse preferencia a sanciones o penas no privativas de libertad; iii) Toda sanción penal estatal que se imponga a un indígena deberá tener en cuenta sus características económicas, sociales y culturales; iv) No se pueden imponer trabajos obligatorios como sanción, salvo en los casos previstos por la ley y que sean de aplicación general.

En relación con la segunda regla, en general, los pueblos indígenas no consideran el encarcelamiento como una sanción penal, sino que prefieren otro tipo de sanciones como la compensación económica, la humillación social, u otras vinculadas a situaciones propias de la naturaleza y la salud. De modo tal que en la imposición de una sanción estatal la consideración de la costumbre indígena se traduce en el deber para la judicatura de preferir sanciones o penas no privativas de libertad. Para Lillo, esto último

---

[355]   Corte IDH. Caso Comunidad indígena Yakye Axa vs. Paraguay. Serie C No. 125. Parágrafo 51. (17 de junio de 2005).

[356]   Rodrigo Lillo, Camila Belmar, "Pueblos Indígenas y Cárcel. Especiales consideraciones en la ejecución de la sanción penal", en *La insostenible situación de las cárceles en chile: debate sobre la prisión y los derechos humanos*, ed. coords. Contesse, J. y Contreras, L. (Santiago de Chile: Editorial Jurídica de Chile, 2019), 213.

significa que el juez debe realizar un ejercicio de ponderación entre los bienes y valores jurídicos en juego, es decir, al determinar la sanción penal el juzgador deberá considerar los distintos aspectos del delito y del autor, en su identidad de indígena[357].

Ahora bien, en el caso de que se imponga una pena privativa de libertad a una persona indígena, el art. 10 del Convenio consagra el derecho a una aplicación específica de las normas penitenciarias, pues los aspectos económicos, sociales y culturales sí deben ser considerados en todas las cuestiones propias de la ejecución. Sin embargo, el REP no contempla normas especiales de protección a los indígenas, a lo más es posible encontrar en algunas reglas la referencia general a las circunstancias personales del interno como, por ejemplo, el art. 110, que en materia de permisos de salida dispone considerar estas circunstancias para efectos de su concesión, pero nada más.

En materia de ejecución de una pena privativa de libertad hay dos aspectos relevantes para los indígenas: prácticas culturales al interior de los recintos penales y traslados de unidad penal.

• **Prácticas culturales al interior de los recintos penales**

El derecho a la libertad ideológica y religiosa y el respeto a la identidad cultural no se pierde por el hecho de la privación de libertad. En el caso de los indígenas, el art. 12 de la Declaración de las Naciones Unidas sobre los Derechos de los Pueblos Indígenas reconoce el derecho de estos pueblos a manifestar, practicar, desarrollar y enseñar sus tradiciones, costumbres y ceremonias espirituales y religiosas; a mantener y proteger sus lugares religiosos y culturales y a acceder a ellos privadamente; a utilizar y controlar sus objetos de culto, y a obtener la repatriación de sus restos humanos.

Por ello, en relación con las prácticas culturales de los indígenas al interior de los recintos penitenciarios, la Corte IDH, a partir del caso Yakye Axa vs. Paraguay[358], desarrolló un concepto sobre la vida digna, que im-

---

[357] Rodrigo Lillo, Camila Belmar, "Pueblos Indígenas y Cárcel", 224.
[358] Corte IDH. Caso comunidad indígena Yakye Axa v. Paraguay. Serie C No. 125. Parágrafo 163. (17 de junio de 2005): "este derecho comprende no sólo el derecho de todo ser humano a no ser privado de la vida arbitrariamente, sino también el derecho a que no se generen condiciones que le impidan o dificulten el acceso a una existencia digna". Ahora bien, esta obligación implica por cierto tomar medidas concretas, orientadas a esta vida digna y que sean adecuadas a la condición o situación de

plica una serie de obligaciones adicionales para los Estados, como lo es proveer al indígena de todos los mecanismos que impidan su desarraigo cultural y que le permitan desarrollar su proyecto de vida de acuerdo con sus propias particularidades. Esto comprende también a los indígenas privados de libertad, por ello se admite la práctica de ciertas ceremonias al interior de un recinto penal, como el acceso a métodos de salud y educación tradicionales.

Por consiguiente, para permitir el ejercicio de este derecho, la administración penitenciaria debe conciliar mecanismos que permitan la práctica cultural, por un lado, y el resguardo de la disciplina y la seguridad por otro. En nuestro derecho penitenciario, si bien nada dice el REP, Gendarmería ha establecido algunas prácticas en la materia señalando que "es primordial el reconocimiento y respeto por los derechos, costumbres y cosmovisión de la población indígena que se encuentra en el sistema penitenciario, al margen de su calidad procesal"[359].

En este documento se recomienda considerar situaciones tales como: la realización de ceremonias en fechas significativas, siendo las principales la celebración del año nuevo (Machaq Mara para los aimaras, y We tripantu, para los mapuches), el día de la mujer indígena, y rituales de sanación o atención de salud. Asimismo, se permite el consumo de yerbas medicinales, previa evaluación de un médico, también el uso de vestuario autóctono, si lo autoriza la Jefatura del establecimiento. En el caso de personas investidas como autoridad de un determinado pueblo, como los lonkos y machis, se deberá tener especial consideración al trato que se otorgue considerando su investidura y las necesidades propias de su cultura.

- Traslados de personas indígenas

Si bien la facultad de disponer el lugar de reclusión de los privados de libertad corresponde a la autoridad penitenciaria, esta debe tener en consideración el respeto por los derechos fundamentales de las personas

---

vulneración de las personas titulares de estos derechos. Para determinar el nivel de cumplimiento del Estado, el examen debe incluir "un vínculo con la especial vulnerabilidad a la que fueron llevados [los miembros de la comunidad indígena], afectando su forma de vida diferente [sistemas de comprensión del mundo diferentes de los de la cultura occidental, que comprende la estrecha relación que mantienen con la tierra] y su proyecto de vida, en su dimensión individual y colectiva".

[359] Gendarmería de Chile, "Manual de Derechos Humanos de la Función Penitenciaria", Gendarmería de Chile (2020), 1-118, MANUAL_DDHH_GENCHI_FINAL.pdf (gendarmeria.gob.cl)

privadas de libertad, en particular, el derecho a la visita, derecho reconocido por el REP al disponer que los reclusos deberán permanecer, preferentemente, en un lugar cercano al de su residencia o de su familia.

En el caso de las personas pertenecientes a comunidades o pueblos indígenas, la facultad de disponer el lugar de cumplimiento de una condena privativa de libertad debe verse doblemente limitada: uno, por el derecho a la protección de la familia, y dos, por el especial vínculo que tienen los indígenas con su territorio, entendido como su lugar de origen y soporte cultural. En efecto, "para las comunidades indígenas la relación con la tierra no es meramente una cuestión de posesión y producción sino un elemento material y espiritual del que deben gozar plenamente, inclusive para preservar su legado cultural y transmitirlo a las generaciones futuras"[360].

Esto significa que el Estado deben considerar, especialmente, al momento de determinar el lugar de reclusión de un indígena, o el traslado de unidad penal, el apego de este con su territorio y su familia. Así también lo sostuvo la Corte IDH, en el caso Norín Catrimán vs. Chile, fallo que condenó al Estado chileno por incumplimiento de estas normas:

> Los Estados, deben, en la medida de lo posible facilitar el traslado de los reclusos a centros penitenciarios más cercanos a la localidad donde residan sus familiares. En el caso de las personas indígenas privadas de libertad la adopción de esta medida es especialmente importante dada la importancia del vínculo que tienen estas personas con su lugar de origen o sus comunidades [...] La Corte resalta que una de las dificultades en el mantenimiento de las relaciones entre las personas privadas de libertad y sus familiares puede ser la reclusión de personas en centros penitenciarios extremadamente distantes de sus domicilios o de difícil acceso por las condiciones geográficas y de las vías de comunicación, resultando muy costoso y complicado para los familiares el realizar visitas periódicas, lo cual eventualmente podría llegar a constituir una violación tanto del derecho a la protección a la familia como de otros derechos, como el derecho a la integridad personal, dependiendo de las particularidades de cada caso. Por lo tanto, los Estados deben, en la medida de lo posible, facilitar el traslado de los reclusos a centros penitenciarios más cercanos a la localidad donde residan sus familiares. En el caso de las personas indígenas privadas de libertad la adopción de esta medida es especialmente importante dada la importancia del vínculo que tienen estas personas con su lugar de origen o sus comunidades[361].

---

[360]   Corte IDH. Caso comunidad Mayagna Awas Tingni v. Nicaragua. Serie C No. 79. Parágrafo 149. (31 de agosto de 2001).

[361]   Corte IDH. Caso Norín Catriman v. Chile. Serie C No. 279. Parágrafo 408. (29 de mayo de 2014).

5. DIVERSIDAD SEXUAL EN PRISIÓN

La cárcel es aún más hostil para las personas pertenecientes al colectivo LGTBIQ+, quienes se ven expuestas a un riesgo mucho mayor de violencia y discriminación (riesgo de sufrir violencia sexual y todo tipo de agresiones físicas, verbales y sicológicas por parte de otros reclusos o del mismo personal penitenciario)[362]. El reconocimiento del impacto diferenciado del encierro de las personas con orientación sexual o identidad de género diversas es una preocupación relativamente reciente. Al respecto, la primera sentencia de la Corte IDH sobre trato discriminatorio debido a la orientación sexual de una persona es del año 2012, y corresponde al caso de la Jueza Atala[363]. Con posterioridad, en el año 2014 se hizo operativa una Relatoría sobre derechos de las personas lesbianas, gays, bisexuales, trans e intersex, y más reciente aún es la creación del mandato del experto independiente de Naciones Unidas sobre orientación sexual e identidad de género que se formalizó en el año 2016[364].

Ahora bien, la especial posición de garante que tiene el Estado frente a la población penitenciaria, lo obliga a asumir una serie de obligaciones dirigidas a garantizar a los reclusos las condiciones necesarias para desarrollar

---

[362]   CIDH, Violencia contra Personas Lesbianas, Gay, Bisexuales, Trans e Intersex en América, OAS/Ser.L/V/II.rev.2 Doc. 36 (12 noviembre 2015), párrafo 145. En cuanto a la intersección entre orientación sexual, identidad de género y custodia estatal, la CIDH retomó lo dicho por el relator especial sobre la tortura, al señalar que "las personas LGTBIQ se encuentran en el último escalafón de la jerarquía informal que se genera en los centros de detención, lo que da lugar a una discriminación doble o triple, y se encuentran sometidas de manera desproporcionada a actos de tortura y otras formas de malos tratos".

[363]   Corte IDH. Caso Atala Riffo y niñas v. Chile. Serie C No. (24 de febrero de 2012).

[364]   Véase, Consejo de Derechos Humanos de Naciones Unidas, "Informe del Experto Independiente sobre orientación sexual e identidad de género" (2017), párrafo 2: El Consejo de Derechos Humanos de Naciones Unidas, a través de la labor que realiza el "Experto Independiente sobre orientación sexual e identidad de género", señaló en su primer informe del año 2017 que: "todas las personas tienen alguna forma de orientación sexual e identidad de género. La orientación sexual indica la atracción física, romántica o emocional que siente una persona hacia otras, mientras que la identidad de género alude a la autopercepción de la identidad de una persona, que puede ser diferente del sexo asignado al nacer, así como la expresión de la identidad de una persona. No deben confundirse los dos conceptos. No obstante, es inconcebible que las personas que tienen una orientación sexual o identidad de género, real o percibida, diferente de una norma social determinada sean objeto de violencia y discriminación en muchas partes del mundo. El asesinato, la violación, la mutilación, la tortura y los tratos crueles, inhumanos o degradantes, así como las detenciones arbitrarias, el secuestro, el hostigamiento, las agresiones físicas y mentales, tales como los azotes y las intervenciones quirúrgicas forzadas, el acoso desde una edad temprana, las presiones que conducen al suicidio, y las medidas discriminatorias, agravadas por la incitación al odio, en relación con la orientación sexual y la identidad de género, son omnipresentes en numerosos entornos".

una vida digna y contribuir al goce efectivo de aquellos derechos que en ninguna circunstancia pueden restringirse o de aquellos cuya restricción no deriva necesariamente de la privación de libertad. Sin embargo, a pesar de esta afirmación positiva del derecho a la igualdad y no discriminación, no hay reglas específicas dentro del REP que resguarden a este grupo de personas.

No obstante, en el último tiempo Gendarmería haciéndose cargo de las especiales dificultades que enfrentan las personas trans, dictó la Resolución Exenta N°5716-2020 que dispone instrucciones relativas al respeto y garantía de la identidad y expresión de género de las personas trans privadas de libertad en los centros penitenciarios cerrados, semiabiertos y de las visitas trans que ingresan a estos recintos. Esta reglamentación es un hito dentro del sistema penitenciario chileno pues establece toda una regulación especial protectora de los derechos humanos de las personas trans que están privadas de libertad, en concordancia con la Ley N°21.120 que da protección al derecho a la identidad de género. Se reconoce en la identidad de género un derecho humano fundamental que se sustenta en la libertad personal de cada individuo, por lo cual los órganos del Estado deben asumir la obligación de garantizar el libre desarrollo de la personalidad de las personas trans, permitiendo su mayor realización espiritual y material posible.

6. DISCAPACITADOS EN PRISIÓN

La discapacidad es un concepto que evoluciona y que resulta de la interacción entre las personas con deficiencias y las barreras que evitan su participación plena y efectiva en la sociedad, en igualdad de condiciones con las demás. Se incluye dentro de este grupo a todas aquellas personas que tengan deficiencias físicas, mentales, intelectuales o sensoriales a largo plazo. Ahora bien, si ya en el medio libre las posibilidades de desarrollo de estas personas se ven limitadas por todas estas dificultades, en el lugar cerrado que configura la cárcel la situación es mucho peor.

En el ámbito internacional las Reglas de Mandela (Regla 5.2) exhortan a los Estados a facilitar todas las instalaciones y acondicionamientos razonables para que los reclusos y reclusas con alguna discapacidad física, mental o de otra índole, participen en condiciones equitativas y de forma plena y efectiva en la vida en prisión. Asimismo, se establecen reglas en materia de salud, de sanciones disciplinarias y del derecho a la información.

En nuestro país, se han constatado graves deficiencias. Un estudio reciente acerca de la discapacidad en la cárcel dio cuenta de que los principales problemas a los cuales se enfrentan las personas con discapacidad son relativos a infraestructura carcelaria, atención de salud física y mental, acceso a actividades y relaciones con pares y funcionarios de Gendarmería, dificultad para acceso de actividades laborales, educativas y recreativas en los penales, y maltrato por parte de sus custodios.

Si bien, no se conoce con exactitud la cantidad de personas presas con discapacidad, la investigación desarrollada en seis penales del país reveló incumplimientos graves de la Ley N°20.422, ley que establece normas sobre igualdad de oportunidades e inclusión social de personas con discapacidad, de la Convención sobre los Derechos de las personas con Discapacidad y de las Reglas de Mandela, en especial en lo que respecta a la accesibilidad del privado de libertad al entorno físico. El trabajo concluye en que efectivamente en las cárceles chilenas no existiría ningún tipo de política o programa especializado para este grupo de personas, existiendo múltiples carencias y dificultades[365].

En el caso de las enfermedades mentales la situación es aún más alarmante, pues las condiciones de encierro, en muchas ocasiones, desencadena patologías o agrava las ya existentes, aumentando los problemas de quienes sufren estas enfermedades. Los que están en prisión en esta condición, difícilmente son diagnosticados y es altamente probable que la persona no se adapte al régimen penitenciario. En este contexto es posible que se produzca un maltrato institucional porque el personal penitenciario no está capacitado para contener la inadaptación de una persona que padece de un problema o patología mental.

Las Reglas de Mandela (Regla 109) establecen como regla general que las personas con discapacidad mental no deberían permanecer en prisión, ya sea que se diagnostique una afectación mental durante el proceso penal o durante la ejecución de la pena privativa de libertad, pues la

---

[365] Universidad Central de Chile, "Seminario Discapacidad en la cárcel: Reconociendo derechos para la inclusión, Centro de investigación Criminológica", Facultad de Derecho y Humanidades, 2018. Esta investigación tuvo por objeto determinar las condiciones de vida intrapenitenciaria de personas con discapacidad la que se realizó en seis penales de la Región Metropolitana.

probabilidad de que esa condición se agrave en prisión es alta. En casos graves debe trasladarse a estas personas a centros de salud mental.

En nuestro derecho, si el privado de libertad cae en enajenación mental durante el cumplimiento de la condena rige la misma regla, de modo tal que se suscita la problemática de determinar si es conveniente aplicar una medida de seguridad en lugar de una pena, al tratarse de sujetos que estando en prisión pierden la capacidad de culpabilidad. La constatación de este supuesto da lugar a la suspensión o incluso al cese de la ejecución de la sanción, de conformidad con el art. 482 del CPP.

En el REP no hay reglas protectoras específicas para este colectivo. A lo más, en materia de procedimiento disciplinario, podría interpretarse que existe una ligera referencia a la problemática en el art. 81 del cuerpo reglamentario, al disponerse que el Alcaide, antes de aplicar la medida de aislamiento en celda solitaria, debe solicitar al médico o paramédico de la institución, certificar que el interno se encuentra en condiciones aptas para cumplir la medida. Es decir, debe verificarse que esté en buenas condiciones físicas y mentales. Al respecto, la jurisprudencia nacional también es escasa y no hay mayor desarrollo argumental en torno a los instrumentos internacionales a los que hemos hecho referencia.

7. EL ADULTO MAYOR EN PRISIÓN

Las personas de avanzada edad padecen duramente el castigo del encierro, sobre todo si sus condenas son penas privativas de libertad de larga duración o cadenas perpetuas. Se ha señalado que, en estos casos particulares, en contradicción con el objetivo querido por el tratamiento penitenciario, la resocialización del adulto mayor es una pretensión ilusoria si se tiene en cuenta que una vez cumplida su condena las expectativas de vida y las posibilidades de encontrar un trabajo son escasas.

Por otra parte, los elevados costos que supone la mantención de los "presos viejos" y los numerosos problemas que surgen en materia de gestión y administración penitenciaria, pone de relieve los problemas específicos que sufre este grupo de personas, altamente invisibilizadas: problemas asociados a la sola condición de la vejez, padecimiento de patologías físicas o de salud mental, mayor dificultad para adecuarse al régimen de vida aplicable a la generalidad de la población penitenciaria, falta de expectativas reales que ameriten un proceso de reinserción social, todo ello impone la necesidad de un personal especializado (médicos, psicólogos, trabajadores sociales) que pueda atender requerimientos específicos.

En el ámbito internacional, se considera que las medidas que se apliquen con arreglo a la ley y que tiendan a proteger exclusivamente los derechos y la condición especial de las personas de edad no se considerarán discriminatorias[366]. Del mismo modo, las Reglas de Mandela (Reglas 2- 5-11-24) establecen el deber de adoptar medidas de protección y promoción de los derechos de las personas privadas de libertad con necesidades especiales, lo que es concordante con el deber de la administración penitenciaria de facilitar todas las instalaciones y acondicionamientos razonables para que las personas con alguna discapacidad de cualquier índole participen en condiciones equitativas y de forma plena y efectiva en la vida en prisión. Asimismo, se contempla la edad como uno de los criterios que permite la segregación entre presos, y se hace hincapié en la existencia de servicios de atención sanitaria eficientes en la protección de la salud física y mental de estos.

Ahora bien, Maldonado señala que hay que distinguir las afectaciones propias del adulto mayor, de la situación que enfrentan las personas que padecen enfermedades crónicas o terminales, los que no necesariamente han de ser adultos mayores; asimismo, distinguirla de los que sufren los efectos de patologías mentales, a los que se les aplica la misma salvedad anterior, indicando que el tema ha tenido escaso tratamiento en nuestro país[367].

Por su parte, el REP tampoco contempla normas específicas relativas a este grupo. Tratándose de beneficios intrapenitenciarios como los permisos de salida o la libertad condicional no hay normas especiales relativas al adulto mayor, pues los requisitos que se exigen para postular no toman en cuenta la edad del postulante. La ley de indulto particular tampoco contempla algún presupuesto que contemple el factor edad, a diferencia del indulto conmutativo por covid-19, el cual tuvo en cuenta la edad de los beneficiarios, atendiendo principalmente al impacto del virus en ese rango de edad.

---

[366] Conjunto de Principios (Principio 5.2).
[367] Francisco Maldonado, "Adulto mayor y cárcel: ¿cuestión humanitaria o cuestión de derechos?", *Política criminal* volumen 14, n.° 27 (2019): 1-46.

8. ADOLESCENTES EN PRISIÓN

La responsabilidad penal de las personas que tienen entre 14 y 18 años está regulada por la Ley N°20.084. Esta normativa establece todo un sistema penal diferenciado que tiene en cuenta las peculiares características del grupo y cuyo principal objetivo es determinar la responsabilidad penal de estas personas, para lo cual se contemplan sanciones, a través de las cuales se pretende reinsertar a los jóvenes en la sociedad mediante la aplicación de programas especiales.

En materia de privación de libertad, la sanción más grave es la de internación en régimen cerrado con programa de reinserción social, la que se ejecuta en un centro especializado para adolescentes, bajo un régimen orientado al cumplimiento de ciertos objetivos. Dicho régimen debe considerar necesariamente la plena garantía de la continuidad de los estudios básicos, medios y especializados, incluyendo reinserción escolar, en el caso de haber desertado del sistema escolar formal, y la participación en actividades de carácter socioeducativo, de formación, de preparación para la vida laboral y de desarrollo personal. Además, debe asegurar el tratamiento y rehabilitación del consumo de drogas para quienes lo requieran y accedan a ello.

Con una afectación menor a la libertad del adolescente, le sigue la sanción de internación en régimen semi-cerrado, la que consiste en la residencia obligatoria en un centro de privación de libertad, sujeto a un programa de reinserción social a ser desarrollado tanto al interior del recinto como en el medio libre. Las demás sanciones no importan privación de libertad.

Los adolescentes que se encontraren privados de libertad por la aplicación de alguna de estas sanciones, o que estén sujetos a la medida cautelar de internación provisoria, que es el símil de la prisión preventiva en adultos, sea en forma transitoria o permanente, en un lugar determinado o en tránsito, deberán permanecer siempre separados de adultos presos. Incluso, las instituciones encargadas de practicar detenciones, de administrar los recintos en que se deban cumplir sanciones o medidas que implican la privación de libertad, los administradores de los tribunales y, en general, todos los organismos que intervengan en el proceso para determinar la responsabilidad del adolescente deben adoptar las medidas necesarias para dar estricto cumplimiento al principio. El incumplimiento de esta obligación constituye una infracción grave a los deberes funcionarios. Así lo dispone la ley en comento, la que recoge específicamente el principio de separación por categorías.

Ahora bien, la regla general es que la internación provisoria o sanción privativa de libertad aplicada a un adolescente se ejecute en un centro de adolescentes administrado por el Servicio Nacional de Menores. En estos centros, para garantizar la seguridad y la permanencia de los infractores se establece en ellos una guardia armada de carácter externa, a cargo de Gendarmería. Esta permanecerá fuera del recinto, pero estará autorizada para ingresar en caso de motín o en otras situaciones de grave riesgo para los adolescentes y revisar sus dependencias con el solo objeto de evitarlas.

Con todo, el art. 38 del REP dispone que en el caso que un adolescente, entre dieciséis y dieciocho años, tuviese que ingresar a un establecimiento penitenciario administrado por Gendarmería, por orden de tribunal competente, deberá permanecer en recinto de uso exclusivo, separado totalmente de las personas adultas. Lo mismo debe ocurrir si el adolescente es menor de dieciséis años. En este último caso, debe permanecer totalmente separado de la población interna adulta y de los mayores de dieciséis años que pudieren encontrarse en el recinto, situación que obliga al Jefe del establecimiento penitenciario, dentro de las 24 horas de ingresado el adolescente, de comunicar este hecho al Director Regional de Gendarmería y al Servicio Nacional de Menores para la adopción de las medidas que correspondan. Esta regulación es concordante con lo dispuesto en el art. 13 del mismo cuerpo reglamentario, que recoge el principio de separación con el objeto de proteger al adolescente del contagio criminógeno y de eventuales abusos de parte de personas adultas condenadas.

En cuanto al régimen penitenciario aplicable a los adolescentes internados en centros penitenciarios administrados por Gendarmería, el art. 32 del REP dispone que este debe caracterizarse por una acción educativa intensa, con la adopción de métodos pedagógicos y psicopedagógicos que permitan la creación de un ambiente que se asemeje en cuanto a libertad, disciplina y responsabilidad al de un establecimiento educacional de internado. En el mismo sentido, señala que la educación que se imparta será personalizada, encaminada a la capacitación laboral y a la reinserción social y a dar una formación que propenda al desarrollo de potencialidades. Asimismo, en esta labor la administración penitenciaria podrá establecer convenios con instituciones públicas y privadas, para lo cual deberá disponer de personal especializado en custodia y reinserción[368].

Tratándose del régimen penitenciario aplicable en los centros de privación de libertad administrados por el Sename, dado que la ejecución de las sanciones privativas de libertad está dirigida a la reintegración del adolescente en el medio libre, deben desarrollarse acciones tendientes al fortalecimiento del respeto por los derechos de las demás personas y al cumplimiento del proceso de educación formal y a la participación en actividades socioeducativas, de formación y de desarrollo personal.

En cuanto a las normas de orden interno y seguridad aplicable en estos recintos, la ley dispone que los adolescentes estarán sometidos a las normas disciplinarias que dicte la autoridad para mantener la seguridad y el orden. Estas normas deben ser compatibles con los derechos reconocidos en las leyes, la Constitución, la CDI, y demás tratados internacionales ratificados por Chile sobre la materia y que se encuentren vigentes. Además, la normativa debe regular el uso de la fuerza aplicable a los adolescentes, debiendo contener, a lo menos, los siguientes aspectos:

a) El carácter excepcional y restrictivo del uso de la fuerza, lo que implica que deberá ser utilizada solo cuando se hayan agotado todos los demás medios de control y por el menor tiempo posible.

b) La prohibición de aplicar medidas disciplinarias que constituyan castigos corporales, encierro en celda oscura y penas de aislamiento o de celda solitaria, así como cualquier otra sanción que pueda poner en peligro la salud física o mental del adolescente o sea degradante, cruel o humillante.

En cuanto a las normas disciplinarias, la ley prescribe que las medidas y procedimientos disciplinarios que se dispongan deberán encontrarse contemplados en la normativa del establecimiento y tendrán como fundamento principal contribuir a la seguridad y a la mantención de una vida

---

[368] El REP utiliza la expresión "menores" debido a que a la fecha de su publicación era común la utilización de ese término. Sin embargo, el lenguaje no es neutral, sino que refleja realidad y al mismo tiempo la construye, lo que es especialmente notorio en el ámbito jurídico. La forma en que designamos un determinado fenómeno manifiesta la manera en que lo concebimos. Por ello es indispensable cambiar la terminología a niñas, niños y adolescentes, porque el vocablo "menor" refleja una situación relacional de discapacidad en la que siempre habrá un mayor, por la que a primera vista parece desaconsejable su uso.

comunitaria ordenada, debiendo, en todo caso, ser compatibles con el respeto de la dignidad del adolescente. Por consiguiente, la legitimidad de toda sanción disciplinaria que pretenda aplicarse a un adolescente, hay que analizarla a la luz de ese objetivo. La normativa precisará, a lo menos, los siguientes aspectos: a) Las conductas que constituyen una infracción a la disciplina; b) El carácter y la duración de las sanciones y; c) La autoridad competente para imponer esas sanciones y aquella que deberá resolver los recursos que se deduzcan en su contra.

Además, durante la ejecución de las sanciones se disponen de ciertos derechos en favor del adolescente: a) Ser tratado de una manera que fortalezca su respeto por los derechos y libertades de las demás personas, resguardando su desarrollo, dignidad e integración social; b) Ser informado de sus derechos y deberes con relación a las personas e instituciones que lo tuvieren bajo su responsabilidad; c) Conocer las normas que regulan el régimen interno de las instituciones y los programas a que se encuentre sometido, especialmente en lo relativo a las causales que puedan dar origen a sanciones disciplinarias en su contra o a que se declare el incumplimiento de la sanción; d) Presentar peticiones ante cualquier autoridad competente de acuerdo a la naturaleza de la petición, obtener una respuesta pronta, solicitar la revisión de su sanción en conformidad a la ley y denunciar la amenaza o violación de alguno de sus derechos ante el juez y; e) Contar con asesoría permanente de un abogado.

Tratándose de los adolescentes sometidos a una medida privativa de libertad, estos tendrán derecho a: a) Recibir visitas periódicas, en forma directa y personal, al menos una vez a la semana; b) La integridad e intimidad personal; c) Acceder a servicios educativos y; e) La privacidad y regularidad de las comunicaciones, en especial con sus abogados.

En cuanto al control jurisdiccional de la etapa de ejecución de la sanción, la ley dispone expresamente que la competencia es del juez de garantía. Los conflictos de derecho que se susciten deberán ser resueltos, previa audiencia, por la judicatura del lugar donde la sanción se cumple. En esta instancia la judicatura deberá adoptar las medidas tendientes al respeto y cumplimiento de la legalidad de la ejecución y deberá resolver, en su caso, lo que corresponda en caso de quebrantamiento.

Por último, en caso de que la persona imputada o condenada por una infracción a esta ley penal fuere mayor de dieciocho años o los cumpliere durante la ejecución de cualquiera de las sanciones contempladas por esa ley o durante la tramitación del procedimiento, continuará sometido a la normativa hasta el término de este. Si al momento de alcanzar los dieciocho años restan por cumplir menos de seis meses de la condena de internación en régimen cerrado, permanecerá en el centro de privación de libertad del Servicio Nacional de Menores.

En cambio, si al momento de alcanzar los dieciocho años le restan por cumplir más de seis meses de la condena de internación en régimen cerrado, el Servicio Nacional de Menores evacuará un informe fundado, el que remitirá al juez de control de ejecución para solicitar la permanencia en el centro cerrado de privación de libertad o sugerir su traslado a un recinto penitenciario administrado por Gendarmería.

Dicho informe se enviará al tribunal con a lo menos tres meses de anterioridad a la fecha de cumplimiento de la mayoría de edad y se referirá al proceso de reinserción del adolescente y a la conveniencia, para tal fin, de su permanencia en el centro cerrado de privación de libertad. El informe deberá comunicarse a todas las partes involucradas en el proceso. En caso de ordenar el tribunal su permanencia, se revisará su situación según se desarrolle el proceso de reinserción en apreciación de la administración del centro.

Excepcionalmente, el Servicio Nacional de Menores podrá solicitar al tribunal de control competente que autorice el cumplimiento de la internación en régimen cerrado en un recinto administrado por Gendarmería, cuando la persona condenada hubiere cumplido la mayoría de edad y sea declarado responsable de la comisión de un delito o incumpla de manera grave el reglamento del centro poniendo en riesgo la vida e integridad física de otras personas. Ahora bien, en caso de ordenar el tribunal su traslado a un recinto penitenciario, la modalidad de ejecución de la condena debe seguir ejecutándose conforme a las prescripciones de la ley penal de responsabilidad adolescente.

CAPÍTULO NUEVE

EL TRABAJO PENITENCIARIO

1. ANTECEDENTES GENERALES

Entre el siglo XVI y XVIII, por la escasez de mano de obra y la necesidad de tener reos productivos, las prisiones se configuraron como centros de trabajo forzado en donde la ocupación laboral era el elemento central del sistema penitenciario. La pena con su carácter retributivo y utilitarista pretendía causar dolor y a la vez aprovechar la fuerza de trabajo de los penados para realizar obras que podían ir, desde las más simples a las más penosas o arriesgadas, como la construcción de grandes obras públicas. De este modo, el trabajo se concebía como agente de la transformación penitenciaria, pero sin ningún tipo de reconocimiento al preso en su condición de trabajador.

Después de la segunda guerra mundial, este modelo de prisión evoluciona despojándose del carácter laboral para caracterizarse como un centro de detención asociado principalmente a la idea de privación de libertad. Este cambio no trajo consigo la desaparición del trabajo penitenciario sino su articulación en torno al eje de la reinserción social. Se pretendía que mediante la ocupación laboral las personas presas se volvieran activas y se socializaran bajo la lógica del orden, la obediencia y la regularidad requerida por el aparato productivo:

> No es como actividad de producción por lo que se considera intrínsecamente útil, sino por los efectos que ejerce en la mecánica humana, Es un principio de orden y de regularidad; por las exigencias que le son propias, acarrea de manera insensible las formas de un poder riguroso; pliega los cuerpos a unos movimientos regulares, excluye la agitación y la distracción, impone una jerarquía y una vigilancia que son tanto más aceptadas, y se inscribirán tanto más profundamente en el comportamiento de los penados, cuanto que forman parte de su lógica[369].

---

[369] Foucault, *Vigilar y castigar*, 245.

Sin embargo, pese a los fines rehabilitadores, se ha podido constatar que el trabajo al interior de la prisión puede apartarse de ello y desarrollarse bajo el despotismo de una administración que tiene los privilegios del lugar cerrado. Esto significa que podría estar sujeto a los infinitos requerimientos del aparato productivo y las restricciones que este imponga, por lo que se ha hecho necesario, en el ámbito internacional, dictar nomas que cautelen los derechos de las personas presas que son trabajadores.

Así, a partir del reconocimiento de la dignidad humana y la prohibición de tortura, penas y tratos crueles, inhumanos y degradantes de las personas privadas de libertad, se sentaron las bases sobre las cuales se fundamenta el inicio de esta protección laboral. Las principales directrices sobre la materia se encuentran en el PIDCP, CADH y las Reglas de Mandela. Estas últimas establecen una serie de reglas para concebir y organizar el trabajo penitenciario al interior de las prisiones, las que conviene tener presente. A saber:

- **El trabajo penitenciario no será de carácter aflictivo**

No debe confundirse la pena con el trabajo al interior de la prisión. La Regla 97 dispone que el trabajo penitenciario no será de carácter aflictivo. Asimismo, prohíbe someter a los reos a esclavitud o servidumbre, u obligarlos a trabajar en beneficio personal o privado de los funcionarios del establecimiento penitenciario. Lo anterior es coherente con el art. 8° n°3 del PIDCP que establece como principio general la prohibición de constreñir a un preso a ejecutar un trabajo forzoso u obligatorio. Sin embargo, reconoce que ciertos delitos pueden ser castigados con la pena de prisión acompañada de trabajos forzados, situación esta última que se concibe como parte de la pena.

En el mismo sentido, el art. 6° de la CADH prohíbe toda forma de esclavitud o servidumbre. No obstante, reconoce que las legislaciones de ciertos países signatarios imponen la obligación de efectuar trabajos como pena accesoria a la privación de libertad, pero en esos casos, exige que su realización no afecte a la dignidad ni a la capacidad física e intelectual del recluido. Es decir, excluye esta forma de trabajo de la definición de trabajo forzoso, pero impone límites idénticos a aquellos contenidos en el art. 2° del Convenio N°29 de la OIT[370].

---

[370] Convenio N°29 de la OIT (art. 2°): 1. A los efectos del presente Convenio, la expresión *trabajo forzoso u obligatorio* designa todo trabajo o servicio exigido a un individuo bajo la amenaza de

- **El trabajo en prisión debe tender a la resocialización del recluso**

Todos los instrumentos internacionales recogen el principio de resocialización como fin de la pena. Por consiguiente, la finalidad esencial atribuida al trabajo penitenciario es la reforma y la readaptación social de quienes cumplen condena. Así, la Regla 96 dispone que los reclusos penados deben tener la oportunidad de trabajar y participar activamente en su reeducación, previo dictamen de aptitud física y mental emitido por un médico u otro profesional de la salud competente. Para ello, las administraciones penitenciarias deben proporcionar a los reclusos un trabajo productivo que sea suficiente para que se mantengan ocupados durante una jornada laboral normal.

- **Ha de organizarse de manera similar al trabajo llevado a cabo fuera de las prisiones**

Como una manifestación más del principio de normalización, la Regla 99 dispone que la organización y los métodos de trabajo que se dispongan al interior del establecimiento penitenciario se asemejarán todo lo posible a los que se apliquen a un trabajo similar en el exterior, a fin de preparar a la población reclusa para la vida laboral normal. No obstante, no se debe supeditar el interés de las personas reclusas y de su formación profesional al objetivo de lograr beneficios pecuniarios de una industria penitenciaria.

---

una pena cualquiera y para el cual dicho individuo no se ofrece voluntariamente. 2. Sin embargo, a los efectos del presente Convenio, la expresión *trabajo forzoso u obligatorio* no comprende: (a) cualquier trabajo o servicio que se exija en virtud de las leyes sobre el servicio militar obligatorio y que tenga un carácter puramente militar; (b) cualquier trabajo o servicio que forme parte de las obligaciones cívicas normales de los ciudadanos de un país que se gobierne plenamente por sí mismo; (c) cualquier trabajo o servicio que se exija a un individuo en virtud de una condena pronunciada por sentencia judicial, a condición de que este trabajo o servicio se realice bajo la vigilancia y control de las autoridades públicas y que dicho individuo no sea cedido o puesto a disposición de particulares, compañías o personas jurídicas de carácter privado; (d) cualquier trabajo o servicio que se exija en casos de fuerza mayor, es decir, guerra, siniestros o amenaza de siniestros, tales como incendios, inundaciones, hambre, temblores de tierra, epidemias y epizootias violentas, invasiones de animales, de insectos o de parásitos vegetales dañinos, y en general, en todas las circunstancias que pongan en peligro o amenacen poner en peligro la vida o las condiciones normales de existencia de toda o parte de la población; (e) los pequeños trabajos comunales, es decir, los trabajos realizados por los miembros de una comunidad en beneficio directo de la misma, trabajos que, por consiguiente, pueden considerarse como obligaciones cívicas normales que incumben a los miembros de la comunidad, a condición de que la misma población o sus representantes directos tengan derecho a pronunciarse sobre la necesidad de esos trabajos.

En lo que respecta al sector privado se toman precauciones. La Regla 101 establece que los establecimientos penitenciarios deben adoptar las mismas medidas aplicables para proteger la seguridad e higiene de los trabajadores libres. Asimismo, se deben establecer disposiciones para indemnizar a los reclusos en caso de accidente de trabajo o enfermedad profesional, en condiciones no menos favorables que las que la ley disponga para los trabajadores libres. En relación con las horas laborales, la Regla 102 establece que se deberá fijar por ley o reglamento administrativo el número máximo de horas de trabajo por día y por semana, teniendo en cuenta las normas o usos locales con respecto al empleo de los trabajadores libres. Las horas así fijadas deberán dejar un día de descanso por semana y tiempo suficiente para la instrucción y otras actividades previstas para el tratamiento y la reeducación.

- **Ha de tener carácter formativo**

El trabajo penitenciario debe promover la formación de hábitos laborales en la persona privada de libertad, de modo tal de que sea útil a su posterior mantención y desarrollo en el medio libre. La Regla 96.2 dispone que se ha de proporcionar a la población reclusa un trabajo productivo que sea suficiente para que se mantengan ocupados durante una jornada laboral normal. Por su parte, la Regla 98 señala que, en la medida de lo posible, el trabajo contribuirá, por su naturaleza, a mantener o aumentar la capacidad de la persona presa para ganarse la vida honradamente tras su puesta en libertad.

Asimismo, se dará formación profesional en algún oficio útil a los reclusos que estén en condiciones de aprovecharla, particularmente a los jóvenes. A su vez, dentro de los límites compatibles con una selección profesional racional y con las exigencias de la administración y la disciplina penitenciaria, las personas privadas de libertad podrán elegir la clase de trabajo a la que deseen dedicarse.

- **Facilitado por la administración penitenciaria**

Las Reglas de Mandela tienen en especial consideración las dificultades y abusos que podrían producirse de entregar la facilitación del trabajo penitenciario al sector privado. Por ello, la Regla 100 prescribe que, de ser posible, las industrias y granjas del establecimiento penitenciario serán gestionadas directamente por la administración del establecimiento penitenciario, y no por contratistas privados.

Por su parte, los reclusos que se empleen en algún trabajo no controlado por la administración penitenciaria estarán siempre bajo la supervisión del personal penitenciario. A menos que el trabajo se haga para otras dependencias públicas, las personas para las cuales se efectúe pagarán a la administración penitenciaria el salario normal exigible por dicho trabajo, teniendo en cuenta el rendimiento del trabajador.

- **Remunerado**

El trabajo penitenciario ha de ser remunerado. De conformidad con la Regla 103, se debe establecer un sistema justo de remuneración que permita a los reclusos trabajadores utilizar al menos una parte de su remuneración para adquirir artículos destinados a su uso personal y que envíen otra parte a su familia. Asimismo, la administración del establecimiento penitenciario podrá reservar una parte de la remuneración a fin de constituir un fondo que les será devuelto a los presos en el momento de su puesta en libertad.

2. EL TRABAJO PENITENCIARIO EN CHILE

A nivel normativo, el CP contiene algunas disposiciones relativas al trabajo penitenciario las que son desarmónicas y no tienen aplicación práctica. El art. 89 inc. 1°, establece la regla general de la voluntariedad, la que queda restringida a las personas condenadas a reclusión y prisión: *ellos son libres para ocuparse, en beneficio propio, en trabajos de su elección, siempre que sean compatibles con la disciplina reglamentaria del establecimiento penal.*

Luego, el mismo artículo indica que *en el evento que los condenados deban indemnizar al establecimiento de los gastos que ocasionen o deban hacer reparar la responsabilidad civil del delito por el que fueron condenados, o bien carecieren de los medios necesarios para llenar los compromisos que ellas les imponen o no tuvieren oficio o modo de vivir conocido y honesto, estarán sujetos forzosamente a los trabajos del establecimiento hasta hacer efectivas con su producto aquellas responsabilidades y procurarse la subsistencia.*

Por otro lado, el art. 32 del mismo cuerpo, dispone que existen casos de trabajo no voluntario aplicable a la pena de presidio pues esta última *sujetaría al condenado a los trabajos prescritos en los reglamentos del respectivo establecimiento penal*. Sin embargo, esta distinción que efectúa nuestro Código no tiene asidero práctico desde el momento que el REP establece un régimen penitenciario común tanto para los condenados a presidio, reclusión y prisión, como para las personas detenidas y sujetas a prisión preventiva, agrupándolos a todos en la categoría de internos. En consecuencia, no se hacen diferencias en la aplicación del trabajo penitenciario, el que siempre ha de ser voluntario.

Hasta el año 2011, el REP regulaba las actividades de capacitación y trabajo de los internos, materia que fue derogada en su totalidad por la dictación del DS N°943 del Ministerio de Justicia, que establece un estatuto laboral y de formación para el trabajo penitenciario. De los principios y normas recogidos por este cuerpo reglamentario, es posible sostener que no existe ningún deber de participar en actividades laborales y educativas, lo que es coherente con el hecho de que no existe ninguna sanción disciplinaria aplicable a quien no trabaje.

Es más, se estipula específicamente la posibilidad de que la persona interna se rehúse a participar en estas actividades sin que ello le reporte consecuencia alguna. En cambio, es deber de la administración penitenciaria desarrollar acciones orientadas a la resocialización, a fin de preparar al recluso para que, por su propia voluntad, participe de la convivencia social[371].

Con todo, si bien el derecho a rehusarse a participar en actividades laborales o de formación no acarrea consecuencia alguna en el ámbito disciplinario, sí acarrea consecuencias en otras áreas. Como vimos en el capítulo quinto, para el otorgamiento de permisos de salida se requiere haber asistido regularmente a la escuela del establecimiento y haber participado en forma regular y constante en actividades de capacitación y trabajo. Lo mismo se exige para el otorgamiento de la libertad condicional. De modo tal que, si bien la participación en actividades laborales no es obligatoria,

---

[371] En nuestro país, el trabajo penitenciario forma parte de la labor de contribución a la reinserción social que tiene la institución de Gendarmería, lo que emana de lo dispuesto en el art. 1° de su ley orgánica. Ello significa que no es una labor exclusiva de la institución, la que cuenta con herramientas legales para convocar y hacer partícipe a otras organizaciones sociales en las actividades de reinserción.

sí es condición necesaria para optar a una salida progresiva al medio libre o para obtener de forma anticipada la completa libertad.

Ahora bien, no obstante considerarse que el trabajo y la capacitación laboral son medios privilegiados para propiciar la reinserción social de las personas privadas de libertad, por lo que forman parte de la oferta programática presente en las prisiones chilenas, solo una pequeña parte del presupuesto de Gendarmería se destina a reinserción social, lo que se traduce en que solo un pequeño porcentaje de la población carcelaria puede acceder a este tipo de intervención.

Por otra parte, se ha señalado que el alto grado de jerarquización y burocratización de la institución y el fuerte carácter omnidisciplinador de la misma, redunda en que, prácticamente, la mayoría de las decisiones que se toman en la selección y asignación de las oportunidades de capacitación y trabajo, se centralizan en el Jefe de establecimiento penitenciario. Esta fuerte personalización, solo se vería matizada por la intervención del Consejo Técnico, órgano encargado de asesorar a la autoridad, pero que no tiene un poder de decisión autónomo.

Asimismo, en el ámbito normativo, las ambigüedades y vacíos del marco regulatorio de los establecimientos penitenciarios, así como los posibles "privilegios del lugar cerrado", se extiende a las diversas relaciones de dependencia laboral observadas al interior de los recintos. Las condiciones de trabajo de los reclusos o reclusas que prestan servicios a empresas externas parecieran tender a no cumplir con los requerimientos mínimos que establece el derecho laboral, sin que existan fiscalizaciones externas eficientes que velen por la protección de los derechos laborales de las personas privadas de libertad.

3. ESTATUTO LABORAL Y DE FORMACIÓN PARA EL TRABAJO PENITENCIARIO

El estatuto laboral aplicable al trabajo penitenciario vino a reemplazar el párrafo 9 del REP denominado, *De la capacitación y el trabajo penitenciario*, derogado completamente por la dictación del DS N°943. Esta regulación laboral pretendió dar cumplimiento al compromiso del Estado de Chile de modificar y actualizar la normativa laboral que se estaba aplicando al interior de los penales. La administración de turno buscó dar promoción al trabajo voluntario y remunerado de quienes se encuentran cumpliendo condena, permitiendo con ello la posibilidad de que las personas presas contribuyan a su propia mantención y a la de sus familias, favoreciendo con ello la reinserción social y laboral.

3.1 Principios que informan la actividad laboral penitenciaria y de formación

Si bien, el Título I del DS N°943, se denomina *Principios que informan la actividad laboral*, esta enunciación es errónea, ya que las disposiciones de este apartado no solo incluyen principios, sino también conceptos, y regulaciones específicas de permisos, entre otras figuras. Veamos cuales son:

- **Universalidad en el acceso al trabajo penitenciario**

Toda persona que se encuentre bajo control de Gendarmería podrá acceder a las prestaciones de actividad laboral penitenciaria y/o de formación para el trabajo ofrecidas en los diferentes establecimientos penitenciarios y en las condiciones que determina la propia regulación. El art. 1° de la normativa consagra el principio de universalidad en el acceso al trabajo, aunque en la práctica, la oferta programática laboral que se implementa en los penales chilenos solo alcance a satisfacer la demanda de un pequeño porcentaje de la población.

- **Reinserción de quien trabaja**

El Estatuto ratifica el principio de resocialización al señalar que las actividades laborales penitenciarias tienen por objetivo central entregar herramientas que fomenten la integración social del sujeto, de modo que el ejercicio de aquellas propenda a su desarrollo económico y al de su familia.

- **Principio del trato humano**

La actividad laboral y de formación para el trabajo se da en el contexto de una relación de derecho público, existente entre la persona presa y el Estado, de manera que, sin perjuicio de los derechos limitados por la detención, prisión preventiva o condena, la condición jurídica de la persona interna es idéntica a la del ciudadano libre.

- **Actividad laboral y programas de reinserción**

En relación con las actividades laborales que desarrollen terceros dentro del establecimiento penitenciario, Gendarmería deberá velar porque las actividades laborales sean coherentes y armónicas con los programas de tratamiento existentes y la política penitenciaria en general, debiendo poner especial énfasis en los contenidos técnicos de la capacitación y el respeto de los derechos laborales de la población reclusa en el desarrollo del trabajo remunerado.   Asimismo, la administración penitenciaria tiene el deber de desarrollar alternativas ocupacionales que reconozcan la discapacidad, el enfoque de género, el origen étnico y toda otra diferencia que favorezca la integración laboral de todos los trabajadores, permitiendo el igual acceso a los planes y programas que se ejecuten con ese fin.

- **Formación para el trabajo**

El objetivo de la formación para el trabajo es crear o preservar hábitos laborales y/o sociales en la persona presa, reforzando su identidad personal y prosocial, con la finalidad de lograr su reinserción social. En esta materia se deben considerar dos aspectos: por una parte, la actividad laboral debe ser fomentada por la administración penitenciaria y, por otra, deberá ajustarse a la oferta programática de cada establecimiento. Es decir, Gendarmería está obligada a generar las condiciones necesarias para favorecer el acceso a la actividad laboral y formación para el trabajo de las personas sujetas a su control, pero acto seguido se limita a las posibilidades técnicas de infraestructura y económicas propias de la institución.

- **Normas aplicables a la actividad laboral penitenciaria y su relación con la normativa laboral**

Las relaciones laborales intrapenitenciarias entre las personas privadas de libertad y particulares ajenos a la administración penitenciaria se rigen por la legislación laboral común. Así lo dispone el art. 4° del Estatuto, lo que supone la plena vigencia de todas las disposiciones que componen dicha normativa, con excepción de los derechos laborales colectivos, como la huelga, la sindicalización, la negociación colectiva y otros que las normas del CT contemplen. Se justifica la limitación en el respeto al régimen interno al que se encuentran sometidos los trabajadores privados de libertad.

Por otro lado, es deber de la administración penitenciaria velar por el cumplimiento de las obligaciones laborales, sobre todo cuando haya terceros o privados involucrados. Incluso, es deber de la administración penitenciaria justificar la ausencia al trabajo cuando estas deriven de una decisión administrativa. En materia de remuneraciones, se establece expresamente, que toda actividad productiva desarrollada por quienes se encuentren bajo control de Gendarmería será siempre remunerada. Asimismo, se contempla la posibilidad de que la administración penitenciaria otorgue incentivos no monetarios, es decir, beneficios adicionales a quienes desarrollen actividades laborales o afines, siempre que haya compatibilidad con el régimen interno.

También se estimula el ahorro, pues se impone el deber al Jefe del establecimiento penitenciario y, en especial, al asistente social, de procurar estimular al recluso para que haga acopio de sus ahorros con el fin de atender, además de sus propias necesidades en prisión, las de su familia, así como para sufragar los gastos que se generen una vez obtenga la libertad. Asimismo, el Jefe o el asistente social de los establecimientos penitenciarios deberán informar y asesorar a los trabajadores que realicen actividades independientes, acerca del sistema previsional, seguros, ahorros y otros, a los que puedan acogerse en forma voluntaria.

En materia de seguridad laboral, en el desarrollo de la actividad laboral penitenciaria y de formación para el trabajo, se tomarán las mismas precauciones prescritas para proteger la seguridad y la salud de los trabajadores que no se encuentren privados de libertad. La administración penitenciaria tiene el deber de adoptar todos los cuidados necesarios para proteger la salud y seguridad de los trabajadores internos y deberá cautelar que los terceros particulares adopten los mismos resguardos.

Por último, los trabajadores que no se rijan por el CT serán considerados como trabajadores independientes para los efectos previsionales. En este caso, la administración actuará como mandataria para enterar las cotizaciones previsionales, debiendo existir mandato expreso del interno o interna en ese sentido.

- **Voluntariedad de la actividad laboral penitenciaria y de formación para el trabajo**

En la esencia de esta actividad se encuentra la voluntariedad por parte de la persona privada de libertad. El no realizar una actividad laboral no puede ser utilizado como castigo u otra forma de corrección. De esta forma también se precave la posibilidad de que la actividad laboral se transforme en una fuente de lucro para la administración, por ello esto último está prohibido.

- **Infraestructura destinada a la actividad laboral**

El trabajo penitenciario se efectuará, en general, en los talleres y otros recintos expresamente destinados al efecto, para lo cual en cada establecimiento penitenciario deberán existir condiciones o espacios físicos para el desarrollo del trabajo o actividades de capacitación o formación laboral.

3.2 Población reclusa autorizada a trabajar

La normativa dispone que podrán desarrollar actividades productivas aquellas personas sometidas a prisión preventiva y quienes se encuentren condenados por sentencia judicial firme o ejecutoriada. Respecto de las personas sujetas a prisión preventiva, podrán trabajar conforme a sus aptitudes e inclinaciones, siempre que ello sea compatible con los recursos de que disponga el respectivo establecimiento penitenciario.

A su vez, la administración facilitará los medios de ocupación de que disponga, permitiendo a la persona interna procurarse otros a sus expensas, siempre que sean compatibles con las garantías procesales y la seguridad del establecimiento penitenciario. Asimismo, recalca que cualquier persona que realice alguno de los trabajos expresados en la normativa lo hará bajo las condiciones y con los derechos, beneficios y obligaciones que la misma establece.

3.3 Modalidades de la actividad laboral penitenciaria

La actividad laboral al interior de los establecimientos penitenciarios se desarrolla a través de las siguientes modalidades:

- **Empresas instaladas al interior de un establecimiento penitenciario**

Esta modalidad consiste en la instalación de una empresa al interior de un centro penitenciario. Para ello, la administración penitenciaria adjudica un contrato a la empresa que cumpla con los requisitos exigidos, de acuerdo con lo dispuesto en la Ley N°18.575.

- **Empresario interno**

El Estatuto establece la posibilidad de que las personas privadas de libertad conformen empresas y cooperativas al interior de los establecimientos penitenciarios, previo informe favorable del Consejo Técnico y ajustándose a la normativa comercial vigente. A su vez, la administración tiene la obligación de otorgar las facilidades que esta constitución demande, haciéndola compatible con la ejecución penal que se lleva a cabo. En estos casos, dichas empresas o cooperativas solo podrán contratar a trabajadores internos, bajo las condiciones establecidas en el CT o de acuerdo con las normas del CC, según corresponda.

La administración, siempre que uno o más internos se constituyan bajo alguna forma societaria del CDC, deberá establecer un protocolo pormenorizado de las relaciones para con esta empresa, detallando cada uno de los deberes, derechos y prohibiciones a que se encuentra afecto dado el régimen especial de ejecución que se realice en el establecimiento, sometiéndolo a revisión ordinaria semestral y extraordinariamente todas las veces que la correcta gestión demande.

En cuanto a la obtención de maquinarias y herramientas para el trabajo, el empresario interno que desempeñe labores dentro de los establecimientos podrá gestionar la introducción de maquinaria, materia prima o cualquier otro insumo que sea necesario para el desarrollo de la actividad productiva autorizada por la administración. Estas autorizaciones y restricciones deberán constar en resolución fundada, dictada por el Jefe del establecimiento, previo informe del Consejo Técnico.

- **Prestación de servicios o servicios a trato**

El Estatuto permite a la población interna prestar servicios o tener trato con terceros o empresas externas. Debe existir compatibilidad con el régimen interno del establecimiento y con el plan de reinserción de la persona privada de libertad. Las condiciones para desarrollar estos servicios serán fijadas por la administración penitenciaria.

- **Servicios de aseo, alimentación y mantención**

Se trata de una actividad de formación para el trabajo, que tiene por objeto dar apoyo a necesidades de los servicios que presta el establecimiento penitenciario. Podrá ser entregado a personas condenadas que tengan la calidad de maestros o ayudantes.

- **Actividades que propendan al entrenamiento ocupacional o terapéutico**

La persona privada de libertad podrá ejecutar en forma independiente, actividades dirigidas a la manufactura o fabricación de especies y productos por propia iniciativa y con materiales propios, los que serán ofrecidos por los internos directamente al público, sin perjuicio del apoyo en la labor de difusión y comercialización de dichas especies o productos que pueda otorgar la administración penitenciaria.

- **Centros de Educación y Trabajo (CET)**

Los Centros de Educación y Trabajo (CET) están ampliamente regulados en el Estatuto, y su objetivo principal es contribuir a la reinserción social de las personas condenadas, a través de la formación de hábitos sociales, laborales y de aprendizaje de habilidades y competencias, proporcionándoles capacitación técnica, trabajo regular y remunerado, educación, formación e intervención psicosocial. En cumplimiento de este objetivo, al interior de estos centros se pueden constituir unidades económicas productivas y comerciales de bienes y servicios[372], así como también se puede permitir a las personas privadas de libertad el desarrollo de otras

---

[372] Así, por ejemplo, es posible encontrar dentro de estos centros unidades agrícolas, de panadería, de producción de tejidos, entre otros.

actividades laborales reguladas por el Estatuto, las que se han de regir por las normas pertinentes.

Estos centros contribuyen a la reinserción social en la medida que los internos cuentan con ingresos para mantenerse y contribuir al sustento de sus familias. A su vez, a través de la disciplina laboral y productiva, las personas entrenan sus capacidades para prepararse en la reinserción laboral, una vez recuperada la libertad. Se regulan por el Estatuto y supletoriamente por el REP.

Existen tres tipos de CET: cerrados, semiabiertos y abiertos. Los cerrados son secciones de tratamiento que se ubican dentro de un establecimiento penitenciario cerrado, y se caracterizan por mantener un régimen de reclusión con sistemas de control y seguridad apropiados a la actividad laboral y productiva que desarrollan. Generalmente, los beneficiarios de estos CET están separados del resto de la población penal, en un sistema de segmentación diurna y nocturna. Los semiabiertos son establecimientos penitenciarios, independientes y autónomos, donde las personas internas cumplen su condena en un régimen basado en la autodisciplina y en relaciones de confianza. En cambio, los abiertos son secciones de tratamiento que dependen de un Centro de Reinserción Social, y cuyo objetivo principal es la reinserción social de los condenados a una medida alternativa a la reclusión o que se encuentren afectos al beneficio de la salida controlada al medio libre, a través de actividades de capacitación y formación.

3.4 Organización de la actividad laboral penitenciaria

La organización del trabajo penitenciario, sus métodos, modalidades, jornadas laborales, horarios, medidas preventivas de higiene y seguridad, atenderán a las exigencias técnicas y a las normas establecidas en la legislación que rige el trabajo libre. En especial, la administración organizará y planificará el trabajo de carácter productivo en las siguientes condiciones:

a) La jornada de trabajo no podrá exceder de la máxima legal. En el caso de las personas condenadas se cuidará que los horarios laborales permitan disponer de tiempo suficiente para la ejecución de las otras actividades contempladas en los planes de intervención individual.

b) Deberá garantizar el descanso semanal a los trabajadores.

c) Velará porque la retribución sea conforme al rendimiento, categoría laboral y clase de actividad desempeñada.

d) Cuidará que las personas presas contribuyan al sostenimiento de sus cargas familiares y al cumplimiento de sus restantes obligaciones, disponiendo del remanente de acuerdo con lo dispuesto en este reglamento.

3.5 Jornada laboral y descanso

En esta materia se dispone que la jornada laboral ordinaria no excederá de las horas semanales establecidas por el CT, la que podrá ser distribuida en cinco o seis días a la semana. La determinación de la distribución horaria será realizada por el Alcaide. Para el caso de las actividades laborales que se desarrollen al interior del establecimiento, la jornada de trabajo deberá realizarse durante los horarios de desencierro y encierro que contemple el régimen interno de cada unidad penal. Si la naturaleza del trabajo lo exige o por circunstancias excepcionales se hace imperativo el trabajo fuera de los horarios señalados anteriormente, dicha circunstancia deberá expresarse en un registro de trabajo, previa autorización del Alcaide.

En cuanto al descanso anual, se reconoce el derecho que tiene la población reclusa trabajadora dependiente a un periodo de descanso anual equivalente al feriado legal regido por el CT. Las circunstancias, condiciones y modalidad de ejercicio de este derecho, deberán ajustarse al régimen interno del establecimiento penitenciario.

3.6 Selección de los trabajadores

El Consejo Técnico del respectivo establecimiento deberá considerar una serie de factores para la selección de los trabajadores, tales como: la disposición de la persona para el trabajo, la salud compatible y antecedentes psicológicos, sociales y de conducta, en los casos que corresponda. El tipo de delito cometido y la duración de la pena no constituyen factores que excluyan la selección de postulantes. Ahora bien, el proceso de selección consistirá en dos etapas:

a) Etapa de preselección: En los establecimientos cerrados y semia-biertos, Gendarmería a través del área técnica respectiva, deberá elaborar un listado de personas internas susceptibles de ser con-tratadas, considerando los antecedentes psicosociales, criminoló-gicos y penitenciarios, además del perfil de trabajador requerido por el empresario. En los establecimientos abiertos la nómina será elaborada por el Centro de Reinserción Social mediante el mismo procedimiento. Los trabajadores que formen parte de di-cha nómina serán informados de la oferta laboral existente y sus condiciones.

b) Etapa de selección: El adjudicatario hará la selección final del trabajador a contratar, pudiendo realizar previamente una entre-vista individual o grupal con los trabajadores preseleccionados. En el caso de los trabajadores que se requieran para cumplir el rol de maestros o ayudantes de maestro, el Alcaide estará a car-go de seleccionarlos, a propuesta del Consejo Técnico respectivo. La función será entregada tomando en consideración los méritos propios de cada postulante y del proceso de intervención indivi-dual que se lleve al efecto.

Si bien para la selección de los internos o internas que quieran ingre-sar como trabajadores a los CET cerrados y semiabiertos, la duración de la pena no constituye un factor excluyente, se requiere a lo menos, el cumplimiento de dos tercios del tiempo mínimo para optar a beneficios intrapenitenciarios. Excepcionalmente, podrán postular personas conde-nadas con menor tiempo de cumplimiento siempre que cuenten con la aprobación de la subdirección técnica de Gendarmería. En estos casos, la evaluación que realice el Consejo Técnico incluirá la revisión de una serie de antecedentes, entre ellos: ficha única de condenado, informe social y psicológico, informe laboral, informe de escolaridad, informe de conduc-ta, solicitud de postulación, acreditación de rebajas de condena, informe de salud.

Para la selección final el Consejo Técnico considerará los siguientes factores: disposición para el trabajo, necesidades de reinserción social, motivación al cambio, antecedentes psicológicos, de salud, sociales y de conducta. Ahora bien, la selección de personas para CET cerrados y abiertos será aprobada por el Consejo Técnico del establecimiento peni-tenciario. En cambio, en el caso de un CET semiabierto, la aprobación la da el Director Regional, previo informe favorable del Consejo Técnico de la unidad penal de origen así como de la unidad de destino.

3.7 Remuneraciones

La remuneración del trabajador privado de libertad será idéntica a la de los trabajadores libres que desempeñen la misma labor, y estará sujeta a las retenciones y disposiciones especiales que establece el Estatuto. El monto de las remuneraciones podrá ser determinado de conformidad al tipo de trabajo realizado. Dichas contraprestaciones podrán estar constituidas por montos fijos por días trabajados, monto pactado por obra, porcentaje de operaciones o comisiones, bonos de producción o compensación por el trabajo realizado.

Durante los primeros quince días de cada mes, el empresario deberá entregar al Jefe o encargado administrativo laboral, copia de las liquidaciones del mes anterior de las remuneraciones de todos sus trabajadores, así como también del pago de cotizaciones previsionales, de salud y seguros complementarios, si los hubiere. En la planilla de remuneraciones de los trabajadores deberá figurar la cantidad de dinero que se haya entregado directamente al trabajador, la que deberá ceñirse al monto máximo autorizado por resolución del Director Regional respectivo. La suma de libre disposición que exceda este máximo deberá ser entregada al funcionario o instancia designada por el Alcaide para ser distribuida conforme a las indicaciones previstas por el trabajador. En caso de incumplimiento de las obligaciones laborales, previsionales y convencionales, Gendarmería realizará la denuncia ante el órgano fiscalizador respectivo.

En cuanto a las deducciones que se realizan del ingreso del trabajador, se cuentan las siguientes:

a) Un 11% a fin de hacer efectiva la responsabilidad civil proveniente del delito, según lo dispuesto por la sentencia judicial.
b) Hasta un 5% destinado a indemnizar los gastos que ocasionen al establecimiento, incluyendo las materias primas que les proporcione la administración penitenciaria, porcentaje que será determinado por el Consejo Técnico respectivo.
c) Un 15% destinado a la formación de un fondo individual de reserva que será entregado cuando egresen del establecimiento

penitenciario, ya sea por el cumplimiento de la pena, obtención de libertad condicional, o bien mediante el beneficio de salida controlada al medio libre.

El saldo de ingreso mensual del trabajador interno, realizadas las deducciones señaladas, constituirá un fondo de libre disposición. Lo que exceda de la cantidad máxima de dinero que el trabajador interno pueda portar, podrá ser depositado en una cuenta de ahorro bancaria. Por último, toda contraprestación en dinero deberá constar en un comprobante impreso que detalle el monto del ingreso, sus deducciones legales y reglamentarias, el cual deberá ser firmado por el trabajador juntamente con el Jefe administrativo respectivo en dos ejemplares, uno para cada parte.

3.8 Permisos de salida

- **Permiso de salida especial laboral**

Existe un permiso de salida laboral especial regulado en el art. 11 del Estatuto y que tiene una estructura autónoma respecto de la generalidad de los permisos establecidos en el REP. La finalidad es que la persona privada de libertad realice actividades laborales en otros establecimientos penitenciarios, en recintos anexos a ellos o fuera de los centros de reclusión.

La concesión del permiso la realizará el Alcaide, previo informe favorable del Consejo Técnico, de manera fundada y con la autorización del juez para el caso que corresponda y no podrá exceder de la duración diaria de la jornada de trabajo. En casos fundados, los trabajos deberán realizarse con custodia de Gendarmería, previo informe del Consejo Técnico, cuando así lo ameriten las circunstancias.

Ahora bien, para que concurra este permiso se debe cumplir con los siguientes requisitos:

   a) La persona debe estar bajo el control de la administración.
   b) No debe cumplir con los requisitos para optar al permiso de salida controlada al medio libre, de lo contario se sujetará a ese régimen.
   c) Debe tener derecho a postular a los demás beneficios intrapenitenciarios contemplados en el REP.

- **Otros permisos**

Las personas internas pertenecientes a los CET semiabiertos podrán postular a los siguientes permisos:

a) Salida esporádica especial: permiso de salida extraordinario, sin custodia, que se puede otorgar en días hábiles con el objeto de realizar trámites de carácter personal e indelegables y solo por el tiempo que sea necesario para su realización.

b) Salida trimestral: Salida sin custodia, con el objeto de visitar, compartir con la familia e incluso pernoctar con esta, todo lo anterior en el marco del reintegro progresivo al medio libre. Las personas condenadas podrán postular a la salida trimestral luego de un período de observación y evaluación de seis meses contados desde su ingreso al centro respectivo y consistirá en una salida de hasta siete días en cada trimestre calendario, que podrá ejercerse en forma parcializada, por un día en una salida de hasta 15 horas consecutivas, o en dos o más días. La autorización del permiso señalará expresamente la hora de retorno. Dicha salida no podrá acumularse de un trimestre a otro, pero podrá combinarse con los demás permisos establecidos tanto en el Estatuto como en el REP, a excepción de la salida controlada al medio libre. Por último, este permiso podrá concederse como primer beneficio o bien en forma posterior a otro en actual utilización.

c) Permiso de estudio y capacitación: Permiso sin custodia, con el objeto de que el condenado pueda concurrir a establecimientos educacionales o de capacitación técnica del medio libre, para realizar estudios regulares básicos, medios científico-humanistas o técnico-profesionales, superiores, o cursos de capacitación en oficios o técnicas especializadas.

Estos permisos serán concedidos luego de un período de observación y evaluación que no podrá ser inferior a tres meses y deberán limitarse al tiempo, horarios y número de horas diarias que requiera el estudio o capacitación en cada caso, considerando el tiempo de los traslados. Se podrá conceder este permiso en forma excepcional y antes de los tres meses, a aquellas personas condenadas que al momento de ingresar al centro se encuentren asistiendo a alguno de los cursos antes mencionados.

Ahora bien, en caso de incumplimiento de las condiciones que imponen estos permisos, el Jefe del establecimiento deberá dar aplicación de lo establecido en el art. 111 del REP, es decir, debe cumplirse un tiempo mínimo de condena antes de volver a postular a los permisos. Por último, la concesión, suspensión o revocación de los mismos será facultad privativa del Jefe del establecimiento y solo podrá concederlos a las personas internas que cuenten con informe favorable del Consejo Técnico.

CAPÍTULO DIEZ

CONTROL JURISDICCIONAL Y ADMINISTRATIVO DE LA PENA PRIVATIVA DE LIBERTAD

1. ANTECEDENTES GENERALES

El hecho de que el Estado chileno encomiende la regulación de la cuestión penitenciaria a normas de naturaleza reglamentaria supone un conflicto jurídico con los principios básicos del Estado de Derecho, en la medida en que el principio de legalidad se encuentra parcialmente suspendido, lo que es grave, dado que la privación de libertad implica una restricción severa a los derechos y garantías de las personas. Se infringe un ámbito que tensa abiertamente con la potestad reglamentaria y las materias excluidas por el art. 64 de la CPR. De ahí que el principio de separación de poderes, informe la necesidad de que este tipo de normas, que afectan especialmente a los miembros de una comunidad política, sea producto de un proceso deliberativo en que se representen diferentes visiones políticas. El producto de dicha deliberación e intercambio de opiniones se concreta mediante la ley.

Para Kendall, esta precariedad normativa no solo resulta de la relación entre la ley y el reglamento, sino también de la relación entre la Constitución y los principios y normas de derecho internacional, debido a la completa ausencia de principios constitucionales específicos vinculados a la finalidad de las penas y a la condición de los penados[373]. Este déficit de reconocimiento de los derechos de las personas privadas de libertad, entre ellos, el principio de legalidad en la fase de ejecución de la pena, base esencial del respeto a la dignidad de las personas, compromete la garantía jurisdiccional, porque el reconocimiento del principio de legalidad pasa también por la posibilidad de la tutela judicial efectiva, respetándose aquellas garantías procesales que nadie negaría al hombre libre.

---

[373] Kendall, *Tutela judicial efectiva*, 12.

La inexistencia de una ley penal de ejecución de penas y de tribunales especializados en la materia configuran la gran precariedad del sistema penitenciario chileno.

Para Mañalich este déficit de control judicial de la actividad penitenciaria no puede ser tomado, ingenuamente, como una "falla del sistema", sino que es imprescindible aquí reconocer cómo la teoría jurídica ha facilitado, a través de una distinción conceptual específica, la consolidación institucional de ese déficit de control mediante la distinción entre la imposición y la ejecución de la pena[374]. Se suma a ello el tratamiento que en la CPR actual se da a la calidad de ciudadano, en la que se despoja a la persona condenada, a una cierta pena privativa de libertad, de ese escudo protector.

En este capítulo se realizará una sistematización de los mecanismos jurisdiccionales que disponen hoy día los agentes penitenciarios con miras a tutelar y garantizar los derechos de la población penitenciaria. Asimismo, se pasará revista a los principales mecanismos administrativos de control para contar con el panorama completo de la cuestión.

2. TUTELA JURISDICCIONAL

2.1 La tutela judicial efectiva

La tutela jurisdiccional de la pena privativa de libertad es una pretensión clásica del derecho penitenciario, por la especial posición que tiene la persona que ha sido privada de libertad en relación con la administración penitenciaria. Esta última es garante de sus derechos, pero a su vez ejecuta el castigo, de ahí los riesgos en su actuación. Por ello se aspira a que los actos de la administración queden sujetos a instituciones que tengan independencia, imparcialidad y poder de coacción para controlarla[375].

---

[374] Mañalich, "El Derecho Penitenciario entre la ciudadanía", 171.

[375] Así lo expresan algunos instrumentos internacionales como los Principios y Buenas Prácticas (Principio VI); Conjunto de Principios (Principio 4); CADH (art. 8°, art. 25.1): Toda persona tiene derecho a un recurso sencillo y rápido o a cualquier otro recurso efectivo ante los jueces o tribunales competentes, que la ampare contra actos que violen sus derechos fundamentales reconocidos por la Constitución, la ley o la presente Convención, aun cuando tal violación sea cometida por personas que actúen en ejercicio de sus funciones oficiales.

En nuestro sistema jurídico corresponde al poder judicial juzgar y hacer ejecutar lo juzgado. La administración penitenciaria no es un órgano que ejerza jurisdicción, pues los órganos de la administración no cumplen con los requisitos exigidos por la CPR para ser considerados órganos jurisdiccionales. Pereira señala que, si bien el acto administrativo dictado por entes administrativos adquiere definitividad por el agotamiento de los recursos administrativos, ello no puede confundirse con el efecto de cosa juzgada que adquieren las sentencias judiciales. Precisamente la actividad administrativa puede ser impugnada ante el órgano jurisdiccional, por lo que mediando esa posibilidad de impugnación ante un órgano que decide el asunto, definitiva e irrevocablemente, dicha actividad no puede ser considerada en ningún caso como jurisdiccional[376].

Ahora bien, por tutela judicial efectiva se entiende el derecho fundamental que toda persona tiene a la prestación judicial, es decir, a obtener una decisión fundada sobre el fondo de la cuestión que, en el ejercicio de sus derechos e intereses legítimos, haya planteado ante los órganos judiciales[377]. Esta tutela judicial comprende a su vez, cuatro derechos: acceso a la jurisdicción o al proceso; derecho a la defensa; derecho a una resolución razonada y fundada en derecho; y que la resolución obtenida sea efectiva[378].

Para que exista tutela judicial efectiva las características que debería tener el acceso a la justicia son: proximidad, agilidad, vías de intervención directa y oralidad. Para lograr la proximidad se ha planteado la conveniencia de que el juez penitenciario tenga su despacho en el interior del recinto penal. En relación con la agilidad, teniendo en consideración como se desarrolla la vida intramuros, se señala que la sociedad carcelaria reclama una decisión judicial oportuna, rápida y próxima al conflicto. Así, por ejemplo, no tendría sentido reclamar de una sanción administrativa de aislamiento en celda solitaria, si el juez resuelve después de ejecutado el castigo. En relación con las vías de intervención directa, se propugna

[376]   Pereira Anabalón, *Curso de Derecho Procesal. Derecho Procesal Orgánico*, (Santiago de Chile: Editorial ConoSur, 1996), 102.

[377]   Chamorro Bernal, *La tutela judicial efectiva. Derechos y garantías procesales derivados del artículo 24.1 de la Constitución*. (Barcelona: Editorial Bosch, 1994), 11.

[378]   C. Peña, "Tutela judicial efectiva en el ordenamiento jurídico interno", en *Sistema jurídico y derechos humanos: El derecho nacional y las obligaciones internacionales de Chile en materia de derechos humanos, Cuadernos de análisis jurídicos serie publicaciones especiales*, eds. C. Medina, J. Mera (Santiago: Ediciones Universidad Diego Portales, 1996), 663.

la simplificación o ausencia de formas procedimentales para facilitar la accesibilidad a la justicia, lo que no debe interpretarse en el sentido de favorecer las intervenciones de plano en cuestiones que afecten los derechos de los penados. Por último, en relación con la oralidad se prefiere una tramitación oral ante el juez penitenciario que facilite el procedimiento.

En el derecho comparado existen dos tendencias para configurar esta tutela, lo que está directamente relacionado con el alcance o delimitación que le damos al derecho penitenciario: de un lado, los países que se inclinan por un juez de vigilancia penitenciaria, como, por ejemplo España, que son jueces especializados, con funciones específicas para ejercer un control judicial sobre la administración penitenciaria, controlar la legalidad en la ejecución y tutelar los derechos de las personas recluidas; y, de otro, los países que han preferido llamarle juez de ejecución de penas, que son jueces que tienen competencia para resolver sobre toda incidencia que se produzca en esta etapa, sean o no penas privativas de libertad.

Ahora bien, si se considera que lo penitenciario está referido solo a la pena privativa de libertad, la fase de ejecución resultará sometida al control de dos órganos judiciales diferentes: uno, dedicado a la ejecución de las sentencias penales, y, otro, específicamente, a la cuestión penitenciaria. Si el control abarca la ejecución de todas las penas, entonces se trata de un órgano judicial encargado de la ejecución de las penas en general[379].

En cuanto a la competencia, se ha sostenido que esta puede abarcar tanto la dimensión temporal de la pena, como cuestiones relativas a las condiciones materiales de ejecución. Dentro de la dimensión temporal de la pena, los jueces pueden tener competencia sobre diversos aspectos sustantivos como, por ejemplo, unificaciones, penas mixtas, abonos, prescripción, incluso, excarcelaciones o beneficios intrapenitenciarios que puedan significar acortamiento de condena. Tratándose de condiciones de ejecución, la competencia abarca la protección de los derechos de la población interna y la corrección de los abusos y desviaciones del poder administrativo como, por ejemplo, intervención en los procedimientos sancionatorios, traslados, quejas, peticiones, entre otras cuestiones.

En cuanto a sus límites, se ha discutido si es necesario establecer de forma taxativa lo que puede hacer o no el juez en materia penitenciaria, para no

---

[379] Mapelli, *et.al.*, *Ejecución de la pena*, 174.

colisionar con el principio de legalidad o, si es inconveniente establecer límites expresos que impliquen privar al órgano tutelar de intervenir en todo aquello que pueda significar lesión o privación de derechos fundamentales de las personas privadas de libertad.

En el ámbito nacional, el art. 19 n°3 inc. 1° de la carta fundamental asegura a todas las personas la igual protección de la ley en el ejercicio de sus derechos, norma tutelar del sistema jurídico en su totalidad, de forma tal que las declaraciones de derechos no queden en simples normas escritas, pudiéndose reclamar el ejercicio de estos, a través de acciones y recursos jurisdiccionales que sean eficaces y efectivos. Sin embargo, la privación de libertad, por las limitaciones propias de ese estado, genera múltiples dificultades para ejercitar el derecho de acceso a la justicia, prerrogativa fundamental para lograr la protección de los demás derechos pues, aunque el art. 9° del REP regula el derecho de petición y la posibilidad de recurrir ante las autoridades competentes, en la práctica su ejercicio se ve dificultado por una serie de factores.

Esta dificultad de acceso a la justicia viene condicionada por la concepción que se tiene de la relación Estado-persona presa, la que sigue ejecutándose bajo la lógica de la relación de sujeción especial, concepción que también permea en la judicatura. Este contexto es propicio para el abuso en el ejercicio de las facultades disciplinarias o la comisión de delitos por parte de funcionarios de la institución los que, si bien son objeto de sumarios internos, muy pocos de ellos terminan en una sanción.

Horvitz señala que confluyen múltiples factores: falta de denuncia por temor a represalias de parte de los gendarmes o de otras personas internas, la complicidad o tolerancia de la propia autoridad penitenciaria, secretismo de la información, la ausencia de evidencia eficaz y falta de confianza en la eficacia de las acciones judiciales[380], a lo que se agrega una reacción ambigua por parte del Ministerio Público, organismo encargado de investigar la comisión de todo acto que sea delito, pues son muy pocos los casos que derivan en una investigación formalizada, lo que genera una justificada sensación de impunidad[381].

---

[380] Horvitz, "La insostenible situación…", 928.

[381] Gómez Bernales, *Derechos fundamentales y recurso de protección*. (Santiago de Chile: Ediciones Universidad Diego Portales, 2005), 530. Un estudio de la Universidad Diego Portales examinó más de 9.000 recursos de protección presentados ante la Corte de Apelaciones de Santiago, entre 1990 y 1998, como también resoluciones dictadas por la Corte Suprema, entre 1998 y 2003, de los cuales solo 98

Con todo, existen diversos principios y mecanismos protectores de los derechos fundamentales aplicables a todo ser humano, los que conviene tener siempre en consideración frente a cualquier situación que reclame tutela jurisdiccional. Varios de ellos están diseminados en la CPR y otros en la legislación ordinaria. En materia constitucional el bloque normas y principios se puede sintetizar así: Principio general de igualdad (art. 1°); Remisión general a los derechos humanos contemplados en tratados internacionales (art. 5° inc. 2°); Obligatoriedad para los órganos del Estado de actuar conforme a los preceptos de la Constitución (art. 6° y 7°); Catálogo de derechos fundamentales (art. 19); Recursos constitucionales de protección y amparo (art. 20 y 21); Derecho a efectuar reclamos (art. 38).

En materia legal y reglamentaria, el CPP y el REP disponen una serie de normas y reglas específicas aplicables a las personas presas y que conforma un bloque de protección que puede sintetizarse de la siguiente manera: La oportunidad para hacer valer los derechos y garantías de las personas privadas de libertad va desde la primera actuación del procedimiento que se dirige en contra de una persona imputada de un delito, hasta la completa ejecución de la sentencia (art. 7° del CPP). La condición jurídica de la persona privada de libertad es idéntica a la de los ciudadanos libres, de manera que fuera de los derechos limitados o restringidos por la sentencia condenatoria, su condición de sujeto de derecho no se pierde (art. 2° del REP). Sujeción de la actividad penitenciaria al bloque constitucional y a los tratados internacionales. El REP dispone expresamente que la actividad penitenciaria se desarrollará con las garantías y dentro de los límites establecidos por la CPR y tratados internacionales, y que sus normas deben ser aplicadas sin diferencias de trato (art. 4° y 5° del REP). Prohibición de tortura, tratos crueles, inhumanos o degradantes (art. 6° REP). El principio de presunción de inocencia (art. 7° REP). El derecho de petición y reclamo (art. 10 REP). Principios básicos de la organización de los establecimientos penitenciarios y los principios de seguridad, orden y disciplina (art. 24, 25, 33 REP). Régimen de la persona en prisión preventiva (art. 29 REP). Y normas especiales para los adolescentes y mujeres privadas de libertad.

---

estaban referidos a recursos de reclusos en contra de Gendarmería. La mayoría de esos recursos invocó como derecho constitucional afectado la salud, y solo el 7,1% fue acogido. Gómez destaca que ninguna resolución se refiere a los derechos constitucionales del recluso, y para el rechazo de los mismos se argumenta que tales materias son de atribución exclusiva de Gendarmería de Chile.

2.2 Juez de ejecución

En nuestro país, el control jurisdiccional de la pena privativa de libertad, a falta de tribunales de ejecución especializados en la materia, está entregado al juez de garantía, quien debe conocer las peticiones de la defensa y resolver los conflictos particulares de las personas que se encuentran privadas de libertad, y que reclaman de intervención judicial. Esta competencia emana de lo establecido en el art. 466 del CPP y art.14 letra f) y 113 inc. 2° del COT, normas que por su importancia vamos a reproducir:

> Art. 466: Intervinientes. Durante la ejecución de la pena o de la medida de seguridad, sólo podrán intervenir ante el competente juez de garantía el ministerio público, el imputado, su defensor y el delegado a cargo de la pena sustitutiva de prestación de servicios en beneficio de la comunidad, de libertad vigilada o de libertad vigilada intensiva, según corresponda.
>
> El condenado o el curador, en su caso, podrán ejercer durante la ejecución de la pena o medida de seguridad todos los derechos y facultades que la normativa penal y penitenciaria le otorgare.
>
> Art. 14: Los juzgados de garantía estarán conformados por uno o más jueces con competencia en un mismo territorio jurisdiccional, que actúan y resuelven unipersonalmente los asuntos sometidos a su conocimiento.
>
> f) Hacer ejecutar las condenas criminales y las medidas de seguridad, y resolver las solicitudes y reclamos relativos a dicha ejecución, de conformidad a la ley procesal penal.

En la primera disposición se establece una delimitación de los intervinientes que pueden actuar en la etapa de ejecución de la pena. En la segunda, se establecen las materias que son de competencia de los Juzgados de Garantía, indicándose expresamente la fase de ejecución de la pena. Por su parte, el art. 113 del COT en sus dos primeros incisos prescribe:

> La ejecución de las resoluciones corresponde a los tribunales que las hubieren pronunciado en primera o en única instancia.
>
> No obstante, la ejecución de las sentencias penales y de las medidas de seguridad previstas en la ley procesal penal será de competencia del Juzgado de Garantía que hubiere intervenido en el respectivo procedimiento penal.

En consecuencia, son los tribunales de garantía los competentes para el conocimiento de toda cuestión que se suscite durante la etapa de ejecución penal. Ahora bien, esta competencia comprende dos ámbitos: hacer ejecutar la condena y, resolver solicitudes y reclamos relativos a dicha ejecución. En lo que respecta a la primera facultad, se aplica el procedimiento regulado en el art. 468 y ss. del CPP y, respecto de la segunda, la doctrina tiene diferentes posturas a la hora de establecer el límite, dado que la ley no alude a ello.

Por un lado, autores como Pfeffer estiman que el control de ejecución de la pena, en esas cuestiones, queda entregado a las autoridades administrativas, ya que el legislador no ha creado los jueces especiales de ejecución. En contra, Horvitz sostiene que la competencia que entrega la letra f) del art. 14 del COT implica que, a falta de un juez de garantía de ejecución penitenciaria, la ley atribuye a los jueces de garantía competencia para resolver las solicitudes y reclamos de las personas presas o penadas y de las personas a quienes se haya aplicado una medida de seguridad que se planteen durante el tiempo de ejecución de la condena o medida[382].

Ahora bien, en nuestra normativa existen algunas herramientas jurídicas que son manifestaciones claras de que este tipo de cuestiones no es posible de sustraerlas del control de los jueces. Entre ellas, el amparo del art. 95 del CPP; la cautela de garantías del art. 10 del mismo cuerpo legal, y las visitas judiciales.

2.2.1 Amparo (art. 95 CPP)

El amparo ante el juez de garantía es una acción que emana de la facultad conservadora que tiene la jurisdicción y tiene por objeto preservar la libertad ambulatoria y la recta observancia de las normas que regulan la privación de libertad[383]. Por lo tanto, se caracteriza como acción reparadora y correctiva: reparadora porque tiene por objeto hacer cesar una privación de libertad ilegal y, correctiva porque a través de esta acción el juez puede corregir o cambiar las condiciones de privación de libertad en que se encuentra una persona o, la agravación ilegítima de las condiciones de encierro. Se diferencia del amparo constitucional porque este último es más amplio, pudiendo poner término a una amenaza a la libertad o seguridad individual de forma preventiva.

Su contenido está regulado en el art. 95 del CPP, el que dispone:

---

[382] Horvitz, López, *Derecho Procesal Penal chileno, Tomo II.* (Santiago de Chile: Editorial Jurídica de Chile, 2004), 204.
[383] Chahuán, *Manual del nuevo procedimiento penal.* (Santiago de Chile: Editorial Jurídica Cono Sur Ltda., 2001), 124.

Amparo ante el juez de garantía. Toda persona privada de libertad tendrá derecho a ser conducida sin demora ante un juez de garantía, con el objeto de que examine la legalidad de su privación de libertad y, en todo caso, para que examine las condiciones en que se encontrare, constituyéndose, si fuere necesario, en el lugar en que ella estuviere. El juez podrá ordenar la libertad del afectado o adoptar las medidas que fueren procedentes.

El abogado de la persona privada de libertad, sus parientes o cualquier persona en su nombre podrán siempre ocurrir ante el juez que conociere del caso o aquél del lugar donde aquélla se encontrare, para solicitar que ordene que sea conducida a su presencia y se ejerzan las facultades establecidas en el inciso anterior.

Con todo, si la privación de libertad hubiere sido ordenada por resolución judicial, su legalidad sólo podrá impugnarse por los medios procesales que correspondan ante el tribunal que la hubiere dictado, sin perjuicio de lo establecido en el art. 21 de la Constitución Política de la República.

De la norma descrita se desprende que puede ser interpuesto por cualquier persona, sin mayor formalidad, pues persigue el acceso a la justicia en forma rápida, oportuna y sin mayores dilaciones. Otorga el derecho a la persona interna (detenida, presa o condenada) de ser conducida sin demora ante el juez, y permite también que este último se constituya en el lugar donde estuviere quien se ampara si la situación lo ameritase.

En la audiencia el juez deberá adoptar medidas, ya sea para reparar una privación de libertad ilegal y ordenar la libertad, o para mejorar las condiciones privativas de libertad. En este último caso, se abre un abanico considerable de situaciones que pueden ser objeto de conocimiento del tribunal. Ahora bien, en cuanto a las medidas concretas que se adopten por la autoridad judicial, estas deben ser acatadas por la administración, de lo contrario esta última podría incurrir en desacato.

Si el juez no adopta medidas o estas son insuficientes, no está otorgando la tutela judicial efectiva a la que está llamado, de forma tal que, si bien la ley no establece un recurso específico, nada impide la interposición de un recurso de amparo en contra de la judicatura si esta no ejerce tutela[384], más aún cuando se cuestiona por algunos la interposición del recurso de apelación, argumentando que el supuesto no está dentro de los casos que prevé el art. 370 del CPP.

En nuestro sistema penitenciario, esta herramienta es muy usada por los operadores jurídicos, básicamente por su rapidez y desformalización

---

[384] Corte de Apelaciones de Valdivia. SCA Rol N°3-2020 de 15 de febrero de 2020. Si bien se rechazó el amparo constitucional, la Corte de Apelaciones realizó diligencias activas en orden a conocer la situación que aquejaba a la interna. Es decir, se efectuó la tutela judicial reclamada.

(incluso podría entablarse el amparo de forma verbal). Tiene la aptitud de lograr una rápida intervención judicial, pero su eficacia es reducida, debida a la falta de especialización de la judicatura en materia penitenciaria.

2.2.2 Cautela de garantías (art. 10 CPP)

También es una acción que emana de las facultades conservadoras del poder judicial, cuyo objeto es permitir el ejercicio de los derechos que otorgan las garantías judiciales consagradas en la CPR, leyes o normativa internacional ratificada por el Estado de Chile. Se regula en el art. 10 del CPP.

> *Cautela de garantías. En cualquiera etapa del procedimiento en que el juez de garantía estimare que el imputado no está en condiciones de ejercer los derechos que le otorgan las garantías judiciales consagradas en la Constitución Política, en las leyes o en los tratados internacionales ratificados por Chile y que se encuentren vigentes, adoptará, de oficio o a petición de parte, las medidas necesarias para permitir dicho ejercicio.*
>
> *Si esas medidas no fueren suficientes para evitar que pudiere producirse una afectación sustancial de los derechos del imputado, el juez ordenará la suspensión del procedimiento por el menor tiempo posible y citará a los intervinientes a una audiencia que se celebrará con los que asistan. Con el mérito de los antecedentes reunidos y de lo que en dicha audiencia se expusiere, resolverá la continuación del procedimiento o decretará el sobreseimiento temporal del mismo.*
>
> *Con todo, no podrá entenderse que existe afectación sustancial de los derechos del imputado cuando se acredite, por el Ministerio Público o el abogado querellante, que la suspensión del procedimiento solicitada por el imputado o su abogado sólo persigue dilatar el proceso.*

Esta norma es coherente con lo dispuesto en el art. 7° del CPP, norma que declara que las facultades, derechos y garantías que la CPR, el Código y otras leyes reconocen a la persona imputada, podrán hacerse valer por esta desde la primera actuación del procedimiento dirigido en su contra hasta la completa ejecución de la sentencia. Para este efecto, se entenderá por primera actuación del procedimiento, cualquiera diligencia o gestión, sea de investigación, de carácter cautelar o de otra especie, que se realizare por o ante un tribunal con competencia en lo criminal, el Ministerio Público o la policía, en la que se atribuyere a una persona responsabilidad en un hecho punible.

Por lo tanto, mediante esta acción cautelar se exige al juez la adopción de oficio, o a petición de parte, de las medidas necesarias para restablecer el ejercicio que otorgan las garantías legales, constitucionales e internacionales. En definitiva, se persigue restablecer el imperio del derecho.

2.2.3 Visitas judiciales

Las visitas judiciales están reguladas a partir de los arts. 567 y ss. del COT. Su frecuencia es semanal, semestral y, en algunos casos, se hacen de forma extraordinaria. Sin embargo, las visitas carcelarias tienen poca incidencia en la denuncia de las condiciones intramuros, porque nunca han sido usadas como parte de un procedimiento de tutela para la corrección o sanción de abusos que afecten a las personas presas.

Las visitas semanales forman parte de la competencia del juez de garantía. Este último debe visitar a la población que está en prisión preventiva y a las personas condenadas el último día hábil de cada semana para: a) Oír uno a uno sus reclamos, respecto de los cuales adoptará las medidas que crea convenientes para subsanar las faltas. Si la persona presa o su representante consideran ineficaz la medida podrá proponer otra, y si esta es desechada por el juez, podrá apelar de la resolución. En la práctica la población penitenciaria ignora que tienen la facultad de apelar personalmente; b) Reconocer en seguida el estado de aseo y seguridad de los calabozos, oyendo las observaciones del Alcaide a este respecto, y tomará nota del movimiento de ingreso y egreso de población reclusa que haya habido durante el curso de la semana, diligencia que deberá hacer constar en un acta[385].

En cambio, las visitas semestrales son realizadas por una comisión conjunta de jueces en la cual también tiene participación el juez de Juzgado de Garantía, junto con un juez del Tribunal de Juicio Oral en lo Penal y un ministro de la Corte de Apelaciones respectiva. En toda ciudad en que existan cárceles o establecimientos penales se debe hacer, a lo menos, una

---

[385]   COT (art. 574): "Cada juez que practique la visita de los detenidos o presos levantará un acta en que se contenga una exposición minuciosa de las observaciones que hubiere hecho y de los reclamos que se le hubieren dirigido durante ella. En el acta se expresarán el movimiento que hubiere tenido la cárcel y la indicación del nombre y apellido de cada uno de los individuos procesados por el juzgado o tribunal, que hubieren entrado y salido durante la semana; COT (art. 575): Una copia autorizada del acta será enviada el mismo día a la Corte de Apelaciones respectiva; y este tribunal procederá a examinarla en el acto que la reciba. Si en ella se consigna alguna resolución del juez que hubiere sido apelada, mandará traer los antecedentes en relación, y le dará lugar preferente en la primera tabla que se forme. Con audiencia verbal de las partes que concurran, y sin otro trámite, fallará la Corte el recurso pendiente".

visita en el primer semestre y otra en el segundo semestre del año, a cada uno de ellos, a fin de tomar conocimiento del estado de seguridad, orden e higiene y, para oír las reclamaciones de la población interna que cumple condena.

Estas visitas se practicarán, sin aviso previo, en la fecha y hora que determine el presidente de la visita, por sí o a petición de cualquiera de sus miembros. Y en aquella oportunidad, conforme al art. 582, deberán: a) Inspeccionar los diferentes departamentos de la casa. Pedir información del trato y del alimento que se da a la población reclusa, de cómo se cumple el reglamento y se llevan las cuentas de las economías de las personas presas; b) El presidente deberá advertir a la población interna que pueden hacer las reclamaciones que les convengan. Los directores o jefes de la casa visitada presentarán a todas las personas reclusas que en ella haya, en la forma que la visita ordene. De las reclamaciones que se refirieren a vejaciones indebidas, coacción de la libertad de defensa o prolongación injustificada en la tramitación de los procesos, se dejará testimonio escrito y de ellas conocerá la Corte de Apelaciones para la adopción de las medidas procedentes.

Si esta Comisión notare abusos o defectos que pueda corregir, obrando dentro de sus atribuciones, dará las órdenes del caso. Incluso, puede acordar, si lo estima oportuno, hacer presentaciones al Presidente de la República, en favor de alguna persona presa, o en relación al recinto penitenciario.

Ahora bien, se ha sostenido que en materia de ejecución penitenciaria no existe la posibilidad de recurrir en contra de las resoluciones del juez de garantía, pues de conformidad con lo dispuesto en el art. 370 del CPP, sus resoluciones solo son apelables en dos casos: a) Cuando pusieren término al procedimiento, hicieren imposible su prosecución o la suspendieren por más de treinta días y; b) Cuando la ley lo señale expresamente. Sin embargo, el art. 95 del CPP debido a su naturaleza cautelar, destinado a reparar o a corregir una privación de libertad ilegal o arbitraria, o un agravamiento de condiciones carcelarias, pone en movimiento un mecanismo de protección de derechos fundamentales. En ese sentido, la resolución que dicte el juez de garantía es susceptible de apelación, porque su decisión pone término a un procedimiento cautelar destinado a tutelar derechos[386].

De otra parte, también podría ser objeto de una acción de amparo constitucional si el juez no ejerce tutela judicial efectiva. Kendall sostiene que la única posibilidad de impugnación de la resolución sería el recurso de queja, pues se trataría de una sentencia interlocutoria que no es susceptible de recurso alguno y en la cual se ha cometido una falta o abuso[387]. No obstante, hay escasos fallo que parecen ir en el sentido contrario[388]. Con todo, no se puede olvidar que el derecho al recurso forma parte del derecho al debido proceso, por lo tanto, al tenor de lo dispuesto en los arts. 19 n°3 inc.5° de la CPR; art. 14 n°5 del PIDC; art. 8° n°2 letra h) de la CADH, debe arbitrarse alguna vía recursiva.

Ahora bien, es posible que el reclamo se impetre en el contexto de una visita carcelaria del juez de garantía. En este último caso, la resolución del juez es apelable de conformidad a lo dispuesto en los arts. 571 y 575 del COT. Para Kendall, esta vía recursiva dice relación con situaciones constatadas en terreno por la judicatura, tales como, vejaciones, coacciones a la libertad de defensa, entre otros. Se trataría de solucionar vías de hecho que afecten los derechos del recluso[389].

2.3 Las Cortes y las personas privadas de libertad

2.3.1 Amparo constitucional o *habeas corpus*

Se trata de una acción constitucional que cualquier persona puede interponer ante los tribunales superiores de justicia, cuando se ha afectado su libertad o seguridad personal con infracción a la Constitución o a la

---

[386]   Véase, Corte de Apelaciones de Valdivia. SCA Rol N°736-2021 de fecha 18 de noviembre de 2021. Si bien es este caso la Corte no se pronuncia respecto a la procedencia del recurso de apelación, si resuelve la cuestión de fondo debatida.

[387]   Kendall, *Tutela judicial efectiva*, 171-172.

[388]   Véase, Corte de Apelaciones de Valdivia. SCA Rol N°451-2020 de 12 de junio de 2020: "Que de conformidad con el artículo 545 del Código Orgánico de Tribunales, el recurso de queja sólo procede en contra de sentencias definitivas o interlocutorias que ponen término al juicio o hacen imposible su prosecución y siempre que no sean susceptibles de ningún otro recurso, sea ordinario o extraordinario. En tales términos, la resolución que se impugna en estos antecedentes no participa de la naturaleza jurídica antes indicada, razón suficiente para declarar inadmisible el recurso".

[389]   Kendall, *Tutela judicial efectiva*, 172.

ley, a fin de que se adopten las medidas necesarias para restablecer el imperio del derecho. Está regulado en el art. 21 de la CPR y en el auto acordado de la Corte Suprema de 19 de diciembre de 1932, y salvaguarda dos aspectos: la libertad y seguridad personal, derechos consagrados por el art. 19 n°7 de la Carta fundamental.

Por libertad personal, en términos generales, se ha entendido la capacidad de hacer y no hacer todo lo que esté lícitamente permitido. En otras palabras, constituye el derecho de toda persona de organizar, con arreglo a la ley, su vida individual y social conforme a sus propias opciones y convicciones. En cambio, por seguridad individual, se entiende el derecho a que las privaciones o perturbaciones que de la libertad personal se hagan, se conformen con lo prescrito en la Constitución y las leyes.

Nogueira ha señalado que la interpretación sistemática, armónica y finalista de las disposiciones contenidas en los artículos 5° inc. 2°, 21 de la CPR, y 25 de la CADH nos lleva a sostener que el recurso de amparo o *habeas corpus* en nuestro ordenamiento jurídico, es simultáneamente un derecho esencial que tienen las personas para hacer efectiva la tutela judicial efectiva contra toda privación, perturbación o amenaza legítima de su libertad personal y su seguridad individual, como asimismo un procedimiento especial de carácter constitucional, breve y sumario, mediante el cual las autoridades judiciales respectivas garantizan la libertad personal y la seguridad individual[390].

Las Cortes se han pronunciado, por la vía del amparo, respecto de las siguientes cuestiones: negativa de libertad condicional, negativa o revocación de permisos de salida, negativa de reducción de condena, sanciones disciplinarias, traslados, condiciones de encierro inhumanas o degradantes, hacinamiento, apremios físicos y sicológicos, amenazas, entre otros.

2.3.2 Recurso de protección

Esta acción constitucional tiene por objeto salvaguardar los derechos fundamentales de toda persona que sufra privación, perturbación o amenaza en el ejercicio legítimo de estos. Es una acción de carácter cautelar, que se ejerce sin perjuicio de los demás derechos que se pueda hacer valer

---

[390]   Nogueira Alcalá, *Dogmática Constitucional.* (Santiago: Editorial Universidad de Talca, 1997), 261.

ante la autoridad o los tribunales correspondientes. Está regulado en el art. 20 de la CPR, y su correspondiente auto acordado de la Corte Suprema, de fecha 28 de agosto de 2015.

De conformidad con esta última regulación, el plazo de interposición es de treinta días corridos, desde que ocurre la privación, perturbación o amenaza, lo que en el caso de los privados de libertad implica una cortapisa que limita el ejercicio de la acción, pues estos no tienen libre disposición para obtener asistencia jurídica, por lo que no es la acción más utilizada por los operadores. Sin embargo, existe jurisprudencia que por esta vía se ha pronunciado respecto de cuestiones relativas a la libertad condicional, traslados, sanciones disciplinarias, no concesión de beneficio de reducción de condena, condiciones de encierro, hacinamiento, apremios físicos y sicológicos, amenazas, entre otros.

Kendall señala que la experiencia demuestra que los recursos de protección en favor de la población reclusa se interponen para dejar sin efecto actos o resoluciones administrativas de Gendarmería. O sea, se utiliza como una instancia contenciosa administrativa, en circunstancias que se trata de una acción meramente cautelar, no contenciosa[391]. Asimismo, señala que en el ámbito penitenciario las acciones de amparo y protección no constituyen un procedimiento de tutela judicial efectiva de los derechos fundamentales de las personas privadas de libertad porque no se cumple con el principio de la efectividad de los instrumentos o medios procesales destinados a garantizar derechos fundamentales[392].

2.3.3 Visitas judiciales

Las Cortes también realizan visitas judiciales a los establecimientos penitenciarios. Son de carácter extraordinarias, realizadas por el presidente y un ministro que designe la Corte Suprema. Ellos podrán constituirse en visita en cualquiera de las cárceles y establecimientos penales de la República cuando así lo estime necesario el presidente del máximo tribunal. Su

---

[391]   Kendall, *Tutela judicial efectiva*, 163.
[392]   Kendall, *Tutela judicial efectiva*, 164. El autor refiere estudios estadísticos que demuestran que estas acciones han sido ineficaces como mecanismos de tutela de los derechos de los reclusos, ya que la mayoría de ellas son rechazadas. Kendall cita un estudio realizado por Stippel, en el año 2007, que constata que, de un universo de 459 recursos presentados, el 60,8% fue declarado admisible, el 33,6% inadmisible, el 5,7% restante no fue sometido a tramitación. De los recursos admisibles un 8,6% fue acogido y el 89,6% fue rechazado.

finalidad es la misma que las visitas semestrales. También puede hacer esta visita el presidente y un ministro de la Corte de Apelaciones respectiva.

3. TUTELA ADMINISTRATIVA

3.1 Derecho de petición

Desde el momento que la persona ingresa a prisión debe tener información acerca de sus derechos, deberes y los medios que franquea la ley para hacerlos valer ante la autoridad competente. El derecho de toda persona privada de libertad de interponer una queja o petición administrativa fue reconocido por primera vez por las Reglas Mínimas para el Tratamiento de los Reclusos, del año 1955, derecho que se mantiene en las Reglas de Mandela (Reglas 54 a 57) en los mismos términos.

En Chile, los arts. 9° y 58 del REP estatuyen la posibilidad de que toda persona presa pueda recurrir ante las autoridades pertinentes con el objeto de efectuar reclamaciones, peticiones y quejas. El art. 9° dispone que las personas privadas de libertad en defensa de sus derechos e intereses pueden dirigirse a las autoridades competentes y formular las reclamaciones y peticiones pertinentes, a través de los recursos legales. Por su parte, el art. 58 prescribe que estas peticiones se deben efectuar en forma individual, verbal o por escrito, las cuales deben ser cursadas y contestadas por escrito o de forma verbal por el Alcaide en las audiencias que conceda. En ningún caso el encargado de su recepción puede negarse a recibir o tramitar una petición. Asimismo, se establece un plazo de quince días corridos para responder, o a lo menos para informar el estado de tramitación en que se encuentra. Y, por último, se establece expresamente, que el ejercicio de este derecho no obsta a la interposición de los recursos judiciales que sean pertinentes.

Sobre la prohibición de que la población penitenciaria presente peticiones o reclamaciones en forma colectiva, Stippel sostiene que este impedimento encuentra su correlato en el art. 80 letra h) del REP, por cuanto se castiga como falta leve el hecho de formular reclamaciones relativas a la internación, sin hacer uso de los medios reglamentarios. De esta forma, la interposición de peticiones colectivas podría ser castigada con alguna de las medidas señaladas en el art. 81 del mismo cuerpo reglamentario, ya que no son peticiones individuales y como tal escaparían al estándar normativo dispuesto[393].

Ahora bien, al no establecer el REP ninguna vía de impugnación administrativa en contra de las decisiones que adopte la autoridad penitenciaria, se hace necesario integrar el procedimiento con la generalidad de las normas que regulan los procedimientos administrativos[394]. En consecuencia, se debe acudir a las normas de la Ley de Base de los Procedimientos Administrativos, Ley N°19.880, la que estipula en el art. 2° que sus disposiciones serán aplicables a los ministerios, las intendencias, las gobernaciones y los servicios públicos creados para el cumplimiento de la función administrativa. También se aplicarán a la Contraloría General de la República, a las Fuerzas Armadas y a las Fuerzas de Orden y Seguridad Pública, a los gobiernos regionales y a las Municipalidades. Por lo tanto, siendo Gendarmería un servicio público le es plenamente aplicable.

En la práctica es común que las personas privadas de libertad se quejen de que sus reclamaciones no lleguen a conocimiento de la autoridad penitenciaria invocando distintas razones. Ahora bien, si un funcionario de Gendarmería se niega a recibir o a dar curso una petición de un recluso constituye una falta administrativa y también un delito tipificado en el art. 257 del CP sancionable con multa. Lo anterior es concordante con el art. 15 de la LOGenchi que establece el deber del personal de Gendarmería de otorgar a cada persona privada de libertad un trato digno propio de su condición humana y que cualquier trato vejatorio o abuso de autoridad será debidamente sancionado conforme a las leyes y reglamentos vigentes.

Por consiguiente, si no hay respuesta oportuna de la solicitud, se aplica supletoriamente el silencio administrativo positivo, regulado en el art. 64 de la Ley N°19.880. Esta figura atribuye efectos a la falta de pronunciamiento, dentro de plazo, por parte de los órganos de la administración del Estado, de toda solicitud que haya originado un procedimiento. La persona interesada podrá denunciar el incumplimiento ante la autoridad que debía resolver el asunto la que deberá recibir la denuncia, con expresión de su fecha, y elevar copia de ella a su superior jerárquico dentro del plazo de 24 horas. Si la autoridad que debe resolver

---

[393]   Stippel, *Las cárceles y la búsqueda de una política criminal*, 156.
[394]   Salinero, "Los permisos de salida", 46.

el asunto no se pronuncia en el plazo de cinco días contados desde la recepción de la denuncia, la solicitud se considerará aceptada.

Como ya mencionamos, el derecho de petición tiene la limitación establecida en el art. 80 letra h) que sanciona como falta leve el hecho de formular reclamaciones relativas a la internación sin hacer uso de los medios reglamentarios. Debido a ello, Stippel sostiene que contrario a lo que dispone la normativa internacional, el ejercicio de este derecho en el ámbito penitenciario chileno se halla restringido lo que puede implicar, legalmente, un perjuicio para las personas recluidas[395].

3.2 Recurso de reposición, apelación y revisión

Los recursos que se franquean en sede administrativa son el de reposición, apelación y revisión. El recurso de reposición es una acción que se interpone ante el mismo órgano que dictó el acto que se impugna con el objeto de lograr una reconsideración. Para deducirlo se tiene un plazo de cinco días contados desde la notificación de la resolución recurrida y la administración tiene el plazo de treinta días para resolver. Si acoge el recurso podrá modificar, reemplazar o dejar sin efecto el acto impugnado. Si no acoge, la resolución es susceptible de recurso de apelación ante el superior jerárquico.

El recurso de apelación es una acción que se interpone en el plazo de cinco días contados desde la notificación de la resolución recurrida, salvo que se haya interpuesto conjuntamente con la reposición y en subsidio de esta. Este último recurso consiste en una reclamación dirigida a impugnar un acto dictado por un órgano administrativo subordinado a otro, a fin de que el superior jerárquico modifique o revoque el acto según las pretensiones de quien recurre. El superior jerárquico deberá resolver dentro del plazo de treinta días contados desde su presentación. Ambas vías recursivas se regulan en el art. 59 de la Ley N° 19.980.

Por su parte, el recurso de revisión es de carácter general y procede en contra de actos administrativos firmes. Se interpone ante el superior jerárquico, o en su defecto, ante quien lo hubiera dictado, siempre que concurra alguna de las causales establecidas en el art. 60 de la ley. A saber:

---

[395]   Stippel, *Las cárceles y la búsqueda de una política criminal*, 156.

a) Que la resolución se hubiere dictado sin el debido emplazamiento; b) Que, al dictarlo, se hubiere incurrido en manifiesto error de hecho y que este haya sido determinante para la decisión adoptada, o que aparecieren documentos de valor esencial para la resolución del asunto, ignorados al dictarse el acto o que no haya sido posible acompañarlos al expediente administrativo en aquel momento; c) Que por sentencia ejecutoriada se haya declarado que el acto se dictó como consecuencia de prevaricación, cohecho, violencia u otra maquinación fraudulenta y; d) Que en la resolución hayan influido de modo esencial documentos o testimonios declarados falsos por sentencia ejecutoriada posterior a aquella resolución, o que siendo anterior, no hubiese sido conocida oportunamente por el interesado.

El plazo de interposición es de un año, computado desde el día siguiente a aquel en que se dictó la resolución en los casos de las letras a) y b). En cambio, respecto de las letras c) y d), dicho plazo se contará desde que la sentencia quede ejecutoriada, salvo que ella preceda a la resolución cuya revisión se solicita, caso en el cual el plazo se computará desde el día siguiente al de la notificación de esta.

Para finalizar, es necesario señalar que estos mecanismos administrativos han sido objeto de múltiples críticas. En primer lugar, y de acuerdo con lo investigado por Stippel, los reclusos no se animan a presentar quejas en contra del personal ni de la administración por temor a que se tomen represalias en su contra, y porque además perciben al operador como ineficiente para dar solución a su problemática[396]. En segundo lugar, la doctrina mayoritaria ha dicho que son mecanismos insuficientes que no aseguran debidamente la tutela de los derechos de los internos porque resulta paradojal que sea la misma administración penitenciaria la que vulnera los derechos y ella misma resuelva las controversias jurídicas que acontecen al interior de los recintos penitenciarios. En tercer lugar, se debe reconocer que es precisamente su inoperancia lo que ha motivado a diferentes actores a abogar por una reforma penitenciaria que establezca mecanismos judiciales efectivos y accesibles[397].

---

[396] Stippel, *Las cárceles y la búsqueda de una política criminal*, 156.

[397] Consejo para la reforma penitenciaria, "Recomendaciones para una nueva política penitenciaria" (2010), 42, CONSEJO PARA LA REFORMA PENITENCIARIA (uchile.cl). En este sentido, el Consejo ya afirmaba anteriormente que la normativa no vuelve más proactivos a los jueces, sino que los desincentiva, delegando la tutela al ámbito administrativo. Ello contribuye a un escaso control de la ejecución de penas.

4. BREVE EXCURSO: DEFENSA PENAL PÚBLICA PENITENCIARIA

La Defensoría Penal Pública, a partir del año 2011, implementó de forma gradual la especialidad de la defensa penitenciaria, la que está dirigida a la defensa de personas adultas condenadas bajo la reforma procesal penal que se encuentren recluidas en algún establecimiento penal administrado por Gendarmería. El servicio comprende una serie de actuaciones judiciales y extrajudiciales que se extienden durante el cumplimiento de la condena privativa de libertad hasta su completa ejecución. El objetivo es resguardar los intereses, garantías y derechos de quien cumple condena.

Esta línea de defensa se estructura a partir de lo que dispone el art.19 n°3 inc. 1° de la CPR, el que asegura a todas las personas la igual protección de la ley en el ejercicio de sus derechos, y lo dispuesto en su inc. 6°, el que consagra el debido proceso. Que, asimismo, el art. 2 de la Ley N°19.718, que crea la Defensoría Penal Pública, establece que esta tiene por finalidad otorgar defensa penal a las personas imputadas o acusadas por un crimen, simple delito o falta que sea de competencia de un Juzgado de Garantía o de un Tribunal de Juicio Oral en lo Penal y de las respectivas Cortes en su caso, y que carezcan de representación legal. Por su parte, los arts. 7° y 102 del CPP, son normas que establecen de manera expresa que las facultades, derechos y garantías que la CPR, el CPP y otras leyes reconocen al imputado, podrán hacerse valer por la persona a quien se atribuye participación en un hecho punible, desde la primera actuación del procedimiento dirigido en su contra, hasta la completa ejecución de la sentencia.

La principal característica de esta defensa es su especialización. Los profesionales jurídicos de la defensa penitenciaria son abogadas y abogados capacitados en temas penitenciarios, de manera que se abocan a la defensa y representación de los derechos de todas las personas condenadas que estén dentro de la jurisdicción asignada, lo que ha contribuido a la producción de diversa jurisprudencia. A su vez, el equipo de defensa penitenciaria está conformado por asistentes sociales y administrativos con el objetivo de dar un tratamiento más integral a los usuarios que requieren defensa.

Ahora bien, en el último tiempo la Defensoría Penal Pública está implementando un nuevo modelo de prestación de servicio cuya característica principal es la universalidad de la atención. En la actualidad, en varias regiones del país los requerimientos o reclamaciones se formulan mediante solicitud espontánea de la población recluida, de sus familiares, amigos, o mediante los oficios que otras entidades públicas, como Gendarmería, jueces de Juzgados de Garantía, comisiones especiales, INDH, entre otras entidades, envían a la institución. Con el nuevo modelo se pretende un monitoreo constante de la situación intrapenitenciaria de todos los condenados y condenadas, y la cautela de sus derechos humanos, con énfasis en la violencia institucional, y, con miras a la reinserción social durante todo el cumplimiento de la pena.

CAPÍTULO ONCE

CÓMPUTOS Y REVISIONES DE CONDENA

1. ANTECEDENTES GENERALES

Para proceder a la ejecución de una condena, esta última debe encontrarse firme y ejecutoriada. Lo anterior significa que en su contra no cabe la interposición de ningún recurso procesal ordinario, ya sea porque han transcurrido los plazos legales para la interposición de estos; los intervinientes han renunciado a su interposición, manifestándolo expresamente o; habiendo sido interpuestos se ha fallado definitivamente la cuestión. Una vez que la sentencia adquiere ese carácter, está amparada por el principio de cosa juzgada, por lo que el Juzgado de Garantía decreta una a una todas las diligencias y comunicaciones que se requieren para dar total cumplimiento al fallo.

La ejecución de las sentencias penales debe efectuarse en conformidad a lo dispuesto en el art. 467 del CPP y las normas del párrafo 2° del Título VIII del Libro IV del CPP y con las establecidas en el CP y demás leyes especiales. En el caso de una condena privativa de libertad, el tribunal remitirá copia de la sentencia, con el atestado de hallarse firme, al establecimiento penitenciario respectivo dando orden de ingreso. Si la persona condenada estuviere en libertad y no se presenta voluntariamente a cumplir, el tribunal ordenará inmediatamente su aprehensión, ordenando el ingreso efectivo.

Si la sentencia hubiere concedido una pena sustitutiva a las penas privativas o restrictivas de libertad, remitirá copia de la misma a la institución encargada de su ejecución. Asimismo, el tribunal ordenará y controlará el efectivo cumplimiento de las multas y comisos impuestos en la sentencia, ejecutará las cauciones en conformidad con el art. 147 del CPP, cuando procediere, y dirigirá las comunicaciones que correspondiere a los organismos públicos o autoridades que deban intervenir en la ejecución de lo resuelto.

Ahora bien, para garantizar plenamente los principios de legalidad, igualdad y seguridad jurídica resulta fundamental determinar exactamente los tiempos de inicio y término de la condena impuesta, lo que deberá expresarse en años, meses y días, junto con los períodos de prisión preventiva o restricciones de libertad imputables a la misma. También, durante el tiempo de cumplimiento de la pena es posible que se susciten cuestiones relativas a su dimensión temporal, lo que puede derivar en una modificación real del tiempo de duración de la pena, por lo que se debe tener completa claridad de estos períodos.

En este capítulo revisaremos algunas figuras jurídicas relevantes que ameritan una revisión de los tiempos de duración de condena, para cerrar con el recurso de revisión, cuyo objeto fundamental es la revisión de los hechos y del derecho por el máximo tribunal del país.

2. CÓMPUTOS

En nuestro sistema procesal penal, el principio ordenador atingente a los límites de las penas privativas de libertad, se extrae de los arts. 26 del CP y 348 del CPP. El primero de ellos establece que, en el caso de una pena temporal, debemos incluir en el cómputo de aquella, el periodo de tiempo que la persona ha sido privada de su libertad y, el segundo, ordena al juzgador expresar en su sentencia con toda precisión el día desde el cual empezará a contarse la pena y a fijar el tiempo de detención, prisión preventiva y tiempos de privación de libertad impuestos en conformidad a la letra a) del art. 155 del CPP que deberá servir de abono para su cumplimiento.

La fijación exacta de las fechas de inicio y término de condena, con sus respectivos abonos, permite a Gendarmería la fijación de otras fechas relevantes, como el tiempo mínimo requerido para la postulación de beneficios intrapenitenciarios. Veamos un simple ejemplo: Juan ha sido condenado a 5 años y un día de presidio mayor en su grado mínimo como autor del delito de robo con violencia. Su condena corresponde a 5 x 365 días + 1: 1826 días. Si estuvo sujeto a la medida cautelar de prisión preventiva por 200 días, habrá que imputar ese tiempo a los 1826 días de condena y contabilizar el inicio de la condena desde el primer día en que estuvo en calidad de detenido o preso preventivo. En consecuencia, el inicio de la condena corresponderá a esa fecha, y de ahí se fijará la fecha de su consecuente término, junto con las fechas correspondientes a los tiempos mínimos para postulación a beneficios intrapenitenciarios.

3. EL ABONO

3.1 Concepto

El abono es una figura jurídica que surge a partir de la regla de imputación que dispone que el tiempo de prisión preventiva o restricción de libertad sufrido por una persona durante el curso de un proceso, cualquiera que sea la duración de la pena temporal impuesta, debe imputarse en su totalidad al cumplimiento de la condena. Ello, por cuanto la ejecución de la prisión preventiva – medida cautelar más gravosa – reviste en sí todos los caracteres de una verdadera pena[398].

Su objetivo es compensar el detrimento ya sufrido por la persona imputada y de este modo, restaurar por razones de justicia material la aflicción que involucró su privación de libertad. Según la doctrina dominante, el abono no constituiría una regla de benignidad en favor del condenado, sino más bien una potestad que supone reconocer que el autor del delito ya ha extinguido parte de su culpabilidad con la privación de libertad la que debe ser compensada con la pena impuesta[399].

---

[398] Guzmán Dalbora, *La pena y la extinción*, 386-387. Para el autor el abono se justifica en lo que denomina "la relación jurídico penal en su conjunto", según la cual, cuando existe el deber de imponer una pena, resulta ineludible considerar en su extensión concreta aquello que la precedió con contenidos punitivos por más que en sus formas la privación de libertad cautelar se presente como un instituto procesal. Este constructo teórico tendría la virtud para justificar el abono homogéneo como el heterogéneo. En sentido contrario, Salas Astrain, *Abono de la prisión preventiva en causa diversa. Deconstrucción de una teoría dominante*. (Santiago: Librotecnia, 2017), 139. A partir de las críticas que hace a la doctrina dominante que acepta el abono "impropio" u "heterogéneo", plantea que la perspectiva retribucionista es capaz de demostrar la real diferencia existente entre la prisión preventiva y la pena, ya que una parte de la fundamentación legal de aquélla se halla en criterios peligrosistas y prospectivos – peligro para la seguridad de la víctima y de la sociedad – que resultan incompatibles con el carácter retrospectivo de la pena retributiva.

[399] Leticia Jericó, "El abono del tiempo de privación de libertad sufrido provisionalmente en los supuestos de coincidencia en la situación de penado y de preso preventivo", en *Derecho penal en el Estado social y democrático de derecho. Libro homenaje a Santiago Mir Puig*, dir. Diego Luzón Pena (Madrid: Editorial La Ley, 2010), 685-720.

El abono de los tiempos de privación o restricción de libertad sufridos en la misma causa a la que se imputan no reviste mayor discusión, puesto que se desprende del marco penal y procesal penal que así lo ordena. El conflicto aparece cuando se pretende abonar a la condena actual, el tiempo de privación de libertad sufrido en un procedimiento distinto de aquel en el que dicha condena se impone. Debido a ello se distingue entre abono "propio" u "homogéneo" y abono "impropio" o "heterogéneo".

3.2 El abono propio u homogéneo

Se entiende por abono "propio", "estricto" u "homogéneo", aquel que da cuenta del tiempo que el condenado permaneció sujeto a prisión preventiva, detención o arresto domiciliario en la misma causa en que se decreta la medida cautelar de que se trate.

Para Salas, una vez que el juez emite un pronunciamiento procesalmente definitivo acerca de la culpabilidad del sujeto preso nace entre la medida cautelar personal y la sanción, una relación jurídico-penal compleja que debe ser resuelta de cara a la garantía constitucional de un justo y racional procedimiento. Es en esta relación en la cual se asienta el principio vicarial conforme al cual el tiempo de privación o restricción de libertad se contabiliza o abona para la determinación del *quantum* de la pena establecida por el juez. Para el autor el principio vicarial estuvo fundado desde su origen en la llamada "identidad del hecho", es decir, en una suerte de compensación equitativa realizada – estrictamente – en una misma causa, desde que los hechos que motivaron la prisión preventiva y la sentencia condenatoria son unos mismos[400].

Ahora bien, el abono homogéneo no presenta mayores dificultades, los problemas que se pueden presentar dicen relación más bien con la forma de computar las distintas medidas cautelares que implican privación o restricción de libertad. En el caso del arresto domiciliario, el art. 348 del CPP describe la fórmula de imputación al señalar que se abonará a la pena impuesta un día por cada día completo, o fracción igual o superior a doce horas, de dichas medidas cautelares que hubiere cumplido la persona

---

[400]   Salas, *Abono de la prisión preventiva*, 26-27. De esta manera, el autor rechaza la idea del abono heterogéneo por considerar que no tiene asidero legal ni fundamento en el principio vicarial el cual exige identidad de hechos.

condenada. Ahora bien, se ha discutido por los operadores jurídicos si es procedente el abono del arresto domiciliario inferior a doce horas, lo que ha sido resuelto favorablemente por la Corte Suprema en virtud del principio *in dubio pro-reo*[401].

3.3 El abono impropio o heterogéneo

El abono "impropio" u "heterogéneo" es una construcción doctrinaria y jurisprudencial que consiste en imputar a una condena el tiempo que una persona estuvo sujeta a la medida cautelar de prisión preventiva – u otra análoga – en una causa distinta, por hechos diversos, en la que no fue condenado, o lo fue a una pena menor. Los supuestos que pueden darse son: la persona condenada ha sufrido en otro procedimiento una privación de libertad a título de detención, prisión preventiva o arresto domiciliario, en los términos del art. 155 del CPP, o la internación provisional a que se refiere el art. 464 CPP, y dicho procedimiento terminó con sentencia absolutoria[402], sobreseimiento definitivo, o porque habiendo condena, la pena impuesta se tuvo por cumplida, en exceso, por el mayor tiempo de privación de libertad.

Hernández sostiene que es posible abonar el tiempo de una condena ya iniciada cuando ésta ha sido dejada total o parcialmente sin efecto por aplicación del art. 18 del CP o a consecuencia de revisión, indulto o amnistía[403] También incluye los casos en que el Ministerio Público ha

---

[401] Corte Suprema. SCS Rol N°2272-2018 de 7 de febrero de2018; SCS Rol N°4652-2017 de 7 de febrero de 2017.

[402] Nicolás Espinoza. Proyecto Inocentes. "A veinte años de la reforma procesal penal: la cifra negra de encarcelados inocentes en la fiscalía". Bío Bío La Radio. http://www.dpp.cl/resources/upload/files/documento/a2b54e1517b464fc6f7acb34b76081bf.pdf. Según cifras oficiales entregadas por la Defensoría Penal Pública, entre el 20 de diciembre de 2000 y 4 de marzo de 2021, 606.881personas imputadas por algún delito, terminaron con una sentencia absolutoria. De esa cifra 35.144 personas estuvieron presas, disponible en (última revisión 18 de enero de 2022)

[403] Salas, *Abono de la prisión preventiva*,40. Para el autor, Hernández "representa la posición radical en la doctrina nacional, ya que hace extensible el abono impropio a supuestos que no han sido concebidos por la doctrina y jurisprudencia mayoritarias, desconociendo el hecho que el ejercicio del recurso de revisión – a lo menos en Chile – está naturalmente asociado a la procedencia de la acción indemnizatoria por error judicial consagrada en el art. 19 N°7 de la CPR y, por su parte, el indulto y la amnistía constituyen el ejercicio de facultades administrativas o legales, según sea el caso, que no deslegitiman en modo alguno el tiempo de privación de libertad del individuo. Lo mismo ocurre con la eventual aplicación del art. 18 del CP".

comunicado su decisión de no perseverar en el procedimiento, lo que ha sido controvertido en sede jurisprudencial[404].

En relación con el tipo de sanción impuesta por una sentencia condenatoria que puede ser objeto de abono heterogéneo la doctrina, en general, es consistente en señalar que dicho cálculo es procedente respecto de las penas de encierro y de interdicción temporales, es decir penas divisibles, incluyendo la multa, pues conforme al cálculo de equivalencia que consagra el art. 49 del CP para el caso de incumplimiento, es posible llegar al cómputo final de una pena divisible. El presidio y la reclusión perpetuas quedan fuera, dado que estas últimas se extienden por toda la vida de la persona condenada[405].

Ahora bien, las normas que articulan la argumentación en la materia son el art. 26 del CP y el art. 348 inc. 2 del CPP las que, en el parecer de Hernández y Guzmán, hacen procedente el abono de la privación de libertad cautelar sin distinguir si la sentencia condenatoria a liquidar incide o no en la misma causa en la que el imputado fue preso preventivo[406]. Es decir, si el legislador no distingue no es lícito al interprete distinguir. El art. 26 del CP sería la norma que sienta el principio ordenador atingente a los límites de las penas privativas de libertad, al señalar que la duración de las penas temporales empezará a contarse desde el día de la aprehensión del imputado, y el art. 348 inc.2° del CPP, la disposición que establece el mecanismo eficaz para hacer efectivo el abono. Al respecto la norma prescribe que en los casos que se impongan penas temporales: 1) Se debe expresar con precisión el día desde el cual empezara a contarse la condena; 2) Si es que procede, se debe fijar el periodo de tiempo que la persona se ha visto privada o restringida de su libertad personal, ya sea por haberse decretado la medida cautelar de prisión preventiva o el arresto domiciliario en su contra y; 3) Se debe abonar el periodo de tiempo antes computado al periodo de tiempo de cumplimiento efectivo de la pena temporal. Para estos efectos, se abonará a la pena impuesta un día por cada día completo,

---

[404]   Corte Suprema. SCS Rol N°47630-2016 de 4 de agosto de 2016. Corte de Apelaciones de Concepción. SCA Rol N°7-2021 de 18 de enero de 2021.
[405]   Politoff *et.al.*, *Lecciones de Derecho Penal Chileno*, 474.
[406]   Héctor Hernández, "Abono de prisión preventiva en causa diversa", *Informe en Derecho Defensoría Penal Pública* (2009): 3.Héctor Hernández, Informe en derecho.pdf; Guzmán Dalbora, *La pena y la extinción*, 394-395.

o fracción igual o superior a doce horas, de dichas medidas cautelares que hubiere cumplido el condenado.

Para la doctrina que acepta el abono heterogéneo, detrás de esta formulación subyace un profundo respeto por la libertad de las personas, al entender el abono no como una concesión graciosa del Estado, sino simplemente como el reconocimiento del derecho de cada uno a no ser objeto de privaciones de libertad innecesarias, injustas o desproporcionadas y del consecuente derecho a ser reparado cuando por cualquier causa ese derecho se ve conculcado. Al respecto, toda privación de libertad excesiva impuesta por el Estado debe ser reparada por este, sea bajo la forma de la indemnización por el error judicial (art. 19 N°7 letra i) de la CPR), sea–en términos más generales y sin los requisitos especiales dispuestos por aquella–por la vía de una limitación equivalente de la eventual potestad punitiva del Estado en otros casos.

De la interpretación armónica de estas normas se sigue que no existe obstáculo legal para abonar a una condena el tiempo de privación de libertad sufrido en una causa diferente, aunque entre estas no haya existido vínculo alguno, y aun cuando tampoco haya existido posibilidad de juzgamiento conjunto[407]. Es más, el abono sería obligatorio a la luz de la

---

[407] Véase, Corte Suprema. SCS Rol N°31493-2018 de 27 de diciembre de 2018; SCS Rol N°31396-2018 de 27 de diciembre de 2018; SCS Rol N°30559-2020 de 24 de marzo de 2020; SCS Rol N°76576-2020 de 3 de julio de 2020; SCS Rol N°85334-2020 de 28 de julio de 2020. En estos fallos el máximo tribunal ha sostenido que "d) Las normas penales deben ser interpretadas restrictivamente sólo en el caso de afectar derechos fundamentales de los imputados, pero no cuando ellas dicen relación con los efectos libertarios de cualquier apremio o restricción a su libertad, como ocurre con el abono pedido por el amparado, conforme a las características ya descritas; lo que está en concordancia con la garantía que reconoce el artículo 19, N°7 de la Constitución y con la norma del artículo 5° del Código Procesal Penal que dispone: "Legalidad de las medidas privativas o restrictivas de libertad. No se podrá citar, arrestar, detener, someter a prisión preventiva ni aplicar cualquier otra forma de privación o restricción de libertad a ninguna persona, sino en los casos y en la forma señalados por la Constitución y las leyes. Las disposiciones de este Código que autorizan la restricción de la libertad o de otros derechos del imputado o del ejercicio de alguna de sus facultades serán interpretadas restrictivamente y no se podrán aplicar por analogía." "8.- Qué, en consecuencia, al decidirse por la juez recurrida que en la especie no procede la imputación de abonos en causa diversa, por no concurrir el requisito de tramitación conjunta contemplado en el artículo 164 del Código Orgánico de Tribunales y el artículo 348 del Código Procesal Penal, ha incurrido en una ilegalidad, puesto que incorporó al precepto requisitos que no contempla y que no es posible aceptar, sin vulnerar el principio rector de interpretación restrictiva de la ley procesal penal, en cuanto afecta derechos constitucionales del penado, con incidencia tanto en lo procesal como en la interpretación de la ley; entre cuyos criterios está el que afirma que en caso de duda se resuelve a favor del acusado, o en caso de duda se resuelve en el sentido favorable al imputado (Sergio Politoff, Derecho Penal, Tomo I, pág. 133)".

legislación vigente. Sería esta la única manera de que las privaciones de libertad tengan su razón de ser en un Estado respetuoso de los derechos fundamentales.

Orienta esta argumentación el principio *in dubio pro-reo*, aplicación que no puede ser cuestionada por la pretendida ausencia de norma que autorice expresamente el abono, pues como vimos precedentemente, los arts. 26 del CP y 348 inc. 2° del CPP no lo prohíben. La Corte Suprema ha recogido el principio en distintos fallos:

> Que el objetivo global de la Reforma Procesal Penal comprende una maximización de las garantías en materia de derechos fundamentales frente al *ius puniendi* estatal, con especial énfasis en diversos principios, como el *in dubio pro reo*, con incidencia tanto en lo procesal como en la interpretación de la ley; entre cuyos criterios está el que afirma que en caso de duda se resuelve a favor del acusado, o en caso de duda se resuelve en el sentido favorable al imputado (Sergio Politoff, Derecho Penal, Tomo I, pág. 133) [...] Que, en las condiciones dichas, es indudable que la legislación vigente deja sin resolver expresamente el problema del abono de los tiempos que reúnan las características del solicitado en estos autos; esto es, de un período de prisión preventiva correspondiente a un proceso anterior, en que fue absuelto, al segundo proceso, en que cumple actualmente una condena privativa de libertad. Por ello, debe el juzgador cumplir su obligación ineludible de decidir la cuestión planteada recurriendo a los principios generales del derecho y al sentido general de la legislación nacional e internacional[408].

Añádase que, de los principios formativos actuales del proceso penal, es posible afirmar sin mayor controversia, que la libertad individual es un derecho garantizado con todo énfasis y que su injustificada o inútil afectación debe ser remediada, y que un racional, justo y debido proceso, debe ser respetuoso de ella, de manera de impedir castigos excesivos y privaciones de libertad que no encuentran justificación a título alguno.

Para un sector minoritario de la doctrina, el único abono permitido es el homogéneo, dado que el art. 348 del CPP no cubriría en su totalidad las diversas hipótesis que suscita el abono, más aún cuando se dejó sin regulación expresa la posibilidad de imputar a una condena, el tiempo de privación de libertad sufrido en una causa distinta de aquella. De ahí que, al alero de una interpretación restrictiva de tal precepto, el único tipo de abono que reconocería nuestro sistema sería el denominado abono

---

[408]   Corte Suprema. SCS Rol N°7-2019 de 8 de enero de 2019. En el mismo sentido, SCS Rol N°2296-2019 de 28 de enero de 2019; SCS Rol N°5548-2020 de 28 de enero de 2020; SCS Rol N°11130-2020 de 31 de enero de 2020; SCS Rol N°85.334-2020 de 28 de julio de 2020; SCS Rol N°135612 -2020 de 24 de marzo de 2020.

"propio", "estricto" u "homogéneo", vale decir, aquel que da cuenta del tiempo que el condenado permaneció sujeto a prisión preventiva, detención o arresto domiciliario, en la misma causa en que se decretó la medida cautelar de que se trate. De esta forma, frente a la conculcación del derecho a la libertad personal del imputado absuelto o sobreseído definitivamente, la única forma de reparación que este tendría a su disposición sería la acción civil indemnizatoria por error judicial[409].

La jurisprudencia de la Corte Suprema ha sido dispar frente a las solicitudes de abono heterogéneo, en muchos casos lo acoge y en otros ha condicionado su aplicación a la exigencia del art. 164 del COT, es decir, al cumplimiento del requisito del juzgamiento conjunto. No obstante, en la actualidad se ha impuesto el criterio contrario debido a que la unificación de penas tiene un objetivo procesal distinto que no se vincula con el abono.

4. UNIFICACIÓN DE PENAS

4.1 Concepto

La unificación de penas es una figura jurídica regulada en el art. 164 del COT, que tiene por objeto corregir que una pluralidad de procesos seguidos en contra de una misma persona por distintos hechos que pudieron ser

---

[409] Hernán Ferrera, "Abono en causa diversa (Debates y decisiones judiciales en torno del abono a la pena del tiempo de detención, prisión preventiva o privación de libertad del artículo 155 letra a) del Código Procesal Penal, impuestas en una causa diversa)", *Revista del Ministerio Público*, n.º 72 (2018): 9-21. Salas, *Abono de prisión preventiva*, 37-38. Salas, quién solo reconoce la existencia del abono "homogéneo", argumenta a partir del principio vicarial indicando que este se encuentra reconocido en nuestra legislación a partir de cuatro normas que permiten colegir que el abono debe ser interpretado desde el derecho penal sustantivo, sin prescindir de las necesarias consideraciones procesales que facilitarían la comprensión de la regla. El art. 20 del CP el que dispone que la restricción o privación de libertad de los detenidos o sometidos a prisión preventiva u otras medidas cautelares personales no se reputan penas. El art. 4 del CPP, según el cual ninguna persona será considerada culpable ni tratada como tal en tanto no fuere condenada por una sentencia firme. Esta norma a juicio del autor resulta crucial para el entendimiento del abono vicarial ya que asimila la privación de libertad a la pena, si y sólo si, el imputado es condenado mediante una sentencia firme. Por su parte, el art. 26 del CP partiría del supuesto de la existencia de una sentencia condenatoria firme y ejecutoriada, de modo tal que se ha esfumado el principio de inocencia, y el art. 348 inc.2° del CPP, titulado "sentencia condenatoria" establecería la obligación del juez que dicta una sentencia condenatoria de abonar a la pena temporal impuesta el tiempo que el imputado estuvo sujeto a medidas cautelares personales privativas de libertad.

juzgados conjuntamente, culminen en distintas condenas cuya sumatoria produzca una situación más gravosa para la persona condenada, al resultar superior, por su naturaleza o su cuantía, a las penas que habría correspondido imponer si se hubiera efectuado un juzgamiento conjunto[410].

En el fondo se busca corregir ciertas distorsiones punitivas del sistema que se generan por el ejercicio de ciertas facultades que tiene el Ministerio Público y el juez de garantía. En el primer caso, la agrupación o separación de investigaciones (art.185 CPP); en el segundo caso, la separación de acusaciones para hechos distintos imputados a una misma persona, lo que podría fundarse en la necesidad de impedir un detrimento en el derecho a defensa, o evitar dificultades en la organización o desarrollo del juicio (art. 274 CPP).

El presupuesto de la unificación, por su propia función y fundamento, es el concurso de delitos, por lo que se deben aplicar los sistemas de solución de concursos. En nuestro sistema procesal penal, la regla general, es el sistema de acumulación aritmética. Las excepciones están constituidas por las reglas de punición de reiteración de delitos de la misma especie (arts. 351 y 397 CPP), las cuales establecen un sistema de acumulación jurídica; las reglas sobre reiteración de hurtos (art. 451 CP) y sobre concursos ideal y medial de delitos (art. 75 CP), que consagran un sistema de absorción agravadas; sin perjuicio de otras reglas especiales establecidas para determinar las penas aplicables en concursos de delitos, como sucede en la regulación del cohecho (art. 249 inc. 2º CP) y de la receptación (art. 456 bis A inc. 4º CP).

4.2 Requisitos

1) Existencia de a lo menos dos sentencias condenatorias referidas a una misma persona: Estas pueden haber sido dictadas por tribunales penales con distinta competencia, es decir, jueces de garantía y tribunales orales en lo penal o incluso provenir de tribunales de distintos sistemas, por ejemplo, juez del crimen y jueces orales en lo penal o de garantía. Asimismo, las sentencias que se

---

[410]   Guillermo Oliver, "Aproximación a la unificación de penas", *Política criminal* volumen 7, n.°14 (2012): 251.

vayan a unificar pueden provenir de procedimientos de distinta naturaleza.

2) Que las sentencias se refieran a hechos diversos: Las sentencias deben referirse a hechos diversos, susceptibles de calificar como delitos de la misma especie, de lo contrario operarían las excepciones de cosa juzgada y litis pendencia.

3) Que haya existido la posibilidad temporal de un juzgamiento conjunto: La posibilidad temporal de juzgamiento conjunto hace referencia a que los diversos delitos pudieran haber sido sometidos a una tramitación coetánea. Se discute por la doctrina y jurisprudencia cuándo existe la posibilidad de juzgamiento conjunto. Hay tres planteamientos sobre el tema: restrictivo, intermedio y extensivo:

- Planteamiento restrictivo: exige que los diversos procesos tramitados en forma separada se hayan sustanciado simultáneamente en el tiempo, al menos en parte, ya que solo de este modo podría habérselos "acumulado"[411].

- Planteamiento intermedio: exige que entre los hechos juzgados en forma separada no medie una sentencia condenatoria firme, ya que solo así podría aplicarse alguna regla sobre concurso de delitos que resulte más favorable para el imputado[412].

- Planteamiento extensivo: exige cierta cercanía temporal entre cada uno de los hechos juzgados en forma separada, aun

---

[411] Oliver, "La unificación", 259. Según Oliver, este planteamiento no resulta aceptable, atendidas las características del nuevo sistema procesal penal, ya que circunscribe la "unificación" de penas a un campo de aplicación muy reducido, que no parece compatible con el fundamento de la figura. En el actual sistema, la única forma de que dos procesos que se tramitan separadamente se "acumulen", es mediante la agrupación de investigaciones que disponga el fiscal o la unión de acusaciones que ordene el juez de garantía. Lo primero puede hacerse solo mientras las dos investigaciones se mantengan abiertas; lo segundo, únicamente en la audiencia de preparación del juicio oral. En consecuencia, si en alguna de las dos causas que se tramitan en forma separada ya se hubiera llegado a la etapa de juicio oral, la tramitación conjunta de ambas resultaría imposible. La incorrección de esta tesis conduce al absurdo de concluir que el nuevo sistema procesal penal, mucho más compatible con los postulados de un Estado social y democrático de derecho que el anterior, permitiría la imposición de penas desproporcionadas que ni aun en el antiguo procedimiento inquisitivo se podían aplicar.

[412] Ídem, 261. Según el autor este criterio es el que se ajusta mejor al fundamento de la figura en estudio. En efecto, si su finalidad es hacer operativo, en el juzgamiento de varios hechos, reglas concursales más favorables que no pudieron aplicarse porque tales hechos fueron objeto de juzgamiento separado, es imprescindible que entre ellos (y respecto de ellos) no medie una sentencia condenatoria firme.

cuando respecto de alguno de ellos se haya dictado sentencia condenatoria ejecutoriada[413].

Ahora bien, siguiendo a Oliver y aplicando el criterio intermedio, el límite de juzgamiento conjunto está dado por dos elementos: fecha de ejecutoriedad del último fallo y fecha de la sentencia relativa al primer delito cometido.

En cuanto a la fecha de ejecutoriedad del último fallo, solo podrán ser unificadas aquellas penas impuestas por delitos cometidos con anterioridad a dicha fecha. Si alguno de los delitos cometidos lo hubiere sido con posterioridad a esa fecha, entonces la pena aplicada por ese delito no podría unificarse porque nunca existió la posibilidad de una tramitación o juzgamiento conjunto ya que la causa se encontraba afinada al momento de cometerse aquel delito. Es entonces la fecha del último fallo, la que marca uno de los límites respecto de los fallos cuyas penas pueden ser unificadas.

En cuanto a la fecha de la sentencia relativa al primer delito cometido, todos aquellos delitos cuya fecha de comisión se comprenda entre la fecha de comisión del primer delito y la fecha de la sentencia de este último pueden ser unificadas toda vez que tuvieron la posibilidad de un juzgamiento conjunto.

4) Que la pena única resulte más favorable para el condenado:

La disposición en cuestión debe operar *in bonam partem*, esto significa que el juez debe situarse en el supuesto de un juzgamiento único y determinar la pena que habría correspondido al condenado la que debe

---

[413] Oliver, "La unificación", 258-259. Para el autor tampoco sería admisible, por varias razones. En primer lugar, por no ser de utilidad en la aplicación de la figura en análisis, al resultar extremadamente vaga la referencia a la proximidad temporal entre los hechos. Los partidarios de esta tesis suelen emplear la expresión "conexión temporal razonable" para aludir a esta idea, pero no aportan criterios para precisar hasta cuándo la cercanía temporal sería razonable y desde cuándo dejaría de serlo. Por otro lado, este planteamiento, al no conceder ninguna importancia al hecho de que alguno de los delitos haya sido sancionado por sentencia firme, conduce a privar de aplicación a la agravante de reincidencia. En efecto, si quien ya ha sido condenado por sentencia ejecutoriada por un delito vuelve a delinquir, bastaría simplemente que existiera proximidad temporal entre ambos hechos para poder aplicar la figura en estudio, lo que implicaría negar lugar a la agravante, ya que conforme al artículo 164 del COT, el tribunal que juzgue el segundo hecho no podría "considerar circunstancias modificatorias que de haberse acumulado los procesos no se hubieren podido tomar en cuenta".

ser inferior a la suma de las penas impuestas por separado. Es decir, para aplicar esta disposición es necesario que haya existido la posibilidad de un tratamiento punitivo más benigno.

Ahora bien, la aplicación de esta disposición nos enfrenta a los siguientes problemas:

- Determinar si los delitos en cuestión pueden estimarse de la misma especie:

Para un sector de la doctrina, el criterio de interpretación se extrae a partir del estudio de la agravante de reincidencia específica ya que esta circunstancia tiene sobre su base la afectación de un mismo bien jurídico. Incluso algunos exigen que se repita la misma forma de atentado. Otros, adicionalmente, que haya identidad de móviles en el autor.

Asimismo, se da el problema de determinar si es exigible o no una identidad exacta de bienes jurídicos afectados, ya que hay varios delitos que son pluriofensivos, o sea, que tutelan dos o más bienes jurídicos. En estos casos, la dificultad consiste en establecer si pueden considerarse de la misma especie dos delitos cuando el primero de ellos protege un solo bien jurídico, que también se ve tutelado, junto con otros, en el segundo; o bien, cuando se trata de dos delitos pluriofensivos que tienen en común el hecho de proteger un mismo bien jurídico, dentro de los varios que tutelan. En este último caso se prefiere una interpretación extensiva del ámbito de aplicación de la regla, ya que siempre será posible aplicar la regla general de punición del concurso material de delitos si ello resulta más favorable para el imputado.

- Sentido y alcance del art. 351 inc. 2° CPP:

Si determinamos que los delitos en cuestión no son de la misma especie procede aplicar, para efectos de determinar la pena, lo dispuesto en el inc. 2° de la disposición citada toda vez que las diversas infracciones que registra la persona no pueden estimarse como un solo delito. Dicho inciso establece que en este caso el tribunal deberá aplicar la pena de la infracción que, considerada aisladamente, con las circunstancias del caso, tuviere asignada una pena mayor.

Ahora bien, la interpretación de este inciso puede dar lugar a las siguientes hipótesis una más gravosa que la otra: i) La disposición en cuestión solo hace referencia al marco penal a partir del cual se determinará la pena, pero no a las circunstancias modificatorias de la responsabilidad penal que deben ser incluidas o excluidas. Es decir, indica que debe elegirse el marco penal del delito más grave y luego aplicar las diversas circunstancias modificatorias que concurren en todos los demás delitos; ii) El inc. 2° del art. 351 CP no solo determina el marco penal a partir del cual se harán los aumentos de grado, sino que además las circunstancias modificatorias que pueden considerarse para la determinación de la pena y que serían únicamente las que concurran en ese delito ya que la ley habla de la infracción que, considerada aisladamente, con las circunstancias del caso, tuviere asignada una pena mayor.

- Consideración de circunstancias modificatorias:

Esto significa que se impide al tribunal del fallo posterior considerar cualquier circunstancia modificatoria que no se habría podido tomar en cuenta si los diversos hechos se hubieran juzgado conjuntamente. Al respecto, Oliver señala que un análisis más detallado del punto demuestra que tal afirmación debe ser matizada[414]. Así, tratándose de agravantes el beneficio es claro. En cambio, tratándose de atenuantes, la situación es distinta, porque en el parecer del autor, carecería de sentido perjudicar a la persona imputada, toda vez que la disposición ha sido creada con el fin de beneficiarle. La improcedencia de considerar en la sentencia posterior circunstancias modificatorias que no podrían haberse tomado en cuenta si los hechos se hubieran juzgado conjuntamente, solo se explica en la medida en que de ese modo se evita un perjuicio para el imputado.

4.3 Procedimiento

El tribunal competente para unificar es el que dicta el último fallo condenatorio en contra del justiciable. Como destaca Matus, con la expresión "fallo posterior" lo que se ordena es simplemente que el tribunal adapte su sentencia en consideración de las condenas anteriores que cumplan los requisitos para ser tenidas en cuenta según esta figura[415]. En

---

[414]   Oliver, "La unificación", 263-264.
[415]   Jean Pierre Matus, "Proposiciones respecto de las cuestiones no resueltas por la Ley N°20.084 en materia de acumulación y orden de cumplimiento de las penas", *Ius et Praxis*, año 14, n.° 2 (2008): 540-541.

otras palabras, el tribunal solo debe preocuparse de regular la pena que él impone para corregir las distorsiones que una tramitación separada de hechos, que pudieron haberse juzgado conjuntamente, pudiera ocasionar. Sin embargo, no siempre la unificación de penas se solicita en la audiencia de determinación de pena que tiene lugar ante el tribunal que dicta el último fallo. En la práctica, también es posible solicitar una audiencia especial de unificación ante el tribunal que ya dictó el fallo posterior.

En materia de recursos, si la petición se formula en la audiencia de determinación de pena, la decisión que la concede o deniega se inserta en la sentencia definitiva, por lo que la forma de impugnarla es la misma que existe para recurrir en contra de esta. Ahora bien, si la solicitud se ha hecho en una audiencia especial, posterior a la sentencia condenatoria, el problema de determinar los recursos procesales pertinentes no es tan sencillo. Si la petición se ha efectuado ante un Juzgado de Garantía, resultaría procedente interponer un recurso de apelación, argumentando que la resolución que acoge o rechaza pone término al procedimiento especial de unificación de la sentencia definitiva. De este modo, se cumpliría con la exigencia del art. 370 letra a) del CPP para la apelación.

Si la solicitud se ha hecho ante un Tribunal de Juicio Oral en lo Penal, no procede apelación (art. 364 CPP). Para algunos, considerando que la resolución que acoge o rechaza la petición no es susceptible de recurso alguno, solo sería procedente la interposición de un recurso de queja. Sin embargo, también sería posible interponer la acción constitucional de amparo, pues de no unificarse las penas, concurriendo los requisitos legales, podría producirse una afectación indebida del derecho de la persona imputada a la libertad personal y seguridad individual.

5. ADECUACIÓN DE PENAS

5.1 Concepto

Cuando ocurren cambios legales entre el acaecimiento de un hecho y su juzgamiento, o incluso, con posterioridad a la sentencia, surgen conflictos de aplicación de normas en el tiempo, que el juez debe resolver, cumpliendo tanto la prohibición de aplicar con efecto retroactivo normas desfavorables (garantía de *lex praevia*), como el imperativo de aplicar normas más favorables (principio de *lex mitior*). Así lo manda el art. 18 del CP, el que está en plena concordancia con lo establecido en el art. 19 n°3 inc. 7° de la CPR y el art. 9° de la CADH.

La Ley N°20.931 introdujo una serie de modificaciones legales en distintos cuerpos normativos, entre ellos el CP, derogando la agravante de "ser dos o más los malhechores" y, a la vez, incorporando una nueva agravante de responsabilidad criminal, "parecida" a la anteriormente derogada, pero no igual. Asimismo, incorporó un sistema rígido de determinación de la pena para ciertos delitos en contra de la propiedad, por lo que se trata de una normativa que contiene normas favorables y desfavorables al justiciable.

Como consecuencia de ello y en función del principio de la ley penal más favorable, las personas condenadas a penas agravadas por la disposición derogada, aun cuando sus condenas se hallen firmes y ejecutoriadas, podrían solicitar a los tribunales de justicia la revisión y eventual rebaja de sus respectivas penas. A ello le denominamos adecuación de penas.

5.2 Fundamentos

En cuanto a sus fundamentos, en primer lugar, la derogación de una agravante de responsabilidad criminal tiene incidencia directa en la determinación judicial de la pena, por lo que ese solo hecho amerita la revisión y potencial modificación de una sentencia condenatoria, de conformidad con lo dispuesto en el art. 18 del CP. Es decir, la sola potencialidad de una norma penal más favorable exige a los tribunales de justicia, de oficio o a petición de parte, determinar en el caso concreto si se da el supuesto que la norma prevé[416].

En segundo lugar, el derogado art. 456 bis n°3 del CP establecía como agravante de responsabilidad penal, en los delitos de hurto y robo, el hecho de *ser dos o más los malhechores*. El art. 4° de la Ley N°20.931 manifiesta, expresamente, que deroga la agravante de pluralidad de malhechores, para acto seguido incorporar una nueva agravante de

---

[416] Algunos ministros de la Corte Suprema han rechazado *per se* la revisión de sentencias condenatorias argumentando que la eliminación de la agravante de pluralidad de malhechores no es una ley que aplique una pena menos rigurosa. Esta postura que, en un comienzo, se reflejaba en prevenciones y votos de minoría se impuso en varios fallos que rechazaron amparos interpuestos por la defensa. Véase, por ejemplo, Corte Suprema. SCS Rol N°88.963 de 17 de noviembre de 2016.

responsabilidad criminal, en el art. 449 bis del mismo cuerpo legal, que es del siguiente tenor:

> Será circunstancia agravante de los delitos contemplados en los párrafos 1,2,3,4 y 4 bis de este Título, y del descrito en el art. 456 bis A, el hecho de que el imputado haya actuado formando parte de una agrupación u organización de dos o más personas destinada a cometer dichos hechos punibles, siempre que ésta o aquella no constituyere una asociación ilícita, de que trata el Párrafo 10 del Título VI del Libro II.

Del análisis de esta última norma es posible identificar la concurrencia de tres elementos: a) Comisión del delito por dos o más personas; b) El delito debe ser uno de los indicados contra la propiedad, c) Este grupo u organización de personas no debe constituir una asociación ilícita del art. 292 y siguientes del CP.

En relación con el último elemento, Gajardo sostiene que es posible advertir la utilización de dos conceptos diferentes: grupo y organización. La agrupación de personas sería lo más similar a la antigua pluralidad de malhechores, con la diferencia de que se habla de personas y no de malhechores. En cambio, una organización tendría una exigencia mayor por cuanto requiere que las personas agrupadas lo estén para el logro de un fin, que sería en este caso, la de cometer alguno de los delitos contra la propiedad. La organización sería una estructura intermedia entre la agrupación y la asociación ilícita, dado que debe tener una finalidad común, cometer cierto tipo de delitos, y estar coordinado para ello, pero no se exige que estén presentes los elementos del delito autónomo de asociación ilícita[417].

Ahora bien, como consta de la propia historia de la ley esta agravante se inspiró en su símil de la Ley N°20.000 (art. 19 letra a) cuya finalidad práctica es lograr la imposición de penas mayores en caso de comprobarse la existencia de asociación de personas que no llegue a configurar la existencia de una asociación ilícita. Así, respecto de esta agravante, la doctrina ha entendido que la agrupación a que se refiere esta circunstancia, teniendo una existencia más o menos permanente en el tiempo, derivada de la identidad de los fines perseguidos por sus miembros, no puede

---

[417] Tatiana Gajardo, "Elementos del tipo penal de asociación ilícita del artículo 292 del Código Penal. Propuesta, análisis doctrinal y jurisprudencial", *Revista jurídica del Ministerio Público*, n.º45 (2010): 231-243. La autora sostiene que para configurar el delito de asociación ilícita del artículo 292 y siguientes del CP se requiere: pluralidad de sujetos, objetivo común de cometer delitos contra los bienes jurídicos indicados en el artículo 292 o en leyes especiales, permanencia en el tiempo y organización, en la que podamos distinguir a lo menos jefaturas y partícipes con funciones en la misma.

considerarse una asociación ilícita, porque carece de la jerarquización y organización propia de ésta: jefe, reglas propias, y el reflejo de su existencia en los medios que a ella se destinan.

Sin embargo, la exigencia del art. 449 bis es diferente de la exigencia del art. 19 de la Ley N°20.000. Mientras, en esta última la ley se refiere a que el imputado *formó parte de una agrupación o reunión de delincuentes*, el art. 449 bis habla de que el imputado *haya actuado formando parte de una agrupación u organización*. Pareciera ser que en el caso de la Ley N°20.000 bastara que el imputado en algún momento haya formado parte de la entidad y que en el caso del art. 449 bis, el imputado, al momento de la comisión del delito (no antes, ni después) haya estado formando parte de la entidad.

Por tanto, es posible concluir que el art. 449 bis exige algo más que la agrupación o reunión de delincuentes del art. 19 letra a) de la Ley N°20.000, ya que este habla de agrupación u organización. La referencia a organización en lugar de una mera reunión de delincuentes hace exigible un requisito de permanencia de mayor entidad que el exigido por la Ley N°20.000. De esta forma, la interpretación armónica de los preceptos legales a los que se ha hecho referencia lleva a concluir que la nueva agravante de responsabilidad criminal es más amplia en cuanto a delitos procedentes y más exigente en sus requisitos.

Por otra parte, el sistema jurídico vigente al momento del juzgamiento contemplaba la agravante de pluralidad de malhechores, y las reglas de los arts. 65 a 69 del CP (reglas generales de determinación de la pena). En cambio, el sistema jurídico que sobrevino con la Ley N°20.931 deroga la agravante de pluralidad de malhechores, incorpora una agravante "parecida" a la derogada, pero con mayores requisitos y establece un nuevo sistema de determinación legal de la pena que restringe las facultades que otorgan los arts. 65 a 69 del CP al juez: esto es, la facultad judicial de poder fijar la pena en un *quantum* inferior al mínimo de la pena señalada en abstracto para el delito. Este último sistema no existía al momento de la comisión del delito ni al momento del juzgamiento del condenado, por tanto, es ley penal posterior desfavorable, rigiendo en este caso, la irretroactividad de la ley penal. Así lo manda el respeto irrestricto a la garantía de *lex praevia*.

Ahora bien, algunos autores y parte de la jurisprudencia se han manifestado contrarios a la revisión de estas sentencias y su adecuación, argumentando que no es posible separar lo favorable y lo desfavorable de la ley para hacer aplicación separada de los principios, pues estaríamos en presencia de una *lex tertia*. Es decir, una ley creada por el operador judicial aplicable al caso ad hoc. Por su parte, el Ministerio Público, en los debates que la materia ha generado, ha instalado la problemática, señalando que la derogación de la agravante de pluralidad de malhechores no puede desligarse de la introducción del nuevo art. 449 CP, denominado "marco rígido".

Sin embargo, independiente del supuesto problema que plantea la *lex tertia*, en el caso en cuestión no concurre dicha hipótesis. La Ley N°20.931, formalmente es una ley que contiene modificaciones de distintos cuerpos legales, regulando diferentes aspectos del derecho penal sustantivo y del derecho procesal penal y, dentro de cada área, diversas materias. Así, tratándose del CP se incorporaron modificaciones relativas, por un lado, a las circunstancias modificatorias de responsabilidad criminal, y por otro, a las reglas de determinación de pena, materias que están tratadas en distintos capítulos del CP, y que la doctrina estudia por separado.

La jurisprudencia, por su parte, también hace aplicación de estas reglas en distintos momentos. Las circunstancias modificatorias de responsabilidad criminal se identifican con la concurrencia de ciertas circunstancias de comisión de un ilícito que producen el efecto de aminorar o agravar la pena, efecto que es eventual dado que, por las reglas de determinación judicial de la pena, la concurrencia de esas circunstancias puede o no producir efectos. En cambio, la determinación de la pena es un ejercicio judicial en que, para adjudicar pena, debe el tribunal considerar tanto las modificatorias de responsabilidad criminal como otros elementos propios de la estructura del delito: *iter criminis*, participación, concurso de delito, excusas legales absolutorias, entre otros.

De este modo la determinación de ley penal más favorable habrá de hacerse según la materia que se discute, entendiendo que la ley se materializa en las normas que modifica. Lo contrario, es hacer una aplicación global e indiscriminada de la ley en base a su mera concepción formal. Se ha argumentado que, con la voz ley, el art. 18 del CP se refiere a su materialidad y contenido, no al mero cuerpo normativo que formalmente es denominado de esa manera[418].

---

[418]   Quienes sostienen que por "nueva ley" debe necesariamente entenderse la nueva normativa en bloque, porque otra cosa implicaría que el juzgador tomara a su arbitrio solo una parte del nuevo

El argumento de que las reglas de determinación de la pena establecidas en el art. 449 CP mantendrían una conexión interna con la derogada norma del art. 456 bis n°3 CP, no encuentra asidero ni en disposiciones legales, ni en razones prácticas. Incluso, Bascuñán, quien ve esta conexión en otro tipo de consideraciones, manifiesta que "la interpretación de las reglas no brinda fundamento suficiente a esa afirmación. Ni el texto de las disposiciones legales ni tampoco su formulación como razones prácticas permite sostener que el legislador condiciona la aplicación con efecto retroactivo de la derogación del art. 456 bis n°3 a la aplicación con efecto retroactivo del nuevo art. 449"[419].

Por otro lado, la propia historia de la ley proporciona otro argumento a este respecto, pues la introducción de la indicación destinada a derogar el art. 456 bis n°3 se efectuó y discutió a propósito de la introducción del nuevo art. 449 bis, sin tener relación alguna con la introducción del marco rígido. En consecuencia, no existe una situación de verdadera *lex tertia* cuando se busca relacionar la derogación de la agravante de pluralidad de malhechores con la incorporación del nuevo marco rígido.

Por último, dado por establecido que no hay subrogación de agravantes, aunque se adviertan elementos comunes, el tribunal no puede hacer aplicación de la agravante nueva, por ser ley posterior desfavorable y, además, por falta de prueba de su supuesto de hecho. No es posible vincular al acusado con la norma del art. 449 bis del CP, porque no se cumple el estándar mínimo procesal necesario para el juicio oral, el que está dado por la garantía del debido proceso, y el consecuente derecho de la persona condenada, no solo de impugnar la imputación sino que, además, a examinar, cuestionar y hasta producir prueba en contra, por ejemplo, respecto de las acciones de agrupar y organizar, cuestión imposible, porque el juzgamiento penal está firme y ejecutoriado. Por la misma razón, tampoco podría esgrimirse el art.12 n°11 del CP, como circunstancia agravante de base. De esta manera, la optimización de los dos principios en juego

---

articulado, arrogándose funciones que no le son propias, creando una tercera ley, no consideran que si mediante un nuevo cuerpo legal se regulan diferentes materias jurídico-penales e incluso procesales, como ocurre con la Ley N°20.931, no puede entenderse que la "nueva ley" a que alude el art. 18 del CP hace referencia a la totalidad de las normas contenidas en ella, haciendo perentoria su revisión completa.

419   Antonio Bascuñán, "La formación de *Lex tertia*: una defensa diferenciada", *Política criminal* volumen 14, n.º 27 (2019): 194.

lex praevia y *lex mitior*, es una operación judicial permitida que no implica aplicación abusiva de normas, sino que se trata del mero ejercicio de facultades jurisdiccionales.

6. PRESCRIPCIÓN DE PENA

6.1 Concepto

La prescripción penal es reconocida, mayoritariamente, como un límite a la potestad punitiva del Estado que impide que transcurrido cierto tiempo se persiga la responsabilidad penal derivada de la comisión de un delito o que, una vez establecida esta responsabilidad, pueda ser ejecutada una pena. Politoff, Matus y Ramírez la definen como la cesación de la pretensión punitiva del Estado por el transcurso del tiempo, sin que el delito haya sido perseguido o sin que pudiese ejecutarse la condena[420]. Se trata de una institución que responde al efecto del tiempo sobre el sentido y la eficacia del castigo, tanto en relación con la persona que cometió el delito como respecto de la víctima y la sociedad.

Nuestro CP contempla dos tipos de prescripción: la prescripción de la acción penal, y la prescripción de la pena, ambas reguladas a partir de lo dispuesto en los arts. 93 y ss., bajo el título *De la extinción de la responsabilidad penal*. No obstante, por la naturaleza de este manual veremos solo la prescripción de la pena, dado que es una materia que dice relación con la ejecución de la misma.

La prescripción de la pena opera solo una vez que se ha establecido la responsabilidad penal por medio de una sentencia firme y ejecutoriada. Es decir, el condenado ya está puesto en la obligación de padecer la pena, pero un hecho sobreviniente ha impedido que dicha sentencia se cumpla en su totalidad. Es un modo de extinguir la responsabilidad penal, pero lo que prescribe no es la pena en sí ni la condena, sino la potestad de ejecutar la pena para un determinado delito.

---

[420] Politoff *et.al.*, *Lecciones de Derecho Penal Chileno*, 582.

6.2 Requisitos

La responsabilidad penal supone un vínculo jurídico entre la persona condenada y el *ius executionis* de tal modo que, a diferencia de lo que ocurre respecto de la acción penal, la prescripción de la pena es de carácter personal, es decir, se refiere solo a quien está vinculado a la pena por la sentencia condenatoria.

Son requisitos, la existencia de una sentencia condenatoria firme y ejecutoriada y el transcurso de un tiempo, cuya duración está previamente determinado por ley. De conformidad con lo dispuesto en el art. 97 del CP, los plazos de prescripción para penas de presidio, reclusión y relegación perpetuos son quince años; para penas de crímenes, diez años; para penas de simples delitos, cinco años; y para penas de faltas, seis meses.

En el caso de que la persona condenada se haya ausentado del país, el art.100 del CP, dispone que solo podrá prescribir la acción penal o la pena contando por uno, cada dos días de ausencia, para el cómputo de los años. Para estos efectos, no se entenderá ausente del territorio nacional la persona que hubiere estado sujeta a prohibición o impedimento de ingreso al país por decisión de la autoridad política o administrativa, por el tiempo que le hubiere afectado tal prohibición o impedimento.

Ahora bien, el cómputo se hará considerando la pena efectivamente impuesta y no aquella establecida en abstracto[421], y se contará desde la fecha de la sentencia de término o desde el quebrantamiento de condena, si hubiere esta principiado a cumplirse[422]. Con la expresión "sentencia

---

[421]   Corte Suprema. SCS Rol N°14760 de 26 de junio de 2014: "1°Que en el recurso de autos se ha planteado que corresponde declarar la prescripción gradual de la pena de tres años y un día de presidio menor en su grado máximo impuesta a (…), atendido el transcurso de cuatro años y dos meses sin haberse cumplido el castigo, tiempo que importa más de la mitad del previsto para la prescripción de las penas de los simples delitos, atendido que tratándose de prescripción de pena el cómputo debe hacerse considerando la efectivamente impuesta y no aquella establecida en abstracto, que en la especie es de crimen y, por lo mismo, tiene un término de prescripción mayor. Tal forma de cómputo debe ser aceptada porque el artículo 97 del Código Penal, al prever esta forma de extinción de la responsabilidad penal, se refiere a "las penas impuestas por sentencia ejecutoriada", lo que no permite considerar la pena señalada en el tipo legal".

[422]   Claudio Zapata, "Concepto y evolución de la prescripción penal", *Nova Criminis*, n.° 16 (2018): 1-42.
        En relación al plazo se ha discutido si este se cuenta desde que se notifica la resolución que manda cumplir la sentencia de término o desde la fecha misma de la sentencia, estimándose esta última como la solución correcta porque acarrea dos ventajas: mayor certeza jurídica, dado que el inicio del cómputo ya no depende de un acaso como podría ser la mayor o menor dificultad para notificar la resolución; y en segundo lugar, la necesidad de mantener coherencia en el sistema penal, siendo

de término", se hace referencia a aquella sentencia condenatoria que no admite ningún recurso legal capaz de revocarla o modificarla.

Por último, la ley a ciertos hechos les atribuye el efecto de interrumpir la prescripción de la pena, que es la pérdida de todo el plazo que hubiere alcanzado a correr. Este efecto interruptivo se produce por la comisión de un nuevo crimen o simple delito, sin perjuicio de que comience a correr otra vez.

6.3 Media prescripción

En el derecho penal se considera que aquellos hechos que han quedado muy cerca del momento de su prescripción, pero sin haberla alcanzarlo, merecen una respuesta atenuada. Desde el punto de vista de la justificación dogmática se ha dicho que la prescripción penal no se produce en un instante preciso, de un momento a otro, donde se pasa de una total necesidad de castigo a una total ausencia del mismo. Por el contrario, el tiempo produce sus efectos en la necesidad de punición de forma paulatina, poco a poco, día a día.

De ahí el surgimiento de la media prescripción o prescripción gradual, cuya regulación se encuentra en el art. 103 del CP. Esta opera en el evento de que hubiese transcurrido la mitad o más del tiempo previsto por la ley para extinguir la acción penal o la pena, y sin que se hubiere completado la totalidad del cómputo por lo que, al momento de juzgarse a la persona que cometió el delito, se debe aplicar la pena considerando al hecho desprovisto de agravantes y premunido de a lo menos dos minorantes muy calificadas.

En cuanto a los efectos de esta figura, se ha discutido si la rebaja en la imposición del castigo es obligatoria al utilizar la norma la expresión *deberá el tribunal considerar el hecho revestido de dos o más circunstancias atenuantes muy calificadas y de ninguna agravante*, cuestión que la jurisprudencia mayoritaria de la Corte Suprema ha resuelto aplicando un criterio favorable a los intereses del justiciable[423].

---

necesario conservar la secuencia entre ambas especies de prescripción en el sentido de que, dejando de operar la prescripción de la acción penal, debe comenzar inmediatamente y sin solución de continuidad a operar la prescripción de la pena.

[423]   Corte Suprema. SCS Rol N°14760 de 26 de junio de 2014.

7. RECURSO DE REVISIÓN

7.1 Concepto

El recurso de revisión técnicamente es una acción declarativa extraordinaria que se concede para invalidar una sentencia firme obtenida injustamente en los casos expresamente señalados en la ley. Se caracteriza por ser de derecho estricto, excepcionalísimo, pues por su intermedio la Corte Suprema puede rever extraordinariamente una sentencia condenatoria firme y ejecutoriada, con el objeto de anular la misma. Por su naturaleza jurídica su regulación se encuentra en el párrafo 3°, Título VIII, Libro IV del CPP sobre *Procedimientos Especiales y Ejecución*, y su fundamento descansa en que prima la justicia por sobre la seguridad jurídica configurada por el efecto de cosa juzgada.

Duce sostiene que todos los sistemas de justicia criminal en el mundo están expuestos a la posibilidad de cometer errores. Evidentemente, ningún sistema hecho por el ser humano está exento de error, sin embargo, señala que la evidencia comparada muestra que los sistemas de justicia penal se equivocan con una frecuencia superior a lo que habitualmente se cree, y que esta gran cantidad de errores se producen como consecuencia de malas prácticas del propio sistema, entre las que destaca, problemas en materia de reconocimientos oculares, uso de prueba pericial, valoración de confesiones, uso de testigos poco fiables, mal comportamiento de las agencias de persecución penal, entre otros[424]. Lo anterior ha sido objeto de atención e investigación en nuestro país solo en el último tiempo, a propósito de una de las causales que más se utiliza en esta materia, y que es aquella que tiene por objeto demostrar la inocencia de la persona condenada.

---

[424] Mauricio Duce, Romina Villaroel. "Indemnización por error judicial: una aproximación empírica a la jurisprudencia de la Corte Suprema de los años 2006-2017". *Política Criminal*, volumen 14, n.°28 (2019): 217-218. Los errores más graves que detecta el autor son los que consisten en la condena de una persona inocente, es decir, condenas erróneas, y aquellos que ocurren en etapas previas al juicio oral, sin llegar a una sentencia definitiva como, por ejemplo, casos que han tenido una prisión preventiva extendida y que posteriormente son objeto de sobreseimiento o absolución de la persona imputada basado en un aspecto que pudo detectarse mucho antes, es decir, imputaciones erróneas. Duce señala que, en el caso de Chile, existe una cantidad importante de casos de condenas erróneas. Se ha identificado 48 recursos de revisión acogidos por la Corte Suprema de casos del sistema acusatorio sólo en el período 2007-2016, en todos los cuales el máximo tribunal estableció que había existido una condena errada de una persona inocente.

7.2 Causales

Las causales son de derecho estricto. A saber:

1) Cuando, en virtud de sentencias contradictorias, estuvieren sufriendo condena dos o más personas por un mismo delito que no hubiere podido ser cometido más que por una sola.

2) Cuando alguno estuviere sufriendo condena como autor, cómplice o encubridor del homicidio de una persona cuya existencia se comprobare después de la condena.

3) Cuando alguno estuviere sufriendo condena en virtud de sentencia fundada en un documento o en el testimonio de una o más personas, siempre que dicho documento o testimonio hubiere sido declarado falso por sentencia firme en causa criminal.

4) Cuando, con posterioridad a la sentencia condenatoria, ocurriere o se descubriere algún hecho o apareciere algún documento desconocido durante el proceso, que fuere de tal naturaleza que bastare para establecer la inocencia del condenado.

5) Cuando la sentencia condenatoria hubiere sido pronunciada a consecuencia de prevaricación o cohecho del juez que la hubiere dictado o de uno o más de los jueces que hubieren concurrido a su dictación, cuya existencia hubiere sido declarada por sentencia judicial firme.

Una de las causales más alegadas es la que pretende establecer la inocencia de la persona condenada. Esta última exige presentar nuevas pruebas, por lo que surge necesariamente la pregunta de qué tipo de pruebas tienen esa aptitud y cuál es el estándar de prueba exigido. Carbonell y Valenzuela señalan que esta causal se basa en un caso de injusticia sustantiva que se funda en la falsedad de la premisa fáctica de la sentencia condenatoria, lo que resulta de la demostración positiva de la inocencia del condenado. La finalidad de la acción de revisión sería precisamente modificar la atribución de responsabilidad de una sentencia que ya goza de autoridad de cosa juzgada y respecto de la cual se denuncia la comisión de un error material consistente en la condena de un inocente[425].

---

[425] Flavia Carbonell, Jonatan Valenzuela, "La prueba de la inocencia y las defensas probatorias: El caso de la revisión", *Revista Chilena de Derecho*, volumen 48, n. °1 (2021): 65.

La causal exige que con posterioridad a la sentencia condenatoria ocurriere o se descubriere algún hecho o apareciere algún documento desconocido durante el proceso, que fuere de tal naturaleza que bastare para establecer la inocencia de la persona condenada. Desde el punto de vista temporal se distinguen dos situaciones: los hechos se descubren con posterioridad a la sentencia condenatoria, por lo que se incluyen hechos ocurridos antes o durante el proceso; y hechos producidos con posterioridad a la sentencia condenatoria. En ambos casos, se trata de hechos desconocidos para el tribunal.

Por hechos o documentos desconocidos durante el proceso se entiende aquellos que no forman parte del expediente judicial, o no integran el acervo probatorio que ha podido tener a la vista el tribunal o no han servido de base para la formación de la convicción del tribunal[426].

Ahora bien, en relación con el tipo de pruebas exigido, la Corte Suprema asigna un alto valor a la prueba pericial porque la considera de "alto valor o fiabilidad", en circunstancias que, a juicio de Carbonell y Valenzuela, perfectamente podrían considerarse simples documentos o testimonios. Por consiguiente, concluyen que cualquier medio probatorio puede ser suficiente si es capaz de probar la hipótesis de hecho de la inocencia[427].

En relación con el estándar de prueba, los autores mencionados indican que el estándar *más allá de toda duda razonable* debe ser descartado, ya que esta alta exigencia probatoria está pensada para la hipótesis acusatoria y expresa la necesidad de evitación de la condena de inocentes. En cambio, la verificación de la hipótesis de hecho de las defensas debería sujetarse a una regla de baja exigencia probatoria para la inocencia que resulte compatible con la evitación de la condena del inocente, para lo cual proponen la regla de preponderancia de la evidencia por tratarse de una regla probatoria mínima, estándar supletorio o regla defecto[428].

---

[426]   Juan Pablo Mañalich, "Justicia, procedimiento y acción de revisión. El principio de culpabilidad frente a la cosa juzgada", *Ius et Praxis*, año 26, n.º 1 (2020): 40-41.

[427]   Carbonell, Valenzuela, "La prueba de la inocencia", 70.

[428]   *Ídem*, 66. Los autores señalan que el estándar de la probabilidad prevaleciente es, por lo demás, un estándar que evita en general el error en tanto lo distribuye de manera simétrica entre las partes y que se aplica a falta de razones para valorar de manera más negativa un falso negativo que un falso positivo. Ahora bien, en relación con la afirmación de que, en contexto de estándares poco exigentes, la hipótesis de hecho debe tender a la completitud e integralidad, los autores plantean que se podría renunciar a la exigencia de completitud si los avales probatorios de la inocencia son suficientes para la derrota de la tesis de culpabilidad contenida en la sentencia.

7.3 Procedimiento

La acción de revisión se presenta ante la secretaría de la Corte Suprema, en cualquier oportunidad, por el Ministerio Público, por la persona condenada, o su cónyuge o conviviente civil, ascendientes, descendientes o hermanos de esta. Asimismo, sus herederos, cuando la persona condenada hubiere muerto y se tratare de rehabilitar su memoria. En el libelo deberá expresarse con precisión el fundamento legal, acompañando copia fiel de la sentencia cuya anulación se solicita y los documentos que comprobaren los hechos en que se sustenta.

Si la causal alegada fuere la de la letra b) del art. 473, la solicitud deberá indicar los medios con que se intenta probar que la persona víctima del pretendido homicidio, hubiere vivido después de la fecha en que la sentencia la supone fallecida; y si fuere la causal de la letra d), indicar el hecho o el documento desconocido durante el proceso, expresando los medios con que se pretende acreditar el hecho y se acompaña, en su caso, el documento o, si no fuere posible, se manifiesta al menos su naturaleza y el lugar y archivo en que se encuentra.

La solicitud que no se conformare con estas prescripciones o que adolezca de manifiesta falta de fundamento será rechazada de plano, decisión que requiere la unanimidad del tribunal. Si ha sido interpuesta en forma legal, se da traslado a los intervinientes y luego se ve en la forma ordinaria, fallándose sin más trámite. En materia de prueba es improcedente la prueba testimonial para fundar los hechos en que se funda la solicitud. El legislador no confía en la prueba testimonial para acreditar la causal, porque sería muy fácil hacer un mal uso de la prueba con el solo objeto de anular el juicio y/o la sentencia condenatoria.

Ahora bien, la interposición del recurso no produce el efecto de suspender el cumplimiento de la sentencia que se intenta anular. No obstante, en cualquier momento del trámite, si el tribunal lo estima conveniente podría decretar la suspensión de la ejecución de la sentencia recurrida y aplicar, si correspondiere, alguna de las medidas cautelares personales a que se refiere el párrafo 6° del Título V del Libro Primero del CPP.

Si el máximo tribunal acoge la solicitud de revisión declarará la nulidad de la sentencia o podrá ordenar la realización de un nuevo juicio. Para Fernández y Olavarría, en el caso de la causal que tiene por objeto acreditar la inocencia de la persona condenada, una vez que ha sido declarado

admisible un recurso de revisión, la Corte Suprema tiene tres posibilidades: dar por fehacientemente acreditada la inocencia del condenado;
entender que la inocencia no se ha acreditado fehacientemente; o concluir
que la inocencia del condenado no fue probada[429].

En el caso que los antecedentes dejen fehacientemente acreditada la
inocencia de la persona condenada, el tribunal dictará inmediatamente,
y sin nueva vista, pero de forma separada, la sentencia de reemplazo.
Asimismo, de haber mérito suficiente la Corte podría pronunciarse de
inmediato sobre la procedencia de la indemnización por error judicial.
Del mismo modo, la persona afectada puede exigir que dicha sentencia se
publique en el Diario oficial a costa del Fisco y que se devuelva, por quien
las hubiere percibido, las sumas que hubiere pagado debido a multas, costas e indemnización de perjuicios.

El cumplimiento del fallo en lo referente a las acciones civiles que emanan de él será conocido por el juez de letras en lo civil que corresponda,
en juicio sumario. Los mismos derechos corresponderán a los herederos
de la persona condenada fallecida. Además, la sentencia ordenará, según
el caso, la libertad de la persona y la cesación de la inhabilitación.

Ahora bien, en el caso de que la prueba no tenga la virtud de establecer fehacientemente la inocencia de la persona condenada, igualmente la Corte Suprema podría acoger la acción de revisión y decretar
la nulidad de la sentencia. Para Fernández y Olavarría, lo que la Corte
Suprema debe hacer para acoger la acción de revisión y permitir la
procedencia del nuevo juicio –que dependerá en última instancia de
la actuación del Ministerio Público-, es determinar si los medios de
prueba hechos valer parecen ser suficientes para modificar la parte
resolutiva de la sentencia condenatoria[430].

---

[429] José Manuel Fernández, Malva Olavarría, "Teoría y práctica de la acción de revisión en el nuevo
       Código Procesal Penal, causal letra d) del art. 473", Revista Ius et praxis año 15, n.º2 (2009), 238.
[430] Ídem, 244.

CAPÍTULO DOCE

SISTEMA REGISTRAL ELIMINACIÓN Y OMISIÓN DE ANTECEDENTES PENALES

1. EL SISTEMA REGISTRAL PENAL

La sentencia condenatoria firme y ejecutoriada da origen al antecedente penal, el cual se incorpora al registro general de condenas con el objeto de conservar la información y nutrir al sistema penal en relación con futuras decisiones que se tomen respecto a la persona condenada. Sin embargo, a menudo, el titular de dicha información, con ocasión del registro y distribución de sus antecedentes, es objeto de actos discriminatorios a nivel laboral, social y económico, debido a que la anotación se convierte en una pesadilla, una vez cumplida la condena penal.

Ríos da cuenta de varias dificultades en la aplicación correcta de las normas que regulan el tema, porque no existe un tratamiento orgánico y ordenado de las materias. Existen varias normas de rango legal y otras de rango administrativo, dictadas en épocas distintas, que no se armonizan entre sí, lo que genera desinformación, desorientación y diversos problemas prácticos. Por consiguiente, es importante identificar cuáles son los cuerpos legales que son pilares del sistema y que reflejan la particular tensión que existe entre el derecho a la protección de la vida privada y el derecho del cuerpo social a requerir información personal relevante, tanto de sus miembros como de los órganos del Estado, en futura protección del mismo cuerpo social.

Estos cuerpos normativos son, la Ley N°19.268, de 28 de agosto de 2014, sobre protección de la vida privada y la Ley N°22.085, de 11 de agosto de 2008, sobre acceso a la información pública, leyes que establecen el marco general regulatorio sobre el cual se debe interpretar y armonizar las demás leyes y reglas que regulan la generación, registro, almacenamiento e información de las anotaciones prontuariales o que tengan que ver con sanciones penales[431].

Ahora bien, para cumplir con los principios de publicidad, certeza de las situaciones jurídicas y control de la autoridad, la administración pública desde antaño ha encontrado en los sistemas registrales una herramienta útil para el ejercicio del poder estatal, pues a través de ellos se levanta y conserva información jurídicamente relevante[432]. En el ámbito penal el ejercicio del *ius puniendi*, tanto en su dimensión teórica como práctica, se ha apoyado en la creación de sistemas que registran los antecedentes necesarios para apreciar, caso a caso, las situaciones que deben ser ponderadas por la autoridad judicial.

En Chile la principal función del sistema registral penal es dejar constancia de todas las sentencias condenatorias definitivas y ejecutoriadas, por crímenes y simples delitos, así como la forma de su cumplimiento y su efectiva ejecución. Con la inscripción en el registro se pretende almacenar y controlar toda la información relacionada con las sentencias condenatorias penales, más que la producción de determinados efectos jurídicos. De esto se encarga el Registro general de condenas, regulado por el Decreto Ley N°645, de 28 de octubre de 1925, uno de los tantos registros que tiene el Registro Civil y al que le corresponde de forma excluyente la realización de esta labor, mediante la anotación penal respectiva en el prontuario penal, dando origen al antecedente penal.

El Registro general de condenas, de acuerdo con lo previsto en el art. 1° del DL N°645, opera sobre la base del prontuario penal. Asimismo, tiene dos secciones especiales, la primera denominada *Inhabilitaciones impuestas por delitos de connotación sexual cometidos contra menores de edad* y, la segunda, llamada *Inhabilitaciones impuestas por delitos contra la vida, integridad física o psíquica de menores de dieciocho años de edad, adultos mayores y personas en situación de discapacidad*, en las cuales se registran todas las inhabilitaciones establecidas en los arts. 39 bis y

---

[431] Ríos López. *Omisión y eliminación de antecedentes penales*. (Santiago de Chile: Ediciones El Jurista, 2015), 19-32.

[432] La publicidad tiene como objeto el almacenamiento y posterior entrega de la información. La seguridad cumple un rol de veracidad respecto de determinados datos: ya sean relaciones jurídicas particulares o relaciones jurídico-públicas. El Estado busca acreditar la veracidad de aquello que se registra. El control de la autoridad responde al interés estatal de controlar determinadas actividades o conductas, interés que debería estar fundamentado en las necesidades y fines de cada registro en particular.

39 ter del CP, respectivamente y que hayan sido impuestas por sentencia ejecutoriada.

A continuación, veremos tres conceptos base del sistema: el prontuario penal, el antecedente penal y el certificado de antecedentes penales.

1.1 El prontuario penal

El prontuario penal es un documento público que está definido en el art. 1 del DS N°64 que da fe de la identidad de una persona y de las anotaciones que registra. En él se deja constancia de todas las sentencias condenatorias definitivas y ejecutoriadas sobre toda clase de delitos, así como de las faltas a que se refieren los arts. 494 n°19, 494 bis y 495 n°21 del CP. También se deja registrada la forma en que fue cumplida la pena o las causales de cumplimiento total o parcial. Para cumplir su cometido, los elementos que debe contener son: la individualización jurídica de la persona; individualización dactiloscópica; fotografía; y anotaciones judiciales.

Ahora bien, los tribunales con competencia criminal tienen el deber de informar, lo que forma parte de las diligencias y comunicaciones necesarias para ejecutar la condena, de acuerdo con lo previsto en el art. 468 del CPP. El art. 4° del DS N°64 indica que los juzgados que ejerzan jurisdicción en lo criminal deben enviar al servicio de Registro Civil copias de las siguientes resoluciones: a) Declaratorias de reo; b) Revocatorias de reo; c) Sobreseimientos definitivos; d) Sobreseimientos temporales y; e) Sentencias absolutorias y condenatorias. Asimismo, los tribunales que ejerzan jurisdicción en lo criminal y los de policía local deberán remitir por cualquier medio, cuando corresponda, al Registro Civil, en tantas como sean las personas afectadas, copia de las condenas de faltas, una vez que estén firmes o ejecutoriadas.

Por otro lado, los tribunales que ejerzan jurisdicción en materia penal, que expidan órdenes de detención, prisión preventiva o aprehensión, en virtud de lo dispuesto en el CPP y Código de procedimiento penal, u otras leyes que regulen dichas facultades, y también de las resoluciones que dejen sin efecto dichas órdenes, deberán enviar por cualquier medio copia de las mismas al Registro Civil, en el menor tiempo posible. El servicio formará un catastro de las órdenes mencionadas del cual solo proporcionará información a autoridades judiciales, Ministerio Público, Carabineros, Policía de Investigaciones y Gendarmería.

En cuanto a las personas que pueden acceder a las anotaciones incorporadas en el prontuario penal existen dos normas que regulan la materia: el art. 21 de la Ley N°19.628 y el art. 2° del DL N°645. La primera regula la prohibición de los organismos públicos, que sometan a tratamiento datos personales relativos a condenas por delitos, infracciones administrativas o faltas disciplinarias, de comunicarlos una vez prescrita la acción penal o administrativa, o cumplida o prescrita la sanción o la pena, con la excepción de que esa información sea solicitada por los tribunales de justicia u otros organismos públicos dentro del ámbito de su competencia, quienes deberán guardar la debida reserva o secreto; y la segunda, que establece el deber del Registro Civil de informar al Ministerio Público, los tribunales con competencia en lo criminal o a los juzgados de policía local, en su caso, los datos que soliciten para comprobar la reincidencia de los imputados.

Con todo, al prontuario penal como documento público que es le son aplicables todas las normas penales relativas a su protección[433], lo que no se contradice con el carácter secreto que le otorga el Registro general de condenas ya que, si bien la información contenida en el prontuario es pública, esta solo se informa ante requerimiento del titular o de las instituciones facultadas para ello[434]. Por último, este documento es el responsable del efecto admonitorio de la condena, pues preserva la calidad de sancionado respecto de quien ha sufrido una condena penal, aunque se haya cumplido totalmente la misma.

---

[433] DL N°26 (art. 12): "Los informes que se expidan por los jefes de oficina, las libretas de identidad y los prontuarios formados por las mismas, son documentos públicos para los efectos de los artículos 193, 194, 199, 200, 201 y 247 del Código Penal, y tendrán el mérito de presunción legal probatoria en materia criminal".

[434] DL N°645 (art. 6°): "Fuera de los fiscales del Ministerio Público, las autoridades judiciales, policiales y de Gendarmería de Chile respecto a las personas sometidas a su guarda y control, nadie tiene derecho a solicitar la exhibición de los datos que se anotan en el Registro, sin perjuicio de lo dispuesto en el artículo siguiente. El empleado que, en razón de su cargo, divulgue las inscripciones, incurrirá en las penas señaladas en el artículo 246 del Código Penal".

1.2 El antecedente penal

El antecedente penal es un dato personal sensible pues contiene información referida a hechos o circunstancias de la vida privada de una persona. La regla general aplicable a todo dato sensible es que para su utilización se requiere de autorización o consentimiento del titular. No obstante, en algunos casos, el dato sensible puede estar sujeto a reserva legal, cuestión que ocurre con el antecedente penal, pues puede utilizarse sin el consentimiento del titular, pasando la ley a regular su uso y tratamiento (art. 10 de la Ley N°19.628)[435].

Nuestro sistema no define el antecedente penal, sin embargo, a partir de la normativa que lo regula, es posible decir que consiste en la constancia oficial de que una persona ha sido condenada por sentencia firme y ejecutoriada. Asimismo, se le atribuyen dos efectos: uno jurídico, derivado del proceso de adjudicación, ya que podría configurarse como circunstancia modificatoria de la responsabilidad penal al momento de individualizar la cuantía de la pena y; uno social, pues contribuye a la estigmatización de la persona condenada en la etapa post penitenciaria, operando como una barrera infranqueable en materia de inserción laboral, familiar y social.

1.3 El certificado de antecedentes penales

La entrega de información, ante el requerimiento de personas e instituciones facultadas para ello y en los casos previstos por la ley, se hace mediante el certificado de antecedentes, el que se define por el art. 11 del DS N°64, como un documento público que acredita si una persona registra anotaciones judiciales en su prontuario. Como tal es objeto de la misma protección que el prontuario penal.

Ahora bien, el certificado de antecedentes no siempre acredita que una persona determinada registra anotaciones judiciales en su prontuario, va a depender del tipo de certificado y de si el sujeto está acogido al beneficio de omisión de antecedentes penales. Existen varios tipos de certificados.

---

[435]   Ríos, *Omisión y eliminación de antecedentes penales*, 25. Ríos sostiene que el Registro Civil ha utilizado como principal fuente normativa para el tratamiento de estos datos el DS N°64 del año 1960 del Ministerio de Justicia.

Los cuatro primeros están regulados en el art. 12 del DS N°64, y los restantes en otros cuerpos legales:

a) Certificado de antecedentes para manejar vehículos motorizados.

b) Certificado de antecedentes para ingresar a la administración pública, municipal, semifiscal, instituciones de administración autónoma, Fuerzas Armadas, Carabineros, Policía de Investigaciones y servicios de prisiones.

c) Certificado de antecedentes para fines particulares.

d) Certificado de antecedentes para fines especiales. Este último contendrá copia íntegra del prontuario penal y se otorgará en caso de que leyes especiales o reglamentos exijan al postulante acreditar su conducta anterior. Ruiz señala que la regulación legal limita la creación del certificado de antecedentes para fines especiales solo a la posibilidad de acceder a beneficios legales o administrativos, de modo que no debiera ser un certificado estándar como ocurre ahora[436].

e) Certificación de que el consultado en cuestión está incorporado a la sección especial de inhabilidades para ejercer funciones en ámbitos educacionales o con menores de edad.

f) Extracto de filiación y antecedentes para adolescentes de infracciones penales conforme lo dispone la Ley N°20.084.

g) Certificado de anotaciones incorporadas al Registro especial de violencia intrafamiliar conforme a la Ley N°20.066.

h) El extracto de filiación y antecedentes.

En cuanto a las personas que pueden requerir estos antecedentes, debe considerarse lo dispuesto en el art. 6° del DL N°645, y lo dispuesto en el art. 7° del DS N°64. El primero de ellos establece la regla general de que nadie tiene derecho a solicitar la exhibición de los datos que se anotan en el Registro, salvo los fiscales del Ministerio Público, las autoridades judiciales, policiales y de Gendarmería respecto a las personas sometidas a su guarda y control, y el caso de las personas o entidades autorizadas por el art. 6° bis del mismo cuerpo legal. Por su parte, el segundo, establece que los prontuarios y los datos que se relacionen con estos serán secretos y

---

436 Ríos, *Omisión y eliminación*, 79.

solo se podrá dar informaciones de ellos a los afectados, a las autoridades judiciales, al Ministerio Público, a Carabineros, Policía de Investigaciones y Gendarmería. Por consiguiente, se agrega al titular.

De todos estos certificados el extracto de filiación y antecedentes es uno de los más importantes en el ámbito judicial. Este último no está definido legalmente, Ruiz lo conceptualiza como el certificado mediante el cual el Registro Civil cumple su deber de informar al Ministerio Público, Jugados de competencia penal, Juzgados de policía local, Carabineros, Policía de Investigaciones, Gendarmería u otros organismos públicos dentro del ámbito de su competencia, de la información que se inscribe en el prontuario de un individuo, que consta en el Registro general de condenas, y que no ha sido eliminada por algunos de los procedimientos que la normativa franquea.

2. EL SISTEMA DE ELIMINACIÓN Y OMISIÓN DE ANTECEDENTES PENALES

Una vez que el Estado ha limitado las garantías constitucionales de un individuo mediante la imposición y posterior ejecución de una pena, debe establecer mecanismos de restauración de aquellas garantías que se reconocen a los ciudadanos libres. Por este motivo, para restituir al individuo a una situación similar a la que se encontraba antes de ser condenado, la legislación chilena ha establecido el sistema de eliminación y omisión de antecedentes penales[437].

---

[437] Si bien este carácter restaurativo no es reconocido explícitamente por nuestra legislación, tal propósito se puede inferir de lo dispuesto en el DLN°409, el cuerpo normativo más antiguo en la materia: "Que el régimen establecido en las prisiones, que tiende a la regeneración del delincuente y, como su complemento, al mejoramiento moral y material de su familia, pierde una gran parte de su eficacia por el hecho de que el penado, después de cumplir su condena, queda marcado para toda su vida con el estigma de haber sido presidiario; Que, en efecto, esta condición infamante queda anotada en el prontuario que se le lleva en el Gabinete de Identificación y, por lo tanto, en su hoja de antecedentes; Que, es innecesario mantener esta anotación en el prontuario de aquellos ex-penados que han demostrado fehacientemente estar regenerados y readaptados a la vida colectiva; Que, como un medio de levantar la moral del penado para que se esfuerce por obtener su mejoramiento por medio del estudio, del trabajo y de la disciplina, debe dársele la seguridad de que, una vez cumplida su condena y después de haber llenado ciertos requisitos, pasará a formar parte de la sociedad en las mismas condiciones que los demás miembros de ella y de que no quedará el menor recuerdo de su paso por la prisión; y Que, por otra parte, el Estado debe velar porque los egresados de las prisiones que estén sin trabajo no carezcan de techo ni de alimentación, y se les ayude en toda forma, como una medida de protección al individuo y de defensa de la sociedad".

Por omisión de antecedentes penales se alude al acto por el cual se omite o no consta en los certificados de antecedentes, hojas de vida del conductor u otras certificaciones, de una o más de las anotaciones o menciones que consten tanto en el Registro general de condenas, sus secciones especiales o en registros especiales, pese a que estas anotaciones aún existan en los registros respectivos y resulte obligatorio para el Registro Civil informar de dichas anotaciones o menciones, mediante el extracto de filiación a las autoridades que la ley o la normativa le señalen[438].

En cambio, por eliminación de antecedentes penales se alude al acto por el cual se elimina una o varias anotaciones del prontuario o el prontuario penal, caso este último en el que lo destruido es el propio soporte del registro. En consecuencia, la anotación penal deja de existir para todos los efectos legales y administrativos.

La normativa legal está diseminada en una serie de cuerpos legales o reglamentarios que regulan los requisitos y el procedimiento para acceder a la eliminación y omisión de antecedentes penales. Se trata de normativa dispersa, antigua en algunos casos y poco clara, lo que dificulta el conocimiento de ella por parte de los condenados y los operadores jurídicos. A saber:

- Decreto Ley N°409 del año 1932.
- Decreto Supremo N°64 del año 1960.
- Ley N°18.216 que contempla el mecanismo jurídico de eliminación y omisión de antecedentes penales solo respecto de aquellas personas sometidas a medidas alternativas a las penas privativas de libertad.
- Ley N°19.628 sobre protección a la vida privada, que legisla sobre el acceso a la información almacenada en bancos de datos y el derecho a la privacidad, dentro del contexto de la era digital.
- Ley N°19.902 que permite la eliminación de anotaciones en el Registro nacional de conductores de vehículos motorizados.
- Ley N°19.962 que establece la eliminación de anotaciones penales recaídas entre los años 1973 y 1990, con ocasión de sentencias condenatorias por infracción a determinadas leyes.

---

[438] Ríos, *Omisión y eliminación*, 79.

• Ley N°20.084 permite la omisión de antecedentes relativos a procesos o condenas de menores de edad por infracción a la ley penal,
salvo en aquellos casos que la información tenga como destinatario
ciertas instituciones públicas.

A continuación, vamos a revisar, someramente, cuáles son los aspectos
más relevantes de estas regulaciones:

2.1 Decreto Ley N°409

El Decreto Ley N°409 es del año 1932 y por medio de esta regulación
se establece el derecho de solicitar a la administración pública que se
considere al requirente como si nunca hubiese delinquido, para todos los
efectos legales y administrativos, y se le indulten todas las penas accesorias a que estuviere condenado. Su objeto es la reinserción y reintegración
en sociedad una vez que se ha cumplido satisfactoriamente la condena
mediante la eliminación del antecedente penal[439].

El beneficio se otorgará por decreto supremo de carácter confidencial,
previa solicitud hecha por el interesado ante el Ministerio de Justicia, órgano que pide informe a la Dirección General de Prisiones para que este
verifique el cumplimiento de los requisitos legales. El Seremi de Justicia
dicta una resolución por el cual se otorga el beneficio y se ordena a una
serie de instituciones que consideren al beneficiado como si nunca hubiese
delinquido.

---

[439] DL N°409 (art. 1° inc. 1°): "Toda persona que haya sufrido cualquier clase de condena y reúna las
condiciones que señala esta ley, tendrá derecho después de dos años de haber cumplido su pena, si es
primera condena, y de cinco años, si ha sido condenado dos o más veces a que, por decreto supremo,
de carácter confidencial, se le considere como si nunca hubiere delinquido para todos los efectos
legales y administrativos y se le indulten todas las penas accesorias a que estuviere condenado".

A este beneficio puede optar toda persona, después de dos años de cumplida la pena, si es la primera condena, y luego de cinco años, si ha sido condenado dos o más veces[440]. Además, deberá reunir las siguientes condiciones:

a) Haber observado muy buena conducta en la prisión o en el lugar en donde cumplió su condena.

b) Conocer bien un oficio o profesión, lo que puede acreditarse con contrato de trabajo, liquidaciones de sueldo, boletas de honorarios, colilla de pensión o declaración jurada simple ante el mismo organismo.

c) Haber cursado a lo menos cuarto año de enseñanza básica. Pueden eximirse de este requisito las personas que por su edad o estado físico no están en condiciones de acreditar el mínimo de estudios. La falta de este certificado no impide el ingreso del usuario al sistema de eliminación de antecedentes, ya que tal certificado se requiere solo al final del periodo de control, por lo que la persona tendrá dos años o cinco años, respectivamente, para regularizar la situación.

d) Transcurso de un plazo desde el cumplimiento de la condena, dos años, si es la primera condena; cinco años, si ha sido condenado dos o más veces. Durante ese tiempo se tiene que haber estado en contacto con el Patronato de reos. En la actualidad se debe cumplir con un control temporal de firma mensual ante los CAIS, organismo dependiente de Gendarmería.

e) No haber sufrido ninguna condena hasta antes de la emisión del decreto por parte del Seremi de Justicia.

f) Certificado de cumplimiento de condena emanado del tribunal.

---

[440] DL N°409 (art. 2° letra d): "Haber estado en contacto con el Patronato de Reos durante dos años, por lo menos, si es primera vez condenado, y cinco años si ha sido condenado dos o más veces, y ser recomendado por este organismo. Donde no exista Patronato de Reos, esta recomendación será hecha por la autoridad administrativa, la judicial y la de Carabineros de la respectiva localidad, una vez transcurridos los mismos plazos señalados, los que se contarán desde la fecha en que los interesados se hayan presentado ante estas autoridades para ser observados. El tiempo que permanezcan en observación ante estas autoridades, se tomará en cuenta en caso de que el Patronato de Reos los acoja después bajo su tutela".

En el caso de los condenados por delitos sexuales contra menores de edad, solo será posible la eliminación del antecedente penal cuando hayan transcurrido diez años desde el cumplimiento de la condena, sin importar el número de condenas que la persona tuviere. En el caso de las personas que pierden la calidad de ciudadanos por la imposición de una condena, el decreto de eliminación se considerará como una recomendación del Supremo Gobierno al Senado para los efectos de la rehabilitación a que se refiere el n°2° del art. 9° de la CPR, cuya referencia hoy debe entenderse hecha al art. 17 n°2 y n°3 en relación con el art. 49 n°4 de la Constitución.

2.2 Decreto Supremo N°64

El Decreto Supremo N°64 es del año 1960 y complementa lo regulado por DL N°409. A través de esta regulación se introduce el concepto de prontuario penal, se agrega normas en materia de eliminación de anotaciones prontuariales y confiere facultades al Director del Registro Civil para omitir algunas anotaciones en los certificados de antecedentes, sin que ello implique su eliminación. Asimismo, consagra un procedimiento administrativo ante el servicio de Registro Civil para solicitar la destrucción del prontuario penal; la eliminación del prontuario de una o más anotaciones o; la omisión de antecedentes penales.

• Destrucción del prontuario penal:

La destrucción del prontuario penal se da en los siguientes supuestos:

a) Cuando todas las anotaciones hayan sido eliminadas.
b) Cuando el prontuariado sea favorecido con los beneficios del DL N°409.
c) Por la muerte del prontuariado.

• Eliminación del prontuario penal

La eliminación del prontuario de una o más anotaciones, consiste en la destrucción de los datos almacenados en dicho documento. De acuerdo con lo establecido por el art. 8° del DS N°64, el Director del Registro Civil se encuentra facultado para borrar, a solicitud de parte, una o más anotaciones del prontuario penal en los siguiente casos:

a) Cuando esté comprobado respecto de ella (anotación penal) que en el proceso se ha dictado a favor del procesado sentencia absolutoria ejecutoriada.

b) Cuando se ha dictado sobreseimiento definitivo a favor del procesado por resolución ejecutoriada, salvo que se haya pronunciado en causa terminada por sentencia condenatoria y se hubiese fundado en la extinción de la responsabilidad penal por el cumplimiento de la condena, indulto o prescripción de la pena.

c) Cuando el interesado haya sido favorecido con auto de sobreseimiento temporal firme o ejecutoriado, fundado en las causales de los números 1° y 2° del art. 409 del Código de Procedimiento Penal.

d) Cuando el prontuariado haya sido favorecido con una ley de amnistía respecto del delito a que se refiere la anotación.

e) Cuando se trate de anotaciones manifiestamente erróneas. Esta circunstancia será determinada por el Director del servicio basado en antecedentes e informes que así lo demuestren. No obstante, si por fuerza mayor comprobada fuera imposible verificar la anotación, resolverá en conciencia.

f) Cuando se trate de faltas, respecto de las cuales han transcurrido tres años desde el cumplimiento de la condena.

g) Cuando se trate de personas sancionadas por cuasi-delito, simple delito o crimen, con multa o con pena corporal o no corporal hasta de tres años de duración y hayan transcurrido diez años, a lo menos, desde el cumplimiento de la condena en los casos de crimen, y cinco años o más, en los casos restantes.

h) Cuando se trate de condenados que hayan cumplido una pena no aflictiva y que a la fecha de la comisión del delito tenían menos de 18 años, se procederá a eliminar la anotación prontuarial desde el mismo momento en que se cumple la condena. No obstante, los menores de 18 años a la fecha de la comisión del delito, que sean condenados con una pena aflictiva, deberán esperar que transcurran tres años desde el cumplimiento de la condena para proceder a la eliminación de la anotación prontuarial.

i) Cuando se trate del cumplimiento de sentencias internacionales o de acuerdos de solución amistosa homologados en materia de derechos humanos en que el Estado de Chile sea parte.

Si se trata de faltas cuya pena se ha suspendido en su aplicación, se podrá eliminar la anotación del prontuario, una vez transcurrido el plazo de tres años que señala el art. n°564 del Código de Procedimiento Penal.

En todos los casos relacionados con las letras f), g) y h) se otorgará el beneficio por resolución fundada, solo a aquellas personas que acrediten irreprochable conducta anterior, mediante los antecedentes que el Director exija, y siempre que la anotación de que se trate sea la única que exista en el prontuario del interesado. Sin embargo, transcurridos 20 años o más desde el cumplimiento de la pena el Director podrá eliminar de oficio la anotación referente a alguna de las condenas indicadas en las letras f), g) y h) siempre que se cumpla con la última condición indicada en el inciso anterior.

En los casos relacionados con la letra i), la documentación oficial será remitida por el Ministerio de Justicia y Derechos Humanos al Registro Civil, solicitando la eliminación de la anotación prontuarial correspondiente. Con el mérito de dicha documentación, el Director dictará la resolución que ordene eliminar la anotación prontuarial.

• Omisión del prontuario penal

En el caso de la omisión de antecedentes penales, ello no implica la destrucción permanente de las anotaciones prontuáriales, o del prontuario penal, sino que opera exclusivamente al momento de solicitar un certificado de antecedentes penales. Permite al solicitante obtener un certificado que no contenga una o más anotaciones prontuariales, las que sí seguirán existiendo en el prontuario. El art. 13 del D.S N°64 dispone que, a solicitud del interesado y previo informe interno del servicio, el Director del Registro Civil, podrá disponer, en casos calificados y por resolución fundada, que se omitan en los certificados de antecedentes una o más anotaciones prontuariales que se refieran a condenas ya cumplidas o indultadas, conforme a lo siguiente:

a) En los certificados de antecedentes para manejar vehículos motorizados, solo podrán ordenar que se omitan anotaciones prontuariales relativas a condenas por delitos de acción privada e infracciones hasta por dos faltas.

b) En los certificados de antecedentes para ingresar a la administración pública, municipal, semifiscal, de administración autónoma, Fuerzas Armadas, Carabineros, Prisiones e Investigaciones,
el Director General podrá ordenar que se omitan anotaciones
prontuariales relativas a condenas por delitos de acción privada
y cuasi-delitos. Podrá, asimismo, ordenar que se omitan de este
tipo de certificados las anotaciones por delitos de acción pública
que hayan sido indultados de la pena y de la accesoria de inhabilitación para desempeñar oficios o cargos públicos; e infracciones
hasta por tres faltas.

c) En los certificados de antecedentes para fines particulares, y para
fines especiales, el Director General podrá ordenar que se omitan anotaciones relativas a condenas por toda clase de delitos. Se
exceptúan de este beneficio las condenas por los delitos contemplados en los siguientes artículos del CP: artículo 361, n°3; 365;
366; 367; 390; 391 n°1; 433; 475; 476, y los delitos contra la
seguridad exterior del Estado y contra la soberanía del Estado.

Sin embargo, aun respecto de los delitos, podrá concederse el beneficio
siempre que hubieren transcurrido 10 años desde la fecha de término del
cumplimiento de la condena o del decreto de indulto, y se tratare de una
sola anotación.

2.3 Eliminación u omisión de penas sustitutivas de la Ley N°18.216

La Ley N°18.216 contempla la posibilidad de omitir del certificado de
antecedentes penales las condenas a penas sustitutivas que se encuentren
cumpliendo y la eliminación de la condena a pena sustitutiva, por el solo
cumplimiento de esta.

• Omisión de antecedentes:

El art. 38 de la Ley N°18.216 establece la posibilidad de omitir del
certificado de antecedentes una anotación prontuarial cuando la persona
condenada a una pena sustitutiva no haya sido condenada previamente
por crimen o simple delito. Para estos efectos no se considerarán las condenas por crimen o simple delito cumplidas, respectivamente, diez o cinco
años antes de la comisión del nuevo ilícito. Esta forma de omisión tiene
como limitante el hecho de que no opera respecto de los certificados que

se otorguen para el ingreso a las Fuerzas Armadas, a las Fuerzas de Orden y Seguridad Pública y a Gendarmería, y los que se requieran para su agregación a un proceso criminal. El tribunal competente deberá oficiar al Registro Civil para que efectúe la omisión correspondiente ante una eventual solicitud de certificado de antecedentes penales. Se trata de una omisión que no exige que la pena esté cumplida.

- Eliminación de antecedentes:

El art. 38 de la Ley N°18.216 establece la posibilidad de eliminar el antecedente penal indicando que el cumplimiento satisfactorio de la pena sustitutiva por personas que no hubieren sido condenadas anteriormente por crimen o simple delito tendrá mérito suficiente para la eliminación definitiva, para todos los efectos legales y administrativos, de tales antecedentes prontuariales. El tribunal que declare cumplida la respectiva pena sustitutiva deberá oficiar al Registro Civil, el que practicará la eliminación. Se exceptúan los certificados que se otorguen para el ingreso a las Fuerzas Armadas, a las Fuerzas de Orden y Seguridad Pública y a Gendarmería, y los que se requieran para su agregación a un proceso criminal. Para estos efectos tampoco se considerarán las condenas por crimen o simple delito cumplidas, respectivamente, diez o cinco años antes de la comisión del nuevo ilícito.

2.4 Medida de reparación de la Ley N°19.962

Esta medida de reparación forma parte de las medidas adoptadas por el Estado de Chile para reparar a las víctimas de violaciones a los derechos humanos durante el período de la dictadura militar. La normativa busca reparar, jurídica y moralmente, el nombre y honor de aquellas personas condenadas por tribunales militares u ordinarios, por hechos acaecidos entre el 11 de septiembre de 1973 y el 10 de marzo de 1990, por la comisión de determinados delitos[441], mediante la eliminación automática de

---

441   Delitos sancionados en: i) Ley N°12.927, sobre seguridad del Estado; ii) Ley N°17.798, sobre control de armas; iii) Ley N°18.314, sobre conductas terroristas; iv) Decreto N°77, que declara ilícitos y disueltos los partidos políticos; v) Decreto N°3627, que establece la competencia de los tribunales militares en tiempos de guerra.

anotaciones prontuariales que consten en el Registro general de condenas. Se solicita directamente al Registro Civil.

Para efectos de esta ley, podrán eliminarse los antecedentes penales que cumplen los siguientes requisitos:

a) La pena debe estar cumplida o la responsabilidad penal extinguida por cualquier modo.

b) Que la condena no haya sido impuesta por delitos que atenten contra la vida o integridad física de terceros.

c) No haber sido condenado por tribunales militares en tiempos de paz por Ley de control de armas ni tener condenas por delitos comunes.

2.5 Eliminación de antecedentes del Registro de conductores de la Ley N°19.902

Esta normativa permite la eliminación de anotaciones que estuviesen vigentes en el Registro nacional de conductores de vehículos motorizados el cual está a cargo del Registro Civil. Entre las labores asignadas al registro, la ley indica que deberán registrarse las sentencias ejecutoriadas en que se condene a una persona por delitos, cuasidelitos, faltas, infracciones gravísimas o graves, tipificadas en la Ley de tránsito, sea que tengan o no licencia para conducir. Esta normativa establece la posibilidad de eliminar las anotaciones que se encuentra en el Registro de vehículos motorizados, por el solo transcurso del tiempo.

Los requisitos son:

1) Para las infracciones gravísimas, se requiere: (i) Transcurso de tres años desde la fecha de la anotación de la última infracción gravísima cometida; (ii) Pago de un monto ante el Registro Civil.

2) Para las infracciones graves, se requieren: (i) Dos años desde la fecha de la anotación de la última infracción grave.

La eliminación se solicita directamente al servicio, el que la practica previo pago de un derecho cuyo monto se determinará anualmente mediante decreto supremo del Ministerio de Justicia. Las anotaciones en el Registro también podrán eliminarse por decreto judicial o por resolución administrativa del Jefe superior del servicio, fundada en la existencia de un error notorio, o por el juez de Juzgado de Policía Local abogado del domicilio del peticionario, de oficio o conociendo en única instancia, y sin forma de juicio, de la solicitud de eliminación de una anotación no comprendida en los incisos anteriores y que se encuentre fundada en un error notorio o en causa legal

Las anotaciones se eliminarán definitivamente, por el solo ministerio de la ley, al inscribirse en el Registro de defunciones del servicio de Registro Civil el fallecimiento de una persona anotada. Para el caso de aquellas anotaciones que también figuren en el Registro general de condenas, se borrarán cuando se hayan eliminado las anotaciones prontuariales o el prontuario penal mismo, conforme a la ley.

2.6 Registro de violencia intrafamiliar y Registro de inhabilidades para condenados por delitos sexuales contra menores y otras personas

La ley de violencia intrafamiliar establece la obligación del Registro Civil de llevar un registro especial de las personas que hayan sido condenadas por sentencia ejecutoriada, como autoras de violencia intrafamiliar, así como de las demás resoluciones que la ley ordene inscribir. La Ley N°20.594 crea un registro especial, también dependiente del Registro Civil, que lleva un registro de inhabilidades impuestas por resolución judicial por delitos de connotación sexual cometidos contra menores de edad, o por delitos contra la vida, integridad física o psíquica de menores de menores de 18 años, adultos mayores y personas en situación de discapacidad.

No existe la eliminación de las anotaciones relacionadas con el registro especial de violencia intrafamiliar, sino solo la omisión la cual se realiza de la siguiente manera: (i) En el caso de una sentencia condenatoria a una multa o medida accesoria, se debe acreditar el cumplimiento de la multa y de la medida accesoria, lo cual debe certificarse por el tribunal. De no oficiar el tribunal al Registro Civil, el trámite debe realizarse en forma personal; (ii) En el caso que el proceso haya terminado por suspensión condicional de la dictación de la sentencia, tal como lo establece el art. 98 de la Ley N° 19968, que crea los tribunales de familia, una vez que se cumplan con los requisitos del acuerdo, el tribunal oficiará al Registro Civil para la omisión de tal antecedente. Es necesario hacer presente que lo anterior se refiere a actos de violencia familiar conocidos por los

Tribunales de Familia, y no de aquellos conocidos por los tribunales penales. Por tanto, en el caso que una persona sea condenada por un delito en contexto de violencia intrafamiliar, ello será ingresado al Registro general de condenas.

La ley establece una pena especial para aquellos condenados por determinados delitos de connotación sexual cometidos contra menores de edad, o por delitos contra la vida, integridad física o psíquica de menores de 18 años, adultos mayores y personas en situación de discapacidad, que es la inhabilidad perpetua o temporal para cargos, empleos, oficios o profesiones ejercidos en ámbitos que involucren una relación directa y habitual con las personas anteriormente señaladas. En el caso de la inhabilidad absoluta perpetua, atendida su naturaleza, dicha anotación no podrá ser eliminada u omitida de tales registros, como tampoco de los certificados que emite el Registro Civil para tales efectos. Por el contrario, en el caso de la inhabilidad absoluta temporal, una vez finalizado el periodo de cumplimiento, la persona podrá solicitar al Registro Civil la eliminación de tal antecedente. Sin embargo, la ley no establece un procedimiento determinado para realizar este trámite por lo que se recomienda solicitar la certificación del cumplimiento de la pena y luego que se oficie al Registro Civil comunicando dicha situación para efectos de la eliminación. Otra alternativa es solicitar el certificado y realizar el trámite ante la institución de manera personal.

2.7 Derecho al Olvido

En la actualidad las redes sociales y los medios de comunicación utilizan plataformas digitales que masifican con facilidad y rapidez la información, por lo que se ha hecho necesario una reglamentación clara, específica y general que proteja los datos personales. De ahí la creación de la Ley N°19.628, sobre protección de la vida privada, la cual regula el tratamiento de los datos de carácter personal, contenidos en registros o bancos de datos, por los organismos públicos o por particulares.

En el caso de los privados de libertad la información relativa a su pasado judicial puede provocar serias dificultades en su proceso de reinserción social. De ahí que en esta normativa se establezca que los organismos públicos que sometan a tratamiento datos personales relativos a condenas por delitos, infracciones administrativas o faltas disciplinarias, no podrán comunicarlos una vez prescrita la acción penal o administrativa, o cumplida o prescrita la sanción o la pena. Los antecedentes penales, al ser considerados datos personales del titular exigen confidencialidad en cuanto a su distribución, con la sola excepción de que la información les sea solicitada por los Tribunales de Justicia u otros organismos públicos dentro del ámbito de su competencia, quienes deberán guardar respecto de ella la debida reserva o secreto.

Por otro lado, y en relación con situaciones que pudiesen perjudicar el derecho a la vida privada y honra de las personas, la legislación europea ha construido lo que se denomina el derecho al olvido. Este último sería una fórmula didáctica para legitimar restricciones a la libertad de expresión e información en beneficio de otros derechos como la honra, intimidad, privacidad, derecho a la resocialización, protección de la autonomía personal, protección de las normas de un juicio justo, entre otros. Se configuraría como respuesta a una situación de conflicto entre dos pretensiones incompatibles, en las que el elemento temporal es central, para distinguirlo de otros ejercicios de ponderación que también imponen límites o contornos específicos a la libertad de expresión[442].

El fundamento jurídico de esta construcción teórica está en que sería legítimo impedir que ciertas informaciones del pasado no sean actualmente difundidas cuando son capaces de provocar más daños que beneficios. Lo anterior como consecuencia de un juicio de valor que considera que, atendidas determinadas circunstancias, el beneficio del ejercicio de la libertad de expresión es inferior a los daños provocados en otros bienes jurídicos[443]. La Corte Suprema ha recogido esta doctrina indicando que:

> No resulta difícil advertir en él [derecho al olvido] su compromiso con la protección del honor, la dignidad y la vida privada de las personas [...]. Estos derechos no se suspenden ni siquiera en sede penal, como lo atestiguan los arts. 4, 7 inciso 1°, 9, 10 y 289 del Código Procesal Penal, que cautelan su prevalencia; misma posición en la que se encaminan el Decreto Supremo N°64, de 27 de enero de 2960, que permite la eliminación de las anotaciones penales después de un breve tiempo, las leyes N°19.812 y 20.575, sobre vencimiento de registros informáticos bancarios, y la Ley N°19.628, sobre protección de datos [...][444].

---

[442]   Francisco Leturia, "Fundamentos Jurídicos del Derecho al Olvido, ¿Un nuevo derecho de origen europeo o una respuesta típica ante colisiones entre ciertos derechos fundamentales?", *Revista Chilena de Derecho* volumen 43 n. °1 (2016): 91-113.

[443]   Leturia, "Fundamentos Jurídicos del Derecho al Olvido", 96.

[444]   Corte Suprema. SCS Rol N°22243-2015 de 21 de enero de 2016.

De esto modo, el derecho al olvido se erige como una herramienta beneficiosa a la que pueden optar aquellas personas que se vean afectadas por la divulgación de información pasada relativa a procesos judiciales en que se haya tenido intervención, y que puede constituir una fuente de perjuicios en su proceso de reinserción social o en el debido ejercicio de sus derechos.

ANEXOS

ANEXO 1: MODELO AMPARO LIBERTAD CONDICIONAL

En lo principal: Acción de Amparo Constitucional
Primer Otrosí: Téngase presente
Segundo Otrosí: Acompaña documentos
Tercer Otrosí: Solicita informe
Cuarto Otrosí: Forma especial de notificación

Ilustrísima Corte de Apelaciones de XXXXXXXX.

XXXXXXX, Abogado/a, domiciliado en XXXXXX, por el condenado/a XXXXXX, cédula nacional de identidad nro. XXXXXXX, actualmente interno/a en el centro penitenciario XXXXXX, a Usía Ilustrísima respetuosamente vengo en decir:

Que en virtud del artículo 21 de la Constitución Política de la República, vengo en ejercer la acción constitucional de amparo en contra de la resolución de fecha xxxxxxx, suscrita y firmada por la Comisión de Libertad Condicional integrada por los siguientes jueces xxxxxxx, mediante la cual se rechaza la libertad condicional de mi representado/a, contrariando la normativa vigente lo que deviene en ilegal y arbitraria su privación de libertad, por lo que solicito a S.S. Ilustrísima se sirva acoger la acción constitucional, revocando la resolución recurrida, ordenando la libertad condicional de xxxxxxxx. Lo anterior, en base a los antecedentes de hecho y argumentos de derecho que a continuación se exponen:

I. Los hechos:

1. xxxxxxx, se encuentra en el centro penitenciario de xxxxxxx cumpliendo una condena de xxxxxxx, como autor del delito de xxxxxxx. De acuerdo con la información entregada por la sección de estadística de la unidad penal, contenida en la ficha única de condenado/a, mi representado/a registra como fecha de inicio de condena xxxxxxx y de término de la misma xxxxxxx. El tiempo mínimo de postulación al beneficio

de la libertad condicional se cumplió el día xxxxxxx. Conforme a lo anterior, cumple el tiempo mínimo para optar a la libertad condicional.

2. La calificación de conducta registrada por el interno/a durante los cuatro bimestres anteriores a su postulación es de "muy buena", y no solamente durante ese período, sino que tiene un historial de muy buena conducta la que sostenido durante toda su estadía en la unidad penal. Por lo tanto, en su vida intra penitenciaria ha demostrado permanente evolución.

3. Cuenta con informe de postulación psicosocial elaborado por el área técnica de Gendarmería de Chile el que permite orientar sobre los factores de riesgo y reincidencia, con el fin de conocer sus posibilidades de reinserción social: [Referir las consideraciones relevantes del informe social y sicológico unificado, tanto los aspectos que favorecen como los que perjudican].

4. No obstante, la Comisión de Libertad Condicional rechazó la libertad condicional, por considerar que no estaba apto para el medio libre, toda vez que del informe social y sicológico unificado se desprende que: [Aquí debe expresarse el motivo del rechazo p.ej. no cumplía con el tiempo mínimo; existe un alto riesgo de reincidencia asociado a rasgos psicopáticos y una baja adherencia al plan de intervención individual, entre otras razones].

II. El Derecho.

Infracción al DL 321 sobre Libertad Condicional y el Decreto 338 que aprueba el Reglamento sobre Libertad Condicional.

El artículo 21 de la Carta Fundamental, consagra la denominada Acción de Amparo Constitucional, señalando en lo que respecta a nuestro caso lo siguiente: *Todo individuo que se hallare arrestado, detenido o preso con infracción de lo dispuesto en la Constitución o las leyes, podrá ocurrir por sí o por cualquiera en su nombre, a la magistratura que señala la ley, a fin de que ésta ordene se guarden las formalidades legales y adopte de inmediato las providencias que juzgue necesarias para restablecer el imperio del derecho y asegurar la debida protección del afectado.*

La resolución que rechaza la Libertad Condicional se fundamenta en [especificar si la resolución se basa en un supuesto errado, adolece de fundamento, el fundamento es insuficiente, o este es ilegal y/o arbitrario, entre otras razones] constituyendo un acto ilegal y arbitrario que afecta la libertad personal del amparado, en contravención a lo dispuesto por la Constitución y las Leyes.

Es un acto ilegal, infringe lo dispuesto en el Decreto Ley 321 sobre Libertad Condicional y el Decreto 338 que aprueba el Reglamento sobre Libertad Condicional.

En efecto la Ley N°21.124, que modifica el DL 321 sobre Libertad Condicional, señala en el inc. 1° del artículo 1° que la libertad condicional es un medio de prueba de que la persona condenada a una pena privativa de libertad y a quien se le concediere, demuestra, al momento de postular a este beneficio, avances en su proceso de reinserción social. Luego, el mismo cuerpo normativo, dispone en su artículo 2° que los requisitos exigidos para optar a la libertad condicional son los siguientes: tiempo mínimo de condena, conducta intachable y contar con un informe de postulación sicosocial, todos requisitos que cumple mi representado [desarrollar el argumento de la ilegalidad de la resolución].

Constituye un acto arbitrario, considerando el argumento esgrimido por la resolución que rechaza la concesión de Libertad Condicional:

[Aquí debe explicarse brevemente por qué el argumento de la Comisión de Libertad Condicional es arbitrario, por ejemplo, la arbitrariedad podría manifestarse en la motivación del acto por el cual se rechaza la libertad condicional, al no considerar los elementos favorables del informe psicosocial y los demás antecedentes tenidos a la vista que dan cuenta de que el amparado/a sí presenta avances significativos en su proceso de reinserción social. Podría suceder también, que del informe sicosocial no se desprenda ningún antecedente categórico que permita orientar sobre factores de riesgo de reincidencia del amparado/a que impidan reconocer su posibilidad de reinsertarse a la sociedad, entre otros].

POR TANTO,

En tal estado de las cosas, al no desvirtuar la resolución examinada el cumplimiento por parte del amparado/a de las condiciones que impone el Decreto Ley 321 para acceder a la libertad condicional, *resulta ilegal* y **arbitraria**, en cuanto el fundamento que se esgrime para denegarla. Al respecto, la libertad condicional es una oportunidad que el Estado entrega a quienes cumplen penas privativas de libertad efectivas, cuando los antecedentes permiten afirmar que es innecesario mantener a las personas presas, permitiendo que ellas se reintegren a la sociedad cumpliendo las exigencias propias de la libertad condicional. Es del caso, que el amparado/a ha desplegado una conducta tendiente a aprovechar el proceso de intervención ofrecido por Gendarmería y que permite sostener que cuenta con herramientas para cumplir su pena en libertad.

III. En cuanto a la procedencia de la Acción de Amparo.

El artículo 21 de nuestra Carta Fundamental, consagra la denominada Acción de Amparo Constitucional, señalando, en lo que respecta a nuestro caso, lo siguiente: *Todo individuo que se hallare arrestado, detenido o preso con infracción de lo dispuesto en la Constitución o las leyes, podrá ocurrir por sí o por cualquiera en su nombre, a la magistratura que señala la ley, a fin de que ésta ordene se guarden las formalidades legales y adopte de inmediato las providencias que juzgue necesarias para restablecer el imperio del derecho y asegurar la debida protección del afectado.* En el caso de marras se le priva al amparado/a de la posibilidad de cumplir el saldo de condena que le resta en libertad condicional, en circunstancias que cumplía todos los requisitos previstos por ley, lo que afecta de manera palmaria su libertad y seguridad individual, al haberse privado de manera ilegal y arbitraria este derecho.

IV. Recurrida.

La presente acción de amparo tiene como recurrida a la Comisión de Libertad Condicional, por ser esta quien dictó la resolución que niega la libertad condicional al amparado/a.

V. Medida para el restablecimiento imperio del Derecho.

Revocar la resolución y conceder la libertad condicional a xxxxxxx dado que cumple con los requisitos legales para ello y se vislumbran factores favorables que permiten sostener que es posible continuar en libertad con el proceso de reinserción social.

POR TANTO, conforme a lo expuesto y a lo dispuesto por el artículo 21 de la Constitución Política, Decreto Ley 321 y su Reglamento, Auto Acordado de la Excelentísima Corte Suprema sobre la tramitación de recursos de amparo, y demás normativas aplicables; **RUEGO A USÍA ILUSTRÍSIMA,** tener por ejercida la acción constitucional de amparo a favor de xxxxxxx, en contra de la resolución dictada por la Comisión de Libertad Condicional, admitirlo a tramitación y acogerlo en todas sus partes, ordenando, como medida para restablecer el imperio del derecho dejar sin efecto la resolución que rechaza la libertad condicional, y se ordene conceder la libertad condicional al amparado/a.

Primer Otrosí: Tenga presente S.S. que actúo en virtud de patrocinio y poder conferido por xxxxxxx, con fecha xxxxxx, el que se ha otorgado con todas las facultades del artículo 7° del Código de Procedimiento Civil.

Segundo Otrosí: Ruego a Usía Ilustrísima tener por acompañado los siguientes documentos:

- Informe social y psicológico unificado de postulación a libertad condicional.
- Resolución de la Comisión de Libertad Condicional que rechaza beneficio.

Tercer Otrosí: Solicito a S.S.I. se oficie a la Comisión de Libertad Condicional conformada por los siguientes jueces [**nombre de los jueces recurridos**] para que informe lo pertinente en razón de los argumentos que en este recurso se exponen.

Cuarto Otrosí: Sírvase S.S.I. tener presente que mi parte propone que todas las resoluciones judiciales, actuaciones y diligencias le sean notificadas vía correo electrónico al correo xxxxx.

ANEXO 2: LEGISLACIÓN

Normativa chilena

Constitución Política de la República de Chile.

Códigos

Código Penal, publicado en el Diario Oficial el 12 de noviembre de 1874.

Código Orgánico de Tribunales, publicado en el Diario Oficial el 09 de julio de 1947.

Código Procesal Penal, publicado en el Diario Oficial el 12 de octubre del 2000.

Leyes

Ley N°18.050, fija normas generales para conceder indultos particulares, publicada en Diario Oficial el 06 de noviembre de 1981.

Ley N°18.216, establece penas que indica como sustitutivas a las penas privativas o restrictivas de libertad, publicada en el Diario Oficial el 14 de mayo de 1983.

Ley N°18.575, ley orgánica constitucional de bases generales de la administración del Estado, cuyo texto fue refundido por el DFL N°1 19.653 que fija texto refundido, coordinado y sistematizado de la ley, publicado en el Diario Oficial el 17 de noviembre de 2001.

Ley N°19.856, que crea un sistema de reinserción social de los condenados sobre la base de la observación de buena conducta, publicada en Diario Oficial el 04 de febrero de 2003.

Ley N°19.965, concede beneficios a condenados otorgando posibilidad de indulto general, publicada en Diario Oficial el 25 de agosto de 2004.

Ley N°20.084, establece un sistema de responsabilidad de los adolescentes por infracciones a la ley penal, publicada en el Diario Oficial el 07 de diciembre de 2005.

Ley N°20.422, ley que establece normas sobre igualdad de oportunidades e inclusión social de personas con discapacidad, publicada en el Diario Oficial el 10 de febrero de 2010.

Ley N°20.426, que moderniza Gendarmería de Chile incrementando su personal y readecuando las normas de su carrera funcionaria, publicada el 20 de marzo de 2010.

Ley N°20.588, sobre indulto general, a mujeres, condenados con beneficio de salida controlada, condenados en reclusión nocturna y extranjeros, publicada en Diario Oficial e1 01 de junio de 2012.

Ley N°20.603, que modifica la Ley N°18.216 que establece medidas alternativas a las penas privativas o restrictivas de libertad. De medidas alternativas a penas sustitutivas, publicada en Diario Oficial el 27 de junio de 2012.

Ley N°20.968, que tipifica delitos de tortura y de tratos crueles, inhumanos y degradantes, publicada en el Diario Oficial el 22 de noviembre de 2016.

Ley N°21.120, que reconoce y da protección al derecho a la identidad de género, publicada en Diario Oficial el 10 de diciembre de 2018.

Ley N°21.228, que concede indulto general conmutativo a causa de la enfermedad covid-19 en Chile, publicada en Diario Oficial el 17 de abril de 2020.

Ley N°21.325, Ley de Migración y Extranjería, publicada en el Diario Oficial el 20 de abril de 2021.

Ley N°21.421, que excluye de los beneficios regulados en la Ley N°19.856 a quienes hayan cometido delitos de carácter sexual contra personas menores de edad, publicada en el Diario Oficial el 9 de febrero de 2022.

Ley N°21.430, sobre garantías y protección integral de los derechos de la niñez y adolescencia, publicado en el Diario Oficial el 15 de marzo de 2022.

Decretos

Decreto Ley N°321, establece la libertad condicional para los penados, publicado en el Diario Oficial el 12 de marzo de 1925.

Decreto Ley N°645, sobre el Registro General de Condenas, publicado en Diario Oficial el 18 de octubre de 1925.

Decreto Ley N°409, establece normas relativas a los reos, publicado en el Diario Oficial el 18 de agosto de 1932.

Decreto N°542, crea el Patronato Nacional de Reos y los Patronatos de Reos de la República, publicado en el Diario Oficial el 27 de febrero de 1943.

Decreto Supremo N°64, sobre Prontuarios penales y certificados de antecedentes, publicado en el Diario Oficial el 27 de enero de 1960.

Decreto Ley N°2859, Ley Orgánica de Gendarmería, publicada en el Diario Oficial el 15 de septiembre de 1979.

Decreto N°1.542, reglamento sobre Indultos Particulares, publicada en Diario Oficial el 07 de enero de 1982.

Decreto Supremo N°518, Reglamento de Establecimientos Penitenciarios, publicado en el Diario Oficial el 21 de agosto de 1998.

Decreto N°643, del Ministerio de Justicia que aprueba reglamento de visita de abogados y demás personas habilitadas a los establecimientos penitenciarios, publicado en el Diario Oficial el 25 de octubre de 2000.

Decreto 685, que aprueba reglamento de la Ley N°19.856, que crea un Sistema de Reinserción Social de los condenados en base a la observación de la buena conducta, publicado en Diario Oficial el 29 de noviembre de 2003.

Decreto N°515, que aprueba reglamento de Monitoreo Telemático de condenados a penas sustitutivas a las penas privativas o restrictivas de libertad, publicado en el Diario Oficial el 18 de enero de 2013.

Decreto Supremo N°338, aprueba el reglamento del Decreto Ley N°321, de 1925 que establece la Libertad Condicional para las personas condenadas a penas privativas de libertad y modifica el Decreto Supremo N°518 de 1998, del Ministerio de Justicia, que aprueba el Reglamento de Establecimientos Penitenciarios, publicado en el Diario Oficial el 17 de septiembre de 2020.

Decreto 296, aprueba Reglamento de la Ley N°21.325, de migración y extranjería, publicada en el Diario Oficial el 12 de febrero de 2022.

Normativa interna de Gendarmería

Oficios

Oficio N°224, Subdirección Técnica de Gendarmería de Chile, de fecha 14 de septiembre de 2011.

Oficio N°155, Dirección Nacional de Gendarmería de Chile, de fecha 2 de abril de 2020.

Oficio N°201, Dirección Nacional de Gendarmería de Chile, de fecha 7 de mayo de 2020.

Resoluciones

Resolución Exenta N°5081, que aprueba Manual de Indulto General Conmutativo, de 24 de mayo de 2012.

Resolución Exenta N°9.681, que aprueba procedimiento y flujograma para uso de fuerza al interior de los establecimientos penitenciarios del subsistema cerrado y unidades penales, de fecha 15 de septiembre de 2014.

Resolución Exenta N°5055, que aprueba procedimientos administrativos de traslado de personas privadas de libertad, de 6 de agosto de 2019.

Resolución Exenta N°6640-2020 del Director Nacional de Genchi, que aprueba disposiciones generales para el ingreso, registro y control de especies permitidas que sean ingresadas por las visitas o mediante encomiendas en los establecimientos penitenciarios del subsistema cerrado, de fecha 31 de diciembre de 2020.

Resolución Exenta N°3925 del Director Nacional de Genchi, que aprueba disposiciones sobre aplicación de reglamentación penitenciaria tratándose de personas pertenecientes a pueblos originarios, de fecha 29 de julio de 2020.

Resolución Exenta N°5419, aprueba procedimiento de evaluación y calificación de conducta para las personas condenadas de conformidad al Decreto Supremo N°338 de 2020, del Ministerio de Justicia y Derechos Humanos, que aprueba reglamento del Decreto Ley N°321 de 1925, que establece la libertad condicional para las personas condenadas a penas privativas de libertad y deroga resolución exenta N°4779, de fecha 5 de noviembre de 2020

Resolución Exenta N°5716, que aprueba disposiciones sobre el respeto y garantía de la identidad y expresión de género de las personas trans privadas de libertad en los establecimientos penitenciarios de los subsistemas cerrado y semiabiertos y de aquellas que visitan estos establecimientos, de fecha 20 de noviembre de 2020.

Normativa internacional

Conjunto de Principios para la protección de todas las personas sometidas a cualquier forma de detención o prisión.

Convención Americana de los Derechos Humanos.

Convención contra la tortura y otros tratos o castigos crueles, inhumanos o degradantes.

Convención de sobre la prevención y castigo del crimen de genocidio.

Convención Interamericana para el cumplimiento de condenas penales en el extranjero.

Convención sobre la inaplicabilidad de la prescripción a los crímenes de guerra y crímenes contra la humanidad.

Convención sobre los derechos de las personas con discapacidad.

Convenio N°29 de la OIT sobre el trabajo forzoso, 1930.

Convenio 169 de la Organización Internacional del Trabajo sobre pueblos indígenas y tribales.

Convenio de Estrasburgo sobre traslado de personas condenadas.

Corte Interamericana de Derechos Humanos.

Declaración de las Naciones Unidas sobre los Derechos de los Pueblos Indígenas.

Declaración Universal de Derechos Humanos.

Estatuto de Roma de la Corte Penal Internacional.

Normas Penitenciaria Europeas.

Pacto Internacional de Derechos Civiles y Políticos.

Pacto Internacional de Derechos Económicos, Sociales y Culturales.

Principios Básicos para el tratamiento de los reclusos.

Principios y Buenas Prácticas sobre la protección de las personas privadas de libertad en las américas.

Reglas de Brasilia sobre acceso a la justicia de las personas en condiciones de vulnerabilidad.

Reglas de Naciones Unidas para el tratamiento de las reclusas y medidas no privativas de la libertad para las mujeres delincuente.

Reglas Mínimas para el tratamiento de los reclusos o Reglas de Mandela.

ANEXO 3: JURISPRUDENCIA

Corte Suprema

Corte Suprema, Rol N°710-2008, sentencia 06 de mayo de 2008.

Corte Suprema, Rol N°4.627-2008, sentencia de 11 de mayo de 2010.

Corte Suprema, Rol N°8.016-2012, sentencia 30 de octubre de 2012.

Corte Suprema, Rol N°5.932-2013, sentencia de 20 de agosto de 2013.

Corte Suprema, Rol N°70-2014, sentencia de 08 de enero de 2014.

Corte Suprema, Rol N°1506-2014, sentencia de 21 de enero de 2014.

Corte Suprema, Rol N°14.760-2014, sentencia de 26 de junio de 2014.

Corte Suprema, Rol N°16.575-2014, sentencia de 26 de junio de 2014.

Corte Suprema, Rol N°26.492-2014, sentencia de 30 de octubre de 2014.

Corte Suprema, Rol N°31.538-2014, sentencia 11 de diciembre de 2014.

Corte Suprema, Rol N°3.278-2015, sentencia de 04 de marzo de 2015.

Corte Suprema, Rol N°12.207-2015, sentencia de 03 de agosto de 2015.

Corte Suprema, Rol N°12.207-2015, sentencia de 31 de agosto de 2015.

Corte Suprema, Rol N°22.243-2015, sentencia de 21 de enero de 2016.

Corte Suprema, Rol N°27.836-2016, sentencia de 01 de junio de 2016.

Corte Suprema, Rol N°47.630-2016, sentencia de 04 de agosto de 2016.

Corte Suprema, Rol N°87.780-2016, sentencia de 8 de noviembre de 2016.

Corte Suprema, Rol N°88.963- 2016, sentencia de 17 de noviembre de 2016.

Corte Suprema, Rol N°92.795-16, sentencia de 01 de diciembre de 2016.

Corte Suprema, Rol N°133-2017, sentencia de 11 enero 2017.

Corte Suprema, Rol N°387-2017, sentencia de 17 de enero de 2017.

Corte Suprema, Rol N°3647-2017, sentencia de 02 de febrero del 2017.

Corte Suprema, Rol N°87.748-2016, sentencia de 02 de febrero de 2017.

Corte Suprema, Rol N°4.781-2017, sentencia de 15 de febrero de 2017.

Corte Suprema, Rol N°223-2017, sentencia de 09 de mayo de 2017.

Corte Suprema, Rol N°19.147-2017, sentencia de 22 de mayo de 2017.

Corte Suprema, Rol N°36.806-2017, sentencia 01 de agosto de 2017.

Corte Suprema, Rol N°39.989-2017, sentencia de 26 de octubre de 2017.

Corte Suprema, Rol N°45.121-2017, sentencia de 28 de diciembre de 2017.

Corte Suprema, Rol N°45.850-2017, sentencia de 04 de enero de 2018.

Corte Suprema, Rol N°2.272-2018, sentencia de 07 de febrero de 2018.

Corte Suprema, Rol N°4.652-2017, sentencia de 07 de febrero de 2018.

Corte Suprema, Rol N°44.591-2017, sentencia de 08 de marzo de 2018.

Corte Suprema, Rol N°10.834-2018, sentencia de 30 de mayo de 2018.

Corte Suprema, Rol N°16.817-2018, sentencia de 30 de julio de 2018.

Corte Suprema, Rol N°16.819-2018, sentencia de 30 de julio de 2018.

Corte Suprema, Rol N°16.820-2018, sentencia de 30 de julio de 2018.

Corte Suprema, Rol N°16.821-2018, sentencia de 30 de julio de 2018.

Corte Suprema, Rol N°16.822-2018, sentencia de 30 de julio de 2018.

Corte Suprema, Rol N°29.717-2018, sentencia del 11 de diciembre de 2018.

Corte Suprema, Rol N°31.396-2018, sentencia de 27 de diciembre de 2018.

Corte Suprema, Rol N°31.493-2018, sentencia de 27 de diciembre de 2018.

Corte Suprema, Rol N°32.677-2018, sentencia del 27 de diciembre de 2018.

Corte Suprema, Rol N°32.684-2018, sentencia del 27 de diciembre de 2018.

Corte Suprema, Rol N°7.851-2019, sentencia de 01 de abril de 2019.

Corte Suprema, Rol N°3-2019, sentencia de 07 de enero de 2019.

Corte Suprema, Rol N°7-2019, sentencia de 08 de enero de 2019.

Corte Suprema, Rol N°14.650-2019, sentencia de 04 de junio de 2019.

Corte Suprema, Rol N°22.068-2019, sentencia de 12 de agosto de 2019.

Corte Suprema, Rol N°25-2020, sentencia de 03 de enero de 2020.

Corte Suprema, Rol N°11.130-2020, sentencia de 31 de enero de 2020.

Corte Suprema, Rol N°30.559-2020, sentencia de 24 de marzo de 2020.

Corte Suprema, Rol N°43.642-2020, sentencia de 22 de abril de 2020.

Corte Suprema, Rol N°43.643-2020, sentencia 22 de abril de 2020.

Corte Suprema, Rol N°33.871-2019, sentencia de 25 de mayo de 2020.

Corte Suprema, Rol N°63.147-2020, sentencia de 08 de julio de 2020.

Corte Suprema, Rol N°95.034-2020, sentencia de 24 de agosto de 2020.

Corte Suprema, Rol N°131.010-2020, sentencia de 22 de octubre de 2020.

Corte Suprema, Rol N°135.612-2020, sentencia de 16 de noviembre de 2020.

Corte Suprema, Rol N°82.336-2021, sentencia de 04 de noviembre de 2021.

Corte Suprema, Rol N°93.904-2021, sentencia de 04 de enero de 2022.

Cortes de Apelaciones

Corte de Apelaciones de Santiago, Rol N°2154-2009, sentencia de 31 de agosto de 2009.

Corte de Apelaciones de Santiago, Rol N°1346-2012, sentencia de 25 de septiembre de 2012.

Corte de Apelaciones de Valdivia, Rol N°645-2012, sentencia de 21 de enero de 2013.

Corte de Apelaciones de Copiapó, Rol N°145-2013, sentencia de 03 de mayo de 2013.

Corte de Apelaciones de Temuco, Rol N°343-2014, sentencia de 30 de abril de 2014.

Corte de Apelaciones de La Serena, Rol N°56-2014, sentencia de 6 de junio de 2014.

Corte de Apelaciones de Puerto Montt, Rol N°56-2014, sentencia de 17 de septiembre de 2014.

Corte de Apelaciones de Talca, Rol N°37-2015, sentencia de 30 de enero de 2015.

Corte de Apelaciones de Concepción, Rol N°51-2015, sentencia de 18 de marzo de 2015.

Corte de Apelaciones de La Serena, Rol N°17-2015, sentencia de 14 de mayo de 2015.

Corte de Apelaciones de San Miguel, Rol N°909-2015, sentencia de 05 de junio de 2015.

Corte de Apelaciones de La Serena, Rol N°26-2015, sentencia de 26 de junio de 2015.

Corte de Apelaciones de La Serena, Rol N°386-2015, sentencia de 28 de julio de 2015.

Corte de Apelaciones de La Serena, Rol N°422-2015, sentencia de 13 de agosto de 2015.

Corte de Apelaciones de Copiapó, Rol N°239-2015, sentencia de 17 de septiembre de 2015.

Corte de Apelaciones de Valparaíso, Rol N°258-2015, sentencia de 06 octubre 2015.

Corte de Apelaciones de Valparaíso, Rol N°302-2015, sentencia de 11 de noviembre de 2015.

Corte de Apelaciones de Concepción, Rol N°164-2015, sentencia de 13 de noviembre de 2015.

Corte de Apelaciones de Valparaíso, Rol N°341-2015, sentencia de 22 de diciembre de 2015.

Corte de Apelaciones de Talca, Rol N°838-2015, sentencia de 22 de diciembre de 2015.

Corte de Apelaciones de Arica, Rol N°59-2016, sentencia de 29 de abril de 2016.

Corte de Apelaciones de Concepción, Rol N°124-2016, sentencia de 3 junio 2016.

Corte de Apelaciones de San Miguel, Rol N°1037-2016, sentencia de 15 de junio de 2016.

Corte de Apelaciones de Rancagua, Rol N°253-2016, sentencia de 28 de octubre de 2016.

Corte de Apelaciones de Santiago, Rol N°1040-2016, sentencia de 28 de octubre de 2016.

Corte de Apelaciones de Santiago, Rol N°1417-2016, sentencia de 04 de enero del 2017.

Corte de Apelaciones de Santiago, Rol N°1503-2016, sentencia de 20 de enero del 2017.

Corte de Apelaciones de Santiago, Rol N°411 – 2017, sentencia de 17 de marzo del 2017.

Corte de Apelaciones de Valparaíso, Rol N°129 -2017, sentencia de 18 de mayo del 2017.

Corte de Apelaciones de San Miguel, Rol N°230- 2017, sentencia de 10 de junio de 2017.

Corte de Apelaciones de San Miguel, Rol N°251 – 2017, sentencia de 01 de julio de 2017.

Corte de Apelaciones de Valparaíso, Rol N°233-2017, sentencia de 08 de julio de 2017.

Corte de Apelaciones de Punta de Arenas, Rol N°12-2017, sentencia de 28 de julio de 2017.

Corte de Apelaciones de Concepción, Rol N°237-2017, sentencia de 04 de agosto de 2017.

Corte de Apelaciones de Valdivia, Rol N°212-2017, sentencia de 30 de octubre de 2017.

Corte de Apelaciones de Santiago, Rol N°2915-2017, sentencia de 24 noviembre 2017.

Corte de Apelaciones de Concepción, Rol N°18-2018, sentencia de 24 de enero de 2018.

Corte de Apelaciones de Valparaíso, Rol N°339-2008, sentencia de 28 de marzo de 2018.

Corte de Apelaciones de Santiago, Rol N°359-2018, sentencia de 09 de abril de 2018.

Corte de Apelaciones de Valdivia, Rol N°29-2018, sentencia de 19 de abril de 2018.

Corte de Apelaciones de Santiago, Rol N°413-2018, sentencia de 25 de abril de 2018.

Corte de Apelaciones de Temuco, Rol N°41 – 2018, sentencia de 04 de mayo de 2018.

Corte de Apelaciones de Valparaíso, Rol N°414 – 2018, sentencia de 19 de julio de 2018.

Corte de Apelaciones de Valdivia, Rol N°66-2018, sentencia de 01 de octubre de 2018.

Corte de Apelaciones de Santiago, Rol N°1957-2018, sentencia de 05 de octubre de 2018.

Corte de Apelaciones de Santiago, Rol N°3287-2018, sentencia de 02 de enero de 2019.

Corte de Apelaciones de Valdivia, Rol N°34-2019, sentencia de 22 de mayo de 2019.

Corte de Apelaciones de La Serena, Rol N°981-2019, sentencia del 08 de agosto de 2019.

Corte de Apelaciones de Valdivia, Rol N°3-2020, sentencia de 15 de febrero de 2020.

Corte de Apelaciones de Valdivia, Rol N°451-2020, sentencia de 12 de junio de 2020.

Corte de Apelaciones de Concepción, Rol N°251-2020, sentencia de 13 de octubre de 2020.

Corte de Apelaciones de Valdivia, Rol N°103-2020, sentencia de 01 de diciembre de 2020.

Corte de Apelaciones de Concepción, Rol N°7-2021, sentencia de fecha 18 de enero de 2021.

Corte de Apelaciones de Valdivia, Rol N°736-2021, sentencia de fecha 18 de noviembre de 2021.

Juzgados de Garantía

Juzgado de Garantía de Valparaíso, RIT N ° 831- 2004, sentencia de 26 de marzo de 2004.

Juzgado de Garantía de Río Negro, RIT N ° 1413-2008, sentencia de 24 de mayo de 2016.

Juzgado de Garantía de Santiago (7°), RIT N ° 437-2016, sentencia de 30 de marzo de 2017.

Juzgado de Garantía de Valdivia, RIT N ° 7464-2019, sentencia de 9 de diciembre de 2019.

Juzgado de Garantía de Valdivia, RIT N ° 1460-2018, sentencia de 16 de abril de 2020.

Juzgado de Garantía de Valdivia, RIT N ° 1510-2018, sentencia de 16 de abril de 2020.

Juzgado de Garantía de Valdivia, RIT N ° 3220-2020, sentencia de 2 junio de 2020.

Juzgado de Garantía de Valdivia, RIT N ° 575-2020, sentencia de 22 de junio de 2020.

Juzgado de Garantía de Valdivia, RIT N ° 4271-2020, sentencia de 7 de julio de 2020.

Juzgado de Garantía de Valdivia, RIT N ° 4272-2020, sentencia de 7 de julio de 2020.

Jurisprudencia Administrativa

Contraloría General de la República, Dictamen N°14.571, de fecha 22 de marzo de 2005.

Contraloría General de la República, Dictamen N°28.226, de fecha 22 de junio de 2007.

Contraloría General de la República, Dictamen N°2.771, de fecha 3 de febrero de 2020.

Jurisprudencia Constitucional

Tribunal Constitucional Chileno: Fallo Rol N°244-1996, sentencia de 26 de agosto de 1996.

Tribunal Constitucional Chileno: Fallo Rol N°437-2005, sentencia de 21 de abril de 2005.

Tribunal Constitucional Chileno: Fallo Rol N°479-2006, sentencia del 08 de agosto de 2006.

Tribunal Constitucional Chileno: Fallo Rol N°480-2006, sentencia del 27 de julio de 2006.

Tribunal Constitucional Chileno: Fallo Rol N° 8536-2020, sentencia de 22 de junio de 2020.

Sistema Interamericano de Derechos Humanos

Corte IDH. Caso comunidad Mayagna Awas Tingni v. Nicaragua. Serie C No. 79. 2001.

Corte IDH. Caso Baena Ricardo y otros v. Panamá. Serie C No. 104. 2001.

Corte IDH. Caso de los Hermanos Gómez Paquiyauri v. Perú. Serie C N°110. 2004.

Corte IDH. Caso Comunidad indígena Yakye Axa v. Paraguay. Serie C No. 125. 2005.

Corte IDH. Caso Almonacid Arellano y otros v. Chile. Serie C No. 154. 2006.

Corte IDH. Caso Ximenes López v. Brasil. Serie C No. 149. 2006.

Corte IDH. Caso Miguel Castro Castro v. Perú. Serie C No. 160. 2006.

Corte IDH. Caso Atala Riffo y niñas v. Chile. Serie C No. 2012.

Corte IDH. Caso Norín Catrimán y otros v. Chile. Serie C No. 279. 2014.

Corte IDH. Caso López y otros v. Argentina. Serie C No. 396. 2019.

Otras fuentes normativas

La Constitución Política Española (1978)

Tribunal Constitucional Federal Alemán: Beschluss des Zweiten Senats vom, sentencia del 14 de marzo de 1972. Traducción de María Inés Horvitz.

Corte Suprema de Justicia de Argentina, Rol N° 332-1963, sentencia de fecha 25 de agosto de 2009.

ANEXO 4: ABREVIATURAS

Instrumentos del derecho internacional

CDN	Convención sobre los Derechos del Niño
CIDH	Comisión Interamericana de Derechos Humanos
Conjunto de Principios	Conjunto de principios para la protección de todas las personas sometidas a cualquier forma de detención o prisión
CADH	Convención Americana de los Derechos Humanos
Corte IDH	Corte Interamericana de Derechos Humanos
DNUDPI	Declaración de las Naciones Unidas sobre los Derechos de los Pueblos Indígenas
DUDH	Declaración Universal de Derechos Humanos
Principios Básicos	Principios básicos para el tratamiento de los reclusos
Principios y Buenas Prácticas	Principios y buenas prácticas sobre la protección de las personas privadas de libertad en las Américas
PIDCP	Pacto Internacional de Derechos Civiles y Políticos
PIDESC	Pacto Internacional de Derechos Económicos, Sociales y Culturales
Reglas de Bangkok	Reglas de Naciones Unidas para el tratamiento de las reclusas y medidas no privativas de la libertad para las mujeres delincuentes

| Reglas de Brasilia | Reglas de Brasilia sobre acceso a la justicia de las personas en condiciones de vulnerabilidad |
| Reglas de Mandela | Reglas Mínimas para el tratamiento de los reclusos |

Instrumentos del derecho nacional

CC	Código Civil
CDC	Código de Comercio
COT	Código Orgánico de Tribunales
CP	Código Penal
CPP	Código Procesal Penal
CPR	Constitución Política de la República
CT	Código del Trabajo
Genchi	Gendarmería de Chile
INDH	Instituto Nacional de Derechos Humanos
LOGenchi	Decreto Ley N°2859 fija Ley Orgánica de Gendarmería
LOMinju	Ley Orgánica del Ministerio de Justicia y Derechos Humanos
REP	Reglamento de Establecimientos Penitenciarios
TC	Tribunal Constitucional

BIBLIOGRAFÍA

1. Libros y revistas

Aedo, Marcela, Laura Romero. "Cárcel, pandemia y mujeres privadas de libertad: algunas reflexiones desde la experiencia en Chile". En *Pandemia. Derechos Humanos, Sistema Penal y Control Social (en tiempos de coronavirus)*. Coord. Iñaki Rivera, 295-312. Valencia: Editorial Tirant lo blanch, 2020.

Bascuñán, Antonio. "La formación de *Lex tertia*: una defensa diferenciada". *Política criminal* volumen 14, n.º 27 (2019): 173-201.

Beccaria, César. *Tratado de los delitos y las penas*. Madrid: Universidad Carlos III, 2015.

Boutaud, Emilio. "Debido proceso y presunción de inocencia: una propuesta para el Derecho administrativo sancionador". *Revista de Derecho Administrativo Económico*, n.º 34 (2021): 9-38.

Bustelo, Eduardo. "Infancia en Indefensión". *Salud Colectiva*, n. º1 (2005): 253-284.

Bustos, Juan, Hernán Hormazábal. *Lecciones de derecho penal chileno*. Madrid: Editorial Trotta, 1997.

Carbonell, Flavia, Jonatan Valenzuela. "La prueba de la inocencia y las defensas probatorias: El caso de la revisión". *Revista Chilena de Derecho*, volumen 48, n. º1 (2021): 55-80.

Carnelutti, Francisco. *Lecciones sobre el proceso penal*. Buenos Aires: Ediciones Jurídicas Europa América, 1950.

Carnelutti, Francisco. *La miseria del proceso penal*. Bogotá: Editorial Temis, 1993.

Carnevali, Raúl, Francisco Maldonado. "El tratamiento penitenciario en Chile. Especial atención a problemas de constitucionalidad". *Ius et Praxis*, año 19, n. º2 (2013): 385-418.

Castro, Álvaro, Miguel Cillero, Jorge Mera, *Derechos fundamentales de los privados de libertad. Guía práctica con los estándares internacionales en la materia*. Santiago: Ediciones Universidad Diego Portales, 2010.

Ceballos, Francisco, Ana María Chávez, Gustavo Padilla, Antoon Leenaars. "Suicidio en las cárceles de Chile durante la década 2006-2015". *Revista Criminalidad*, volumen 58, n.°3 (2016): 101-118.

Cervelló, Vicenta. *Derecho Penitenciario*. Valencia: Tirant lo blanch, 2012.

Chahuán, Sabas. *Manual del nuevo procedimiento penal*. Santiago: Editorial Jurídica Cono Sur Ltda., 2001.

Chamorro, Bernal. *La tutela judicial efectiva. Derechos y garantías procesales derivados del artículo 24.1 de la Constitución*. Barcelona: Editorial Bosch, 1994.

Collins, Cath. "Negacionismo en la Era de la Postverdad: Verdad, Justicia y Memoria en Chile, a dos décadas del Caso Pinochet". En *Informe anual sobre derechos humanos en Chile*. Ed. Tomás Vial, 17-105. Santiago: Ediciones Universidad Diego Portales, 2018.

Coyle, Andrew. *La Administración Penitenciaria en el contexto de los derechos humanos. Manual para el personal penitenciario*. Londres: Centro Internacional de Estudios Penitenciarios, 2009.

Cury, Enrique. *Derecho penal. Parte general*. Santiago: Ediciones Universidad Católica de Chile, 2005.

Duce, Mauricio. "La condena de inocentes en Chile, una aproximación empírica a partir de los resultados de los recursos de revisión acogidos por la Corte Suprema en el período 2007-2013". *Política Criminal*, volumen 10, n.°19 (2015): 159-191.

Duce, Mauricio, Romina Villarroel. "Indemnización por error judicial: una aproximación empírica a la jurisprudencia de la Corte Suprema de los años 2006-2017". *Política Criminal* volumen 14, n.°28 (2019): 216-268.

Durán, Mario. "Prevención especial e ideal resocializador. Concepto, evolución y vigencia en el marco de la legitimación y justificación de la pena". *Revista de estudios criminológicos y penitenciarios*, año VIII, n.°13 (2008): 57-80.

Durán, Mario. "Derecho penitenciario, delimitación de su concepto, función y contenido desde un modelo teleológico-funcional del fin de la pena". *Revista de derecho (Concepción)* volumen 88, n.°247(2020):117-156.

Durán, Mario. "Nociones para la interpretación y delimitación del nuevo delito de apremios ilegítimos u otros tratos crueles, inhumanos o degradantes". *Revista de derecho* volumen 27, (2020): 1-36.

Fernández, Marco Antonio. *Derecho Penitenciario Chileno. Problemas en torno a su naturaleza jurídica.* Santiago de Chile. Editorial Hammurabi, 2019.

Fernández, José Ángel. "El juicio constitucional de proporcionalidad de las leyes penales: ¿la legitimación democrática como medio para mitigar su inherente irracionalidad?". *Revista de Derecho Universidad Católica del Norte*, año 17, n.º 1(2010): 51-99.

Fernández, José Manuel, Malva Olavarría. "Teoría y práctica de la acción de revisión en el nuevo Código Procesal Penal, causal letra d) del art. 473". *Ius et praxis*, año 15, n.º2 (2009): 215-255.

Ferrajoli, Luigi. *Derecho y Razón, Teoría del Garantismo Penal.* Madrid: Editorial Trotta, 1995.

Ferrera, Hernán. "Abono en causa diversa (Debates y decisiones judiciales en torno del abono a la pena del tiempo de detención, prisión preventiva o privación de libertad del artículo 155 letra a) del Código Procesal Penal, impuestas en una causa diversa)". *Revista del Ministerio Público*, n.º 72 (2008): 9-21.

Foucault, Michel. *Vigilar y Castigar.* Buenos Aires: Siglo Veintiuno Editores, 2002.

Gajardo, Tatiana. "Elementos del tipo penal de asociación ilícita del artículo 292 del Código Penal. Propuesta, análisis doctrinal y jurisprudencial", *Revista jurídica del Ministerio Público*, n. º 45 (2010): 229-243.

Gallego, Alfredo. "Las relaciones especiales de sujeción y el principio de la legalidad de la administración. Contribución a la teoría del Estado de derecho". *Revista de Administración Pública*, n.º34 (1961): 11-51.

García, Carlos. "La influencia chilena en la construcción del primer edificio penitenciario argentino". *Revista de Estudios Criminológicos y Penitenciarios, Unicrim - Gendarmería de Chile*, n.º 9 (2006): 113-151.

García, Carlos. "Sistema penitenciario español". *Cuadernos para el Diálogo: Delito y Sociedad*, número extraordinario XXVIII (1971).

García, Mercedes. *Fundamento y aplicación de penas y medidas de seguridad en el código penal de 1995*. Navarra: Aranzadi Thomson Reuters, 1997.

García, Sergio. *La prisión*. Ciudad de México: Fondo de Cultura Económica. Universidad Nacional Autónoma de México, 1975.

Garland, David. *La cultura del control*. Barcelona: Editorial Gedisa, 2005.

Gómez, Gastón. *Derechos fundamentales y recurso de protección*. Santiago: Ediciones Universidad Diego Portales, 2005.

Guzmán, José Luis. "Consideraciones críticas sobre el reglamento penitenciario chileno". En *De las penas. Homenaje al Profesor Isidoro de Benedetti* (1997). Coord. Eugenio Raúl Zaffaroni: 271-280.

Guzmán, José Luis. *La pena y la extinción de la responsabilidad penal*. Santiago: Editorial Legal Publishing, 2009.

Hitters, Juan Carlos. "¿Son vinculantes los pronunciamientos de la Comisión y la Corte Interamericana de Derechos Humanos?". *Revista Iberoamericana de Derecho Procesal Constitucional*, n.°10 (2008): 131-156.

Horvitz, María Inés, Julián López. *Derecho Procesal Penal chileno, Tomo II*. Primera Edición. Santiago: Editorial Jurídica de Chile, 2004.

Horvitz, María Inés. "La insostenible situación de la ejecución de las penas privativas de libertad: ¿vigencia del Estado de derecho o estado de naturaleza?". *Política Criminal*, volumen 13, n.°26, (2018): 904-951.

Jericó, Leticia. "El abono del tiempo de privación de libertad sufrido provisionalmente en los supuestos de coincidencia en la situación de penado y de preso preventivo". En *Derecho penal en el Estado social y democrático de derecho. Libro homenaje a Santiago Mir Puig*. Dir. Diego Manuel Luzón Pena. Madrid: La Ley, 2011.

Kendall, Stephen. *Tutela judicial efectiva en la relación jurídica penitenciaria*. Santiago: Librotecnia, 2010

Kindhäuser, Urs. "Personalidad, culpabilidad y retribución de la legitimación y fundamentación ético-jurídica de la pena criminal". *Derecho y Humanidades*, volumen 1, n.°16 (2010): 31-48.

Larrauri, Elena. *Introducción a la criminología y al sistema penal*. Madrid: Editorial Trotta, 2015.

Lefebvre, Henry. *La producción del espacio*. Madrid: Swing libros, 2013.

León, Marco Antonio. "Documento para la historia de las prisiones en Chile en el siglo XX (1911-1965)". *Revista Chilena de Historia del Derecho Universidad de Chile*, n.º 20 (2008): 371-631.

Leturia, Francisco. "Fundamentos Jurídicos del Derecho al Olvido. ¿Un nuevo derecho de origen europeo o una respuesta típica ante colisiones entre ciertos derechos fundamentales?". *Revista Chilena de Derecho*, volumen 43 n.º1 (2016): 91-113.

Lledó, Rodrigo. *Derecho Penal Internacional*. Santiago: Editorial Congreso, 2000.

Lopera, Gloria. "Principio de proporcionalidad y control constitucional de las leyes penales. Una comparación entre las experiencias de Chile y Colombia". *Revista de Derecho*, volumen XXIV, n.º 2 (2011): 113-138.

Lillo, Rodrigo, Camila Belmar. "Pueblos Indígenas y Cárcel. Especiales consideraciones en la ejecución de la sanción penal". En *La insostenible situación de las cárceles en chile: debate sobre la prisión y los derechos humanos*. Coords. Javier Contesse y Lautaro Contreras, 211-244. Santiago: Editorial Jurídica de Chile, 2019.

Maldonado, Francisco. "Adulto mayor y cárcel: ¿cuestión humanitaria o cuestión de derechos?". *Política criminal*, volumen14, n.º 27 (2019): 1-46.

Mañalich, Juan Pablo. "Pena y Ciudadanía". *Revista de Estudios de la Justicia*, n.º6 (2005): 63-83.

Mañalich, Juan Pablo. "La pena como retribución". *Estudios Públicos*, n.º 108 (2007): 117-205.

Mañalich, Juan Pablo. "El Derecho Penitenciario entre la ciudadanía y los Derechos Humanos". *Derecho y Humanidades*, Universidad de Chile, n.º18 (2011):163-178.

Mañalich, Juan Pablo. "Retribucionismo consecuencialista como programa de ideología punitiva, una defensa de la teoría de la retribución de Ernst Beling". *Indret*, n.º2(2015): 1-32.

Mañalich, Juan Pablo. "Justicia, procedimiento y acción de revisión. El principio de culpabilidad frente a la cosa juzgada". *Ius et Praxis*, año 26, n.º 1(2020): 28-56.

Mapelli, Borja. *Las consecuencias jurídicas del delito*. Madrid: Editorial Civitas,1996.

Mapelli, Borja, Cristina Caamaño, Olga Espinoza, Alicia Salinero. *Ejecución de la pena privativa de libertad: una mirada comparada.* Madrid: Programa EuroSocial, 2014.

Marshall, Pablo. "La persecución penal como exclusión política". En *Derecho, Igualdad e Inclusión.* Ed. por Fernando Muñoz, 69-91. Santiago: LOM Editores, 2013.

Marshall, Pablo. "El derecho a voto de los privados de libertad: análisis y propuestas". En *Hacia donde debe dirigirse el sistema de ejecución de sanciones privativas de libertad chileno.* Ed. por Álvaro Castro y María Inés Horvitz, 1-21. Santiago: Centro de Estudios de la Justicia Universidad de Chile, 2017.

Martínez, Lucía, Francisco Montes. "El uso de valoraciones del riesgo de violencia en Derecho Penal: algunas cautelas necesarias". *Indret* (2018): 1-47.

Martinson, Robert. "What works? --questions and answers about prison reform", *The public interest*, n.°35 (1974): 22-54.

Matthews, Roger. *"Realist Criminology Revisited"*. Londres: Palgrave Macmillan, 2014

Matthews, Roger. "Una propuesta realista de reforma para las prisiones en Latinoamérica", *Política criminal*, volumen 6, n.°12 (2011): 296-338.

Matus, Jean Pierre. "Proposiciones respecto de las cuestiones no resueltas por la Ley N°20.084 en materia de acumulación y orden de cumplimiento de las penas", *Ius et Praxis,* año 14, n.°2 (2008): 525-559.

Politoff, Sergio, Jean Pierre Matus, María Cecilia Ramírez. *Lecciones de Derecho Penal Chileno. Parte General.* Santiago: Editorial Jurídica de Chile, 2003.

Maurach, Reinhart, Heinz Ziph. *Derecho Penal. Parte general.* Buenos Aires: Editorial Astrea, 1994.

Marcó Del Pont, Luis. *Derecho Penitenciario.* México: Cárdenas edit.,1984.

Mayer, Otto. *Derecho Administrativo Alemán.* Buenos Aires: Depalma,1984.

Mera, Jorge. *Derechos Humanos en el Derecho Penal chileno.* Santiago: Editorial Jurídica ConoSur,1998.

Mera, Jorge. "Comentario (artículo 11)". *Código Penal comentado, Parte General*. Coords. Jorge Couso y Héctor Hernández, 283-365. Santiago: Abeledo Perrot, 2011.

Mezger, Edmund. *Derecho Penal. Parte general*. Buenos Aires: Editorial Bibliográfica Argentina, 1958.

Mir, Carlos. *Derecho Penitenciario. El cumplimiento de la pena privativa de libertad*. Barcelona: Atelier, 2018.

Molina, Francisco. "Estado actual de los beneficios de salida ¿una reforma necesaria o un beneficio mal aprovechado?". *Revista de Derecho Universidad Católica de la Santísima Concepción*, n.°35 (2008): 27-45.

Morales, Ana María. "Redescubriendo la Libertad Condicional". *Revista Conceptos, Fundación Paz Ciudadana*, n.°30, (2013): 1-21.

Nash, Claudio. "Alcance del concepto de tortura y otros tratos crueles, inhumanos y degradantes". *Anuario de Derecho Constitucional Latinoamericano*, año XV, Montevideo (2009): 585-601.

Nash, Claudio. *Derecho internacional de los derechos humanos en Chile, recepción y aplicación en el ámbito interno*. Santiago: Centro de Derechos Humanos Universidad de Chile, 2012.

Nash, Claudio. *Personas privadas de libertad y medidas disciplinarias en Chile: Análisis y propuestas desde una perspectiva de derechos humanos*. Santiago: Centro de Derechos Humanos Universidad de Chile, 2013.

Nogueira, Humberto. *Dogmática Constitucional, primera edición*. Santiago: Editorial Universidad de Talca, 1997.

Nogueira, Humberto. "Los derechos esenciales o humanos contenidos en los tratados internacionales y su ubicación en el ordenamiento jurídico nacional: doctrina y jurisprudencia". *Ius et Praxis*, volumen 9, n.° 1 (2003): 403-466.

Nogueira, Humberto. "Reforma constitucional de 2005 y control de constitucionalidad de tratados internacionales". *Estudios Constitucionales, Revista del Centro de Estudios Constitucionales*, año 5, n.°1 (2007): 59-88.

Nogueira, Humberto. "El Bloque constitucional de derechos en Chile, el parámetro de control y consideraciones comparativas con Colombia y México: doctrina y jurisprudencia". *Estudios Constitucionales*, año 13, n.° 2 (2015): 301-350.

Oliver, Guillermo. "Aproximación a la unificación de penas". *Política criminal* volumen 7, n.°14 (2012): 248-275.

Oliver, Guillermo. *Retroactividad o irretroactividad de las leyes penales.* Santiago de Chile: Editorial Jurídica, 2007.

Orellana, Nicolás. "Traslado de inmigrantes condenados en Chile hacía su país de origen". *Extensión Centro de Documentación Defensoría Penal Pública*, n. °4 (2011): 33-39.

Ossandón, Magdalena. "El legislador y el principio *ne bis in idem*". *Política criminal*, volumen 13, n.° 26 (2018): 952-1002.

Palacios, Marcela, Osvaldo Artaza. *De las libertades dentro del régimen penitenciario.* Santiago: Editorial Jurídica Congreso, 2006.

Peña, C. "Tutela judicial efectiva en el ordenamiento jurídico interno". En *Sistema Jurídico y Derechos Humanos: El Derecho nacional y las obligaciones internacionales de Chile en materia de Derechos Humanos. Cuadernos de Análisis Jurídicos*. Eds. Cecilia Medina y Jorge Mera. Santiago: Universidad Diego Portales,1996.

Pereira, Hugo. *Curso de Derecho Procesal. Derecho Procesal Orgánico.* Santiago: Editorial ConoSur, 1996.

Piñol, Diego, Mauricio Sánchez. "Condiciones de vida en los centros de privación de libertad. Análisis a partir de una encuesta aplicada a seis países de Latinoamérica". Santiago: Instituto de Asuntos Públicos. Centro de Estudios Seguridad Ciudadana Universidad de Chile, 2015.

Polo, Jesús, Robinson Bohórquez, Sebastián Monsalve, Vanezza Escobar. "Realidades disparatadas del sistema carcelario. Un análisis de los traslados en Colombia". *Diálogos de derecho y política*, año 2, n.°8 (2011): 1-23.

Ríos, Cristian. *Omisión y eliminación de antecedentes penales.* Santiago: Ediciones El Jurista, 2015.

Rivacoba, Manuel. "El derecho de ejecución de las penas y su enseñanza". *Revista Penal-Penitenciaria de Santa Fe*, n.° 3-4 (1965): 123-141.

Rivacoba, Manuel. "Objeto, funciones y principios del denominado Derecho Penitenciario". *Revista de Derecho del Consejo de Defensa del* Estado, año1, n. °2 (2000): 66-71.

Rivera, Iñaki. *La cuestión carcelaria. Historia, epistemología, derecho y política penitenciaria.* Buenos Aires: Editores del Puerto, 2016.

Rodríguez de Alonso, Antonio. *Lecciones de Derecho Penitenciario. Adaptadas a la normativa legal vigente*. Granada: Editorial Comares, 1997.

Rodríguez, Faustino, Javier Nistal. *La historia de las penas. De Hammurabi a la cárcel electrónica*. Valencia: Tirant lo blanch, 2015.

Salas, Jaime. Abono de la prisión preventiva en causa diversa. Deconstrucción de una teoría dominante. Santiago: Librotecnia, 2017.

Sanhueza, Guillermo, Pérez, Francisca. "Cárceles Concesionadas en Chile: evidencia empírica y perspectivas futuras a 10 años de su creación". *Política criminal*, volumen 12, n.º 24 (2017): 1066-1084.

Sayer, Andrew. *Realism in Social Science*. Londres: Sage, Publications, 2000.

Stippel, Jörg. *Las cárceles y la búsqueda de una política criminal para Chile*. Santiago: Lom, 2006.

Stippel, Jörg. *Cárcel, derecho y política*. Santiago: Lom, 2013.

Tamarit, Josep, Francisco Sapena, Ramón García, María- José Rodríguez. *Curso de Derecho Penitenciario*. Valencia: Tirant lo blanch, 2005.

Valenzuela, Jonatan. "Estado actual de la reforma al sistema penitenciario en Chile". *Revista de Estudios de la Justicia Universidad de Chile*, n.º 6 (2005): 191-209.

Valenzuela, Jonatan. "Incendio en Capuchinos: sobre la cárcel como inequidad". En *Igualdad, inclusión y derecho: Lo político, lo social y lo jurídico en clave igualitaria*. Editado por F. Muñoz, 179-191. Santiago: Lom Ediciones, 2013.

Vera, Juan Sebastián. *Ne bis in idem Procesal, Identidad de hechos*. Valencia: Tirant lo blanch, 2021.

Von Listz, Franz. *Tratado de Derecho Penal*. Tomo II. Madrid: Valleta Ediciones, 1929.

Zaffaroni, Eugenio. *Tratado de Derecho Penal. Parte General, Tomo I*. Buenos Aires: Ediciones Ediar, 1998.

Zaffaroni, Eugenio. *La cuestión criminal*. Buenos Aires: Editorial Planeta, 2012.

Zapata, Claudio. "Concepto y evolución de la prescripción penal". *Nova Criminis*, n.º16 (2018): 1-42.

Zugaldia, José Miguel. *Fundamentos de Derecho Penal, Parte General*. Valencia: Tirant lo blanch, 2002.

2. Informes, minutas, recursos electrónicos y otros.

Biblioteca del Congreso Nacional de Chile. "Historia de la Ley N°20.603 que modifica la Ley N°18.216, que establece medidas alternativas a las penas privativas o restrictivas de libertad", 2012. http://s.bcn.cl/1uv6d.

Biblioteca del Congreso Nacional de Chile. "Historia de la Ley N°21.124 que modifica el Decreto Ley N°321 de 1925, que establece la libertad condicional para los penados", 2019. http://s.bcn.cl/28l24.

Cádiz, Pablo. "Hacinamiento en cárceles: Más de 2500 internos pidieron traslado de penal o módulo en 2015", *T13 en vivo*, 6 de febrero de 2016, última revisión 31 de marzo de 2022. Cárceles: 2500 internos pidieron traslado de penal en 2015 | T13.

Centro de Derechos Humanos. "Informe Anual sobre Derechos Humanos en Chile 2016". Universidad Diego Portales, 2016. Centro de Derechos Humanos UDP - Universidad Diego Portales | Informe Anual sobre Derechos Humanos en Chile 2006.

Centro de Derechos Humanos. "Informe anual sobre derechos humanos en Chile 2018". Universidad Diego Portales, 2018. Centro de Derechos Humanos UDP - Universidad Diego Portales | Informe Anual sobre Derechos Humanos en Chile 2018.

Cordero, Eduardo. "El control jurisdiccional de la actividad de la administración penitenciaria". *Informe en Derecho Defensoría Penal Pública*, n.°1(2009): 1-61. 3741-2.pdf (dpp.cl).

CIDH. Comunicado de Prensa N°185/18. *OEA*, 17 de agosto de 2018, última revisión 31 de marzo 2022. CIDH expresa preocupación por otorgamiento de libertad condicional a condenados por graves violaciones a los derechos humanos en Chile (oas.org).

CIDH. "Informe sobre los derechos humanos de las personas privadas de libertad en las Américas". OEA/Ser.L/V/II. Doc. 64 (2011): párrafo 25. INFORME SOBRE PERSONAS PRIVADAS DE LIBERTAD EN LAS AMRICAS (oas.org).

CIDH. "Violencia contra personas lesbianas, gay, bisexuales, trans e intersex en América". OAS/Ser.L/V/II.rev.2 Doc. 36 (2015): párrafo 145. ViolenciaPersonasLGBTI.pdf (oas.org)

Consejo para la Reforma. "Recomendaciones para una nueva política penitenciaria". *Ministerio de Justicia*, 2010. CONSEJO PARA LA REFORMA PENITENCIARIA (uchile.cl)

Departamento de Estudios Defensoría Nacional. "Penas sustitutivas de la Ley N°18.216". *Informe en Derecho Defensoría Penal Pública*, (2014): 1-77. MINUTA DPP LEY 18216.pdf

Departamento de Estudios Defensoría Nacional. "La libertad condicional bajo las nuevas normas del Decreto Ley N°321". *Informe en Derecho Defensoría Penal Pública*, (2019): 1-21. 14270.pdf (dpp.cl)

División de Reinserción Social. "Nueva Ley N°18.216, Análisis de las modificaciones introducidas por la Ley N°20.603". *Material para capacitación, Ministerio de Justicia*, (2012). material capacitación ministerio justicia 18216.pdf.

Fiscalía Judicial de Chile. "Principales problemas detectados en las visitas de cárceles realizadas el año 2017 por los fiscales judiciales". *Corte Suprema*, (2018). Scanned Document (cooperativa.cl)

Fiscalía Judicial de Chile. "Situación recintos penitenciarios en Pandemia Covin-19". *Informe de la Corte Suprema*, (2020). informe final carceles_por_pandemia.pdf (pauta.cl)

Gendarmería de Chile. "Manual de Derechos Humanos de la Función Penitenciaria". *Unidad de protección y promoción de los derechos humanos*, (2020). MANUAL DDHH GENCHI FINAL (1).pdf

Gendarmería de Chile. "Compendio Estadístico 2020". Compendio Estadistico_Penitenciario2020.pdf (gendarmeria.gob.cl)

Guerrero, Angela, Carolina Villagra. "Mujeres encarceladas en Latinoamérica y COVID-19". *Recomendaciones para los sistemas penitenciarios de la región*. https://biblio.dpp.cl/datafiles/14958.pdf.

Hernández, Héctor. "Abono de prisión preventiva en causa diversa". *Informe en Derecho Departamento de Estudios de la Defensoría Nacional*, Defensoría Penal Pública, (2009): 1-13. Informe en Derecho (dpp.cl)

Horvitz, María Inés. "El Derecho de ejecución de penas". *Materiales de estudio de las Cátedras de Derechos Humanos, Derecho Constitucional y Derecho Penitenciario*. Centro de Informática Educativa de la Pontificia Universidad Católica de Chile (2007).

INDH. "Estándares Internacionales en materia de personas privadas de libertad y condiciones de los centros penitenciarios: sistematización, análisis y propuestas". Santiago (2012). http://bibliotecadigital.indh.cl/handle/123456789/311

INDH. "Estudio de las Condiciones Carcelarias en Chile: Diagnóstico del Cumplimiento de los Estándares Internacionales de Derechos Humanos sobre el Derecho a la Integridad Personal". Santiago (2017). http://bibliotecadigital.indh.cl/handle/123456789/1180

INDH. "Estudio de las Condiciones Carcelarias en Chile: Diagnóstico del Cumplimiento de los Estándares Internacionales de Derechos Humanos en la Privación de Libertad". Santiago (2018). http://bibliotecadigital.indh.cl/xmlui/handle/123456789/1704

Libertad y Desarrollo. "Ley de Presupuestos 2019". *Ministerio de Justicia*, Partida 10, 5, lp2020_partida-10_justicia.pdf (lyd.org)

Meza-Lopehandía, Matías. "Libertad condicional de condenados por delitos de lesa humanidad en Chile. Análisis de jurisprudencia reciente 2015 - 2018". *Asesoría Técnica Parlamentaria Biblioteca del Congreso Nacional*, 2018. Matias_meza_Lopehandía_Jurisprudencia_libertad_condicional_condenados_por_DDHH.pdf

División de Defensa Social. "Documento de trabajo: Guía de traslado de condenados". *Ministerio de Justicia*, 2011. https://biblio.dpp.cl/datafiles/6192-2.pdf

Nash, Claudio. "Relación entre el sistema constitucional e internacional en materia de derechos Humanos". *Ponencia presentada en el Simposio Humboldt: internacionalización del derecho constitucional – constitucionalización del derecho internacional*, 2010, https://repositorio.uchile.cl/handle/2250/142629.

Nicolás Espinoza. Proyecto Inocentes. "A veinte años de la reforma procesal penal: la cifra negra de encarcelados inocentes en la fiscalía". *Bío Bío La Radio*. http://www.dpp.cl/resources/upload/files/documento/a2b54e1517b464fc6f7acb34b76081bf.pdf.

Ramos, César. "La pena mixta del art. 33 de la Ley N°18.216". *Informe en Derecho Departamento de Estudios de la Defensoría Nacional*, Defensoría Penal Pública, (2015). 11829-2.pdf (dpp.cl)

Salinero, María Alicia. "Los permisos de salida en la legislación chilena". *Informe en Derecho Departamento de Estudios de la Defensoría Nacional*, n.°5, Defensoría Penal Pública, (2007). INFORME EN DERECHO (dpp.cl)

Servicio Nacional de Menores. "Orientaciones Técnicas Específicas. Modalidad residencias de protección para lactantes de madres internas en recintos penitenciarios". 2010. http://www.senamc.cl/wsename/otros/proteccion/Residencias%20Lactantes%20Madres%20Recluidas.pdf .

Suarez, Andrés. Nota de prensa: Desesperación en las cárceles de América Latina frente al Covid-19. France 24. 21 mayo 2020. https://www.france24.com/es/20200521-vulnerables-covid19-coronavirus-carceles-latinoamerica

Unidad de Defensa Penitenciaria. "Traslados". *Documentos de trabajo de la Unidad de Defensa Penitenciaria*, n.°2, Defensoría Penal Pública, (2012). 6668-2.pdf (dpp.cl)

Universidad Central de Chile. "Seminario Discapacidad en la cárcel: Reconociendo derechos para la inclusión, Centro de investigación Criminológica". Facultad de Derecho y Humanidades, 2018.

Von Dem Bussche, María Paz y Romo, Fabiola. "Mujeres privadas de libertad: Estándares nacionales e internacionales. Políticas de género en materia penitenciaria". Memoria para optar al título de licenciado en ciencias jurídicas y sociales. Universidad de Chile, 2015.